Y CAWR O
RYDCYMERAU

Y CAWR O RYDCYMERAU

Cofiant D.J. Williams

gan Emyr Hywel

y Lolfa

Argraffiad cyntaf: 2009

© Hawlfraint Emyr Hywel a'r Lolfa Cyf., 2009

Mae hawlfraint ar gynnwys y llyfr hwn ac mae'n anghyfreithlon i lungopïo neu atgynhyrchu unrhyw ran ohono trwy unrhyw ddull ac at unrhyw bwrpas (ar wahân i adolygu) heb gytundeb ysgrifenedig y cyhoeddwyr ymlaen llaw

Dymuna'r cyhoeddwyr gydnabod cymorth ariannol Cyngor Llyfrau Cymru

Cynllun y clawr: Alan Thomas

Rhif Llyfr Rhyngwladol: 9781847710574

Cyhoeddwyd, rhwymwyd ac argraffwyd yng Nghymru
gan Y Lolfa Cyf., Talybont, Ceredigion SY24 5HE
gwefan www.ylolfa.com
e-bost ylolfa@ylolfa.com
ffôn 01970 832 304
ffacs 832 782

Diolchiadau

Dyma'r ail gyfrol i mi ei llunio yn seiliedig ar fy ngwaith ymchwil ar fywyd a gwaith D.J. Williams. Unwaith eto mae fy niolch pennaf yn ddyledus i Dr Bleddyn Owen Huws, Adran y Gymraeg, Prifysgol Cymru Aberystwyth, am ei gymorth, ei gynghorion gwerthfawr a'i gefnogaeth yn ystod fy nghyfnod fel myfyriwr ymchwil dan ei ofal.

Cefais gopi llawysgrif o gyffes dyheadau D.J. a luniwyd yn 1913–14 gan Rachel James, Porth Mawr, Boncath. Diolch iddi hi am ei diddordeb a'i chymorth.

Bu Gwen Hughes Michael, Ysgrifennydd Capel Pentowr, Abergwaun, yn ddigon caredig i baratoi rhestr o weinidogion y capel a'u dyddiadau ar fy nghyfer, a diolch iddi hithau am hynny.

Rwy'n ddyledus iawn i staff Llyfrgell Genedlaethol Cymru, Aberystwyth, am gynnig i mi eu cymorth parod a dirwgnach bob amser.

Diolch i Alun Jones, golygydd Gwasg y Lolfa, am ei awgrymiadau gwerthfawr ac i Alan Thomas am y dylunio. Diolch hefyd i Robat a Lefi Gruffudd am eu diddordeb yn y gwaith ac am lywio'r gyfrol trwy'r wasg.

Diolch i Deanna, fy ngwraig, am ei hamynedd tuag at ŵr sy'n mynnu ei gladdu ei hun yn ei lyfrau byth a beunydd. A diolch iddi hi, yn ogystal, am gywiro'r deipysgrif a'r broflen.

Emyr Hywel

Byrfoddau

BAC	*Baner ac Amserau Cymru*
GPC	Gwasg Prifysgol Cymru
HDFf	D.J. Williams, *Hen Dŷ Ffarm,* (Gwasg Aberystwyth, 1953)
Hen Wynebau	D.J. Williams, *Hen Wynebau,* (Gwasg Aberystwyth, 1934)
LlGC	Llyfrgell Genedlaethol Cymru, Aberystwyth
YChHO	D.J. Williams, *Yn Chwech ar Hugain Oed,* (Gwasg Aberystwyth, 1959)

Cynnwys

Rhagair

Mae'r cofiant hwn, yn ogystal â defnyddio'n helaeth weithiau cyhoeddedig D.J. – yn cynnwys ei gyfrolau a'i erthyglau mewn cylchgronau a phapurau newyddion – yn pwyso'n drwm ar y gohebu a fu rhwng D.J., Kate Roberts a Saunders Lewis ac ar ddyddiaduron D.J., deunydd sydd ar gadw yn y Llyfrgell Genedlaethol, Aberystwyth. Cyhoeddwyd yr ohebiaeth a nodwyd yn Emyr Hywel (gol.), *Annwyl D.J.* (Y Lolfa, 2007) a chyfeirir at y gyfrol yn y testun hwn yn gyson. Cyfeirir hefyd at ddyddiaduron D.J. a chynhwyswyd detholiad o'r dyddiaduron hynny yn y gyfrol hon. Mae dyddiaduron D.J. yn perthyn i ddau gyfnod. Cadwyd cofnodion y cyfnod cyntaf, sy'n rhychwantu'r blynyddoedd 1941–51, mewn un gyfrol ffwlscap drwchus. Mae nodiadau'r ail gyfnod, sef y blynyddoedd 1950–66, wedi'u cadw mewn dyddiaduron bychain (*Letts Diaries*). Dyna gofnodi sy'n rhychwantu dros chwarter canrif ac sy'n cynnwys sylwadau ar faterion lleol, cenedlaethol a rhyngwladol ac, o'r herwydd, yn cynnig i ni olwg eang a phwysig ar hynt a helynt D.J., ei gyfoedion a'i genedl y dwthwn hwnnw.

Wrth olygu'r detholiad o ddyddiaduron D.J. penderfynais osgoi cynnwys cofnodion a ddyfynnwyd yn y testun ac eithrio'r darnau hynny y tybiwyd bod iddynt bwysigrwydd arbennig. Amcanwyd at beidio ag ymyrryd yn ormodol â'r orgraff a'r atalnodi, er mwyn cyflwyno darlun cywir a ffyddlon o'r gwreiddiol. Yn achos yr atalnodi, gwnaed newidiadau er mwyn eglurder yn unig. Nodwyd pob ymyriad arall, gan gynnwys ambell nodyn gennyf i, trwy eu gosod o fewn bachau petryal. Cysonwyd teitlau llyfrau a chofnodolion trwy eu hargraffu mewn print italig. Rhoddwyd elipsis (…) i ddangos bwlch yn y testun, ac ar ddiwedd a dechrau cofnod pan nad yw'r cofnod hwnnw'n gyflawn.

RHAN 1

PENNOD 1

Braslun

Pen-rhiw ac Abernant

Ganwyd D.J. Williams ar 26 Mehefin 1885 ym Mhen-rhiw, plwyf Llansawel, sir Gaerfyrddin a threuliodd ei chwe blynedd a chwarter cyntaf ar y fferm dau can cyfer, ddiarffordd honno. Yna symudodd y teulu i Abernant, lle bach gerllaw, ddechrau Hydref 1891. Cofnodir y rheswm am y symud gan D.J. yn y bennod 'Gadael Penrhiw' yn ei gyfrol *Hen Dŷ Ffarm*. Ni allai ei fam ddygymod ag ymddygiad brawd ei gŵr, N'wncwl Jams, a drigai gyda'r teulu ym Mhen-rhiw.[1] Ar aelwyd Abernant, gyda'i dad a'i fam, y bu D.J. tan iddo adael cartref ym mis Ionawr 1902, gan fentro'i lwc, yn fachgen ifanc un ar bymtheg a hanner oed, ym maes glo de Cymru. Yn ôl ei addefiad ei hun, y cyfnod cyntaf hwn cyn gadael cartref oedd cyfnod pwysicaf ei fywyd gan taw yma y lluniwyd ei bersonoliaeth. Oherwydd natur y gymdeithas, cafodd gyfle i ymhyfrydu yn nifyrrwch y gyfathrach rhwng trigolion y fro a chlywed nyddu stori a bod yn rhan o gymdeithas lawen. Yma hefyd yr ymhoffodd yn ei fro enedigol a'i phobl a'r cariad hwn fu'n sail i'w gariad at ei genedl ac at ddynoliaeth:

> Os oes gennyf i unrhyw rinwedd o gwbl nad yw'n gywilydd gennyf ei arddel, plwyfoldeb yw hwnnw. O'r bwrlwm bychan hwn yn fy natur o ryw fath o ymlyniad ffyddlon wrth ardal neilltuol, y tardd fy serch at sir a gwlad a chenedl, at wledydd a chenhedloedd mawr a bach, at bopeth rhywiog a diddorol ac sydd o werth i mi mewn bywyd ...[2]

Gorfu iddo fynychu ysgol ar ôl symud i Abernant a chychwynnodd yn ysgol Rhydcymerau ganol mis Hydref 1891. Yr oedd Pen-rhiw yn rhy anghysbell iddo fentro i'r ysgol ar ei ben ei hun cyn hynny, ac nid ystyriai'r rhieni yn y cyfnod hwnnw hebrwng eu plant i'r ysgol. Ym marn D.J. bu gohirio dechrau yn yr ysgol yn fantais fawr iddo gan taw 'gorau po hwyaf y bo plentyn cyn dechrau ar gaethiwed hir yr ysgol. Nid oes ysgol na choleg hafal i gartref da'.[3] Serch hynny, yno, yn ysgol Rhydcymerau, collodd dipyn go lew o'i ddiniweidrwydd wrth iddo wynebu dichell ei gyfoedion. Cafodd ei wers gyntaf yn y maes hwnnw ac yntau newydd ddechrau ar ei yrfa yn yr ysgol. Meddai un o'i gyd-ddisgyblion wrtho ryw ddiwrnod, 'Cau dy lygaid ac agor dy ben a fe gei weld caseg wen yn Llunden.' Canlyniad ufuddhau i'r gorchymyn fu i un o'r cwmni bach boeri'n rymus i'w geg.[4] Rhoddodd D.J. eirda hael i'w ysgolfeistr cyntaf fel dyn o flaen ei oes yn ei ddulliau dysgu ymarferol o fynd â'r disgyblion allan i'r caeau i fesur tir, ond ni ellir hawlio bod dylanwad y sefydliad hwnnw wedi cyfrannu'n arwyddocaol at ei ddatblygiad academaidd. Er iddo adrodd yn weddol helaeth am ei brofiadau yn yr ysgol, tawedog yw D.J. ynglŷn â chynnwys yr addysg a gafodd, heblaw am nodi mai Saesneg oedd y deunydd darllen. Ac wrth adrodd am anffawd ddifrifol a ddaeth i'w ran a roddodd derfyn cynamserol ar ei yrfa ysgol, pan dorrodd ei goes ar 27 Medi 1898 ac yntau ond yn dair ar ddeg oed, nid yw'n gresynu oherwydd hynny.[5]

Am weddill ei amser yn byw yn Abernant gyda'i rieni bu D.J. yn gweithio gartref ac yn cynorthwyo tipyn ar ffermydd cymdogion. Gwaetha'r modd, oherwydd y symud o Ben-rhiw i le bach, nid oedd digon o waith iddo ar y fferm gartref. Dyna pam, er ei fod yn ffermwr wrth ei fodd, y bu raid iddo â chalon drom droi ei olygon tua'r gweithfeydd glo. Serch hynny, gobeithiai y byddai'r arian da a enillai yn y gweithfeydd glo yn ei alluogi i wireddu'r freuddwyd a goleddai'n gudd yn ei galon: y freuddwyd o fynd i America i ffermio er mwyn gwneud ei ffortiwn.[6]

Gadael Rhydcymerau

Tystia D.J. i Rydcymerau a'r gymdeithas a fodolai yno, ei filltir sgwâr, ei feddiannu ac iddo yntau ei meddiannu hithau:

> Dyma wlad fy nhadau mewn gwirionedd. Fe'm meddiannwyd i ganddi; ac, yn ôl y gynneddf syml a roddwyd i mi, fe'i meddiannwyd hithau gennyf innau.[7]

Eto, yn un ar bymtheg oed dyma droi cefn ar y fro hon a chyfeirio'i wyneb tuag at dde Cymru. Dyma oedd cychwyn ei alltudiaeth a'i rwygo oddi wrth 'hen dud ei dadau'.[8] Er iddo chwennych dychwelyd i'w hen fro i fyw bu ei alltudiaeth yn alltudiaeth oes.

Ar ôl gadael Rhydcymerau, bu D.J. yn gweithio yn Ferndale, yn y Rhondda Fach am ddwy flynedd a saith mis, o Ionawr 1902 hyd Ŵyl y Banc, Awst 1904. Y peth cyntaf i ddwyn ei sylw yno oedd y siop lyfrau Cymraeg, a dywed iddo brynu llawer o'r llyfrau a welodd yno. Yn hyn o beth yr oedd yn dipyn o aderyn brith ymysg y glowyr ifainc eraill ac o'r herwydd nid oedd ganddo gyfeillion o'r un oed ag ef. Nodwedd anghyffredin arall ynddo oedd ei obsesiwn ynglŷn â meithrin cryfder corff. Oherwydd y cryfder hwn, ef a dau ŵr ifanc arall oedd yr unig weithwyr dan ugain oed a weithiai wythïen anodd y Bute. Yn ôl ei addefiad ei hun, ni ddatblygodd D.J. mewn corff na meddwl fel y dylai yn ystod y cyfnod hwn gan i galedwaith glöwr a'r oriau gwaith hir amharu arno.[9] Pan adawodd Ferndale roedd ei olygon cynhenid gwael wedi'u heffeithio'n ddrwg ac ni fyddai'r un golau yn sefydlog i'w lygaid. Serch hynny, ar ôl mis o seibiant gartref yn Abernant yn gweithio ar y tir, dychwelodd D.J. i'r gweithfeydd glo ym Medi 1904, y tro hwn i Gwm Aman gan fod rhai o'i gyfeillion bore oes eisoes yn gweithio yno.

Yng Ngwaith Isa'r Betws y gweithiai D.J. i gychwyn, ond ni chafodd le yno fel glöwr. Yn hytrach gorfu iddo fodloni ar fân swyddi na hawliai dâl da. Labrwr nos ydoedd, yn gorfod cyflawni dyletswyddau amrywiol yn ôl y galw. Yn y cyfnod hwn bu'n agos i'w dranc ddwywaith. Y tro cyntaf, cafodd ei lusgo drwy ddyfnderoedd du y pwll pan folltiodd ceffyl yr oedd yn ei halio. Drws caeedig ar draws y twnnel a'i hachubodd trwy rwystro rhuthr gwyllt y ceffyl. Yr eildro, teithio'n chwyrn mewn rhes o gerbydau tanddaearol neu *spake* yr oedd. Trawodd ei ben yn erbyn *girder* haearn, a bu bron iddo syrthio rhwng dau gerbyd. Pe digwyddasai hynny byddai wedi'i wasgu i farwolaeth dan yr olwynion haearn.

Symudodd D.J. o'r Betws ar ôl rhyw wyth mis oherwydd iddo fethu cael gwaith ar ffas y glo. Aeth i Bont y Clerc yn ymyl Pantyffynnon a chael gwaith ar y glo ar ei union. Bu yno am oddeutu tri mis, ond oherwydd anghydfod rhwng y gweithwyr a'r rheolwyr bu'n rhaid iddo godi'i bac unwaith eto ym mis Gorffennaf 1905. Anelodd am Gwm Dulais a chael gwaith ar ei union ym Mhwll Seven Sisters, Blaen Dulais. Yno bu'n agos at angau am y trydydd tro yn ei fywyd. Defnyddiodd ef a chyd-weithiwr iddo ormod o bowdwr wrth danio'r glo. Yn lle ffrwydro, llosgi a wnaethai, a hynny'n achosi i fân lwch y glo yn yr awyr fflamio. Pe bai'r fflamau hynny wedi cyrraedd poced o nwy gerllaw iddynt byddent wedi eu chwythu'n gyrbibion mân. Ond, oherwydd i'w gyfaill ddefnyddio rhaw lydan a'i hysgwyd i greu awelon o wynt yn y ffas, cadwyd y fflamau draw nes iddynt ddiffodd. Yn y cyfnod hwn mater tanllyd arall na chyffyrddodd â D.J. oedd diwygiad 1904–05. Y rheswm a rydd D.J. am ei ddiffyg ymateb yw'r ffaith ei fod yn gweithio shifft nos ac yn gorfod gadael cyfarfodydd yn gynnar. Yn ei farn ef, y rheswm dros ddiffyg parhad cyffredinol y Diwygiad oedd 'diffyg egwyddori sylfaenol yn hanfodion y grefydd Gristnogol'.[10]

Newid Cyfeiriad

Ym Mehefin 1906 gadawodd D.J. waith glo Seven Sisters. Y rheswm am hynny oedd fod perthynas iddo wedi dychwelyd i Gymru o America. Ei ewythr, Dafydd Morgan, oedd hwnnw, hanner brawd i'w fam, a fu'n weinidog yn nhaleithiau Kansas a Cholorado. Yr oedd disgwyl iddo ddychwelyd i America yn ystod yr haf, a dyna'r cyfle i D.J. wireddu ei freuddwyd gudd o sefydlu ransh yn y wlad honno. Ni wireddwyd ei freuddwyd, fodd bynnag, oherwydd penderfynodd ei ewythr aros yng Nghymru am y tro ac felly nid aeth D.J. dros y môr i wneud ei ffortiwn. Serch hynny, ni ddychwelodd i'r gweithfeydd glo. Nid oedd y gwaith wrth ei fodd a chawsai gryn drafferth oherwydd ei lygaid gwan. Yr haf hwnnw, sef haf 1906, bu'n gweithio ar ffermydd ei fro enedigol. Ond nid oedd tâl gwas ffarm wrth ei fodd am ei fod yn llai o lawer na thâl glöwr.

Roedd yn rhaid ystyried beth i'w wneud nesaf, felly. Gwyddai ei fam am ei flys cudd am ragor o addysg, rhywbeth a fuasai'n gymorth iddo yn America ped aethai yno maes o law, efallai. Ar ôl hir bendroni, a than anogaeth ei fam a Thomas Davies, gwehydd o Lansewyl wrth grefft a oedd hefyd yn fardd ac iddo'r enw barddol Melindwr, a chasglwr trethi'r plwyf ar adeg cynghori D.J., penderfynodd fynychu Ysgol Stephens, Llanybydder.[11] Ysgol baratoawl gyffredinol ei hansawdd oedd hon ar gyfer myfyrwyr o bob oedran a'r rhan fwyaf ohonynt wedi bod yn gweithio ar y tir neu wrth ryw grefft am flynyddoedd. Cychwynnodd yno ar y Llun cyntaf o Hydref 1906. Yn ystod ei naw mis yn Llanybydder bu bron â boddi yn afon Teifi, y pedwerydd tro iddo fod yn agos at angau. Yr haf dilynol, haf 1907, gadawodd yr ysgol honno a phenderfynu dilyn cwrs gohebol, Clough's Correspondence Course, i'w gymhwyso ar gyfer dilyn cwrs hyfforddi i fod yn athro. Ar ôl astudio gartref llwyddodd yn rhan gyntaf y King's Scholarship, ym mis Rhagfyr 1907, a phasio'r ail ran ym mis Ebrill 1908. Ond yr adeg honno, yn ychwanegol at gymhwyster arholiad, yr oedd angen profiad fel disgybl athro cyn cael lle mewn Coleg Hyfforddi Athrawon. Ar ôl ceisio am sawl swydd penodwyd D.J. yn athro didrwydded yn ysgol Llandrillo, sir Feirionnydd, ddiwedd Medi 1908 a bu yn yr ysgol honno am ddwy flynedd.

Yn ystod ei arhosiad yn Llandrillo penderfynodd ddilyn cwrs gohebol pellach, gan obeithio llwyddo yn arholiadau'r Welsh Matriculation, er mwyn cael lle ym Mhrifysgol Cymru, Aberystwyth, yn hytrach na dilyn cwrs athro mewn coleg hyfforddi. Methiant fu ei ymgais. Serch hynny, ni fynnai D.J. roi'r gorau iddi. Ar ôl gadael ysgol Llandrillo yn haf 1910 cychwynnodd yn Ysgol yr Hen Goleg, Caerfyrddin, ddechrau Hydref 1910. Yno y bu am naw mis dan gyfarwyddyd y Parch. Joseph Harry gan lwyddo yn arholiad y Welsh Matriculation ym mis Mehefin 1911. Aeth D.J. wedyn i Goleg Prifysgol Cymru ar 4 Hydref 1911 gan wireddu yr ail o'i freuddwydion wedi i'r gyntaf, sef ymfudo i America, fynd i'r gwellt.

Yn ystod ei flynyddoedd yng Ngholeg Aberystwyth deffrowyd fflam cenedlaetholdeb yn D.J. Ymfalchïai yn ei Gymreictod cyn hynny a diwallai'r cylchgronau Cymraeg a ddarllenai ei wladgarwch naturiol. Ond yn Aberystwyth sylweddolodd fod angen ysbrydoli Cymru 'i gredu ynddi ei hunan', ac mai ei ddyletswydd ef oedd pregethu cenedlaetholdeb wedi'i drwytho ag ysbryd yr efengyl.[12] Yn ystod Gorffennaf 1913 aeth ar daith bregethu o dri Sul olynol yn ei hen ardal. Taith brawf oedd hon i'w dderbyn yn fyfyriwr i'r weinidogaeth. Ond ni ddilynodd y trywydd hwnnw gan na fynnai, oherwydd ei genedlaetholdeb, ei gyfyngu ei hun 'i'r pulpud yn gyfangwbl'.[13] Yr oedd yna fater arall hefyd a ddrysodd ei gynlluniau i fod yn weinidog yr efengyl. Yn 1914, ar ddechrau'r Rhyfel Byd Cyntaf, dymunai ymuno â'r fyddin. Meddai: 'Os ffurfir batalion o'r brifysgol Gymreig, yr wyf am wneud fy ngorau i ymuno â hi.'[14] Er iddo wadu hynny yn ddiweddarach, mae'n rhaid ei fod wedi credu'r ffiloreg Seisnig a faentumiai y câi cenhedloedd bychain y byd eu rhyddid ar ôl y rhyfel.[15] Serch hynny, yn fuan wedi hyn, dechreuodd bregethu heddychiaeth ac o'r herwydd ni châi gyhoeddiadau pregethu yn aml gan fod trwch y Cymry capelog o blaid y rhyfel.[16]

Wedi astudio'r Gymraeg yn Aberystwyth tan 1914, bu D.J.

yno am ddwy flynedd arall yn astudio Saesneg a graddiodd yn y ddau bwnc. Cafodd ei Dystysgrif Athro yn ogystal yn 1916. Yn ystod ei yrfa'n fyfyriwr yn Aberystwyth bu'n gyfrannwr cyson i gylchgrawn Cymraeg y Coleg, *Y Wawr*. Pregethai yn erbyn y rhyfel ar ei dudalennau ac yn 1918 bu erthygl o'i eiddo, a ddaeth i sylw senedd Lloegr, yn achos dod â'r cylchgrawn i ben. Teitl yr ysgrif hon oedd 'Ich Dien', arwyddair Tywysog Cymru. Sylwodd rhywun yn argraffdy'r *Montgomery Times* ar gynnwys yr erthygl gan farnu bod iddi elfennau bradwrus. Gwaharddwyd y cylchgrawn gan awdurdodau Coleg y Brifysgol, Aberystwyth. Dygwyd y mater i sylw'r Ysgrifennydd Cartref ond llwyddwyd i osgoi cythrwfl pellach gan na chyhoeddwyd yr ysgrif. Ymddiswyddodd y myfyrwyr a ffurfiai'r panel golygyddol ar y pryd ac ni chyhoeddwyd rhifyn arall.[17] Dyma gyfnod ei ymdrechion llenyddol cynnar hefyd a chyhoeddodd bedair stori fer yn *Cymru* 'O.M.' rhwng 1914 ac 1918. Yn eu plith yr oedd 'Y Gaseg Ddu' a 'Meri Morgan'.

Yn 1916 enillodd D.J. Ysgoloriaeth Meyricke am ei draethawd ar *The Nature of Literary Creation* ac aeth i Goleg Iesu, Rhydychen, am ddwy flynedd arall i astudio Saesneg. Ar un olwg y cyfnod hwn oedd un o'r cyfnodau hapusaf yn ei fywyd. Yn y coleg yn Rhydychen cafodd gyfle i fwynhau llenyddiaeth gwlad rydd, gwlad a oedd yn falch o'i hetifeddiaeth ac, yn hynny o beth, edmygai D.J. y Saeson.[18] Cafodd gyfle hefyd, trwy'r Fabian Society, i gyfeillachu ag eraill o'r un anian ag ef gan taw cymdeithas sosialaidd a ffurfiwyd yn 1883–84 yn Llundain oedd hi. Ei nod oedd creu cymdeithas sosialaidd heb ddefnyddio dulliau chwyldro a bu'n gysylltiedig â ffurfio'r Blaid Lafur ym 1906. Serch hynny, nid cyfnod o heulwen ddiderfyn oedd hwn ychwaith oherwydd yn ystod gaeaf 1916–17 collodd ei dad a'i fam o fewn chwe wythnos i'w gilydd. Ar ben hynny yr oedd yn gyfeillgar iawn â merch o'r enw Bela Thomas, ond ni fynnai ei phriodi.[19] Er ceisio, ni fedrodd derfynu'r cyfeillgarwch hwn am flynyddoedd ac, o'r herwydd, collodd y cyfle i briodi merch o Bumsaint, sir Gaerfyrddin, Janet neu Sioned y Felin Dolau. Blinodd honno aros amdano a phriododd ŵr arall yn 1922.[20] A dyma, yn ogystal, gyfnod bygwth tribiwnlys arno fel gwrthwynebydd cydwybodol, ond ni bu o flaen ei well, o bosibl, oherwydd ei lygaid gwael.

Cyrraedd Abergwaun

Yn nhymor yr hydref 1918 cafodd D.J. swydd athro yn Ysgol Lewis Pengam, Gilfach, Bargoed. Ar ôl cwta dri mis ceisiodd am swydd prifathro yno a chyrraedd y rhestr fer. Ond ym mis Ionawr 1919 cafodd ei benodi'n athro Saesneg ac Ymarfer Corff yn Ysgol Ramadeg Abergwaun ac yno yr arhosodd tan ei ymddeoliad. Y Pasg ar ôl iddo gyrraedd Abergwaun cafodd D.J. gyfle i ymweld ag Iwerddon pan oedd y genedl honno yn ymladd am ei rhyddid. Nid gwyliau cyffredin oedd yr ymweliad hwn oherwydd cafodd lythyr i'w gyflwyno i Torna gan T. Gwynn Jones. Roedd Torna, neu Tadhg O'Donnchadha, yn gyfaill i T. Gwynn Jones ac yn fardd ac ysgolhaig ac Athro Celteg yng Ngholeg Prifysgol Cork.[21] Trwy Torna daeth D.J. i gysylltiad ag arweinwyr gwrthryfel Iwerddon, ac er iddo goleddu syniadau heddychol, ymfalchïai yn ymdrech arwrol y Gwyddelod i sicrhau eu rhyddid gwleidyddol.[22]

Rhwng 1922 ac 1924 gweithiai D.J. dros y Blaid Lafur yn sir Benfro. William James Jenkins oedd ymgeisydd Llafur y sir y pryd hwnnw ac ef, efallai, oedd yn rhannol gyfrifol am ymlyniad cenedlaetholwyr wrth Lafur ym Mhenfro y dwthwn hwnnw, oherwydd yr oedd yn fawr ei barch yno. Serch hynny, credai rhai, neu o leiaf gobeithiai rhai, a D.J. yn eu plith mae'n rhaid, fod y Blaid Lafur yn dal at ei hegwyddorion cynnar a arddelai ryddid gwleidyddol i Gymru. Fel y dywed D.J. am David Thomas, golygydd *Lleufer*, yn 1962:

> Dyn da iawn yw Dafy Thomas er iddo barhau'n ddall drwy'r blynyddoedd parthed gwerth y Blaid Lafur. Mae'n synied amdani yn

> awr yn 1962 rywbeth fel y gwnawn i yn 1922. Nid yw'r gwadiad ar ei hegwyddorion cynnar wedi mennu dim arno, gellid barnu.[23]

Ond, ar ôl cipio grym yn senedd Lloegr fel prif wrthblaid i lywodraeth y dydd yn 1918, bradychu Cymru a wnaeth y Blaid Lafur a hynny a arweiniodd at sefydlu Plaid Cymru yn 1925. Cyn y sefydlu yr oedd Saunders Lewis yn gohebu â D.J. ac yn ei ystyried yn aelod o'r mudiad newydd mor gynnar â mis Chwefror 1924.[24] Yr oedd D.J. yn bresennol yn ail gwrdd y mudiad yn Abertawe y flwyddyn honno, ac yn y cyfarfod sefydlu cyhoeddus ar brynhawn Mawrth Eisteddfod Genedlaethol Pwllheli 1925, ef oedd y siaradwr cyntaf. Mor gynnar â 1924, ac yn dilyn sefydlu'r Blaid yn 1925, bu D.J. wrthi'n brysur yn cyhoeddi erthyglau gwleidyddol er mwyn ceisio ysgwyd y Cymry i fynnu annibyniaeth wleidyddol i'w gwlad. Yr oedd hwn yn gyfnod o ymgyrchu gwleidyddol hefyd, ac yn 1929 cafodd Plaid Cymru ei hymgeisydd cyntaf mewn etholiad cyffredinol, sef Lewis Valentine, a hynny yn etholaeth Caernarfon.[25] Byddai D.J. yn annerch llu o gyfarfodydd gwleidyddol drwy Gymru benbaladr yn y cyfnod hwn a mynychai holl gyfarfodydd cenedlaethol Plaid Cymru yn selog.

Y Llungwyn 1925 cyfarfu D.J. â Jane Evans, neu Siân fel y'i hadwaenid gan bawb wedi hynny. Ymhen tair wythnos yr oedd y ddau wedi dyweddïo ac fe'u priodwyd cyn y Nadolig y flwyddyn honno, gwta chwe mis yn ddiweddarach. Ym mis Ionawr symudodd y ddau i rif 49, Y Stryd Fawr, Abergwaun, neu'r Bristol Trader fel y'i gelwid gan D.J. oherwydd i'r lle unwaith fod yn dafarn dan yr enw hwnnw.

Yn llenyddol, ar ôl ei ymdrechion cynnar ym myd y stori fer, bu D.J. yn dawedog rhwng 1918 ac 1927. Yna, ym mis Mai 1927, cyhoeddwyd y cyntaf o'i bortreadau o gymeriadau ei fro enedigol, sef 'John Trodrhiw: gwladwr o Gymro' yn *Y Ddraig Goch*.[26] Yn dilyn hynny cyhoeddwyd 'John Thomas' yn *Y Llenor* yn 1930 a 'Dafydd'r Efailfach' yn 1931. Cyhoeddwyd dau bortread arall yn 1932 a thri yn 1933. Dyma gychwyn ar yrfa lenyddol a osododd enw D.J. ymhlith prif awduron Cymru, oherwydd casglwyd y portreadau hyn at ei gilydd a'u cyhoeddi yn 1934 dan y teitl *Hen Wynebau*, a ddaeth ar unwaith yn glasur ym myd rhyddiaith Gymraeg.

Er ei holl brysurdeb yr oedd D.J. yn gapelwr selog ac yn 1929 cynigiwyd ei enw gan ei gapel, sef Capel Pentowr, Abergwaun, i fod yn flaenor. Oherwydd iddo wrthod arwyddo llw dirwest fe'i gwrthodwyd gan Gwrdd Misol y Methodistiaid a gynhaliwyd yn Woodstock, sir Benfro, yn ystod y flwyddyn honno.

Oherwydd diffyg cynnydd cenedlaetholdeb ymhlith y Cymry a thriniaeth salw Lloegr o'r genedl wrth ddiystyru ei hawliau sylfaenol, teimlai rhai o arweinwyr y Blaid fod angen gweithred symbolaidd, herfeiddiol er mwyn ysgwyd y wlad o'i chysgadrwydd. Penderfynwyd llosgi Ysgol Fomio'r Llywodraeth Brydeinig a sefydlwyd ym Mhenyberth, ger Pwllheli, Pen Llŷn, ar gyfer dysgu dynion ifainc i hedfan awyrennau rhyfel trwy ollwng bomiau ym Mhorth Neigwl. Dyma wlad y seintiau Celtaidd ac yr oedd sefydlu ysgol fomio ar y tir cysegredig hwn yn dangos dirmyg eithaf Lloegr tuag at Gymru. Saunders Lewis oedd arweinydd y cyrch hwn a dewisodd D.J. a Lewis Valentine i'w gynorthwyo. Taniwyd yr ysgol fomio yn ystod y nos, ar 7–8 Medi 1936. Yn dilyn y tanio aeth y tri i swyddfa'r heddlu i gyfaddef yr hyn roeddynt wedi'i wneud. Bu cryn gynnwrf yng Nghymru am beth amser ac ni allai'r llysoedd gytuno ar ddedfryd. Symudwyd yr achos i'r Old Bailey, Llundain, a gobeithiai'r tri y byddai cosb drom yn dwyn ffrwyth trwy gryfhau cenedlaetholdeb y Cymry yn don anorchfygol. Naw mis o garchar oedd y ddedfryd ac fe'u hanfonwyd i garchar Wormwood Scrubs ar 17 Ionawr 1937 ond fe'u rhyddhawyd yn gynnar ar 27 Awst 1937 am iddynt ymddwyn yn dda. Fodd bynnag, ni welwyd grymuso sylweddol ar genedlaetholdeb y Cymry yn sgil carcharu'r tri a lleisiwyd siom yr ymgyrchwyr gan Saunders Lewis mewn llythyr a anfonodd at D.J. yn 1938:

> Angen y Blaid ac angen Cymru yw arweinydd sy'n nes atynt ac yn haws iddynt ei ddeall. Pes caffent, neu pes cawsent, ni byddai ein carchariad ni a'r treialon yng Nghaernarfon a Llundain wedi mynd yn ofer-wastraff fel y gwnaethant. [27]

Yn dilyn y carcharu collodd Saunders Lewis ei swydd fel darlithydd yng Ngholeg y Brifysgol, Abertawe, a maes o law trodd ei gefn ar ymgyrchu'n ymarferol gan encilio i fyd newyddiaduraeth a llenyddiaeth. Serch hynny, dal ati yn egnïol i frwydro dros ennill rhyddid i Gymru a wnaeth D.J. a dal ati hefyd i lenydda. Yn 1936 yr oedd wedi cyhoeddi cyfrol o storïau byrion, *Storïau'r Tir Glas*, a hynny ar frys oherwydd pwysau'r cyhoeddwyr a welai gyfle i chwyddo'r gwerthiant gan fod enw'r awdur ar dafod pawb yn sgil y gweithredu ym Mhenyberth. Rhwng 1937 ac 1941 cyhoeddodd nifer sylweddol o erthyglau swmpus ym mhapurau'r Blaid a rhai cylchgronau eraill. Yn eu plith yr oedd 'Peiriant addysg Cymru: ystrydebau'r olwyn sbâr', 'Beth petasai Goronwy Owen wedi ei wneud yn esgob', 'Should Wales take part in the next war?' a 'English evacuees in Welsh areas'.[28] Yna, yn 1941, cyhoeddwyd cyfrol arall o'i storïau byrion, *Storïau'r Tir Coch*.

Yn ystod blynyddoedd yr Ail Ryfel Byd bu D.J. yn gefnogol iawn i wrthwynebwyr cydwybodol a heddychwyr. Ym mis Mai 1941 yr oedd yn bresennol yn achos Trefor Morgan a wrthwynebai hawl Lloegr i'w orfodi i gofrestru'n filwr ar y sail ei fod yn genedlaetholwr Cymreig. Meddai amdano:

> … Y mae Trefor yn gwbl bendant yn ei safiad fel Cenedlaetholwr Cymreig … Condemnio Trefor druan i'r fyddin Seisnig … Ymddangosai'r llys ar un olwg yn gwbl deg, wedi ei gau ei hun yn ddiogel o fewn y clawdd uchel, na ellir dehongli'r gair cydwybod yn ôl y Ddeddf Arfogi hwn ond fel peth yn tarddu oddi ar argyhoeddiad crefyddol yn erbyn lladd. Nid oes gan Genedlaetholwr, fel y cyfryw, gydwybod. Ymddengys mai caethion y ddeddf yn ôl eu dehongliad hwy ohoni yw eu gweinyddwyr. Yn ôl Deddf 1746 y mae'r gair Lloegr i'w ddeall fel yn cynnwys Cymry. Ac yn ôl y Ddeddf Seisnig condemniwyd Trefor Morgan y Cenedlaetholwr Cymreig fel Sais i'r fyddin Seisnig.

Yna ychwanega:

> Os oes dim gwerth moesol yn aros yng Nghymru fe newidir hyn ryw dro … Hwyrach fod llwfrdra'r canrifoedd wedi bwyta'n rhy ddwfn i mewn i enaid y genedl. Un peth sydd sicr, y bydd yna ddyrnaid a bery i brotestio tra bo rhyw chwyth o ymwybyddiaeth genedlaethol yn aros ynom. [29]

Bu D.J. hefyd wrthi'n ddiwyd yn amddiffyn hawliau'r Gymraeg. Yng Ngorffennaf 1941 ceisiodd gan Bwyllgor Sefydlog Urdd y Graddedigion wneud y Gymraeg yn bwnc gorfodol ym mhapurau arholiad ei Matriculation. Rhan gyntaf y cynnig a osododd gerbron y pwyllgor oedd:

> That at the expiration of four years time, viz, in July 1945, Welsh should be included as a compulsory subject in the Matriculation of the University of Wales.

Yna, ar ôl beirniadu diddymdra'r pwyllgor yn hallt, cyhoedda:

> Ymdynghedaf yma, os na wna'r Pwyllgor hwn ei ran yn anrhydeddus yn hyn o amcan, y codaf y mater fy hun i sylw'r wlad drwy gyfrwng y Wasg. [30]

Rhwng Awst a Rhagfyr 1943 daeth mater y Matriculation Cymraeg i'w benllanw. Oherwydd difrawder y pwyllgor penderfynodd D.J. gyhoeddi memorandwm, a luniasai fel y gallai'r aelodau weithredu arno, yn *Y Faner*. Er iddo wadu hynny, mae'n debyg fod T. I. Ellis wedi ymyrryd a llwyddo i atal y cyhoeddi.[31]

Ddiwedd Hydref 1944 bu D.J. a'i wraig Siân yn Rhydcymerau yn chwilio am dŷ i'w brynu er mwyn iddynt fynd i fyw yno ar ôl iddo ef ymddeol. Er gweld Blaen-ddôl, lle wrth eu bodd, ni ddaeth y bwriad hwn i ben ac nid oes eglurhad i'w ganfod yn unman pam na ddewisodd y ddau symud i Rydcymerau er mwyn rhoi terfyn ar alltudiaeth D.J. o'i fro enedigol. Ymddeolodd D.J. o'i swydd yn Ysgol Ramadeg Abergwaun ym mis Rhagfyr 1945. Yn dilyn hynny bu'n brysur, yn ôl ei arfer, yn ysgrifennu storïau byrion, a chyhoeddwyd *Storïau'r Tir Du* yn 1949. Cychwynnodd hefyd ar ei gyfrol *Mazzini*, ym mis Rhagfyr 1946, a'i gorffen ym mis Mawrth 1948. Llyfryn hanesyddol yw'r gyfrol sy'n olrhain gyrfa Mazzini a gysegrodd ei fywyd i frwydro dros annibyniaeth yr Eidal. Fe'i cyhoeddwyd gan Blaid Cymru flynyddoedd ar ôl ei gorffen, yn 1954, ar ôl iddynt ei gwrthod ddwywaith a chael ei gwrthod hefyd gan Wasg Gee.

Ym mis Hydref 1949 ymwelodd D.J. am y trydydd tro ag Iwerddon. Aeth yno dan faner UCAC (Undeb Cenedlaethol Athrawon Cymru) i'r Oireachtas, sef cyfarfod blynyddol diwylliannol o siaradwyr yr Wyddeleg a ddisgrifir fel gwledd o ganu a cherddoriaeth, o ddawns ac o adrodd storïau ynghyd ag arddangosfeydd coginio, ffasiwn a chystadlaethau chwaraeon. Bu'r ymweliad hwn, fel ymweliad 1919, yn ysbrydoliaeth iddo yn ei frwydr barhaus dros ennill rhyddid i Gymru, felly, ar ôl dychwelyd i Gymru dechreuodd D.J. ar y gwaith o gynllunio ei hunangofiant. Serch hynny, gohiriwyd dechrau arno o ddifrif tan y mis Mawrth canlynol oherwydd ym mis Hydref 1950 bu yn ysbyty Aberteifi yn dioddef o fân gerrig yn yr aren. Er nad oedd ei gyflwr yn ddigon difrifol i warantu triniaeth lawfeddygol ni chafodd wared ar yr aflwydd yn llwyr tan y mis Mehefin canlynol.

Yn y cyfnod hwn mynd ymlaen â'i hunangofiant oedd prif nod D.J. Serch hynny, ym mis Mawrth 1952 bu'n ystyried ymladd etholiad am sedd ar Gyngor Sir Benfro, ond penderfynu peidio sefyll a wnaeth:

> Gweld Wynne Owen a Nath Watkins y bore 'ma ynglŷn ag ymladd am sedd ar y Cyngor Sir. Dim gweledigaeth ddigon clir gennyf, a'r papurau i fod i mewn erbyn 12 o'r gloch. Ei gadael hi i fod. Teimlo wedyn i mi fod yn llwfr a difenter – gan nad oes dim un gobaith i Gymru ond trwy ennill y cynghorau lleol. Penderfynu bod yn effro o hyn ymlaen, a gweithio'n fwy egnïol dros yr achos.[32]

Er iddo benderfynu 'bod yn effro' nid oes tystiolaeth iddo ystyried sefyll am sedd ar gyngor na'r senedd chwaith ar unrhyw adeg arall. Yna drachefn, ynghanol ei brysurdeb llenyddol, teimlai ei bod hi'n ddyletswydd arno ysgrifennu llith o werthfawrogiad i'r Doctor William Thomas ar ei ymddeoliad o'i swydd fel Prif Arolygydd Ysgolion Cymru. Cwyna fod hyn yn mynd â'i amser yn ddifrifol 'a'r hunangofiant esgus ar ei hanner'.[33] Ond er iddo deimlo bod angen canolbwyntio ar ei hunangofiant, eto bu'n ymgyrchu i ailgychwyn deiseb yn gofyn am hunanreolaeth i Gymru ac yn ysgwyddo'r rhan fwyaf o'r baich trefnu cyrddau a chasglu enwau ar ei chyfer am weddill y flwyddyn. Cychwynnwyd y ddeiseb hon yn 1950 a daeth i ben yn 1956. Ar 9 Ebrill 1956 cyhoeddwyd bod 235,042 wedi'i harwyddo. Serch hynny, ymateb llugoer a gafwyd iddi o du aelodau seneddol Cymru a hynny'n peri cryn ddiflastod i D.J. pan aeth yr ymgyrch i'r gwellt. Ar ben hynny derbyniodd swydd athro ysgol Sul yn ogystal ag ymgyrchu a gohebu dros Blaid Cymru, brwydro i gadw'r Comisiwn Coedwigo rhag meddiannu Pen-rhiw a chynnal cymdeithasau lleol megis y Cymmrodorion. Er mwyn cyflawni hyn oll mae cofnodion ei ddyddiaduron yn tystio iddo orfod codi am 5.30 y bore am gyfnodau. Yna, ym mis Ionawr 1953 cafodd Siân aflwydd yn ei hochor a bu yn y gwely am wythnos a mwy. Dyna oedd cychwyn ei hanhwylder hir a gynyddodd o ran y pwysau gofal a ysgwyddodd D.J. tan farwolaeth ei wraig ar 3 Mehefin 1965.

Postiwyd fersiwn gyntaf *Hen Dŷ Ffarm* i'r cyhoeddwyr ym mis Chwefror 1953 ac fe'i cyhoeddwyd yr Hydref canlynol. O Chwefror 1953 hyd at Orffennaf 1954 bu D.J. yn ymwneud â chant a mil o fân ddyletswyddau, yn cynnwys gwleidydda, ysgrifennu beirniadaethau ac adolygiadau a mynychu cyfarfodydd, yn ogystal â bod yn hynod ffyddlon i gyfarfodydd ei gapel ar y Sul ac yn ystod yr wythnos. Yn ychwanegol at hyn derbyniodd gadeiryddiaeth Pwyllgor Rhanbarth Dyfed Plaid Cymru, ym mis Chwefror 1953. Yna, ym mis Gorffennaf 1954, dechreuodd fyfyrio ar ail ran ei hunangofiant. Cofnoda iddo:

> [d]darllen pamffled Gwynfor 'Cristnogaeth a'r Gymdeithas Gymraeg' fel paratoad ar gyfer ail ddechrau ysgrifennu … eistedd lawr i fyfyrio uwchben y llyfr nesaf.[34]

Erbyn mis Tachwedd dywed iddo gyrraedd tudalen 45 o'r llyfr newydd mewn llawysgrif (tua 200 o eiriau'r tudalen). Ym mis Rhagfyr nid oedd Siân yn iach ac fe fu i hynny lesteirio'r ysgrifennu a pheri iddo golli cyfarfod Pwyllgor Gwaith y Blaid ddiwedd y mis. Digwyddodd hynny, yn ôl ei dystiolaeth ef, am yr eildro yn unig yn ei hanes:

> Ffaelu mynd i Bwyllgor [y Blaid] neithiwr a heddi yn Aber, oherwydd Siân – yr ail dro erioed i fi golli Pwyllgor Gwaith y Blaid – y tro o'r blaen pan fûm yn sâl yn hanner olaf 1951.[35]

Er i iechyd Siân barhau yn fregus tan ddiwedd mis Ebrill 1955 daliodd D.J. i ymhél â phob math o fân ddyletswyddau lleol gan olygu bod hynny eto yn arafu ysgrifennu'r hunangofiant. Ar ben hyn oll, trwy gydol mis Mai mynnodd ymgyrchu mewn etholiad cyffredinol yn cefnogi ymgeisyddiaeth Jennie Eirian Davies ac Eirwyn Morgan yn sir Gaerfyrddin.

Ar 8 Mehefin 1955 cafodd D.J. boen yn ei frest. Dyma gychwyn ar yr aflwydd ar ei galon (angina) a'i poenodd weddill ei oes. Oherwydd hyn, a salwch Siân ar ben hynny, ni fedrodd ddal ati i ysgrifennu weddill y flwyddyn ac yng nghanol mis Gorffennaf cofnoda iddo fethu mynychu pwyllgor y Blaid yn Abergwaun:

> Pwyllgor y Blaid heno, – methu mynd iddo, fi na Siân, yr unig dro bron er pan wyf yn Abergwaun, 36ml ...[36]

Serch hynny, ar ôl i achos llys yn ei erbyn gael ei ohirio sawl gwaith oherwydd ei salwch, mynnodd ymddangos o flaen Mainc yr Ynadon yn Abergwaun ar 9 Rhagfyr 1955 am wrthod talu am drwydded radio fel gwrthsafiad yn erbyn y derbyniad gwael a geid ar y radio yng Nghymru oherwydd ymyriad Dwyrain yr Almaen â'r tonfeddi. Cafodd ddirwy drom am ei brotest:

> O flaen y Fainc am wrthod talu trwydded radio ... dirwy £2 costau £1 – dim ond dau allan o 51, yn ôl rhestr *Y Faner* (23/12/55) a ddirwywyd yn uwch ... Synnu tipyn at y ddirwy uchel. Hwyrach mae'r peth iawn fyddai gwrthod ei thalu. Ond ni feddyliais ar y pryd am ofyn i'r Fainc beth oedd y dewis arall.[37]

Blwyddyn o rwystredigaeth fu 1956 i D.J. gan iddo fethu gweithio llawer ar ei hunangofiant. Roedd y salwch mor ddifrifol nes peri iddo gofnodi ym mis Chwefror mai â gwaed ei galon yr ysgrifennai ei lyfr:

> Gweithio'n weddol bach yn araf, araf, gan aros yn fynych rhag mynd yn sâl. Diolch fy mod i cystal. Ddaw'r hen hoen o allu gweithio teirawr yn ddyfal a di-dor yn ôl ragor, ni wn. Ond diolch am gael gweithio ambell hanner awr neu awr heb ormod o boen. Â gwaed fy nghalon yn llythrennol rwy'n ysgrifennu'n awr. Ond rhaid cynilo fy nerth yn ofalus er mwyn gallu parhau.[38]

Serch hynny, dal ati yn ystyfnig a wnaeth gan fynnu, yn ychwanegol at ei waith ysgrifennu, gasglu arian ar gyfer Cronfa Gŵyl Dewi Plaid Cymru, casglu enwau ar gyfer y Ddeiseb a mynychu cyfarfodydd yn Abergwaun a'r cylch. Ond câi ei orfodi yn awr ac yn y man i dorri cyhoeddiadau a gwrthod gwahoddiadau i feirniadu mewn eisteddfodau. Ym mis Medi cofnododd mai cyfartaledd o dair tudalen y mis y medrodd eu hysgrifennu yn ystod un mis ar bymtheg ei salwch a chawn gip ganddo ar y broses lafurus o lenydda:

> Sgrifennu am y 6 neu'r 7ed tro yr un ddwy dudalen o'r llyfr, a theimlo y bydd yn rhaid i fi newid peth arnynt eto. Treio cael pob adran newydd mor gywir a boddhaus ag sydd yn bosib cyn ei adael. O'i weld ymhen tipyn wedyn siawns na fydd raid newid ambell air neu gymhennu brawddeg. Rhwng yr arafwch hwn a'r salwch ers bron 16 mis bellach ni ellais sgrifennu ond tua 50 tudalen i gyd, sef o t. 84–134, cyfartaledd o 3 tudalen y mis. Yr hen rat ar y gorau oedd 4 yr wythnos.[39]

Blwyddyn arall drafferthus fu 1957 i D.J. Llwyddodd i orffen ail bennod ei lyfr ym mis Chwefror ond brwydro yn erbyn poen cyson fu hi weddill y flwyddyn, a hynny'n arafu'r ysgrifennu yn ddifrifol. Serch hynny, mynnai ymgyrchu dros Gymru a thros y Blaid yn gyson ac ym mis Ebrill bu'n cyflwyno cynllun diogelu'r Gymraeg i Gyngor yr Eglwysi Rhyddion yn Aberteifi:

> … awgrymu rhyw nifer o bethau ymarferol a chael gan y pwyllgor eu mabwysiadu bob un – (a) prynu llenyddiaeth enwadol a

> chenedlaethol, (b) y gweinidogion i siarad â swyddogion eu heglwysi ac athrawon yr Ysgol Sul ac a'u cynulleidfaoedd, (c) ymuno â'r Clwb Llyfrau Cymraeg, tua 100 yn aelodau ohono'n barod. Trafod cynnwys rhyw lyfr dewisedig bob tri mis, (ch) tri gweinidog yr eglwysi ymneilltuol i gyfarfod â phrifathrawon y cylch i wynebu'r sefyllfa a dod ag adroddiad yn ôl i Bwyllgor yr Eglwysi Rhyddion rywbryd wedi'r Pasg … [40]

Er taw blwyddyn y trafferthion oedd 1957 bu hefyd yn flwyddyn yr anrhydeddau. Ym mis Mawrth cafodd D.J. wybod gan Brifysgol Cymru am ei bwriad i gynnig gradd anrhydedd D.Litt. iddo ac ym mis Rhagfyr cafodd anrhydedd pellach, sef cynnig gan Gymmrodorion Llundain i osod ei enw ar restr ei hislywyddion.

Yn gynnar ym mis Ionawr 1958 cofnoda D.J. iddo fynychu'r ysgol Sul wedi absenoldeb o ddwy flynedd:

> Mynd i'r ysgol Sul y prynhawn yma wedi dwy flynedd a hanner o absenoldeb oherwydd salwch. Gobeithio cadw ymlaen. Sul, Mehefin 5, 1955 y bûm i yno o'r blaen.[41]

Ond parhau yn boenus yr oedd ei galon gan iddo orfod ysgwyddo tipyn o'r baich cadw tŷ oherwydd salwch Siân yn ogystal â cheisio ysgrifennu am ddwy awr bob dydd. Serch hynny, erbyn diwedd Ionawr yr oedd ganddo 360 tudalen ffwlscap mewn llawysgrif o'i lyfr wedi'u cwblhau. Gobeithiai y gallai orffen ail ran ei hunangofiant erbyn y Nadolig ac ar 15 Rhagfyr 1958 cyhoedda:

> Am ddeg munud wedi dau heddiw, fe orffenais i'r llyfr 'Yn Chwech ar hugain Oed'. Diolch i Dduw am y nerth drwy Ei fawr drugaredd a roddodd Efe i fi i ddod i ben â'r gwaith. Mewn poen lled gyson, weithiau'n fwy na'i gilydd, y sgrifennais i'r llyfr, ac ofn ambell dro na allwn fyth ddod i ben ag e. Diolch, diolch iddo ac i Siân am yr help a'r cysur a'r cymorth … [42]

Er mor araf a manwl yr ysgrifennai D.J. ei lyfrau nid oedd gorffen ysgrifennu ond yn golygu ymboeni manylach pellach, ac am y tri mis nesaf dyna a wnâi, ailwampio'n ddidrugaredd gan orffen mynd dros y llawysgrif am yr eildro ddiwedd Mawrth 1959.

Ym mis Gorffennaf 1959 cyhoeddodd Waldo Williams ei barodrwydd i fod yn ymgeisydd yn yr etholiad cyffredinol yn sir Benfro. Yr oedd D.J. yn ei afiaith yn croesawu'r newyddion:

> Newyddion braf a ddaeth i'm bro, Waldo yn dod yma neithiwr i ddweud y boddlonai ef i fod yn ymgeisydd dros y Blaid yn Sir Benfro, – hyn yn gwneud bywyd yn werth ei fyw eto, wedi'r hir ymofidio beth a ellid ei wneud i ddeffro'r bobl. I Dduw bo'r diolch.[43]

A dyna gychwyn ymgyrch etholiadol rymus gan D.J. rhwng Gorffennaf a dechrau Hydref. Ar ben hynny, yng nghanol yr ymgyrch, cymhellwyd D.J. i ddechrau cyfieithu'r gyfrol *The National Being* gan A.E ar 4 Awst 1959 oherwydd fod ynddi neges ysbrydol i genedlaetholwyr. A.E., neu George William Russell (1867–1935), oedd un o arwyr D.J. Bardd a chyfrinydd o Iwerddon oedd A.E a fu'n olygydd yr *Irish Statesman* ac ymwelasai D.J. ag ef yn ei swyddfa yn Nulyn ym mis Awst 1929. Yn ddiddorol iawn yn y rhagymadrodd i'w gyfieithiad nododd D.J. sut y cafodd Russell ei lysenw:

> Mae'r modd y trawodd George W. Russell ar ei enw llenyddol fel "AE" yn ddiddorol. Yn y cyfnod cynnar hwn pan oedd ef yng ngafael ei ddrychfeddyliau cyfriniol am ansawdd y cread, am y ddaear fel bod ysbrydol, ac am daith yr enaid trwy gylchdroeon bodolaeth a syniadau annelwig o'r fath, daeth y term *Aeon* yn golygu rhywbeth megis rhodau diderfyn amser yn sydyn i'w feddwl. Mewn ysgrif i'r wasg yn union wedyn defnyddiodd y gair "Aeon" fel ffugenw. Methodd y cysodydd a deall y ddwy lythyren olaf o'r gair yn iawn ac fe'i hargraffodd fel "Ae–?" Am ryw reswm hoffodd y llenor y ffurf, a'i mabwysiadu byth wedyn.[44]

Yr oedd hi'n fis Hydref 1959 ar D.J.'n derbyn proflenni *Yn Chwech ar Hugain Oed*. Wrth eu darllen penderfynodd, hyd yn oed ar y funud olaf, ailwampio'r gwaith ymhellach. Meddai yn ei ddyddiadur ar ddechrau mis Tachwedd:

> Darllen proflenni'r atodiad 'Ar Hyd a Lled y Cantref Mawr' neithiwr … Teimlo fod yr atodiad yma'n darllen yn feichus ar ôl gorffen yr

> Hunangofiant a'r bennod 'Gwyrdroi Bywyd' yn weddol naturiol ac esmwyth. Penderfynu gadael yr atodiad allan o'r llyfr. Gair oddi wrth Dafydd Bowen gyda'r proflenni fore Sadwrn yn awgrymu'r un peth. Siân a fi wedi penderfynu ei dynged cyn hynny a dyma ei selio yn awr.[45]

Ar 27 Tachwedd 1959 cyrhaeddodd y llyfr o'r wasg a hynny'n ffrwyth pum mlynedd hir, bron, o lafur caled.

Yn 1960 roedd iechyd Siân yn fregus iawn ac nid oedd cerdded yn hawdd iddi. Er iddi geisio cynorthwyo D.J. i lanhau'r tŷ yn gyson ni fedrai ddechrau ar ei waith ei hunan, sef ysgrifennu ac ymgyrchu, tan ddeg y bore. Serch hynny, ym mis Hydref llwyddodd i orffen ei gyfieithiad o *The National Being*. Heblaw am ddarllen yn ddyfal er mwyn paratoi rhagymadrodd i'w gyfieithiad, blwyddyn o ymgyrchu ac o ysgrifennu gwleidyddol fu 1961 ar y cyfan, gan gynnwys gwrthwynebu dyfodiad milwyr yr Almaen i sir Benfro. Ceisiodd ei orau i gymell Plaid Cymru i ymuno yn yr ymgyrch. Meddai yn ei ddyddiadur ar 5 Medi 1961:

> Sgrifennu llythyr go faith at J.E. … gresynu na fyddai'r Blaid yn swyddogol wedi cydweithio â'r mudiadau eraill sy'n gwrthwynebu rhyfel drwy ymuno yn y brotest yn erbyn Y Pantheriaid Almaenaidd ddod i Gastell Martin. Cyfle nodedig i'r Blaid ddangos ei gwrthwynebiad i unrhyw filwr hawlio meddiant ar dir Cymru, byddent Almaenwyr neu Saeson. Y Cymry sydd â hawl ar dir Cymru, a neb arall. Gobeithio bod yn ddigon da fy iechyd, a Siân hefyd i fynd i'r Cyfarfod Protest yng Nghastell Martin y Sadwrn hwnnw. Cael help at y gwaith wrth ddarllen yn fyfyrgar am y ffydd a'r nerth corff ac ysbryd a ddoi i'r Apostol Paul yn ei genhadaethau stormus, buddugoliaethus ef. Teimlo y dylai arweinwyr y Blaid ddarllen yr Actau a'r Rhufeiniaid ac Epistol Iago yn gyson.[46]

Ar y Sadwrn canlynol yr oedd D.J., er yn llesg, yn bresennol yn y brotest:

> Lawr yn Pembroke Dock a Chastell Martin … lle mae'r Pantheriaid Germanaidd, rhyw 400 ohonynt newydd ddod. Tipyn o derfysg, gweiddi a thaflu tomato etc. gan lanciau a merchetos sgrechlyd nad oedd ganddynt unrhyw syniad am ystyr cyfarfod protest … Cerdded

> gyda'r protestwyr cyd y gallodd fy nghalon ddal hynny. Yna ymneilltuo i ochr y stryd ... Fi oedd yr unig Bleidiwr yno. Credu o hyd y dylai'r Blaid fod wedi dal mantais ar y cyfle ... Llwythais fy mhocedi â datganiad Seisnig ac Ellmynig o safbwynt Plaid Cymru cyn gadael y tŷ. Cael croeso siriol gan bawb, yn enwedig glowyr Morgannwg. Cael fy nghymell petai amser gennyf i sgrifennu llith ar 'Diwrnod Arall i'w Gofio'.[47]

Ym mis Chwefror 1962 cyhoeddodd D.J., mewn cyfweliad ar y teledu, na allai ef ymroi i ysgrifennu trydedd gyfrol hunangofiannol. Meddai wrth gyfeirio at y cyfweliad hwnnw yn ei ddyddiadur:

> Cael cwestiwn yn gofyn ac yn pwyso arnaf hefyd i barhau'r trydydd llyfr, – parhad o *Chwech ar Hugain*. Gorfod ateb fod tynged Cymru yn fy ngorfodi i roi popeth hyd y gallwn o'r neilltu ac ymroi hyd y gallaf i'r gwaith o geisio hyrwyddo dydd rhyddhad Cymru. Heb Hunan Reolaeth nid oes siawns i'r genedl fyw hyd y gwelaf i.[48]

Serch hynny, ym mis Gorffennaf, gorffennodd gywiro proflenni'r *Bod Cenhedlig*, sef ei gyfieithiad o'r *National Being*, a chyhoeddwyd y gyfrol yn 1963 gan Blaid Cymru. Gobeithiai D.J. y byddai'r cyfieithiad yn fodd i ysbrydoli rhywrai i ymgyrchu dros Gymru. Meddai D.J. amdano:

> Teimlo fod y cyfieithiad ar y cyfan, wedi cryn lafur, cystal ag y gallaf i ei wneud, gan fawr obeithio y gall beri i ryw nifer fach feddwl am ei werth i Gymru.[49]

Ym mis Awst yr oedd D.J. yn llywydd yr Eisteddfod Genedlaethol yn Llanelli. Derbyniodd y gwahoddiad i annerch er ei drafferthion a'i brysurdeb oherwydd teimlai fod yr achlysur yn cynnig cyfle iddo daro ergyd dros Gymru. Ond ni chafodd hwyl ar ei anerchiad. Oherwydd cwtogi ar ei amser gan fod y gweithgareddau eisteddfodol yn rhedeg yn hwyr ni fedrodd annerch yn effeithiol:

> Rhoi fy anerchiad fel Llywydd yr Eisteddfod – ac yn sâl byth oddi ar hynny, gan mor sâl y gwneuthum. Rown i wedi paratoi yn dda, gan obeithio y gallwn ddweud rhywbeth a allai roi cyweirnod newydd i'n codi ni ar ein traed i gael ffydd a hyder o'r newydd yn ein pethau

> gorau. Ond yr oedd twrw'r glaw ar y to yn boddi'r llais, a'r amser a roddwyd i fi wedi ei dorri i lawr i'r hanner bron o'r deg munud ar y rhaglen – pethau hanner awr yn hwyr yn ôl y Rhaglen. Rhaglen Deledu Seremoni'r Cadeirio i ddechrau'n brydlon am 2.30. Gorfod brasgamu'n rhyw herc a cham a naid o'r hyn y golygwn ei ddweud, gan orfod gadael tyllau yn yr anerchiad. Colli cyfle dros achos Cymru fel y teimlwn i, er paratoi orau y gallwn, er fy nghof gwallus, – gan ofyn am nerth yr Arglwydd yn gyson. Ni chredaf mai unrhyw awydd am wneud strôc oedd y tu ôl iddo, – ond cyfle wedi ei roi gan Ragluniaeth i ddweud gair o werth dros Gymru. Ond yn ôl stori'r hen gyfaill Ben Owen am y ffermwr hwnnw na allai gymryd rhan yn y Cwrdd Diolchgarwch am mai 'y ngadael i lawr wnaeth E y tro hwn'!![50]

Ym mis Ionawr 1964 gwaethygodd iechyd Siân yn ddirfawr. Cafodd ergyd ar ei chalon a hynny'n effeithio ar ei lleferydd a'i meddwl. Yna ym mis Chwefror cychwynnodd ymgyrch etholiadol 1964. Er yr holl anawsterau ac afiechyd Siân, mynnodd D.J. gymryd rhan ganolog yn yr ymgyrch. Oherwydd fod Waldo Williams wedi penderfynu na allai sefyll fel ymgeisydd Plaid Cymru yn y sir ar ôl ei ymgyrch seithug yn 1959 bu D.J. yn ceisio perswadio ei weinidog, Stanley Lewis, i ysgwyddo'r baich.[51] Gwrthododd Stanley Lewis gydsynio â'r cais ac, yn y pen draw, dewiswyd Dyfrig Thomas, myfyriwr ym Mhrifysgol Aberystwyth, yn ymgeisydd.[52] Ym mis Mai gwirfoddolodd D.J. i fod yn swyddog cyllid ar gyfer yr etholiad. Rhwng ymgyrch gasglu Gŵyl Dewi a'r costau etholiadol sylweddolodd iddo ymdynghedu i gasglu o leiaf £1,000 cyn diwedd y flwyddyn. Serch hynny, ym mis Mehefin, cynorthwyodd Dyfrig Thomas i ysgrifennu llythyr at yr etholwyr, ac yn ystod y misoedd nesaf bu wrthi'n ysgrifennu'n gyson i'r wasg leol ar faterion yn ymwneud ag ymgyrch etholiadol y Blaid. Yna ym mis Medi dechreuodd ganfasio'n ddyfal o ddrws i ddrws ond daeth hynny i ben ddiwedd y mis oherwydd i Siân gael trawiad arall ar ei chalon. Er y draul arno, oherwydd y gofal am Siân a'r gwaith tŷ, erbyn yr ail wythnos o fis Hydref yr oedd D.J. yn ôl yn annerch a chanfasio. Daeth yr ymgyrch i ben ar 16

Hydref 1964 ac er yr holl lafur ni chafodd Plaid Cymru ond 1,717 o bleidleisiau yn etholaeth sir Benfro.[53]

Marwolaeth Siân

Ym mis Chwefror 1965 bu farw Pegi, chwaer D.J. Gwaethygu'n ddirfawr hefyd a wnaeth iechyd Siân. Erbyn mis Ebrill ni fedrai ei gwisgo'i hun ac ym mis Mai ni allai fwyta heb gymorth. Ar 3 Mehefin 1965 bu farw yn ysbyty Glangwili, Caerfyrddin. Ni ddiflasodd D.J. wrth wynebu ei brofedigaeth. Yn hytrach, defnyddiodd farwolaeth ei wraig i'w sbarduno i weithio'n galetach dros Gymru. Meddai yn ei ddyddiadur ddiwrnod cyn yr angladd:

> Gofyn gan Dduw o waelod fy nghalon am iddo fy mhuro a'm perffeithio mewn gras a doethineb, ac unplygrwydd bwriad fel y gallaf drwy gariad ac ymroddiad di–ymollwng wneud rhywbeth i agor llygaid pobl fy nghenedl i barchu eu hunain yn ofn yr Arglwydd fel ag i fwrw gwarth gwaseidd–dra a llwfrdra moesol am byth oddi ar eu heneidiau, a bod yn genedl mewn gwirionedd.

Yna ar 8 Mehefin, diwrnod angladd Siân, cofnododd ei fod, cyn marw, yn 'gobeithio ymladd brwydr galed, ddi-ildio dros Gymru, drwy nerth gras a doethineb a chariad Duw'.[54] Bwriodd ati'n ddiymdroi i ymladd y frwydr dros Gymru. Ddechrau Awst roedd yn annerch yng nghyfarfod dathlu deugeinfed pen-blwydd Plaid Cymru ym Machynlleth ac ar 7 Awst yr oedd yn Swyddfa Plaid Cymru yng Nghaerdydd yn arwyddo copïau o gyfrol deyrnged iddo, a olygwyd gan J. Gwyn Griffiths.

Gwireddu breuddwyd oes

Ym mis Hydref 1965 trefnodd D.J. werthiant Pen-rhiw, yr *Hen Dŷ Ffarm,* am £2,000. Ar 2 Tachwedd dyfynna'r geiriau o'r llyfr *God Calling* gan Two Listeners: *'How poor die those who leave wealth. Wealth is to use, to spend for me.'* Yr oedd dyfynnu'r geiriau hynny'n arbennig o arwyddocaol oherwydd ar 1 Ionawr 1966 cofnododd iddo ddweud wrth Gwynfor Evans ym Mhwyllgor

Gwaith y Blaid am yr hyn a fu ar ei feddwl ers tro, sef rhoi arian gwerthiant Pen-rhiw yn anrheg i'r Blaid ac yntau'n dal ar dir y byw. Ei obaith oedd y byddai'r rhodd yn gymorth i ddod â llwyddiant etholiadol i'r Blaid. Rhoddwyd prawf ar ei obeithion ar unwaith oherwydd cyhoeddwyd Etholiad Cyffredinol ar 28 Chwefror 1966. Ni chafwyd y llwyddiant yr ysai D.J. amdano ond ym Mehefin cyhoeddwyd is-etholiad yng Nghaerfyrddin yn dilyn marwolaeth Megan Lloyd George a hynny'n cynnig cyfle arall i Gwynfor Evans gystadlu am y sedd. Aeth D.J. ati i ymgyrchu'n ddiarbed ar unwaith, ac ym mis Gorffennaf, er iddo gael ei boeni gan yr angina, bu'n canfasio o ddrws i ddrws yn ardaloedd Llanybydder, Esgairdawe a Llansawel. Am y tro cyntaf yn ei hanes llwyddodd y Blaid i ennill sedd ar raddfa Brydeinig a hynny'n gwireddu breuddwyd oes i D.J. Yn dilyn yr is-etholiad aeth D.J. i Lundain ym mis Gorffennaf i weld Gwynfor Evans yn cael ei dderbyn yn aelod seneddol dros sir Gaerfyrddin. Oherwydd i'w galon ei boeni'n gyson yn ystod yr ymweliad hwn cofnododd yn ei ddyddiadur y dymunai weithio hyd y diwedd yn hytrach na byw'n ddiwerth, ac yn sgil llwyddiant Plaid Cymru teimlai mai dyma'r amser priodol iddo farw a mynd at ei annwyl Siân:

> … teimlo'r dyddiau diwethaf yma, a Gwynfor wedi mynd i'r Senedd, ac arwyddion amlwg fod gobaith eto i Gymru fyw'n genedl drwy ymdrechion ei phlant ei hun, yr hoffwn i farw, a marw'n fuan, a mynd at fy annwyl, annwyl Siân a Iesu Grist a'r hen ffrindiau hoff i gyd – yr unigrwydd parhaol yma, er holl garedigrwydd fy nghyfeillion o lawer man, yn fy llethu, yr angina'n fwy poenus wrth gerdded o hyd hefyd.[55]

Ar ôl 1966 ni chofnododd D.J. Williams ei hanes beunyddiol mewn dyddiaduron. Nid ysgrifennodd waith llenyddol arall ychwaith. Heblaw am lythyru'n gyson yn y wasg, yr unig waith swmpus a ysgrifennodd oedd *Codi'r Faner,* sef pamffled yn cynnwys tipyn o hanes Plaid Cymru, a gyhoeddwyd yn 1968.[56] Yn ystod tair blynedd olaf ei oes bu'n dilyn hynt a helynt protestwyr Cymdeithas yr Iaith Gymraeg ac yn mynychu rhai o gyfarfodydd protest ac achosion llys y gymdeithas honno. Meddai mewn llythyr a anfonodd at Kate Roberts yn 1969: 'Rhyw ddilyn llysoedd barn yw fy hobi ddiwethaf i wedi bod …'[57]

Cyn ei farwolaeth ar 4 Ionawr 1970 cafodd un dymuniad arall y bu'n gobeithio amdano sawl tro. Trefnwyd cyfarfod rhwng y tri a losgodd yr Ysgol Fomio ym Mhenrhyn Llŷn – Saunders Lewis, Lewis Valentine ac yntau. Yng ngwesty'r Cartref, Abergwaun, y bu'r cyfarfod hwn, a dyma'r tro cyntaf a'r unig dro i'r tri gwrdd â'i gilydd ar ôl eu rhyddhau o'r carchar yn 1937. Ar nos Lun, 15 Gorffennaf 1968, y bu'r cyfarfod hwn.[58] Cafodd ddymuniad arall hefyd. Cadwodd yn heini ei gorff (er gwaetha'r angina) a'i feddwl hyd y diwedd. Tystiolaeth o hynny yw ei ysgrif yn olrhain gweithgareddau llys Aberteifi a gyhoeddwyd yn *Barn*[59] Ionawr ei farw a'i lythyrau, yn Rhagfyr 1969, at ei gyfeillion, sy'n glir eu mynegiant a chadarn eu llawysgrif.

PENNOD 2

Personoliaeth D.J.

Dylanwadau

Yn ei ddwy gyfrol hunangofiannol, *Hen Dŷ Ffarm* ac *Yn Chwech ar Hugain Oed,* darluniodd D.J. yn fanwl y cefndir a fowldiodd ei bersonoliaeth a'r dylanwadau a ffurfiodd ei farn ac a'i gwnaeth yn genedlaetholwr. Rhaid cydnabod, wrth gwrs, fod cyneddfau cynhenid, nad oes mo'u dirnad yn llawn, yn elfen arall bwysig yn y broses o ffurfio cymeriad. Yr oedd gan D.J. chwaer iau, y ddau â dim ond dwy flynedd rhyngddynt, a fagwyd gyda'i gilydd ar yr un aelwyd, ond ni chydsyniai ag ef ar faterion gwleidyddol. Parchai Margaret Anne ('Pegi') deulu brenhinol Lloegr, ac nid oes tystiolaeth iddi ymgyrchu dros ennill hawliau gwleidyddol i Gymru fel cenedl ar wahân i Loegr. Meddai D.J. amdani: 'Bu yn yr India gyda'r Welsh Unit adeg y Rhyfel Cyntaf. Yno meithrinwyd ynddi ryw barch rhyfedd at y teulu brenhinol Seisnig ac at y fyddin.'[60]

Cydnabu D.J. mai ym Mhen-rhiw yr oedd ei wreiddiau, a chyn hynny, yn Llywele, dwy fferm yng nghefn gwlad sir Gaerfyrddin y bu ei deulu ef yn gysylltiedig â hwy am ganrifoedd.[61] Y mae'r modd y syniai ef am y gwreiddiau hyn yn bwysig. Nid cofio amdanynt fel gwrthrychau, digwyddiadau a phobl yn ffeithiol a wna. Pan oedd yn blentyn, ac yng nghyfnod ei arddegau cynnar, teimlai ef y cyfan â'i holl gyneddfau. Mynegodd hyn yn ddiweddarach trwy ddweud ei fod yn y cyfnod hwnnw, cyn gadael ei gartref a'i ardal, yn ei 'elfen, a phob nerfyn ynof yn teimlo ac yn anadlu'r cyfan'.[62] Efallai bod y math o gof a oedd ganddo yn elfen dra phwysig yn y modd yr effeithiodd ei wreiddiau arno, gan ennyn yr ymateb ynddo a'i gwnaeth yn gymeriad unigryw. Cyfaddefai D.J. na allai ddysgu dim ar ei gof yn hawdd. Câi drafferth yn blentyn i ddysgu adnod ar gyfer yr ysgol Sul ac er ceisio'n ddyfal ni allai ddysgu emyn. Llesteiriodd hyn ef trwy gydol ei oes yn ei ddyhead i ddod yn siaradwr cyhoeddus effeithiol. Ond, ar y llaw arall, oherwydd iddo greu darlun manwl, byw o Rydcymerau, bro ei febyd, ac o weithfeydd glo de Cymru, a hynny'n cynnwys adrodd am ddigwyddiadau, darlunio cymeriadau a disgrifio golygfeydd, gwelir ar unwaith fod ganddo gof anhygoel o dda. Dadansoddodd D.J. y cof hwn ei hun gan nodi bod iddo 'elfen leol, ddarluniadol go amlwg'. Y mae'r lleoli hwn ar ddigwyddiadau a phersonau yn golygu bod popeth yn aros yn ddarluniadol fyw yng nghof D.J., a hynny'n dyfnhau ei serch tuag atynt:

> Fe'u cofiaf nid yn unig â'r cof fel un o gyneddfau'r meddwl, ond â phob nerf a gewyn sydd yn fy nghyfansoddiad.[63]

Yn ddiweddarach tyfodd y serch hwn at bersonau a lleoliadau yn gariad angerddol at ei fro, at Gymru, at bob cenedl ac at ddynoliaeth, a'i wneud yn heddychwr digyfaddawd.

Yr oedd dylanwad ei fam yn ddwfn ar D.J. Gwraig yn hanu o ardal Cwm y Wern, cwmwd bychan rhwng dwy ardal Rhydcymerau ac Esgairdawe, oedd hi. Sarah Morgan oedd ei henw cyn priodi a Bedyddwyr selog oedd ei theulu. Roedd ei hymlyniad wrth grefydd yn bersonol ac yn ddwfn, a throsglwyddodd yr ymlyniad hwn i'w mab. Meddai D.J. amdani:

> ... yn fynych, fynych, a hithau'n ddyfal wrth ei gwaith, heb feddwl fod neb yn gwrando, fe'i clywn hi'n llafarganu ei gweddïau a'i myfyrdodau mewn ymson lleddf ...[64]

Yr oedd hi, yn ogystal, yn wraig 'o gynheddfau cryfion, yn eang ei chydymdeimlad, ac arswydai rhag unrhyw fath o dwyll'. Meddai ar 'gydwybod fyw ... na adawai lonydd iddi, er llesgedd ei blynyddoedd olaf, heb gyflawni pob dim mor drylwyr ag oedd yn bosib iddi'. Etifeddodd D.J. holl nodweddion ei chymeriad yn helaeth iawn.[65]

Yn ychwanegol at ddylanwad ei deulu, fe fu i ffurf ac ansawdd y gymdeithas wledig ddigyfnewid y cafodd D.J. ei hun yn rhan ohoni fowldio'i gymeriad a llunio'i ddiddordebau.[66] Disgrifia D.J. drigolion y cylch fel pobl syml, fonheddig, golau yn yr ysgrythurau.[67] Dyma'r sail i sicrhau cydraddoldeb y trigolion – y gweision a'r morynion ffermydd, a'r ffermwyr a oedd yn berchnogion tiroedd ond a weithiai fel pawb arall ar y tir. Nid oedd yr arfer ymhlith y ffermwyr o osod bwrdd o'r neilltu ar gyfer y gweision a'r morynion yn digwydd yn Rhydcymerau. Golygai'r cydraddoldeb hwn nad oedd gan y trigolion gwledig hyn barch at feistri tir, at bendefigaeth nac at ddeddfau estron a geisiai eu rhwystro rhag hela ar eu tiroedd eu hunain.[68] A'r tair colofn i gynnal bywyd gwâr y gymdeithas wledig hon oedd y cartref, y capel a'r ysgol.[69] Ond nid pobl hawddgar oeddent yn unig. Yn eu plith trigai'r diddanwyr, yr adroddwyr storïau a'r cofnodwyr digwyddiadau ac achau. Swynwyd D.J. yn blentyn gan y rhain a'i ysgogi i ymhoffi mewn darllen a thrwy hynny ehangu ei orwelion. Daeth yn ymwybodol o'i genedl drwy gyfrwng y cylchgronau *Cymru* a'r *Drysorfa*, a'r papur *Yr Eco Binc.* Cymaint y'i cyfareddwyd gan y cylchgronau hyn fel y penderfynodd yn ifanc iawn geisio ehangu eu cylchrediad trwy gasglu derbynwyr iddynt.[70] Nodweddion pwysig eraill yn y gymdeithas hon oedd diwydrwydd y bobl a'u ymhyfrydu mewn crefft. Bu hynny'n ddylanwad amlwg ar D.J. a chyfeirodd droeon at eu dawn a'u parodrwydd i ysgwyddo caledwaith yn ddirwgnach. Cyfeiriodd, yn ogystal, at ddiwydrwydd ei dad, John Williams, a chyd-etifedd Pen-rhiw, hyd at ffolineb parthed peryglu ei iechyd. Meddai amdano, 'A 'nhad, gyda'i egni diflino, a'i ddeall hoffus o ddyn ac anifail fyddai'n wastad dan ben trymaf y gwaith.'[71]

Caredigrwydd a chymwynasgarwch

Y ffactor bwysicaf, efallai, ym mhersonoliaeth gyfoethog, amlweddog D.J. oedd yr hoffter at ei gyd-ddyn a feithrinwyd ynddo yn ystod ei blentyndod. Dyma'r elfen a'i gwnaeth yn ddyn caredig, parod ei gymwynas, a hynny yn ei dro yn peri iddo faddau i'w gyfoedion am eu hofnusrwydd gwleidyddol yn y frwydr dros oroesiad cenedl y Cymry. Enghraifft nodedig o'i fawrfrydigrwydd oedd ei barodrwydd i gydymdeimlo a hyd yn oed faddau i Ynadon Heddwch Aberteifi a hwythau wedi cosbi aelodau Cymdeithas yr Iaith yn hallt am weithredu dros ennill cyfiawnder i'r Gymraeg. Gallasai'r ynadon fod yn llawer mwy trugarog tuag at eu cyd-Gymry heb i hynny amharu dim ar eu safle mewn cymdeithas.[72] Yna, wrth gloriannu pobl Abergwaun, dywed nad oedd iddynt weledigaeth ddofn na chryfder cymeriad. Fe'u gwêl fel cachgwn a chwyna eu bod yn rhedeg oddi wrtho fel pe bai'n ddyn rhy beryglus i gyfeillachu ag ef:

> Cwrdd heno dan nawdd yr eglwysi rhyddion i drin safle'r Gymraeg yn y capeli. Wedi bod yn gofyn am oleuni a gras a doethineb ers tro hir, blynyddoedd mewn gwirionedd, i geisio am arweiniad i wneud rhywbeth. Pobl yn ofnus a di-ffydd rhyfeddol ynghylch ein pethau pwysicaf oll. Credu weithiau, mai'r ddawn bwysicaf a roddwyd i fi yw'r ddawn i ddychrynu cachgwn. Maent yn rhedeg lled caeau rhagof, rywsut, ym mhob maes – yn grefyddol ac yn wleidyddol yn arbennig.[73]

Eto fe'u geilw'n bobl dda a charedig ac yn hael pan â ar eu gofyn am gyfraniadau i Blaid Cymru:

> … rwyf wedi gweld pobl Abergwaun yn garedig rhyfeddol tuag ataf, ac yn hael bob amser pan af ar eu cyfyl i ofyn am gyfraniad at Gronfa Gŵyl Dewi, Plaid Cymru, cael derbynwyr i'r cylchgronau, neu rywbeth arall y bûm mor fynych ar eu gofyn. [74]

Yn amlwg, nid yw'r haelioni ysbryd hwn yn ei wneud yn ddyn meddal. Yr oedd yn 'ddwrdiwr gydag awdurdod', chwedl Waldo, ac er iddo deimlo'n anghyffyrddus â'r disgrifiad hwnnw ni fedrai D.J. ymatal rhag beirniadu ei gyfoedion.[75] Nid oedd arno ofn tramgwyddo awdurdod ychwaith. Ar achlysur gwrthod cynnwys erthygl o'i eiddo yng nghylchgrawn ysgol Abergwaun gofynnodd i'r prifathro onid oedd ganddo ef 'gystal hawl i geisio gwneud dynion a Chymry teilwng o'u gwlad o blant Ysgol Sir Abergwaun ag oedd gan bawb arall i wneud Cwislins a chachgwns ohonynt'.[76] Beirniadai ei berthnasau; er enghraifft, honnodd yn ei wyneb, fod gan Wil Ifan, ei frawd-yng-nghyfraith, 'gydwybod â chas o india rubber amdani'. Meddai ymhellach:

> Ond fydd dim yn tycio gan Wil ... Fe fydd ganddo lith fach mor bert a melys am rywbeth neu'i gilydd yng Nghymru yma, a chael £5 neu £6 amdani rai o'r dyddiau nesaf yma eto, a'i gydwybod yn gwbl esmwyth.[77]

Ymelwa ar draul y Gymraeg a wnâi Wil Ifan, ym marn D.J., ac ni thrafferthodd i drosglwyddo'r Gymraeg i'w blant na hybu Plaid Cymru er mwyn brwydro dros einioes y genedl. Beirniadai ei gyfeillion hefyd, yn enwedig ei gyfeillion a arddelai, neu a fu unwaith yn arddel, genedlaetholdeb. Cwyna'n gyson yn ei ddyddiaduron am gyfeillion na wnâi ddim i'w gynorthwyo yn y gwaith diflas, diramant, di-baid o gasglu arian a chenhadu dros Blaid Cymru. Eto, er eu ffaeleddau, mae haelioni ei ysbryd yn ei orfodi i gydnabod rhinweddau ei gyfeillion a'i deulu. Ond nid hynny'n unig ychwaith. Mae'r haelioni ysbryd hwn yn estyn y tu hwnt i barodrwydd i faddau pechodau diogi a diffeithdra. Byddai ganddo le yn ei galon fawr i fradwyr pe bai'r rheini'n edifarhau ac yn dychwelyd i'r gorlan. Cydymdeimla ag Elystan Morgan, pan drodd hwnnw ei gefn ar Blaid Cymru gan ymuno â'r Blaid Lafur Brydeinig yn 1965, gan ddatgan iddo ddifetha ei fywyd gan mai ym Mhlaid Cymru'n unig yr oedd ei gartref ysbrydol. Gobeithia y gallai ddychwelyd i gorlan y Blaid gan awgrymu y byddai ef yn barod i'w groesawu yn ôl. Meddai D.J. amdano wrth ei gyfaill Valentine:

> A beth wyt ti'n feddwl am Elystan erbyn hyn? Trueni mawr, mewn gwirionedd, ddywedaf, – sarnu'i holl fywyd, fel Emrys bach Roberts,

rwy'n ofni; gan nad yw'n debyg y gall yr un blaid fod a ffydd mawr ynddo, bellach. Fy ngobaith pell i yw y gall y ddau eto ddod yn ôl i'r Blaid, rywbryd - gan dyna'u hunig gartref ysbrydol nhw.[78]

Diwydrwydd a dyfalbarhad

Yn wyneb difrawder, brad, diogi, cybydd-dod a gofal am hunan-les dioddefai D.J. ddigalondid yn aml. Hyd a lled ymdrechion ei gyfoedion mewn brwydr anodd dros sicrhau rhyddid gwleidyddol i Gymru, sy'n gofyn am lafurio dygn a chaled, yw mynychu ambell bwyllgor a chyfrannu rhyw ychydig bunnoedd trwy orchymyn banc. Mae'r diffyg ymateb ymhlith Cymry da sir Benfro i'r angen am frwydro dygn yn ei ddanto:

> Bron a danto ambell funud o weld cyn lleied o ymateb sydd hyd yn oed ymhlith Cymry da Sir Benfro i'r alwad i ymuno gyda'i gilydd i weithio gyda Phlaid Cymru. Maent yn gallu bod mor fodlon ar eu byd cysurus ac fel pe baent wedi eu parlysu'n foesol. Rwyf wedi ceisio rhoi fy ngorau glas i waith y Blaid a phopeth da arall, yn fy marn i, drwy'r blynyddoedd gan ofyn am nerth a chyfarwyddyd a doethineb drwy arweiniad a chymorth yr Ysbryd Glân, a theimlo weithiau fod y cyfan yn ofer.[79]

Anobeithiai D.J. oherwydd, er iddo geisio arwain ei gyfoedion trwy esiampl o weithio'n ddiarbed a di-baid, nid oedd hynny'n mennu dim arnynt. Ond yr oedd ganddo gonglfeini i'w arbed rhag suddo i ferddwr anobaith. Pwysai'n drwm ar grefydd gan ofyn i'w Dduw am nerth i ddal ati'n ddiarbed i weithio dros Gymru. Meddai yn 1949:

> Fy ngweddi yw am iddo o'i ras a'i fawr drugaredd estyn i mi nerth corff, meddwl, ac ysbryd am y tymor sydd ar ôl o'm bywyd i weithio yn galed, egnïol, a chydwybodol hyd eithaf y gallu prin a roed i mi i ledaenu egwyddorion teyrnas Crist mewn gair a gweithred, fel y gallo rhywbeth y caf hwyrach yr ysbrydiaeth i'w sgrifennu barhau i roi nerth a dewrder i'm cenedl gadw'r pethau gorau yn ei bywyd y gwelaist di yn dda eu rhoi iddi.[80]

Nid y grefydd gyfundrefnol, er ei fod yn mynychu capel yn

ffyddlon, ond yn hytrach crefydd bersonol yw ei gaer. Y gyfathrach honno â'i Dduw yn y dirgel, fel petai, a welodd gan ei fam pan fyddai hi, heb fod yn ymwybodol o'i bresenoldeb ef na neb arall, yn llafarganu ei gweddïau preifat. Ac y mae'r ffynhonnell ysbrydol hon yn grymuso ei ddygnwch cymeriad anhygoel. Dyma'r dygnwch a oedd yn eiddo i'w wehelyth yn Rhydcymerau ac a etifeddodd yntau'n helaeth iawn. O'r herwydd mae gwastraffu amser yn anathema iddo a theimlai, gan mai un bywyd a gawn, na ellid gwastraffu munud ohono. Meddai yn 1952:

> Gwarchod pawb. Yn effro o 5 i 6. Yna cysgu o 7 i 8. Thâl hi byth fel hyn 'y machan bach i. Un bywyd gei di a rhaid i ti fod yn effro bob munud ohono hyd y gelli.[81]

Trwy gydol ei yrfa yn Abergwaun o 1919 hyd ei farw yn Ionawr 1970 bu'n anhygoel o weithgar yn cyflawni mân orchwylion diddiolch Plaid Cymru. Yr oedd yn pwyllgora'n gyson, yn ysgrifennu i'r wasg leol, yn annerch cyfarfodydd, yn dosbarthu taflenni propaganda'r Blaid, yn casglu arian i'w chronfeydd ac yn canfasio drosti'n ddi-baid ac ar adegau pan nad oedd ymgyrch etholiadol ar droed. Cyfeiria D.J. yn ei ddyddiaduron at ei arfer o godi'n gynnar, yn aml am 5.30 o'r gloch y bore. Hyd yn oed ar ôl ymddeol o'i waith fel athro ysgol byddai, cyn i salwch ei rwystro, yn cychwyn y dydd gydag ymarferion corff yn yr ardd, yna darllenai ei Feibl. Ar ôl brecwast golchai'r llestri ac yna ceisiai weithio ar ei brosiectau llenyddol rhwng 7.30 y bore a chinio. Treuliai weddill y dydd ar ei lythyrau, ei erthyglau a'i ymgyrchoedd gwleidyddol. Ar ôl cael ei daro'n wael a dioddef anhwylder y galon ni arbedai ei hun er i'w gyfeillion, a Saunders Lewis yn eu plith, ymbil arno i beidio â pheryglu ei iechyd. Gwrthod cyngor Saunders a wnaeth, gan gofnodi hynny yn ei ddyddiadur:

> Cael llythyr oddi wrth Saunders heddiw, gyda'r troad, fel y gwna yn ddigon mynych pan sgrifennaf ato'n awr ac eilwaith; yn fy siarsio i beidio â chymryd rhan yn yr etholiad rhag niweidio fy iechyd ymhellach. Cyngor yn ei le petai modd i fi wrando. Ond dyma gyfle

> mawr wedi dod i wneud rhywbeth dros Gymru, a rhaid ei dderbyn. Fy nghalon a'r gwynt yn fy stumog yn fy mhoeni'n go ddrwg heddi – effaith cerdded y grisiau yn ddiddiwedd a sgrifennu pethau i'r Wasg a phwyllgora etc.[82]

Ond nid gweithio'n lleol yn unig a wnâi. Bu'n rhan o gyfundrefn genedlaethol Plaid Cymru hefyd oddi ar ei sefydlu yn 1925 hyd at ei farwolaeth. Ychydig iawn o bwyllgorau Cyngor Cenedlaethol y Blaid a gollodd a mynychai'r Ysgol Haf flynyddol yn gyson.

Er y gweithgarwch gwleidyddol diwyd hwn ni esgeulusodd D.J. ei grefydd. Gwnaeth ei ddygnwch ef yn fynychwr selog o Gapel Pentowr, capel y Methodistiaid yn Abergwaun. Roedd ei ffyddlondeb yn nodedig oherwydd cafodd sawl achos i suro a throi cefn ar ei gapel. Gwrthodwyd ei gais i fod yn flaenor gan ei enwad ddwywaith. Dywed hefyd, er iddo dderbyn anrhydeddau lu gan sefydliadau a mudiadau ac enwadau eraill, nad oedd iddo barch yn ei eglwys a'i enwad ei hun:

> Yn rhyfedd iawn teimlaf fy mod i'n cael mwy na'm haeddiant o anrhydeddau ymhob man nag ym Mhentowr, lle y maent yn fy nabod orau.[83]

Teimlai, yn ogystal, y gallai gyd-drafod gyda blaenoriaid y capel ond, gan nad oedd yn flaenor, ni châi wahoddiad i'w cyfarfodydd. Tybiaf fod y blaenoriaid yn ddigon balch o gael rheswm i'w wrthod oherwydd yr oedd D.J. yn ddraenen yn eu hystlysau ac yn dwysbigo'u cydwybod yn ddi-baid.

Y mae dyfalbarhad llenyddol D.J. yn hynod drawiadol yn enwedig o gofio am ei brysurdeb mawr mewn meysydd eraill. Er iddo gynhyrchu gweithiau pwysig trwy gydol ei oes, ar ôl iddo ymddeol y cafodd y cyfle i fynd ati o ddifri i gynhyrchu gweithiau swmpus. Ei gyfraniad sylweddol cyntaf ar ôl ymddeol oedd ei gyfrol hunangofiannol gyntaf, *Hen Dŷ Ffarm*. Dilynwyd hynny, maes o law, gan *Yn Chwech ar Hugain Oed.* Treuliodd bron bum mlynedd galed yn ysgrifennu'r ail lyfr hwn oherwydd, rai misoedd ar ôl ei ddechrau, fe'i trawyd yn sâl gan angina. Yn fynych, fynych gorfodai poen ef i roi'r gorau i'w ymdrech i ysgrifennu. Byddai'n llusgo yn ôl i'w wely, yna'n codi drachefn ar ôl ychydig oriau, i geisio ysgrifennu pwt arall. Ac fel yna, o dipyn i beth, diolch i'w ymroddiad anhygoel, y cyflawnodd orchest eithriadol.

Gwyleidd-dra ac unplygrwydd

Nodwedd arall amlwg o bersonoliaeth D.J. oedd ei wyleidd-dra. Bu'n troi ymhlith mawrion y genedl. Cafodd ei gydnabod ganddynt am gyfraniad nodedig ym myd gwleidyddiaeth a llenyddiaeth, a theimlai'n hynod swil ac anhaeddiannol pan benderfynwyd llunio cyfrol deyrnged iddo.[84] Anrhydeddwyd ef gan lu o sefydliadau gan gynnwys Cymmrodorion Llundain, Prifysgol Cymru a Chymdeithas Dafydd ap Gwilym, Rhydychen. Nid oedd derbyn anrhydeddau yn hawdd iddo. Roedd meddwl am osod ei enw ymhlith enwau ei arwyr a mawrion cenedl yn peri iddo gywilyddio. Cyfeiriai at ei gefndir syml a theimlai nad oedd neb yn llai teilwng nag ef o dderbyn anrhydeddau.[85] Dywed na fu iddo chwennych na breuddwydio gweld ei enw ymhlith enwau penaethiaid y bobl.[86] Ac y mae'n deg cydnabod mai ewyllysio gwasanaethu Cymru a'i phobl a wnaeth, nid derbyn anrhydeddau. Serch hynny, ni allai, yn y pen draw, wrthod derbyn eu gwrogaeth. Meddai, wrth iddo betruso ynglŷn â derbyn cynnig i'w anrhydeddu gan Gymmrodorion Llundain:

> Mae enwau aelodau'r Cyngor yn wir o bwys a gwerth i Gymru bob un – pobl nad wyf yn haeddu bod yn yr un rhestr â hwy. Rwyf mewn penbleth parod beth i'w wneud ... Felly y bûm o'r blaen pan gefais gynnig Doethuriaeth gan Brifysgol Cymru. Does dim *delight* gennyf o gwbl rywsut yn yr anrhydeddau hyn gan mor wir annheilwng yr ystyriaf fy hun ohonynt – a phobl lawer teilyngach na fi heb gael eu cynnig, ond teimlo fod dyn yn *insylto* pobl garedig wedyn wrth eu gwrthod.[87]

Oni bai am ddygnwch ei sêl dros sicrhau goroesiad ei genedl byddai ei natur wylaidd wedi bod yn llyffethair i D.J., yn enwedig yng nghyswllt ei gyfraniad llenyddol. Yn aml, teimlai nad oedd ganddo ddawn ysgrifennu, ac atgyfnerthwyd ei gred yn ei ddiffyg dawn gan feirniadaeth ar ei storïau byrion, yn enwedig beirniadaeth lem Saunders Lewis ar gymeriadau di-asgwrn-cefn ei storïau. Serch hynny, y gwyleidd-dra, a oedd yn boen enaid iddo wrth ystyried gwerth ei gynnyrch llenyddol, a'i galluogodd i geisio, hyd yr eithaf, gyrraedd perffeithrwydd. A'i wyleidd-dra, yn ogystal, a'i galluogodd i wneud gwaith gwleidyddol beunyddiol ymddangosiadol ddi-nod. Oherwydd ei fod yn ddidwyll wylaidd, nid oedd tasgau cyffredin y gellid eu cyflawni gan unigolion heb ddoniau ymenyddol mawr islaw sylw iddo oblegid nid ystyriai iddo etifeddu doniau mawr. Meddai amdano ei hun, 'Nid wyf wedi cael fy ngwneud i fod yn arweinydd, ond mi barhaf i wneud y donkey work.'[88] Hyd yn oed yn ei henaint, ac yntau'n dioddef poen calon, ni fynnai roi'r gorau i'w weithgarwch di-nod. Meddai yn 1961 wrth gyfeirio at drefnu Ffair Plaid Cymru, ac yntau'n 76 oed:

> Anfon negeseau at nifer o bobl i gael eu help ar gyfer y Ffair. Mynd o gwmpas 12 o dai heno mewn tair awr yn ceisio eu help gyda'r Ffair. Rhywun chwarter fy oed i a ddylai fod yn gwneud y gwaith hwn. Ond hyd yma ni ellais ysbrydoli neb o aelodau'r Blaid i wneud y gwaith asyn hwn, peth sy'n rhaid i rywun ei wneud. Ni ellir fforddio gadael y gwaith heb ei wneud. A'r unig beth wedyn yw i ddyn ei wneud ei hun.[89]

Roedd D.J. yn aml yn ddigalon oherwydd diffyg ymateb pobl Abergwaun, sir Benfro a Chymru i genhadaeth Plaid Cymru, ac i'w diffyg ymateb i'w genhadaeth bersonol ef. Meddai yn 1966 er enghraifft, 'Yn anniddig iawn oherwydd fy methiant fy hun yma [Abergwaun].'[90] Ond dyma'r lefain yn y blawd, nad oedd D.J. ei hun yn ymwybodol o'i effaith, a fu'n gyfraniad mor eang a phellgyrhaeddol ei ddylanwad ar Gymru fel na ellir mesur ei hyd, ei led na'i ddyfnder.

Yn ogystal â gweithio'n wleidyddol byddai D.J. hefyd yn

trefnu gweithgareddau diwylliannol, yn paratoi neuaddau ar gyfer partïon drama a chyngherddau, yn trefnu'r cadeiriau a phob mân ddyletswyddau eraill sydd ynghlwm wrth drefniadau cyffelyb. Yn ogystal, er ei fod yn ysgrifennwr erthyglau pwysig i bapurau cenedlaethol tebyg i'r *Faner* a'r *Western Mail*, *Y Genhinen* a'r *Llenor,* nid oedd uwchlaw cyfrannu i bapurau lleol cyfyng eu cylchrediad. Nid erthyglau yn unig a gyfrannai iddynt chwaith, ond adroddiadau o bwyllgorau a gweithgareddau lleol, manion y gellid eu cyflawni gan eraill nad oeddynt yn llenorion chwaethach na bod yn llenorion nodedig.

Am ei fod yn wylaidd ni theimlai D.J. yn eiddigeddus o'i gyfoeswyr. O'r herwydd gallai ysgogi eraill i weithio dros Gymru trwy eu canmol yn hael. Byddai'n canmol ac yn diolch ar lafar ac ar bapur. Yr oedd yn llythyrwr di-baid a cheir enghraifft nodedig ohono'n ysbrydolwr mawrfrydig yn cydnabod cyfnod maith o lafur Kate Roberts yn cyhoeddi'r *Faner,* tra oedd eraill yn ei beio am wrthod gwerthu'r *Faner* a Gwasg Gee i Blaid Cymru.[91] Agwedd arall ar ei bersonoliaeth a fu'n gynhorthwy iddo fod yn ysbrydolwr eraill oedd ei unplygrwydd. Gan ei fod yntau'n ddiffuant yn ei ymdrech ddi-ildio dros achub cenedligrwydd Cymru, mae'n sicr iddo gredu bod ganddo'r hawl i gymell eraill i rengoedd y frwydr. Oherwydd yr unplygrwydd hwn, nid ar chwarae bach y byddai ef yn torri addewid neu'n osgoi ymgyrchu. Os oedd cynhorthwy ar gael ni wnaeth osgoi ei ddyletswyddau na'i gyhoeddiadau hyd yn oed pan oedd ei wraig yn dioddef salwch ac arni angen ymgeledd:

> Mrs Gordon ... yn dod tua 10.30 gan gymryd gofal am Siân weddill y dydd a'm rhyddhau innau i fynd lan i'r Cilgwyn gyda'r bws 1.30, er mawr falchder i fi gan iddi ddigwydd fel hyn yn y bore, ag i siarad â gweinidogion y Bedyddwyr yno yn ôl fy addewid, gan na fynnwn er dim eu siomi hyd y bai modd. Rhagluniaeth ar hyd y ffordd wedi'i Siân ddod dros y gwaedu yn hyrwyddo'r ffordd i fi ... Cael rhwyddineb mawr i siarad â'r cyfeillion hoff yn y Cilgwyn fel petai'r Arglwydd yn agos ataf. Diwrnod i'w gofio yn arbennig i

> fi fu hwn; 'red letter day'. Diolch i'r Arglwydd am ei nerth a'i ofal agos amdanaf ar ei hyd. Ni theimlais i fi gael nerth i siarad fel hyn o'r blaen yn ystod fy holl brofiad o geisio siarad. [92]

Pan ddaw hi'n fater o orfod gweithredu yn erbyn cydwybod oherwydd amgylchiadau anodd pair hynny boen meddwl ingol i D.J. oherwydd, yn ei farn ef, yr oedd llaesu dwylo ym materion cydwybod unwaith yn agor y drws i fradychu cydwybod drachefn a thrachefn. Oherwydd afiechyd Siân yn ei henaint, a'i lesgedd ei hun yn ogystal, gorfu iddo dalu am drwydded radio yn erbyn ei ewyllys. Ei fwriad oedd, gyda sawl ymgyrchwr arall, gwrthod talu fel protest yn erbyn ymdriniaeth salw'r cyfrwng o Blaid Cymru. Ni chawsai'r Blaid ddarlledu'i neges ar y tonfeddi. Canlyniad gwrthod talu am drwydded fuasai derbyn dirwy mewn llys barn ac o wrthod talu'r ddirwy câi'r troseddwr ryw gymaint o garchar. Wynebu'r gosb oedd bwriad D.J. ond ni fynnai Siân hynny ac, oherwydd ei llesgedd, gorfu iddo blygu i'w dymuniad hi rhag niweidio'i hiechyd bregus ymhellach. Meddai D.J. ar yr achlysur hwnnw:

> ... ni fynnai Siân sôn am y peth, ac effeithiai hynny bob tro er gwaeth ar ei hiechyd. Yn hytrach na pheri rhagor o boen iddi telais y bunt echdoe [pris trwydded radio yn 1961] – y tro cyntaf yn fy mywyd i mi wneud rhywbeth â'm llygaid yn agored yn erbyn fy nghydwybod, ac yr wyf yn wir flin am hynny. Y drwg o wneud hyn unwaith yw ei fod yn haws i'w wneud yr ail dro. A dyna ddyn yn dechrau colli ffydd yn ei werth a'i anrhydedd ei hun. Gwneuthum gamgymeriadau a chamsyniadau anfwriadol ac edifarhau am hynny. Ond bradychu cydwybod a llacio penderfyniad oherwydd ystyriaethau personol, ni ellais ei wneud yn ymwybodol erioed. Cydsyniodd Siân â fi y troeon o'r blaen ar achlysuron anodd, ond yn awr y mae stad ei hiechyd yn llawer gwannach. Ac yr ydym ni yn ddau, a'i barn hithau yn haeddu ystyriaeth lawn cymaint â'm barn innau. Duw a faddeuo i mi os gwneuthum yr hyn na ddylwn ac a roddo help i fi am gyfnod hir gobeithio, a Siân gyda fi, i wneud iawn am hyn.[93]

Ei unplygrwydd a'i gorfododd i herio'r awdurdodau trwy

bregethu heddychiaeth adeg rhyfel a dyna a'i harweiniodd yn 1936 i wynebu carchar a pheryglu ei swydd yn Ysgol Sir Abergwaun trwy weithredu'n anghyfansoddiadol ym Mhenyberth, Penrhyn Llŷn, gyda'i ddau gyfaill Saunders Lewis a Lewis Valentine. Ar hyd ei oes, oherwydd ei ymlyniad wrth ei egwyddorion, peryglodd ei obaith am ddyrchafiad swydd. Yn wir, fe'i gwrthodwyd fwy nag unwaith pan ymgeisiodd am brifathrawiaethau rhai ysgolion uwchradd.[94] Er iddo gyrraedd rhestr fer ysgol uwchradd Pwllheli ni chafodd y swydd. Mae'n deg tybio mai cenedlaetholdeb D.J. oedd y maen tramgwydd iddo yn ei ymgais am ddyrchafiad er i'w geisiadau am swyddi flaenori gweithred yr Ysgol Fomio ym Mhenyberth.

Haelioni D.J.

Yr oedd hunanoldeb a chybydd-dod yn anathema i D.J. Gwyddai amdanynt ac yr oedd yn effro i'w peryglon, a cheisiai eu cadw hyd braich yn wastad. Cydnabyddai y gallai hunanoldeb ei rwydo pan oedd yn chwennych dylanwad dros eraill:

> Teimlo fynychaf fy mod i'r mwyaf diwerth a di-ddylanwad yn y wlad o blaid yr hyn y credais ynddynt. Ond nid yw bod yn ymwybodol o ddylanwad ond ffurf ar hunanoldeb wedi'r cyfan ...[95]

Yr oedd yn effro iawn i beryglon hunanoldeb ar ffurf cybydd-dod. Arweiniai hyn ef i fod yn hael wrth grwydriaid ac i roi'n hael hefyd pan ddeuai cyfle i gyfrannu at achosion da rhag i gybydd-dod reoli bywyd:

> Cael fy nghymell i roi punt yn ddistaw bach yng nghornel y bocs casglu. Gwae'r neb nad ufuddhao i gymhelliad da. Bydd anufuddhau yr ail dro yn fwy rhwydd. Yna fe lethir yr awydd, a daw'r cybydd i reoli. A dyna fywyd wedi ei ddamnio ...[96]

Ond nid oedd hi'n ddigon i D.J., na Siân ychwaith, gynnal achosion da â phunt neu ddwy yn lled aml. Enghraifft o'u haelioni, a haelioni D.J. yn enwedig, yw'r cyfraniadau rhyfeddol a chyson i'r Blaid. Yn ystod etholiad cyffredinol 1964 cyfrannodd D.J. a Siân £85 i'r Blaid, a hynny'n cynnwys breindal *Yn Chwech ar Hugain Oed.* Ond strôc fwyaf D.J. yn y maes hwn, serch hynny, oedd rhoi yr holl arian a gafodd am Ben-rhiw yr *Hen Dŷ Ffarm*, pan werthodd hwnnw yn weddol rad i gydnabod iddo a drigai yn yr hen ardal. Cyfrannodd y ddwy fil o bunnoedd a gafodd am y lle yn llwyr i'r Blaid heb ganiatáu i'r Blaid hyd yn oed dalu costau cyfreithiol y gwerthiant. [97] Awgryma D.J. yn gynnil mai ffynhonnell yr haelioni hwn yw diffyg awydd am arian mawr ymhlith trigolion ei filltir sgwâr. Oherwydd amgylchiadau byw yn ystod ei lencyndod, nid oedd gan neb arian dros ben. Llwyddent i ennill digon i dalu'r ffordd heb fynd i ddyled. Ym marn D.J. gorfodai hynny hwynt i fod yn ofalus o'u harian heb fod yn gybyddlyd.[98] Serch hynny, gallai'r cynildeb gwerinaidd hwn droi'n gybydd-dod fel y gwnaeth yn achos ei chwaer. Ys dywed D.J. amdani, 'Gwendid Pegi druan oedd fod ei chynildeb gwerinaidd wedi troi'n gybydd-dod yn anymwybodol iddi, er y carai fod yn hael.'[99] Gellir dadlau mai canfyddiad gorawenus D.J. o haelioni trigolion ei filltir sgwâr a'r ffaith ei fod yn boenus ymwybodol o beryglon cybydd-dod a'i gwnaeth yn rhyfeddol o hael.

Diweddglo

Dewisodd D.J. lwybr anodd i'w fywyd. Brwydr barhaus oedd ei fywyd a bu'r siomedigaethau'n aml. Cafodd lwyddiannau llenyddol nodedig, wrth gwrs, a chael ei gydnabod am ei orchestion, ond yn ei ymgyrchoedd etholiadol yn sir Benfro ni chafodd flasu llwyddiant unwaith. Ar y ffrynt cenedlaethol, ar ôl ymlafnio'n hir am ddeugain mlynedd, cafodd fyw i weld Gwynfor Evans yn ennill is-etholiad yng Nghaerfyrddin a chyrraedd senedd Lloegr. Dyna'r unig lwyddiant gwleidyddol arwyddocaol a brofodd. Ei bersonoliaeth anorchfygol a'i amynedd di-ben-draw tuag at ei gyd-ddyn a'i galluogodd i ddal ati. Ond ni fyddai ei bersonoliaeth hynod yn ddigon i'w gadw rhag suro a throi cefn ar y frwydr oni bai bod ganddo synnwyr digrifwch helaeth i'w ymgeleddu. Mae'r hiwmor hwn yn rhedeg fel llinyn arian trwy ei weithiau llenyddol ac mae'r edefyn drud hwn i'w ganfod yn ei lythyrau. Gwelir ei wên a chlywir ei chwerthin yn ei lythyr at Saunders Lewis wrth iddo ei amddiffyn ei hun rhag cyhuddiadau Dafydd Bowen, hen ddisgybl iddo, a ysgrifennodd amdano a'i ymddygiad fel athro yn Ysgol Sir Abergwaun, yn y gyfrol deyrnged iddo. Meddai amdano:

> Ond fy hen ddisgybl hoff, Dafydd Bowen sydd wedi fy enllibio i'n bennaf oll, a Val weithiau'n weddol agos at hynny hefyd, – drwy ddweud y mod i wedi eistedd lawr pan genid cân Nebucodonosor ddydd dosbarthu gwobrwyon rywdro yn yr ysgol, – a mod i'n hau papurau'r Blaid o'r bron i'r plant. Dim ond 'u rhoi i'r plant i fynd adref i'w rhieni a oedd yn eu derbyn a wnawn i, i'm harbed i rhag bod yn bostman nos.[100]

Ac eto yn ei ysgrifau a'i erthyglau a'i ddyddiaduron gellir canfod hiwmor yn wythïen gyfoethog yn mynnu brigo i'r wyneb. Sonia am hen ddisgybl iddo, nad oedd ganddo lawer o feddwl ohono, fel un a fyddai yn y pen draw yn diflannu o'r byd hwn 'mor ddibwys â chleren ar domen, – a darfod fel cnec swnfawr'.[101] Ac yna mewn erthygl yn myfyrio ar ddydd coroni brenhines Lloegr cofia amdano ef yn westai yn un o'i phlasau. Y plas hwnnw oedd Wormood Scrubs, ac yn ystod ei arhosiad yno bu'r gweision lifrai mor ofalus ohono fel na adawent iddo gau nac agor drws ar unrhyw gyfri. Noda hefyd na fu raid iddo dalu'r un ddimai goch am y 'gwyliau' hynny.[102]

Ei wreiddiau a luniodd bersonoliaeth D.J. a'i wreiddiau hefyd a roddodd iddo ei stôr ddihysbydd o hiwmor oherwydd cymdeithas lawen oedd cymdeithas bro ei febyd. Ei hiwmor yn ddiau a'i cadwodd rhag suro yn wyneb aml siom.

PENNOD 3

D.J. a Chrefydd

Tröedigaeth

Yn 1909 cafodd D.J. dröedigaeth, o leiaf dyna beth ydoedd yn ei farn ef, a chofnododd y profiad flynyddoedd yn ddiweddarach yn ei hunangofiant. Oherwydd siom ysgytwol o annymunol ym myd serch, cafodd yn nyfnderoedd ei anobaith brofiad ysbrydol a fu'n achubiaeth iddo rhag cyflawni hunanladdiad. Meddai D.J.:

> Yr awr dywyllaf yw'r agosaf i'r wawr o hyd … Ac felly i minnau. Dechreuodd llewyrch esmwyth blaen y wawr dywynnu arnaf o'r nos ddu honno … Ni ddaeth y goleuni ar unwaith, ond yn araf sicr, gan gymryd blwyddyn neu ddwy … i mi … cyn ail feddiannu fy hunan megis cynt.

Nid yn unig hynny, bu grym y profiad hwn yn gynhaliaeth ysbrydol iddo weddill ei ddyddiau. Mae D.J. yn cydnabod na fyddai diwinyddion yn derbyn mai tröedigaeth ydoedd oherwydd na phrofodd 'ddigon o ymdeimlad o Grist fel Prynwr enaid dyn rhag pechod, a Gwaredwr y Byd rhag dinistr a cholledigaeth fel canlyniad i hynny'. Eto, yng ngrym y profiad hwnnw dywed D.J. iddo dderbyn sicrwydd ffydd yn Nuw. 'Mi wn,' meddai, 'i bwy y credais.'[103] I'r 'deallusion' crefyddol nid yw'r elfennau diwinyddol angenrheidiol yn gynwysiedig ym mhrofiad D.J. Nid yw'n brofiad gwyrthiol a sydyn fel profiad yr Apostol Paul. Serch hynny, fel yr eglurodd D.J. yn ei stori fer 'Cysgod Tröedigaeth', stori a seiliwyd ar y profiad a fu'n gyfrifol am ei dröedigaeth, gall tröedigaeth fod yn broses araf ac yn fater o dramwyo 'bwlch yr argyhoeddiad' y mae'n rhaid i bob Cristion ei droedio. Er mwyn cyflawni'r gamp hon eglurir fod rhaid i ddyn ymostwng yn llwyr i Dduw. Meddai adroddwr y stori:

> Camp bennaf dyn ar y ddaear yw ei ddi–hunanu ei hun, a rhoi lle i'r Hunan Arall, yr Hunan Uwch, i weithredu ynddo.

Yna ychwanega:

> Pan gefais ras am ennyd fer i anghofio 'mhoen fy hun, dyna'r funud y dechreuodd rhyw hunan uwch gael ei gyfle ar fy enaid.[104]

Yn y broses hon cymerir llam o ffydd nad yw'n eiddo i bawb. Dyma yw colled Bertrand Russell ym marn D.J. Cydnabu ddawn yr athronydd hwnnw ym myd rhesymeg, ond i'r Cristion y mae i ffydd gynneddf amgenach na rhesymeg. Meddai amdano yn ei ddyddiadur wrth gyfeirio at un o'i gyfrolau:

> Cael benthyg 'Why I am not a Christian' Bertrand Russell .... a'i gael yn un o'r llyfrau mwyaf diddorol a ddarllenais ers blynyddoedd. Mae'n glir ei arddull a'i feddwl fel y grisial, ac yn chwilio'n onest am y gwirionedd, a'i feirniadaeth ar yr Eglwys Gristnogol yn dreiddgar a chywir. Ond dyn heb set radio i glywed y llef ddistaw fain ydyw. [105]

Gweledigaeth grefyddol D.J.

Y mae natur tröedigaeth D.J., sy'n cynnwys proses o fyfyrio a dehongli, yn allweddol i'r modd y datblygodd ei weledigaeth grefyddol a gwleidyddol. Nid ffwndamentalydd oedd D.J.; mae gair Duw yn y Beibl a'r datguddiad o Dduw ym mywyd Iesu Grist yn fater i'w ddehongli. Yn ei stori 'Geiriau Cred Adyn', dywed trwy gyfrwng yr adroddwr taw:

> Apocalyptiaid ein dyddiau ni yw'r sawl a gais yn onest ddeall bwriad Duw at ddyn, a chymhwyso'r bwriad hwnnw fel y'i hamlygir yn y datguddiad gorau ohono yng Nghrist a'i efengyl – at amgylchiadau'r dydd heddiw. [106]

Iddo ef, dehonglydd 'ar air yr Ysbryd Glân o fywyd Crist fel y Datguddiad dwyfol o Dduw' yw hyd yn oed yr Apostol Paul.[107] Nid yw hynny'n gorfodi'r Cristion i dderbyn popeth a ddywed

Paul yn ddigwestiwn na chwaith dderbyn holl gynnwys y Beibl fel y gair dwyfol na ellir mo'i amau mewn dim. Serch hynny, gofyn am nerth i dderbyn dehongliad Paul yn y Llythyr at y Rhufeiniaid a wnâi D.J., ac wrth wneud hynny rhydd inni'r teimlad ei fod eto'n brwydro â'i anghrediniaeth. Ond nid oedd ei anghrediniaeth yn ymwneud â sylfeini ei ffydd. Manylion dogma a chredoau yw maes ei ansicrwydd, manylion sydd, o roi gormod o bwyslais arnynt, yn tanseilio'r gwirionedd. Eto trwy gyfrwng ei stori 'Geiriau Cred Adyn' dywed, pan wneir credo'n bwysicach na bywyd, y gwneir y Crist byw 'yn Grist marw, croeshoeliedig y credoau'.[108]

Mae'r ffaith fod D.J. yn gweld bod tramwyo 'bwlch yr argyhoeddiad' yn agored i bawb yn caniatáu iddo wrthod dogma Calfiniaeth, sy'n haeru mai'r etholedigion yn unig fedr sicrhau mynediad i deyrnas nefoedd. Gwrthodai gredo ei gyfaill Waldo hefyd, credo'r Crynwyr. Ys dywed D.J. amdano:

> Fel Crynwr o ran ei ddaliadau ni chred … mewn propaganda dros wahanol achosion … y mae'r goleuni mewnol gan rai yn reddfol, a heb fod gan eraill, ac ni ellir ei drosglwyddo'n effeithiol i neb.[109]

Ar gorn hyn dadleuai Waldo yn erbyn ymgyrchu gwleidyddol. I D.J. esgus oedd hyn dros osgoi gwaith a chyfrifoldeb, dadl y diog a'r diargyhoeddiad. Iddo ef maes ffrwythlon i lafurio ynddo yw eneidiau dynion a chyfrifoldeb y dehonglydd yw cyflwyno ffrwyth ei ymchwil i'w gyd-ddyn a'i argyhoeddi o gywirdeb ei weledigaeth.

Yn waelodol, crefydd ei dadau, crefydd ymneilltuol cefn gwlad gorllewin Cymru'r bedwaredd ganrif ar bymtheg, oedd crefydd D.J., a dyma'r ail elfen lywodraethol yn natblygiad ei weledigaeth ysbrydol. Nid oedd yr elfennau diwinyddol sydd, ym marn llawer yn anhepgorol i grefydd, yn bwysig yng nghrefydd anghydffurfiol Cymru wledig y bedwaredd ganrif ar bymtheg a'r ugeinfed ganrif. Yn wir, gellir dadlau nad oedd y capeli yn ganolfannau ymarfer crefyddol o gwbl ond yn ganolfannau cymdeithasol.[110] Serch hynny, mae'r cydweithrediad hapus a fodolai rhwng trigolion bro mebyd D.J. yn eu bywyd bob dydd yn rhan allweddol o'i weledigaeth. Yno, yn ôl D.J. beth bynnag, doedd dim eiddigedd. Roedd y gwas ffarm yn gydradd, fwy neu lai, â'r perchennog, ei feistr. Bodolai'r cydraddoldeb hwn yn y capel hefyd, prif ganolfan gymdeithasol a diwylliannol y gymuned. Yno roedd barn pawb yn gydradd ac nid oedd bod yn ariannog yn sail i hybu pwysigrwydd unigolion. Y capel a Christnogaeth, felly, yw'r morter cymdeithasol sy'n cadw pawb yn gytûn ac sy'n cynnal y gymdeithas wâr y dymunai D.J. ei meithrin yng Nghymru.[111]

Ar gorn mawrygu'r cydweithrediad a'r cydraddoldeb a welodd yn y capel ym mro ei febyd Cristnogaeth oedd ffon fesur D.J. ar sut i drin cyfaill a gelyn. A dyma'r ffon fesur a barodd iddo, rywbryd ar ôl Medi 1914, gofleidio heddychiaeth.[112] Dylid nodi, er bod crefydd D.J. yn ei orfodi i gymryd cyfrifoldeb moesol dros ei weledigaeth a'i weithredoedd, nad yw Anghydffurfiaeth yn gyffredinol wedi clymu aelodau'r eglwysi a'r gweinidogion i weithredu yn unol â dysgeidiaeth sylfaenydd eu ffydd. Sylweddolai D.J. hynny. Mae ei bortread o'r Parch. John Ystwyth Jones yn ei stori 'Y Gorlan Glyd' yn fynegiant dwys o'i anesmwythyd oherwydd parodrwydd Cristnogion anghydffurfiol Cymru i gefnogi rhyfel a thrwy hynny anwybyddu anogaeth Crist iddynt garu eu gelynion.[113]

Nid oedd i grefydd D.J swmp a sylwedd athrawiaeth felly, ac annelwig oedd ei syniadaeth ddiwinyddol. Oherwydd hynny prin yw'r cyfeiriadau yn ysgrifeniadau D.J. sy'n nodi'n benodol ei gredoau diwinyddol. Cyfeiriodd at sgyrsiau a gafodd yng nghwmni Saunders Lewis a Lewis Valentine yn ystod ei garchariad yn Wormwood Scrubs yn 1936–37 ond ni nododd eu cynnwys. Cyfeiriodd hefyd yn ei ddyddiaduron at erthygl yn *Barn* gan yr Athro Hywel D. Lewis sy'n nodi'r elfennau hanfodol yng nghredo'r Cristion y mae ef yn eu derbyn. Meddai Hywel D. Lewis:

> … fe ymddengys i mi fod rhai elfennau crediniol yn y ffydd fywiol ei hun sy'n hanfodol iddi i fod yn ffydd Gristnogol. Un yw'r bod o Dduw, a'r llall yw fod Iesu Grist yn wir Dduw ac yn wir ddyn. Nid mater o ddehongli pell yw hyn, ond haeriadau croyw na ellir bod yn Gristion heb eu derbyn.

Ym marn D.J. mae hon yn:

> erthygl gampus alluog … ateb gwych i dueddiadau'r oes wyddonol hon i amau popeth ysbrydol, gan gredu fod dyn bellach yn ddigon clyfar i ddeall a rheoli'r byd hwn a'r bydoedd eraill, heb gymorth yr un Gallu Goruwch iddo. [114]

Nododd, yn ogystal, ei fod yn credu mewn bywyd tragwyddol oherwydd ni all dderbyn fod cyfeillgarwch ac ymlyniad personol cryf yn darfod adeg marwolaeth. Ystyriai y gallai parhad yr ymlyniad a'r cyfeillgarwch hwn gynnwys byd yr anifeiliaid hefyd.[115]

Tramgwydd iddo oedd y cymun. Câi drafferth i dderbyn y ddefod hon a thybiaf, er nad yw'n dweud hynny, na themlai fod y bara a'r gwin trwy gyfrwng gwyrth y cymun yn troi'n gorff a gwaed Crist. Meddai yn ei ddyddiadur:

> Ni ellais i erioed fy nwyn fy hun i dderbyn y cymun fel un o sacramentau'r ffydd Gristnogol fel y dylwn. Ai dyna sail fy ngwendid fel crefyddwr wn i? Buasai'n dda gennyf allu fy ymresymu fy hun i mewn i hwn. Credaf yn yr ymgnawdoliad, yr atgyfodiad a'r gallu gwyrthiol.

'Cymorth fy anghrediniaeth' yw ei gais ar Dduw er mwyn i'r wyrth hon ddigwydd yn ei achos ef.[116] Ym marn Saunders Lewis, os yw dyn yn gallu credu bod Duw wedi cymryd gwisg o gnawd trwy enedigaeth wyrthiol, yna does dim yn ei rwystro rhag credu yng ngweddill y gwyrthiau Cristnogol.[117] Anodd yw torri'r ddadl honno ac, o'r herwydd, nid yw anghrediniaeth D.J. ar fater y cymun yn argyhoeddi rywsut.

Crefydd a Chenedlaetholdeb

Yn 1913 cawn y cofnod cyntaf gan D.J. Williams sy'n bwrw goleuni ar ei fyd ysbrydol ac ar ei grefydd. Dyma sail ei weledigaeth wleidyddol a ffynhonnell ei gynhaliaeth a'i hysbrydolodd gydol ei oes i geisio gwireddu'r weledigaeth honno o sefydlu Cymru'n genedl Gristnogol. Ymbil ar Dduw a wna yn y nodyn hwn i'w nerthu i 'sefyll yn wrol a gonest dros dy enw Di a thros fy ngwlad'.[118] Yna ychwanega:

> credaf fod dyledswydd yn dywedyd wrthyf am ymroddi i genedlaetholdeb Cymreig yn ei agwedd fwy ardderchog.[119]

Yr 'agwedd fwy ardderchog' yw'r nodweddion Cristnogol a fyn D.J. i'w genedl. Er mwyn gwireddu ei ddyheadau ystyriai ymuno â byddin Lloegr ar ddechrau'r Rhyfel Byd Cyntaf. Ym Medi 1914 meddai mewn nodyn dyddiadurol:

> Byddaf yn ôl yn y coleg ymhen llai na phythefnos. Os ffurfir batalion o'r brifysgol Gymreig, yr wyf am wneud fy ngorau i ymuno â hi, er o gymaint anhawster fydd fy llygaid. Ymunaf o ymdeimlad o ddyledswydd, ond yn bennaf feallai er mwyn y profiad. Nis gwn beth yw ofn angau lle bo angau yn anrhydeddus ac y mae gan wir beryg ei gyfaredd drosof bob amser.

Ac ar gorn hynny cawn ei fod yn dymuno bod merched a bechgyn Cymru yn 'offerynnau teilwng' yn llaw Duw. Dymunai iddynt geisio iachawdwriaeth Cymru, a hynny 'er lles a dyrchafiad cenhedloedd eraill'. Gwneir y cyfan hyn 'er clod a gogoniant Duw'.[120] Serch hynny, ni fu D.J. yn filwr erioed oherwydd iddo, yn ôl ei addefiad ei hun a welir yn ei hunangofiant, ddatblygu'n heddychwr ychydig fisoedd yn ddiweddarach.[121]

Credai D.J. mai rhodd Duw i Gymru oedd y gymdeithas a fodolai yng nghefn gwlad – y gymdeithas Gymraeg Gristnogol, gydweithredol, gytûn. Oherwydd hynny dyletswydd ei weision Ef oedd ei gwarchod trwy ymladd am ryddid i'r genedl er mwyn iddi hi feddiannu'r grym gwleidyddol i'w hamddiffyn. Dyna a wnâi proffwydi'r Hen Destament. Clymu cenedlaetholdeb a chrefydd ynghyd er mwyn gwarchod creadigaeth Duw. Wrth ei amddiffyn ei hun yn erbyn y cyhuddiad o orbrisio cenedlaetholdeb ar draul crefydd, meddai D.J.:

> [Yr] un oedd y ddau i fi fel i broffwydi'r Hen Destament os cawn fod mor hy a defnyddio y gymhariaeth – y ddau yn tarddu o'r ffynnon ysbrydol ddyfnaf yn natur dyn – ac na welwn i unrhyw anhawster rhwng darnodiad ysbrydol yr Hen Broffwydi o fywyd y genedl ac Efengyl Crist.[122]

Gwelir yng nghenadwri D.J. na ellir gwahanu'r elfennau sydd i'w hamddiffyn, a chyhoeddai'n fynych fod crefydd a chenedlaetholdeb ac iaith, y Gymraeg wrth gwrs, yn annatod glwm.[123] Nid dim ond gwarchod yr elfennau gwledig a nodwyd ac a roddwyd gan Dduw i'r genedl yw dyletswydd y llafurwyr yng ngwinllan y nef. Rhaid i'r nodweddion hyn gael eu mabwysiadu gan y genedl gyfan. Rhaid i Gymru dyfu'n genedl Gymraeg Gristnogol wrthddiwydiannol gan fod diwydiannaeth yn chwalu cymdeithas wâr ac yn lladd iaith a diwylliant y genedl. Noda D.J. fod 'diwydiannaeth yn groes i ysbryd yr Efengyl. Cymharer y rhannau o Gymru a Seisnigeiddiwyd drwy ddiwydiannaeth – yr iaith a'r ffurf Gristnogol ar Gymdeithas yn cyd-ddiflannu hefyd'.[124] Yn gyffredinol, ym marn D.J., Duw sy'n llunio cenhedloedd. Duw hefyd sy'n rhoi iddynt eu nodweddion unigryw ac y mae rhai cenhedloedd wedi'u breintio'n fwy nag eraill oherwydd bod Duw wedi'u cynysgaeddu â nodweddion gwâr a Christnogol. Mae hynny yn gosod arnynt gyfrifoldeb pellach, cyfrifoldeb cenhadu a throsglwyddo neges Duw i genhedloedd eraill fel y gallant hwy hefyd sefydlu ei deyrnas Ef ar y ddaear. Daw Cymru i'r categori hwn. Gan iddi hi brofi'n ddwfn yn ei gorffennol 'o nerthoedd y Dwyfol Ysbryd' mae'r genedl yn 'llawforwyn' i Dduw ar y ddaear. A gwaith arbennig Cymru yw taenu 'neges cyfeillgarwch cynnes, cyd-ddeallol ymysg pobl y gwledydd'.[125] Yn y cyswllt hwn dadleuai D.J. taw creadigaeth dyn yw ymerodraethau, gan taw dyn sy'n eu ffurfio trwy glytio cenhedloedd ynghyd.

'Llaw rhagluniaeth fu'n llunio cenedl, ond balchder dyn fu'n clytio'r Ymerodraethau wrth ei gilydd,' meddai. Oherwydd hyn gwrthodai hawl Prydain i fodoli fel endid gwleidyddol gan ddirymu dadl y rhai a gefnogai reolaeth wleidyddol Lloegr ar Gymru. Hawlient hwy hefyd gefnogaeth ddwyfol i'w trefn ac ystyrid bygwth yr ymerodraeth Brydeinig yn gyfystyr â bygwth trefn Duw ar y ddaear. Serch hynny, nid oes grym i'w dadl, ym marn D.J., gan taw llaw dyn a luniodd Brydain Fawr.[126]

Er mwyn sefydlu cymdeithas a chenedl wâr y mae angen dewrder. Meddai D.J., 'Cenedl ddewraf a mwyaf arwrol y dyfodol a fydd y genedl honno a ddiosgo'i harfau gyntaf.'[127] Eto, er mwyn lledaenu'r gwarineb hwn a'i gynnig i genhedloedd eraill, ni cheir y dewrder angenrheidiol ond trwy grefydd. Yn ôl D.J., crefydd, y grefydd Gristnogol, yw'r unig rym sydd gan ddyn i gyflawni hyn. 'Angerdd dwfn y grefydd Gristnogol,' meddai, 'sy'n ddigonol i bob peth.'[128] Ond rhaid i'r grefydd honno ymwneud â bywyd a rhaid i Gymru sylweddoli hynny a mynnu 'yn ddioed yr hawl gyflawn ar ei thynged ei hun i'w dwylo'i hun' cyn y gall hi wireddu ei photensial fel llawforwyn Duw yn y byd. Ni all crefydd 'synagogaidd, barchus' gyflawni'r nod gan fod y grefydd honno'n wan a di-ffydd.[129] Rhan o bersonoliaeth cenedl yw ei chrefydd, yn ôl D.J. Felly, os yw ei chrefydd yn ddiffygiol, yna diffygiol yw'r genedl yn ogystal. Ar y llaw arall, os yw ei chrefydd yn rymus, yna 'nid oes allu a esyd i lawr derfyn ar ymdaith y genedl honno'.[130]

Er mwyn i'r genedl wireddu yr hyn y bwriadwyd iddi ei gyflawni gan Dduw rhaid iddi wrth ei dehonglwyr crefyddol a'i gwarchodwyr rhag tranc – ei chenedlaetholwyr. Gweision Duw yw'r rhain a nodweddion yr etholedigion hyn yw 'didwylledd a ffyddlondeb i'w gweledigaeth'.[131] Credai D.J. yn sicr ei fod ef yn un o etholedigion Duw. Gesyd hyn gyfrifoldeb anferthol arno i weithio'n ddiymollwng, hyd at beryglu ei iechyd, i achub y Gymru Gristnogol rhag tranc:

> Gofyn gan Dduw o waelod fy nghalon am iddo fy mhuro a'm perffeithio mewn gras a doethineb, ac unplygrwydd bwriad fel y gallaf drwy gariad ac ymroddiad di-ymollwng wneud rhywbeth i agor llygaid pobl fy nghenedl i barchu eu hunain yn ofn yr Arglwydd fel ag i fwrw gwarth gwaseidd-dra a llwfrdra moesol am byth oddi ar eu heneidiau, a bod yn genedl mewn gwirionedd. Dyna fy nghenhadaeth drwy nerth Duw. [132]

Ymbiliai yn wylaidd ar Dduw yn aml, aml i'w berffeithio mewn 'gras a doethineb'. O'r herwydd rhydd ei wyleidd-dra amynedd iddo sy'n ei alluogi i geisio perswadio eraill i rannu ei weledigaeth a chydlafurio ag ef yn y dasg enfawr o 'achub' Cymru.[133] Noder nad gwyleidd-dra meddal mo hwn ychwaith, oherwydd ni phlygodd i'w wrthwynebwyr a sathrai ar Gymru ac a oedd yn ddiargyhoeddiad eu crefydd. Ni simsanodd yn ei weledigaeth oherwydd yr oedd yn argyhoeddedig bod iddi ffynhonnell ddwyfol. Ei linach ef yw proffwydi neu bropagandwyr cymdeithasol a chenedlaethol Israel, y 'gwŷr a welent yn ddyfnach ac yn gliriach na neb arall arwyddocâd y pethau a ddigwyddai o'u cwmpas gan eu pwyso a'u mesur yng nghloriannau'r nefoedd'.[134]

Prif ffynhonnell ei weledigaeth wleidyddol felly yw'r Beibl. Dyma sy'n rhoi iddo'r sicrwydd o werth a chywirdeb a dwyfoldeb y weledigaeth honno. Nodwyd eisoes iddo, yn 1913, ofyn i Dduw roi iddo 'nerth a chyfarwyddyd ... i sefyll yn wrol a gonest dros dy enw Di a thros fy ngwlad'. Y nod oedd sefydlu Cymru yn ddylanwad yn hanes y byd a rhaid oedd i D.J. dyfu'n 'deilwng arweinydd' i'w genedl er mwyn cyflawni hynny.[135] Serch y sicrwydd yma yng ngwerth ei weledigaeth mae'r nod yn anodd i'w gyrraedd. Yn 1925, yn sgil sefydlu Plaid Cymru, sylweddolodd D.J. fod sicrhau rhyddid gwleidyddol i Gymru yn amod llwyddiant a'r unig lwybr iddo ei droedio i wireddu amcanion ei weledigaeth. Ond er iddo ef a'i gyfeillion weithio'n ddyfal a diarbed i geisio perswadio etholwyr Cymru i'w cefnogi i fynnu rhyddid i Gymru pitw fu'r gefnogaeth i Blaid Cymru ar y dechrau am nifer o flynyddoedd a phrin y gweithwyr dros yr achos.

Cynhaliaeth Ysbrydol

Yn wyneb difrawder a diffyg argyhoeddiad ymhlith ei gydweithwyr anobeithiai D.J. yn aml. Yn ei ddigalondid ei grefydd sy'n ei gynnal ym mrwydr fawr ei fywyd. Yn ogystal â bod yn sail i'w weledigaeth, y Beibl oedd prif ffynhonnell ei ysbrydoliaeth hefyd. Bu ei ddehongliad ef o natur a tharddiad gweledigaeth Proffwydi'r Hen Destament yn ganllaw diogel iddo ar hyd y daith. Yn ddiau, yr oedd eu dewrder hwy yn ei hybu i weithredu'n eofn ac i ddioddef anawsterau. Yn y Testament Newydd bu darllen Llyfr yr Actau, sy'n olrhain hanes yr Eglwys Fore, yn rhoi golwg iddo ar ei nerth rhyfeddol yn sefydlu a lledaenu Cristnogaeth:

> Cael help at y gwaith wrth ddarllen yn fyfyrgar am y ffydd a'r nerth corff ac ysbryd a ddoi i'r Apostol Paul yn ei genhadaethau stormus, buddugoliaethus ef. Teimlo y dylai arweinwyr y Blaid ddarllen yr Actau … yn gyson.[136]

Ei gred ef yw bod 'y nerth hwnnw i'w gael o hyd ond i ni fod yn barod i'w dderbyn'. Cyfeiriai'n fynych at Efengyl Ioan, yn enwedig penodau 14 i 17. Nododd ei fod yn darllen y penodau hyn 'er mwyn cael nerth ac ysbrydiaeth i geisio gwneud fy rhan', a hynny'n aml pan fyddai etholiad ar y gorwel. Dyfynnai hefyd o Efengyl Mathew, 'Deuwch ataf bawb sy'n flinderog …' gan honni bod yr adnodau hyn ymhlith adnodau mwyaf y Beibl.[137]

Cafodd ysbrydoliaeth mewn emynau hefyd gan gynnwys emyn Pantycelyn, 'Ni fethodd gweddi daer erioed …'. Serch hynny, yr emyn y mae'n ei ddyfynnu amlaf ac yn pwyso'n fynych arno yw emyn George Rees – 'O Fab y Dyn, Eneiniog Duw, fy Mrawd a'm Ceidwad cu'. Dyma emyn sy'n sôn am Iesu yn dioddef gwawd heb neb i'w gysuro na'i gefnogi. Oherwydd unigrwydd cyffelyb brwydr D.J. mae'r emyn hwn yn gyfle iddo uniaethu â'i waredwr a chael ganddo nerth i barhau'r ymdrech.[138]

Ffynhonnell arall o ysbrydoliaeth yw pregethau. Ni olyga hynny fod pob pregethwr yn gymeradwy ganddo, a dengys ei feirniadaeth hallt o weinidogion Pentowr, ei gapel ef yn

Abergwaun, nad yw eu pregethau na'u gweithredoedd yn ei blesio bob tro.[139] Serch hynny mae ganddo gyfeiriadau mynych a chanmoliaethus at bregethau'r Parch. Stanley Lewis, gweinidog Pentowr rhwng 1960 ac 1972, ac fe gaiff ei ysbrydoli ganddynt yn fynych. Ar un achlysur fe'i hatgoffir gan bregeth mai ei Jerusalem ef yw Cymru, '... y rhaid mynd ymlaen a gweithio'n ddiarbed drosti i'w hachub'.[140] Dro arall cyfeiriodd at bregeth ei weinidog ar Andreas, a ddaeth â'i frawd Simon at Iesu. Mae hynny'n ei sbarduno i ofyn i'r Arglwydd i'w gynorthwyo i chwilio am eraill i weithio yn enw Duw dros Gymru.[141]

Wrth i D.J. ystyried ei sefyllfa bersonol a chyflwr ei wlad, ac wrth iddo ymdaflu i'w brwydrau, y mae'n troi at Dduw yn gyson er mwyn ymbil arno am nerth a dewrder i wynebu her y dyletswyddau y mae ei weledigaeth wedi'u gosod arno i'w cyflawni. Trwy weddïo'n fynych defnyddiai Duw fel cyfrwng rhannu gofidiau ac fel modd cyson i gadarnhau cywirdeb ei weledigaeth. Hyn sy'n ei alluogi i ddal ati'n ddiwyro a thrwy gydol ei oes hir:

> i wneud a dweud rhywbeth i ddeffro'r bobl o'u materoliaeth a'u hymroddiad i hawddfyd a hel cyfoeth sy'n gwneud eu heneidiau'n swrth – i geisio gan bobl Cymru i gymryd gafael o'r newydd yn eu hetifeddiaeth ddrud a'i hail brisio am ei gwir werth.[142]

Gweddi, felly, yw'r ffon braff y mae ef yn pwyso arni'n gyson a di-feth a dyma hefyd y cyfrwng sy'n ei alluogi i ymostwng i ewyllys Duw a chyflawni cymaint dros Gymru:

> Gobeithio yr wyf gyda nerth ag ewyllys Duw i'm cynorthwyo gael rhyw nifer o flynyddoedd o fyw a chydweithio fel y gallaf drwy Ei ras a'i gariad diderfyn Ef adael rhywbeth ar ôl a all fod o werth ac ysbrydiaeth i'm cenedl fy hun, wrth ymladd am ei heinioes.[143]

Yr oedd ei gred mewn nerth gweddi yn ddi-sigl. Y weddi ysgrifenedig oedd cyfrwng deffro ei ymwybyddiaeth o'i genhadaeth dros Gymru yn 1913 a phrif gyfrwng ei gynhaliaeth ysbrydol weddill ei fywyd.

Cristnogaeth, felly, yw cynhaliaeth D.J. yn ei frwydrau. Dyma'r grym sydd â 'digon o nerth ysbrydol ynddo i gario dyn ymlaen yn wyneb pob siom a difrawder enaid'. Iddo ef, 'diben crefydd yw cynnal dyn ym mrwydrau ac ymdrechion bob dydd ei fywyd'.[144] Wrth benlinio ger arch ei wraig ac yntau'n bedwar ugain oed ac yn wan ei iechyd meddai,'' ... yr wyf yn gofyn gan Dduw i'm cynorthwyo i wneud fy hun yn ddigon pur a theilwng i gyflwyno fy hun weddill fy oes i weithio'n ddiarbed dros Gymru'. Aberth Crist yn gwaredu'r byd oedd ei ysbrydoliaeth, oherwydd 'aberth ei ddilynwyr [dilynwyr Crist] mewn ysbryd er mor annheilwng sy'n achub cenhedloedd'.[145] Gwyddai D.J. yn bendifaddau ym mêr ei esgyrn ei fod ef yn un o ddewis ddilynwyr Crist, ac mae'r ymdeimlad hwn o'i etholedigaeth yn ei yrru i aberthu popeth er mwyn Cymru. Oherwydd hynny gellir cytuno â honiad Lewis Valentine bod ynddo ddeunydd merthyr.[146]

D.J. ac Ymneilltuaeth

Mae achub y Gymraeg yn ganolog i weledigaeth grefyddol D.J. Oherwydd hynny mae ei edmygedd o gyfundrefn gapelog Cymru yn gadarn gan y credai taw Ymneilltuaeth Cymru oedd wedi cadw'r iaith Gymraeg yn fyw. Yn ôl Lewis Valentine, credai D.J. 'fod y pulpud wedi gwneuthur llawer mwy na'r ysgol i loywi iaith y werin Gymraeg'.[147] Ac i ategu gwirionedd haeriad Valentine mae nifer o gofnodion yn nyddiaduron D.J. yn clodfori pregethau rhai gweinidogion. Meddai am bregeth gan y Parch. Ben Davies, Llandeilo, ' ... calon yr Efengyl yn cael ei phregethu gydag urddas a thanbeidrwydd. Pregethu fel hyn sydd wedi cadw'r iaith Gymraeg yn fyw cystal ag ydyw, a chadw Cymru yn werin ddeallus oleuedig hyd yn ddiweddar o leiaf.'[148] Ond mae yma dinc rhybuddiol. Mae'r 'hyd yn ddiweddar' a'r 'cystal ag ydyw' yn awgrymu mai'r gorffennol piau'r Gymraeg hyfyw a'r werin ddeallus. Tery yr un nodyn mewn llythyr at Kate Roberts:

> Rhaid bod caledi mawr yn magu dewrder a chadernid mawr mewn pobl hefyd. A bywyd esmwyth fel heddiw yn magu eiddilwch. Tyst cyffredinol o hyn yw Ymneilltuaeth Cymru, ei chryfder doe yn peri iddi wneud pethau mawrion ynghanol tlodi bydol, a'i heiddilwch heddiw ynghanol ei hawddfyd, – a Chymru yn ymddatod yn wyneb y trais sydd arni, trais y medrai'n hawdd ei symud gyda thipyn o ynni moesol ac ysbrydol yng nghorff y genedl.[149]

Mae anesmwythyd dwfn D.J. ynglŷn ag eiddilwch Ymneilltuaeth Cymru yn bwnc sy'n britho tudalennau ei ddyddiaduron ac yn rhychwantu pum mlynedd ar hugain o gofnodi cyson rhwng 1941 a 1966. Yn ystod y Rhyfel Byd Cyntaf y dechreuodd y tensiwn a fodolai rhwng D.J. a chrefydd gyfundrefnol. Cofnododd yn 1941:

> Wedi dechrau'r rhyfel, pan na chaf siarad ar ran y Blaid Genedlaethol, teimlaf yn aml yn flin na fuaswn wedi mynd ymlaen â'm bwriad o bregethu. Diau na fyddai gennyf eglwys ers blynyddoedd, os cawn alwad o gwbl o ran hynny, gan y gwrthodid cyhoeddiadau i mi yn ddigon cyffredin adeg rhyfel o'r blaen oherwydd fy syniadau gwrth ryfelgar.[150]

O 1914 hyd ddiwedd ei oes, cadw at ei egwyddorion heddychol a wnaeth D.J. ac fe fu hynny'n aml yn achos codi gwrychyn ei gyd-grefyddwyr ofnus a gorbarchus. Yn 1941 ceisiodd gefnogaeth Eglwysi Rhyddion cylch Abergwaun i wrthwynebu rhai agweddau ar bolisïau llywodraeth Prydain. Gosododd dri chynnig gerbron eu cyfarfod cyntaf yn gwrthwynebu lluosogi cyfleusterau diota mewn ffatrïoedd, yn protestio yn erbyn gorfodi merched i wneud gwasanaeth militaraidd ac yn protestio yn erbyn defnyddio Mudiad yr Ieuenctid i ddwyn perswâd ar fechgyn dan ddeunaw oed i gyflawni gwasanaeth o natur filwrol. Y cynnig cyntaf yn unig a dderbyniwyd, gan fod ynddo awgrym o gyfeiriad at ddirwest. Penderfynwyd gadael y ddau gynnig arall ar y bwrdd. Ym marn y gwrthwynebwyr roedd 'a fynno'r peth â pholitics', gan awgrymu fod y 'politics hwn', yn ôl y Parch. Wyn Owen, 'yn debyg o fod yn fwy niweidiol i wareiddiad na Natzïaeth yr Almaen'. Sylweddolai

D.J. fod yma gyfeiriad llysywennaidd at genedlaetholdeb Cymru yn y cyhuddiad hwn a bod crefyddwyr Cymru yn troedio llwybr diogel teyrngarwch i Loegr a Phrydeindod. Yna, meddai am yr holl helynt:

> Ceisiais ofyn nerth y nef i wneud y safiad hwn, ac yr wyf yn diolch i mi deimlo rhyw gymaint ohono, er i'r bleidlais fynd bron yn llwyr yn fy erbyn, ac i eraill ddatgan eu barn yn y diwedd fod Cyngor yr Eglwysi Rhyddion wedi ei ddinistrio eisoes. A bod y cyhuddiad yn wir, tybed a fyddai'r golled yn fawr[?] Rhoddai o leiaf un cyfle'n llai i arweinwyr crefydd ragrithio.
>
> Pasiwyd ein bod yn cael pregeth yn Hermon ddydd Nadolig am 10 o'r gloch, a'r Parch. W. Davies y Cenhadwr yn ei thraddodi – fel pe na byddem yn cael digon o bregethu yn barod. A yw crefydd i'r eglwysi yn rhywbeth heblaw clindarddach drain dan grochan?[151]

Yn 1943 bu anghydfod rhwng D.J. a'i gyd-aelodau yng Nghapel Pentowr, Abergwaun. Y tro hwn ceisiodd gefnogaeth i gynnig o'i eiddo i'w anfon at yr awdurdodau milwrol yn gofyn am adfer y festri i wasanaeth y capel. Cofnodir ganddo fod swyddogion eglwysi'r cylch wedi eu cynnull ynghyd yn gynnar yn ystod y rhyfel gan J. J. Morgan, ysgrifennydd eglwys Pentowr, er mwyn cynnig, gydag unfrydedd, festrïau'r capeli i'r milwyr cyn gwybod a fyddai eu hangen arnynt ai peidio. Rheswm D.J. dros ei gais am ryddhau festri Pentowr o afael y milwyr yw galluogi'r eglwys i'w chynnig at wasanaeth ieuenctid y dref. Hyn oherwydd iddo:

> ... weld a chlywed am fywyd a'r dirywiad enbyd ym mhlith ieuenctid Abergwaun, fel ym mhob rhan arall o'r wlad, y tafarnau'n llawn ohonynt bob nos, arian ddigonedd yn cael eu hennill yn Nhrecŵn, cwponau am bob dim bron, yn rhwystro i'w gwario, dim un caffe yn y dref o fawr faint; yr eglwysi a'r undebau crefyddol yn cwyno ac yn achwyn, y bobl yn siglo eu pennau ac yn gresynu ...

Gwrthodwyd y cynnig am resymau pitw yn cynnwys y ffaith bod y capel yn derbyn tâl am ei benthyg. Ceisiodd D.J. ddadlau'r achos trwy ofyn i'r aelodau:

> … pa un oedd bwysicaf yn eu golwg fel eglwys yn dwyn arni enw Crist, ennill rhyw ychydig bunnoedd oddi ar law'r llywodraeth at gyllid yr achos, ynteu gwneud rhywbeth yn ymarferol drwy roi'r festri yn fan agored a chyfleus i bobl ifanc gwrdd a chymdeithasu â'i gilydd, yn hytrach na'u gyrru i'r unig fannau eraill y gallent fynd iddynt, sef y tafarnau.

Wrth gloi'r cofnod hwn, meddai D.J. yn chwerw:

> Ofnaf fod fy ffydd neithiwr wedi cael ysgytiad arall yn yr eglwys y bûm yn aelod ohoni am o fewn dim i 25 mlynedd, ond na fu'n gartref ysbrydol o gwbl i mi yn ystod y blynyddoedd hyn. Duw o'i ras a'm cynorthwyo i beidio â chwerwi a digio. Ond yn onest, ni theimlaf fod i mi gymdeithas ysbryd â'r arweiniad a roir yn yr eglwys; a heb hynny nid oes eglwys. Â'r aelodau yn gyffredin yr wyf ar delerau hollol hapus â hwy.[152]

Mae beirniadaeth hallt D.J. o waseidd-dra Ymneilltuaeth Cymru yn cefnogi rhyfel yn cynnwys arweinwyr gwamal Anghydffurfiaeth yng Nghymru. Wrth gyfeirio at gondemnio gweithrediadau milwrol Lloegr yng Nghyprus gan Annibynwyr Sir Aberteifi, meddai D.J. am un o hoelion wyth y Methodistiaid yn 1958:

> Yr archdderwydd William Morris a bregethai mor dda mewn cyrddau mawr ym Mhentowr eleni yn y 'Western Mail' heddiw, yn amheus a ddylai'r Eglwys ymwneud â materion gwleidyddol o gwbl. Nid rhyfedd fod pobl mor glaear ynglŷn â phethau crefydd.[153]

Yn naturiol, nid oedd heddychiaeth yn creu tensiynau i'r un graddau pan nad oedd Prydain yn rhyfela. Yn 1961, er enghraifft, derbynnir cynnig gan D.J. mewn cwrdd dosbarth, heb drafodaeth arno, yn erbyn paratoi arfau ar gyfer rhyfel arall ac yn erbyn y bom niwclear.[154] Serch hynny, roedd gwaseidd-dra crefyddwyr Cymru yn ystod adegau o heddwch cyn iached ag erioed. Yn 1964 cyfeiriodd D.J. at ddigwyddiad pan oedd mewn cwrdd yn Aberporth – y gweinidog yn gofyn i'r gynulleidfa sefyll ar ei thraed i goffáu'r cadoediad. Iddo ef 'rhan o bropaganda militaraidd cyfrwys y llywodraeth' oedd y coffáu a'r canu iach a gorfoleddus yn y cwrdd yn ddim 'ond twyll a ffug arwynebol o Gristnogaeth' yn wyneb lladd miliynau o bobl yn enw'r gwareiddiad Cristnogol.[155]

Un enghraifft yn unig o ddiffyg asgwrn cefn Anghydffurfiaeth Cymru i wynebu cyfrifoldebau ac o osgoi teyrngarwch i egwyddorion Cristnogol yw cefnogaeth yr eglwysi i ryfeloedd Prydain. Yn 1951, cofnododd D.J. hanes gwrthod swydd o flaenor iddo am yr eildro, gan ei gapel ei hun y tro hwn, ugain mis ynghynt. Rhestrir cybydd-dod, balchder a materoliaeth ganddo yn bechodau nad yw ei gyd-grefyddwyr yn barod i'w hwynebu. Gwell ganddynt guddio y tu ôl i barchusrwydd gwneud safiad ffug dros ddirwest. Yn 1929 yr oedd Cwrdd Misol Woodstock eisoes wedi gwrthod swydd blaenor iddo am nad oedd yn barod i lofnodi llw dirwest. Nid hynny oedd y rheswm y tro hwn dros beidio â chefnogi ei gais i fod yn flaenor. Yn ystod yr wythnos cyn y`nos Sul dewis blaenoriaid Pentowr (30 Hydref 1949) bu cwrdd croeso i weinidog newydd yr Eglwys, y Parch. John Wyn Williams, yn festri'r capel. Cynhyrfwyd D.J., a oedd i annerch y gynulleidfa ar ôl y gwledda, yn y cwrdd hwnnw o glywed y gwragedd, y merched a'r plant yn siarad Saesneg. Meddai am yr achlysur hwnnw:

> Rown i wedi bod yn Iwerddon yr wythnos cynt, ac fel y mae pob Cymro cywir, gredaf i, a fu yno, wedi derbyn croeso cynnes y Gwyddyl, a theimlo llawenydd y gwyrthiau a wnaed yno, ynglŷn ag edfryd iaith, a phethau o'r fath yn llawn ysbryd Cymreig a gwlatgar. Pan euthum i fewn i festri Pentowr, a chlywed y gwragedd, y merched a'r plant, yn Gymry iawn, bron bawb ohonynt, wrthi gymaint byth yn browlan Sysneg a lladd eu hiaith eu hunain fe gynhyrfais hyd waelod fy enaid yn erbyn y brad anystyriol hwn. Gwyddwn fy mod i ddweud gair yn nes ymlaen, a pharatoeswn ryw gymaint ar gyfer hynny. Bu'n gyfyng gyngor yn ystod y gwledda wrth y byrddau. Mae enwad parchus y Methodistiaid mor geidwadol ac annemocrataidd ei method, o leiaf, yn yr eglwys hon, mae'r sêt fawr yn gabal hollol, lle setlir y cyfan, heb ymgynghori dim â chorff yr eglwys. Rown innau'n bendant, yn erbyn hyn, erioed, gan gredu y dylai pawb gael ei lais yn yr eglwys, o bob lle. Gwyddwn, yn bendant, neu, o leiaf, fe gredwn hynny, y gallwn fod o fwy o

wasanaeth yn y sêt fawr nag o'r tu allan iddi, gan eu bod hwy, fel yr own i'n teimlo yn ofni trin materion o wir bwys, ac yn eu gosod o'r neilltu yn hyfryd, yn enwedig, gyda diplomat fel Mr J. J. Morgan yr Ysgr. ni ddoi dim gerbron y sêt fawr ond yr hyn y gwelai ef yn dda. Ac yr oedd Morgan Jones a'r gweddill ohonynt yn gwbl gysurus ynghylch pethau y carwn i yn fynych beri i bobl eu hwynebu. A finnau'n berwi gan wrthryfel yn erbyn y bradychu diangen yma ar yr iaith wedi bod yn ŵr gwadd yn Oireachtas Iwerddon, rhywbeth tebyg i'n Heisteddfod Genedlaethol ni, a chlywed mawrion y genedl honno yn siarad eu hiaith briod eu hunain, y mwyafrif mawr ohoni wedi ei dysgu o'r newydd – gwyddwn, o'r gorau, os dywedwn fy marn yn onest amdanynt y collwn bleidlais y mwyafrif mawr yno ar gyfer y swydd o flaenor. Teimlwn o'r ochr arall mai twyll a rhagrith a llwfrdra moesol fyddai i mi fod yn ddistaw. Y dewis gennyf, felly, oedd cau fy mhen, llyncu fy nicter orau y gallwn, a chraco jôc neu ddwy, ac o bosib gael fy newis yn flaenor fel y dewiswyd fi'n led unfrydol y tro cynt, mae'n debyg, a'm torri allan wedyn gan y Cwrdd Misol ar gwestiwn llwyr ymwrthodiad,– neu ddweud fy nheimladau'n onest, a cholli, fel y gwyddwn, bob siawns am y cyfle hwn i wasanaethu'r eglwys mewn cylch mwy effeithiol yn ddoeth, neu annoeth, dewisais yr olaf, – gyda'r canlyniadau di–ymod.

Ni'm dewiswyd. Teimlais yn bendant sicr ar y ffordd adref o'r cwrdd y noswaith honno mai felly y byddai hi – yn y cwrdd ceisiais feddiannu fy hun orau y gallwn, a siarad mor bwyllog a rhesymol ag y gallwn. Fe'u coffeais mai eglwys Gymraeg ydoedd eglwys Pentowr, ac y dylem ni, bawb ohonom, roi hynny ar ddeall i'r gweinidog o'r cychwyn; soniais am y Cymry gwych a fu'n weinidogion yno, o'r cychwyn – Phillip Jones, W. P. Jones, Herbert Davies, J. T. Job ac Odwyn Jones, – ac am eu ffyddlondeb i'r Cymrodorion; am eu cyd-weithrediad hwy â'r gwŷr cedyrn yn y capeli eraill, yn eu dydd – y Parch. Dan Dafis yn Hermon a'r Tabernacl. Yna cyfeiriais at berthynas annatod crefydd ac iaith etc. Am fy ymweliad yr wythnos cynt ag Iwerddon, a'r hyn a welais ac a brofais yno. Ond gwelais wrthynt fy mod wedi codi eu gwrychyn, gan fod cymaint ohonynt yn euog heb hidio blewyn am yr iaith. Yna cododd y gŵr hwnnw a fu'n fy erlid yn gyson er pan wyf yn y lle yma, y cyfreithiwr William Evans, (neu Bili Bola yn ôl yr enw cyffredin arno) gŵr a ddygodd fy achos o flaen Llywodraeth [*sic*] yr Ysgol Sir gynifer o weithiau am ryw fan droseddau neu'i gilydd; a'r unig un ohonynt, gyda llaw, a bleidleisiodd i'm herbyn i gael fy lle yn ôl yn yr Ysgol, wedi

> llosgi'r Ysgol Fomio. Dyna pryd y gwelais i bobl Abergwaun yn dda neilltuol yn mynnu cael fy lle i yn ôl yma. Ni chymerais i arnaf gymaint â digio wrth hwn erioed, diolch i'r Arglwydd. Nid oedd yn werth y gost ysbrydol honno. Siaredais ag ef, bob amser, gan nad beth â wnâi fel pe na bai dim wedi digwydd. Wn i ddim a wnaeth ef unrhyw niwed i mi wrth ymosod arnaf am fy mod bob amser, meddai ef, yn gosod iaith a chenedl a gwleidyddiaeth o flaen crefydd. Ond gwn, cyn hynny, i'r ffaith ei fod ef gymaint yn fy erbyn brofi'n werthfawr i mi gael fy lle yn ôl yn yr Ysgol. Bu hefyd, wrthi yn ddyfal yr wythnos wedyn, yn siarad yn fy erbyn, fel y clywn. Taenwyd hefyd, y si, yn ôl a ddeallais yn ôl llaw, mai gwastraff ar bleidlais fyddai pleidleisio i mi gan na chymerwn i mo'r swydd, pe'm dewisid, oherwydd fy syniadau ar ddirwest. Ni ddywedaswn i na 'ngwraig air ar y pen, un ffordd na'r llall. Ac ni wn chwaith beth oedd amcan taenu'r si hon – fy nghadw o'r sêt fawr, ynteu ei ddweud yn syml fel ffaith.
>
> Beth bynnag am hyn oll, yr oedd yn ysigdod mawr i'm hysbryd i gan, mi gredaf, fel y cred pob blaenor arall gadd ei wrthod, fod fy amcan yn ddigon cywir; gan fod achos crefydd, ble bynnag y bo, wedi bod yn fater agos at fy nghalon. Myfi, gyda llaw, yw'r cyntaf yn llinell uniongyrchol fy nhad o ddyddiau Wiliam Siôn, Llywele fu'n helpu i godi capel cyntaf y Methodistiaid yng Nghymru, efallai, capel Llansewyl, ynghanol y ddeunawfed ganrif, i beidio â bod yn flaenor.[156]

Gwelir yn glir yn y cofnod hwn na fynnai cyfoedion D.J. ym Mhentowr gael eu hatgoffa o ddyletswyddau a allai darfu ar eu hawddfyd a niweidio eu parchusrwydd ac ni fynnent i'w crefydd fod yn gyfrwng trafod pynciau llosg y dydd. Wrth ei gyhuddo o osod iaith a chenedl a gwleidyddiaeth o flaen crefydd amlygent eu dymuniad i ysgaru crefydd oddi wrth fywyd gan taw crefydd saff, lwfr, ddiddrwg, ddidda oedd eu crefydd hwy. Oherwydd hynny bu'n rhaid i D.J. aros tan 1956 cyn cael ei dderbyn yn flaenor. Meddai wrth gyfeirio at yr achlysur hwnnw:

> Wedi bod yn agos i 25 mlynedd ma's o'r set fowr ar ôl cael fy newis gan eglwys Pentowr, oherwydd amod llwyr ymwrthod â phob diod gadarn, derbyniwyd fi y prynhawn yma heb newid dim ar fy safbwynt yn flaenor o henaduriaeth Gogledd Penfro ...[157]

Gwneud crefydd yn berthnasol i fywyd oedd dymuniad D.J. ond câi ei lesteirio gan ei gyd-aelodau'n gyson. Yn 1952, pan ddewiswyd ef yn athro ysgol Sul, nododd nad 'traethwr geiriau diberthynas â gweithredoedd' yw angen crefydd. A'r pwnc trafod yn ei ddosbarth fis wedi ei benodiad, a phedwar aelod yn unig, efallai o fwriad, yn bresennol, yw 'A ydym ni yn credu o ddifri yn efengyl Crist, ac yn barod i roi prawf ar ei grym hi yn ein bywydau ein hunain ac yn yr Eglwys?'[158] Yna yn 1951 cwyna na chaiff aros ar ôl yn gwmni i'r blaenoriaid mewn cyfarfodydd yn dilyn cwrdd gweddi neu ddosbarth Beiblaidd:

> Oherwydd defodaeth y drefn Fethodistaidd, yn hytrach nag unrhyw deimlad personol, mi gredaf, gan fy mod i ar delerau hollol gyfeillgar yn bersonol â phob un o'r blaenoriaid, pan na fydd neb ond hwy a finnau'n bresennol o ddynion mewn cwrdd gweddi neu ddosbarth Beiblaidd, a rhyw fater eglwysig a fyddai o lawer cymaint o bwys i mi a'r gweddill o'r aelodau ag iddynt hwythau yn gofyn am bwyllgor i'w drin, nid awgrymodd un ohonynt, na'r gweinidog unwaith y gallwn i aros ar ôl yn gwmni, fel petai, iddynt hwy. Gadewir i fi fynd gartref, bob amser, wrthyf fy hun fel dyn islaw derbyn cyfrifoldeb.[159]

Er taw defodaeth y drefn Fethodistaidd oedd i'w beio, ym marn D.J, am ymddygiad y blaenoriaid, haws credu, o ystyried tystiolaeth ei nodiadau dyddiadurol, taw awydd y blaenoriaid i osgoi trafod pynciau llosg a'u harswyd rhag ei daerineb sy'n gyfrifol am eu triniaeth salw ohono.

Yn 1959 cofnododd D.J. fod ei weinidog ym Mhentowr, y Parch. Glyn Meirion Williams, wedi cael yr hawl i draddodi pregeth Saesneg unwaith y mis ar gyfer y rhai na ddeallent Gymraeg. Ar y tir hwnnw a 'heb ddychmygu y gwyrdroid y peth yn llwyr' cefnogwyd y bwriad gan D.J. ei hun gan nad '... oedd hyn i ymyrryd dim â'r gwasanaethau Cymraeg arferol':

> Ond ar unwaith yn lle bod yn gwrdd i'r esgus Saeson tyrrodd nifer dda o Gymry yno gan gynnwys y blaenoriaid i gyd ond tri ohonom, gan agor y drws led y pen i droi'r eglwys yn Saesneg heb unrhyw achos o gwbl gan na allaf i feddwl am neb nad yw'n deall

> Cymraeg yn frith bach. Yna, bron cyn i'r Parch. Meirion Williams ymadael, adeg y Sulgwyn, derbyniwyd tair Saesnes fach – neu un Saesnes (ei thad yn Gymro iawn o Gaergybi, a dwy Wyddeles fach o Gatholigion wedi priodi ag wyrion i ddau o'r blaenoriaid, yn aelodau). Gwnaed hyn yn esgus wedyn, a'r ffaith bod rhai o'r plant ifainc yn Saeson hefyd, dros barhau'r gwasanaeth Saesneg bob mis, nos Lun diwethaf, sef y 3ydd, mewn cwrdd blaenoriaid bûm i a dau arall yn dadlau dros adael y cwrdd hwn i fod, a chynnig yn lle hynny fod pawb ohonom i wneud ein gorau glas i helpu'r di-Gymraeg i ddysgu'r iaith, gan eu bod bob un yn byw mewn teuluoedd o Gymry. Ond mynnodd y pen blaenor, W. M. Jones, fy hen gyd-letywr ffraeth a di-asgwrn cefn, fel arfer, digon poblogaidd ar ryw olwg, Cymro da o ymyl tref Caernarfon, fwrw ei goelbren gyda'r mwyafrif … Cario allan bolisi'r gweinidog yr oedd Morgan wrth fynnu cadw ymlaen y gwasanaeth Saesneg misol. Dadleuais i a'r ddau flaenor arall orau y gallwn yn erbyn y polisi hwn – ond tri yn erbyn pump yr oeddem, a byddai'r ddau flaenor absennol yn ein herbyn hefyd pe byddent yno. Gofynnais yn gyson am oleuni a doethineb a gras i'm harwain – ond yn fy erbyn yn gryf yr aeth y cyfarfod, wedi i fi gael cyfle i osod ein safbwynt ni'n tri,– a Teifryn Michael yn fy ategu. Ond hen wlanen dau wynebog yw Morgan wedi bod gyda phopeth ar hyd ei oes, er fy mod i yn eithaf hoff ohono yn y gwaelod drwy'r cyfan. Fel pob taeog mae'n ewn arnaf, ac yn mynd o'i ffordd bob amser i'm gwrthwynebu mewn pwyllgorau – a siglo llaw mawr yn llawn gweniaith ar ôl hynny. Crefydd grîn mewn cymeriad gwan sydd ganddo … Ymladd brwydr galed i beidio â digio wrth fy hen gyfaill, gan mai cadw undod ac iechyd ysbrydol yr eglwys, eglwys Crist, yw'r peth pennaf oll. Y diafol yn gyfrwys iawn yn fy annog i barhau'r digofaint. Wedi i fi weld yn sydyn y bore yma mai fe oedd wrthi – cael nerth a gweledigaeth yr un mor sydyn i'w drechu. Diolch am y fuddugoliaeth.[160]

Er bod hyn eto, yn amlwg, yn ysgytwad i'w hyder yng ngwerth ei gyd-grefyddwyr ni cheir cofnod pellach ganddo ar y mater hwn. Serch hynny, hyd yn oed yn wyneb rhagfarn a gwrth-Gymreictod ei gyd-aelodau, mynnodd gadw'n deyrngar i'w eglwys. Yn 1965, er bod ei gyd-aelodau 'wedi rhoi mwgwd ar eu llygaid rhag gweld dim am Gymru' mae'n gofyn i Dduw am ras i gydweithio â phawb ac i faddau iddo am bob amherffeithrwydd ynddo ef ei hun.[161]

Mae ofnusrwydd parlysol cyd-grefyddwyr D.J. yn ei wylltio'n gyson, yn enwedig rhagrith llawer o weinidogion. Pregethent yn dda ac yn herfeiddiol yn y pulpud ond ofnusrwydd a gwaseidd-dra sy'n eu nodweddu o'r tu allan iddo. Yn 1952 ar ôl gwrando ar bregeth gan ei weinidog ei hun ym Mhentowr ar Gideon mae D.J. yn gofyn: ' ... ble mae ei Ideoniaeth yn yr eglwys hon, yn dodjo pob dim ynddi ac yn y lle?'[162] Mae'r Parch. Dewi Jenkins, gweinidog Bedyddwyr Abergwaun, i'w osod yn yr un stabl, yn bregethwr da ac egnïol, 'ond yn negyddol a diweledigaeth bob amser mewn pwyllgor'.[163] Pregethwr huawdl oedd y Parch. Wyn Owen hefyd ond pan 'ddaw hi'n fater o weithredu i unrhyw gyfeiriad mae'n rhedeg fel gwningen ar unwaith i'w achub ei hun'. Yn 1958 cawn wybod fod y gweinidog hwn yn cyhuddo D.J. a Phlaid Cymru am y rhan fwyaf o'r drygau yng Nghymru. A D.J. hefyd, oherwydd iddo'i gyffroi trwy ddatgan bod angen ysgol Gymraeg yn y dref, sydd i'w feio am ladd y Gymraeg yn Abergwaun.[164] Mewn llythyr at Lewis Valentine dyddiedig 20 Ebrill 1960, mae D.J. yn mynegi'n gryno ei farn am y rhan fwyaf o weinidogion y cylch. 'Mae rhyw ofnusrwydd ofnadwy a phechadurus ar y mwyafrif o'r gweinidogion yma,' meddai, 'sôn am her yr efengyl mor herfeiddiol yn eu pulpudau, ac ofn eu cysgod arnynt o'r tu allan.'[165]

Yn 1963 cofnododd D.J. weithred wasaidd, a'i cythruddodd i'w sail, gan ben-blaenor Pentowr ynglŷn â chynnig Sul gwag i weinidog ar ei gythlwng. Meddai D.J.:

> Cynigiais innau ar ôl y cwrdd bore ein bod ni i ofyn i Emlyn Rowe Griffith i lanw y Sul hwn, cyn weinidog y Bedyddwyr, hen foi â llawer o bethau da ynddo, ond y ddiod a rhyw dipyn o fyrbwylldra tymheredd wedi bod yn faen tramgwydd iddo druan, troi at yr Eglwys wedyn, a bod yng Ngholeg Hawarden am dymor byr, anghytuno â'r seremonïau yno a dod adref, lle y mae'n awr, heb gyhoeddiad yn unman. Gwraig fach orau'r byd ganddo, a'r amgylchiadau ddim yn rhy dda.
>
> Wedi gosod ei achos gerbron orau y gallwn, cytunodd pawb yn raslon iawn i roddi ail gynnig i'r hen Emlyn, gan deimlo y dilynai

> eglwysi y cylch wedyn a rhoi cyhoeddiadau iddo. Finnau'n falch drwy'r dydd, ein bod wedi gwneud gweithred dda. Erbyn yr hwyr yr oedd Morgan wedi cwrdd â Sergeant Davies (teitl cwrteisi a rois ef arno'i hun) wedi bod yn blismon yn ardal Aberdâr ac yn aelod o'r Blaid adeg ymgeisiaeth frwd Wynne Samuel yno. Y sergeant hwn, twpsyn hollol, ond cigog rhyfeddol, wedi dychrynu Morgan sy'n gwneud pob dirmyg a gwawd ohono fel rheol yn ei gefn trwy ddweud na allai Emlyn bregethu yn unman yn awr, gan ei fod ar y dole, ac y dôi Pentowr i drwbwl pe rhoid cyhoeddiad iddo. Felly ni chyhoeddwyd Emlyn i bregethu dydd Sul nesaf. Mae iechyd Emlyn druan yn wael ers tro. Ond yr oedd yn cael pregethu pan allai heb unrhyw rwystr yn ôl ei dystiolaeth wrth y gweinidog. Fel yna y saif pethau'n awr. Tynnodd Pentowr trwy weithred pen blaenor yr eglwys ei gwisg lân ati gan ddiolch nad oedd ei haelodau hi fel y bobl eraill, nac fel y publican hwn chwaith. Fe'm cynhyrfwyd i yn ddwfn yn fy ysbryd yn y cwrdd fel na theimlais y gallwn i gymryd y cymun, gan nad oeddwn mewn cytgord digon cywir â'm cyd-flaenor, a fu â rhan yn y weithred wael hon. Dyma'r tro cyntaf i fi erioed beidio â chymuno.[166]

Cofnodir gweithred debyg yn 1966 pan benderfynwyd rhoi benthyg y capel i'r Parch. Rhydwen Williams gyflwyno darlleniadau o *Rhys Lewis* yno.[167] Oherwydd bod yr arian y gobeithid ei gasglu ar y drws i fynd i goffrau Plaid Cymru bu cyhoeddwr y capel, nad oedd yn bresennol yn y cwrdd penderfynu, 'yn hwrnu'n ôl llaw … ac yn chwythu bygythion a chelanedd drwy'r wythnos'. Er mwyn osgoi cythrwfl symudwyd y cwrdd i Neuadd yr Eglwys yn y dref.[168]

Mae yna eironi mawr ymhlyg ym mhortread D.J. o fychander a gwaseidd-dra ei gyd-grefyddwyr. Mae eu harweinwyr, y gweinidogion, yn hynod huawdl yn eu pulpudau, a hwythau'r aelodau cyffredin yr un modd wrth weddïo'n gyhoeddus. Dyma un o wendidau pennaf Ymneilltuaeth Gymreig y cyfnod yn ôl D.J., gan 'nad oes dim mor llwgr â chrefydd wedi dirywio yn gorff o syrthni diymadferth'.[169] Talent Jubilee Young,[170] er enghraifft, oedd creu 'clwstwr o ddarluniau difyr mewn llifeiriant o eiriau rhugl'. Gwaetha'r modd, roedd ei 'ddawn siarad anghyffredin wedi ei rwystro i eistedd i lawr weithiau a meddwl'. Yr hyn oedd ganddo yn y pen draw oedd 'Pinsiaid o hanes digon ansicr mewn crochan berw o huawdledd. Holl bechodau'r gorffennol wrth ddrws y Pab a'i Eglwys – ffordd rwydd o osgoi wynebu problemau'r dydd heddiw. Gyda llaw, y Pab oedd wedi crogi John Penry hyd yn oed.'[171] Mae 'rhaeadrau baldorddus, dramatig' y Parch. John Thomas hefyd i'w gosod yn y traddodiad Jiwbilïaidd. I D.J., 'clowns gwan yn eu penliniau' oedd y dynion hyn heb ruddin ynddynt i sefyll dros egwyddorion.[172] Y gweinidogion hyn oedd yn gyfrifol am Ymneilltuaeth arwynebol y cyfnod a oedd 'wedi corddi ei hun yn ffroth gwagsaw mewn huodledd, heb ymdrech i gymhathu gwir egwyddorion y grefydd Gristnogol'.[173]

Tybiai D.J. fod gweddïo cyhoeddus yr aelodau yr un mor ddiwerth â baldordd y pregethwyr. Cyfeiriodd yn 1966 at weddi 'dwmpathog gwlad-a-gorwlad un arall a fynnai i'r Hollalluog wneud popeth drosom heb iddo ef drochi pen ei fys bach'.[174] Mae gweddïau gwasgarog, huawdl sy'n ceisio cyffwrdd â phopeth, yn colli mewn didwylledd. Yn ôl D.J., mae angen canolbwyntio'n ddidwyll ar fater neilltuol. Teimlai'n aml hefyd mai defnyddio gweddi wedi'i pharatoi ymlaen llaw fyddai'r dull gorau o weddïo a hynny'n ei arwain at y casgliad taw, 'Gweddi barhaus yn yr ysbryd a ddylai bywyd dyn fod'. Ac yn sgil dod i'r casgliad hwnnw holai ymhellach, 'Tybed a oes angen geiriau wedyn, ond y geiriau symlaf oll fel y'u ceir yng ngweddi'r Arglwydd sydd â phob cymal yn weddi fawr?'[175] Yn sylfaenol, wrth gwrs, diffyg didwylledd y gweddïwyr oedd gwendid gweddïau cyhoeddus yr Ymneilltuwyr. Mae'r 'huodledd cyfoethog yn rhy rwydd a rhugl' a heb rym diffuantrwydd a allai drosglwyddo geiriau i weithredoedd. Ategir barn D.J. mai gweddi ddi-rym a diargyhoeddiad oedd gweddi ei gyd–aelodau pan gododd gais y Parch. Stanley Lewis yn 1961, ac yntau'n derbyn galwad i Bentowr, am i'r eglwys weddïo ar ei ran. Yn wir amlygir diffyg ffydd ei gyd-flaenoriaid yn nerth gweddi gan iddynt wrthod cyflwyno cais eu darpar weinidog gerbron aelodau'r Eglwys. Mae siom D.J. ym mlaenoriaid Pentowr yn ei arwain at ddarllen *The Meaning of Prayer*[176] a Llyfr Gweddi'r Catholigion. Mae'r mwynhad a gaiff yn yr ymgysegriad dwfn a deimlir yn awyrgylch y Llyfr Gweddi yn ei orfodi i addef bod gan Ymneilltuaeth lawer i'w ddysgu oddi wrth y Catholigion.

Gwelir mai'r hyn a fyn cyfoedion crefyddol D.J. yw ymlyniad wrth grefydd gysurus na fyddai'n pigo cydwybod nac yn eu gorfodi i weithredu dros egwyddor. Dyma'r crefyddwr sy'n 'rhoi'r pwyslais i gyd … ar y credu, heb sylweddoli fod credu yn golygu gweithredoedd sy'n ffrwyth credu'.[177] Yn wir, mae'r malltod yn ddyfnach nag anallu i sylweddoli bod i gredu ei goblygiadau. Y gwendid difaol sy'n parlysu Ymneilltuaeth yw'r bwriad ymwybodol i beidio â mentro gweithredu ar ddim. Wrth nodi nad oedd gan yr eglwys a Chymru weledigaeth ac ysbrydiaeth i fentro, dyfynnodd D.J. y canlynol: 'Playing for safety is the great danger of the church. Every time the Church does this it has lost its soul'.[178] Mae effaith colli enaid yn arwain at gynhyrchu crefyddwyr crebachlyd na fedrant deimlo awydd yn eu calonnau i wneud dim dros eraill hyd yn oed pan na bo hynny'n costio fawr ddim iddynt. Ar un achlysur mae cynnig D.J. i godi cyfraniad Cronfa'r Ffoaduriaid o ddwy gini i bum gini yn cychwyn trafodaeth ar yr holl dreuliau sy'n wynebu'r eglwys – 'cwpwl o deils ar y festri, joints y tŷ capel, etc, etc.' Er i'r cwrdd dderbyn y cynnig yn unfryd cofnodir nad oedd yno 'sêl na brwdfrydedd i dderbyn y fath sialens'.[179]

Darlun o eglwys gecrus ac o ddiffyg ymddiriedaeth yr aelodau yn ei gilydd a gawn ym mhortread D.J. o Bentowr ac o eglwysi eraill cylch Abergwaun hefyd. Iddo ef dyma'r elfen ddifaol a fygythiai grefydd yn gyffredinol. Ac oherwydd iddo gredu bod iechyd crefydd Cymru yn gyfystyr â'i hiechyd gwleidyddol hi, dyma'r elfen a oedd yn prysuro tranc y genedl. Er mwyn i grefydd ac eglwys ffynnu, maentumiai D.J. fod angen meithrin cyfeillgarwch a chymdeithas gytûn. Hebddynt ni theimlai fod eglwys yn bodoli.

Oherwydd ei gred ym mhwysigrwydd y cytgord cymdeithasol hwn, cytgord y credai ef a fodolai yng nghapeli milltir sgwâr ei ieuenctid, ceisiai'n gyson gan weinidogion ei gapel i ymweld â'r aelodau. Meddai un tro am ei weinidog, 'Dim menter ynddo i roi ei hunan i'w bobl, cadw'n rhy glòs iddo'i hun a'i wraig a'i blentyn a'i gar. Canys y sawl ni roddo ni dderbynia.'[180] Ychwanega, dro arall, wrth achwyn nad yw'r gweinidog yn mynd o gwmpas nemor neb o'r aelodau, mai 'Peth personol yw Cristnogaeth wedi'r cyfan, nid rhywbeth i'w tharanu o bulpud yn unig'.[181] Yr awgrym yw fod angen cyswllt personol rhwng y gweinidog a theuluoedd ei ofalaeth a bod angen iddo feithrin 'ysbryd a theimlad caredig, y peth hanfodol i gynnydd a ffyniant eglwys'.[182] Dyma faniffesto crefyddol D.J., y grefydd gymdeithasol y myn rhai nad yw hi'n gymwys i'w galw'n grefydd Gristnogol o gwbl.[183]

PENNOD 4

D.J. a Gwleidyddiaeth

Cenedlaetholwr o'r Crud

Yn gynwysiedig yng nghofnod dyddiadurol 1913 o eiddo D.J., nodwyd eisoes ei fod yn dymuno 'ymroddi i genedlaetholdeb Cymreig'. Ar sail y cofnod hwn gellir awgrymu mai di-sail yw'r hyn a gredai Waldo Williams, sef ei fod yn hwyr iawn yn cofleidio cenedlaetholdeb ac na allai, yn deg, hawlio iddo fod yn genedlaetholwr o'r crud.[184] Di-sail hefyd, mi gredaf, yw'r ensyniad pellach, difrifolach gan T. J. Morgan yn ei erthygl yng nghyfrol deyrnged D.J., ei fod yn ceisio cuddio'i ymlyniad wrth sosialaeth a'i aelodaeth o'r Blaid Lafur cyn iddo ymuno â Phlaid Genedlaethol Cymru yn 1925. Meddai T. J. Morgan amdano wrth gyfeirio at sylwadau cenedlaetholgar D.J. yn ei hunangofiant *Yn Chwech ar Hugain Oed*, '... mae dyn yn sbecto weithiau fod angerdd D.J. yn gwneud iddo weld tystiolaeth o genedlaetholdeb, ynddo'i hunan ac o'i gwmpas, yn rhy gynnar yn yr hanes; ac fe ddylai agor ma's yn fwy a dangos yn gliriach b'le'r oedd yn sefyll yn boliticaidd ym mlynyddoedd y Rhondda Fach a'r Betws ...'.[185] Er i T.J. Morgan ddyheu am wneud sosialydd o D.J. yn ei flynyddoedd gwaith glo gwelir, maes o law, mai rhyddfrydwr oedd e, fel ei rieni; Rhyddfrydwr cenedlaetholgar a drodd at Lafur yn ystod ei ddyddiau coleg oherwydd i ddiffygion cenedlaetholgar Rhyddfrydiaeth Cymru ei siomi.

Heblaw am dystiolaeth bendant cofnod dyddiadurol 1913, a chofnod 1914 hefyd, lle y mae'n ymbil ar Dduw i gofio 'am Gymru yn nyddiau y Deffroad Cenedlaethol', mae erthyglau gwleidyddol cynnar D.J., y rhai a gyhoeddwyd cyn 1925 a chyn iddo droi ei gefn ar Lafur, yn dangos yn eglur mai cenedlaetholwr ydoedd o ran ei deithi a'i weledigaeth wleidyddol. Yn 1915 yn ei erthygl 'Prifysgol Bara a Chaws' mynega ei gred y dylai Prifysgol Cymru 'fod yn grud i ddelfrydau Cymru, yn fagwrfa i ysbryd cenedlaethol cryf ac iachus, yn allor i ddwyn meibion a merched Cymru i dyngu llw o ffyddlondeb bythol iddi …'.[186] Eto yn 1922 mewn llith yn *The Welsh Outlook* dywed, trwy ddyfynnu A.E., y gwladweinydd Gwyddelig, fod gan genedl hawl gynhenid i ddatblygu yn ôl ei hathrylith ei hun. Ychwanega:

> The nation that gives her willing consent to become a mere imitator of another, however excellent the model may be, thereby barters away her own right to exist.[187]

Yn 1924 ac yntau'n dal i gefnogi Llafur, o leiaf am rai misoedd yn ôl ei addefiad ei hun, hola ai offeryn i ladd cenedl yw Deddf Addysg 1870:

> Is the Education Act of 1870 … to prove itself but a means of teaching the Welsh nation to write out its own death warrant – in English – and to compose herself to die for ever?

Ychwanega, *'The saving of the Welsh Language undoubtedly means the saving of Wales as a nation …'*.[188] Ym mis Mawrth 1924, mewn erthygl yn y *South Wales News*, mynega'r awydd am sefydlu gwladwriaeth Gymreig. Meddai:

> The raison d'etre for the emergence of the new Welsh State is to give the right to the Welsh people to speak to the world in its own voice.[189]

Erbyn mis Mehefin, eto yn y *South Wales News*, mae e'n deisyf gweld sefydlu mintai o wrthryfelwyr er mwyn diogelu cenedl y Cymry:

> I venture to repeat once more then, my plea for a school of rebels as the only hope for the salvation of the Welsh language, and incidentally for the Welsh nation. For they both stand or fall together.[190]

Cyn sefydlu'r Blaid Lafur rhoddai'r Cymry cenedlaetholgar eu ffydd yn y Blaid Ryddfrydol. Mae'n hysbys mai fel cenedlaetholwr Cymreig yr aeth y rhyddfrydwr Tom Ellis[191] i senedd Prydain. Cenedlaetholwr Cymreig oedd David Lloyd George hefyd ar gychwyn ei yrfa seneddol, ond buan y bradychodd Gymru, a throdd cenedlaetholwyr Cymru eu golygon tuag at y Blaid Lafur a bleidiai ryddid i genhedloedd bychain a hynny'n cynnwys ymreolaeth i Gymru. Yr oedd D.J., fel y dengys Gwynfor Evans yn ei erthygl 'Ffydd Wleidyddol', ymhlith y cenedlaetholwyr hynny:

> Erbyn hyn yr oedd y Blaid Lafur gydag ymreolaeth Gymreig yn rhan o'i pholisi y dyddiau hynny, yn disodli'r Blaid Ryddfrydol. Ymdaflodd nifer o genedlaetholwyr galluog i waith drosti, fel y gwnaeth D.J. ei hun, gan gredu bod gwell gobaith i Gymru trwyddi hi.[192]

Dyna yw tystiolaeth Kate Roberts hefyd yn yr erthygl, 'D.J. Williams, y Cymro Mawr'. Meddai hi, 'Yr oedd D.J. Williams wedi bod yn gweithio dros Gymru cyn bod sôn am y Blaid …'.[193] Ond D.J. ei hun sy'n gosod y sefyllfa'n hollol ddiamwys ger ein bron heb geisio celu dim ar y 'gwrthbwythi' yn ei safbwyntiau gwleidyddol cynnar. Yn y llith 'Forty years on the brink of politics in Pembrokeshire' dywed mai cenedlaetholwr ydyw o'r cychwyn er ei fod yn cefnogi pleidiau Prydeinig am resymau dilys:

> I seem to have been born a Nationalist for I do not remember a day when I was not one; bred a Liberal like my parents and the bulk of Welsh people towards the end of the last century [y bedwaredd ganrif ar bymtheg]; and converted into Socialism by the events of the First World War and by the teaching of its founders like Keir Hardie and his fellows who preached the brotherhood of man and the equal right of all nations, great and small, to self government.

Yr adeg honno nid oedd hi'n hysbys iddo fod y Blaid Lafur hefyd wedi, neu yn bwriadu, bradychu ei hegwyddorion. Cyfaddefa:

> I threw myself wholeheartedly into the Labour cause in those early days in Pembrokeshire because I sincerely believed in its principles

> and promises. During the 1923 and 1924 General Elections I was acting Labour agent for the North.[194]

Gwelir yn glir mai cenedlaetholwr oedd D.J., a sosialydd hefyd, os brawdoliaeth dyn a rhyddid cenhedloedd yw prif egwyddorion sosialaeth. Gwaetha'r modd, anghofio'u hegwyddorion a wnaeth y sosialwyr yn 1924 a chyn hir sylweddolodd cenedlaetholwyr Cymru nad trwy'r Blaid Lafur y câi'r genedl ei hawliau a'i rhyddid gwleidyddol. Ys dywed Gwynfor Evans, 'Cawsant eu dadrithio [gan y Blaid Lafur]. Nid ymladdodd dros fesurau Cymreig; ni cheisiodd greu barn genedlaethol Gymreig; a phan ffurfiodd ei llywodraeth gyntaf ym 1924 ni chafodd Cymru sylw ganddi.'[195]

Mae T.J. Morgan yn ceisio awgrymu bod D.J. wedi troi ei gefn ar ei sosialaeth a'i fod mewn rhyw fodd yn edifarhau am iddo gefnogi Llafur yn ei chyfnod cynnar. Meddai amdano:

> ... mae'n anodd iawn gennyf gredu nad oedd gwrthbwythi naturiol D.J. – cyfeddyf fod greddf *agin the government* ynddo wrth natur – yn gwneud sosialydd ohono yr adeg honno, pa mor annymunol bynnag yn ei olwg yw'r blaid sy'n arddel y safbwynt neu'r label yna heddiw.[196]

Ond mae T.J. Morgan yn cyfeiliorni yn ei ddadansoddiad oherwydd i'w 'wrthbwythi' ef ei hun a'i ymlyniad unllygeidiog wrth y Blaid Lafur ei arwain i gymysgu rhwng 'safbwynt' a 'label' a hynny er mwyn dilorni cenedlaetholdeb D.J. Nid oedd 'gwrthbwythi' D.J. wedi newid; fe gadwodd e'n driw i'w egwyddorion. Bradychu yr egwyddorion hynny a wnaeth y Blaid Lafur. Er bod T.J. Morgan yn ceisio profi bod D.J. wedi newid, wedi cefnu ar sosialaeth, y gwir yw taw'r Blaid Lafur a fradychodd egwyddorion sosialaeth, nid D.J. Mynegwyd y gwirionedd hwn yn glir gan M. Islwyn Lake yn *Y Traethodydd*. Meddai am D.J.:

> ... yn ei frwdfrydedd dros drefn gydweithredol a'i ymwrthod llwyr â ffordd pentyrru golud a thorri gwddf arall er mwyn elw, yr oedd ei sosialaeth ef yn tra rhagori ar eiddo'r rhai sy'n cario'r enw ar ôl gwerthu'r egwyddor.[197]

Ei henw, neu ei 'label' yn unig a gadwodd y Blaid Lafur. Ac wrth iddi fradychu ei hegwyddorion ymhellach yn ein dyddiau ni gorfodwyd hi hyd yn oed i newid y 'label' i *New Labour* wrth iddi ddiosg ei sosialaeth yn llwyr. Mae'n siŵr y gellir profi bod y cyfnod a dreuliodd D.J. yng nghymoedd glofaol y De wedi peri iddo ogwyddo tuag at sosialaeth a'r Blaid Lafur ond nid yw hynny'n tanseilio ei genedlaetholdeb. Yn ôl y dystiolaeth sydd gennym i farnu'r achos rhaid cydnabod hawl D.J. i'w haeriad iddo gael ei eni, 'yn freiniol yn genedlaetholwr Cymreig'.[198]

Pwysigrwydd Iaith a Phersonoliaeth Cenedl

Gwelsom, yn ôl tystiolaeth ei ysgrifeniadau cynnar, fod goroesiad y Gymraeg yn hanfodol i barhad y Cymry fel cenedl ym marn D.J. Yn 1924 dywed mai'r Gymraeg yw, '... *the shrine of everything that is sacred to us and the badge of our living faith in ourselves*'.[199] Hi hefyd yw, ' ... *the symbol of the nation's true entity'*.[200] Eto, yn 1925, geilw ar Thomas Davis i'w gefnogi trwy ei ddyfynnu yn ei erthygl, 'Compulsory Welsh for Matriculation'. Meddai hwnnw:

> The language of a nation's youth is the only easy and full speech for its manhood and its old age. And when the language of its cradle goes, itself craves the grave. A people without a language of its own is only half a nation. A nation should guard its language more than its territories, 'tis a safer barrier and more important frontier than fortress or river.[201]

A daw Thomas Davis i'r amlwg eto cyn hwyred â 1968 trwy i D.J. ei ddyfynnu yn y *County Echo*:

> To lose your native tongue and learn that of an alien is the worst badge of conquest. It is the chain on the soul. To have lost entirely the national language is death. The fetter is worn through.[202]

Mae marwolaeth iaith yn gyfystyr â marwolaeth cenedl. Dyma thema sy'n brigo i'r wyneb byth a beunydd yn llithiau D.J. Meddai yn y *Manchester Guardian* yn 1926:

> For a nation like the Welsh with an historic culture and literary traditions of its own is dead when its native language is dead.[203]

Eto yn y *Western Telegraph* yn 1968 dywed mai enaid cenedl yw ei hiaith; hebddi nid yw'n bod:

> Language, in which a group of people long associated with a certain part of the earth's surface, have expressed their loves and hates, their joys and sorrows, their hopes and despairs, for countless generations, is the very soul of that body of people which we usually call a nation. Kill that language and you kill the nation that speaks it.[204]

Yn ôl D.J. mae iaith cenedl o werth sylfaenol iddi oherwydd ei bod hi'n cynnwys y dimensiwn ysbrydol sy'n anhraethol bwysicach na'r materol. Mae'r dimensiwn ysbrydol yn fagwrfa crefydd a diwylliant. Yn ei erthygl 'Peiriant addysg Cymru: Ystrydebau'r Olwyn Sbâr' mynega'r weledigaeth hon. Dywed wrth drafod ein cyfundrefn addysg:

> Y mae parch i iaith a hanes a thraddodiadau uchaf y genedl yn gyfystyr â pharch i'r ysbrydol. Ac o barch i bethau'r ysbryd mewn meddwl a theimlad y deillia crefydd a diwylliant. Y mae cyfundrefn addysg na wêl yn dda i dalu gwrogaeth i grefydd a diwylliant yn gwneud sarnfa o fywyd y genedl honno ... sarnfa sy'n waeth yn ei chanlyniadau, yn gymaint â bod yr ysbryd yn fwy na'r corff, na'r sarnfa economaidd sy'n newynu pobl yn yr ardaloedd diwaith.[205]

Ar ben hynny, o ddifodi iaith cenedl, difodir gallu'r genedl honno i ddatblygu ei phersonoliaeth. Gwaith llywodraeth gwlad yw gwarchod cenedligrwydd gwlad er mwyn iddi ddatblygu ei phersonoliaeth; hynny ynghyd â gwarchod buddiannau ei deiliaid. Meddai D.J. yn 1927 yn *Y Ddraig Goch*:

> Amcan llywodraeth yw trefnu buddiannau cymdeithas yn unol â lles uchaf mwyafrif y gymdeithas honno. Dylai gallu llywodraethol pob cenedl gynorthwyo i ddatblygu personoliaeth y genedl honno.[206]

Mae personoliaeth cenedl y Cymry yn cynnwys ei thraddodiad crefyddol, wrth gwrs. Yn hynny o beth dylai hi fod yn foesol gyfrifol am ei hymddygiad ei hun. Ei dyletswydd hi, trwy ei deiliaid, yw dwyn ei neges unigryw ei hun gerbron y byd. A rhaid i bob un ohonom, 'gyflawni ei gyfran fechan ei hun er galluogi y wlad a'i magodd ac a'i hysbrydolodd i gyflwyno ei neges i'r byd'.[207] Nodwyd eisoes bod brawdoliaeth dyn, ym marn D.J., yn elfen i'w datblygu ac yn rhan anhepgorol o genhadaeth Cymru i'r cenhedloedd. Ychwanega ar gorn hynny:

> A Welsh State would neither have an Army or a Navy to protect its interests, and would thus be able to give a great moral lead to the world by being the first nation in history to trust Christ rather than Caesar in its international relationships.[208]

Dyma genhadaeth y mae'n ddyletswydd foesol arnom i'w chyflwyno i'r byd.

Ond ym mha fodd y gellir datblygu personoliaeth cenedl y Cymry, 'gwlad lle anwybyddir anhepgorion pennaf ei chenedligrwydd – ei phethau mwyaf hen a chysegredig megis ei hiaith, ei diwylliant a'i thraddodiad yn holl gylch swyddogol ei bywyd?'.[209] Mewn cenedl dan ormes gwlad arall mae'r peth yn amhosibl. Yr unig fodd y gall hi gyflawni ei thynghedfen yw mynnu hunanreolaeth wleidyddol. Mae sylweddoli hynny yn arwain D.J. tuag at gofleidio cenedlaetholeb; cenedlaetholdeb cyflawn i Gymru, yn hytrach na rhyw atodiad yn cyfeirio'n gyffredinol at ryddid i genhedloedd bychain ym maniffesto pleidiau Prydeinig, pleidiau sy'n or-barod i gefnu ar eu hegwyddorion, oherwydd:

> Ni all cenedl … ffynnu ond ar ei thraddodiadau a'i hanes ei hun. Caethion ac eiddilod a fegir ymhob gwlad ar iaith a hanes a thraddodiadau estron, heb ynddynt na balchder nac asgwrn cefn i sefyll dros ddim a berthyn iddynt hwy eu hunain ac i'w tadau.[210]

Diffinio Cenedlaetholdeb

Yn 1925, yn dilyn penderfynu bod angen i Gymru frwydro am ei rhyddid gwleidyddol dan faner cenedlaetholdeb, a thrwy blaid yn rhydd o'r hualau Prydeinig, ymunodd D.J. â'r Blaid Genedlaethol newyddanedig. Yna aeth ati i ddiffinio cenedlaetholdeb er mwyn argyhoeddi'r Cymry o'i werth ac i'w perswadio i gefnogi'r cenedlaetholwyr. Meddai yn 1927:

> … y mae a fynno cenedlaetholdeb â bywyd dyn yn ei gyflawnder, – yn faterol, yn foesol, yn ysbrydol:
>
> Yn faterol trwy ei gysylltiad â'r wlad y caiff efe ei fywoliaeth ynddi. Yn foesol, oherwydd ei berthynas â'r gymdeithas y mae efe yn aelod ohoni. Yn ysbrydol, am mai yn yr awyrgylch yma y gall efe sylweddoli pethau uchaf ei natur a'i bersonoliaeth yn fwyaf cyflawn.[211]

Yn y pen draw mynegir personoliaeth dyn trwy ei genedl, a 'mynegiant o bersonoliaeth cenedl yw cenedlaetholdeb'. Gan hynny, wrth gwrs, y mae'n dilyn bod hawl gan genedl i fyw ei bywyd yn ddilyffethair. Y mae, 'gan bob cenedl, ag iddi hanes a thraddodiadau, hawl i fyw ei bywyd naturiol ei hun yn ei thiriogaeth ei hun'.[212] Felly nid yw'r cenedlaetholdeb hwn, yr hawl hwn yn golygu, 'agweddiad arbennig at blaid boliticaidd neilltuol, ond yn hytrach, bersonoliaeth y genedl Gymreig, y peth hwnnw sy'n ei gwahanu, ac yn ei gwahaniaethu hi, oddi wrth bob cenedl arall'.[213] Oherwydd hynny rhaid i'r pleidiau hynny sy'n ddilys yng Nghymru fod yn bleidiau Cymreig. Yng nghyfnod D.J., heblaw am Blaid Cymru, pleidiau ffyddlon i Loegr, a phleidiau'n hybu personoliaeth Lloegr fu'r pleidiau pwerus yng Nghymru. Ni chredent, fel y credai cenedlaetholdeb Cymreig:

> fod i Gymru le a thynged bodolaeth ar wahân, ac yn rhinwedd y pethau yma y dylasai, ar delerau cydradd â Lloegr ac â'r gwledydd eraill hynny o fewn y Cyfundeb Prydeinig o genhedloedd, gael i'w meddiant yr un cyfryngau i ddiogelu a meithrin ei bywyd cenedlaethol hi ei hun ag sydd eisoes yn eiddo'r rhan fwyaf o genhedloedd y byd, fawr a mân.[214]

Nid oes dim byd salw na gwrthun yn y dyhead hwn am ryddid trwy genedlaetholdeb, nid yw yn ddim mwy na chariad naturiol dyn at ei wlad a sail ei urddas a'i hunan-barch. I'r Cymro meddylgar ac i D.J. ystyr cenedlaetholdeb yw:

> … everything that belongs to Wales and to the making of Wales: her long history of fifteen centuries, her people, her language, her culture, her landscape and physical assets; it means my love towards her past, my fear for her present state, and my highest hopes for her future … It is one of the finest traits of the human soul, and the true basis of natural dignity.[215]

A dyma'r cyfrwng i warchod a meithrin personoliaeth dyn a chenedl. I D.J., ys dywed Gwynfor Evans, 'mae personoliaeth dyn a phersonoliaeth cenedl … yn sanctaidd'.[216] Mae cenedlaetholdeb a chrefydd yn anwahanadwy iddo:

> Nationalism like religion, is a spiritual force, the most potent in the world today. It springs from the noblest elements in man's heart – his regard for his home, his fellow man, his language and culture, and all those treasures handed down to him as a sacred trust from the distant past.[217]

Oherwydd hynny mae cenedlaetholdeb yn ddeinamig a'i rinweddau yn ddihysbydd:

> It is the most dynamic force in the world today. Like all other powers – fire, water, electricity and atomic energy, its capacity for good, if properly handled, is incalculable.[218]

Ac yn ôl D.J. y mae daioni cenedlaetholdeb, nid yn unig yn gwarchod buddiannau'r genedl ei hun, ond yn dwyn manteision i'r byd yn grwn. Gellir ei gymharu â chrefydd sy'n rhychwantu ffiniau'r gwledydd ac yn clymu dyn wrth ei gyd-ddyn mewn cytgord a heddwch:

> I know also that the two most powerful and uplifting influences today, and throughout history, have been religion, which binds man to his God … and patriotism, or nationalism, which binds him to his fellow man, his neighbour at home, and across the border, all borders.[219]

Drygau Imperialaeth a Daioni Cenedlaetholdeb

Ond nid oedd diffinio cenedlaetholdeb yn y modd hwn yn dwyn

ffrwyth. Roedd ymlyniad y Cymry wrth bleidiau Prydeinig, niweidiol i hunaniaeth Cymru, yn gyndyn. Yn dilyn sefydlu'r Blaid Genedlaethol bu'r pardduo ar genedlaetholdeb yn frwnt a milain a Chymry, gan amlaf, yn gyfrifol am y poeri gwenwyn a phentyrru gwawd ar aelodau'r blaid newydd. O'r herwydd sylweddolodd D.J. fod angen iddo ddiffinio drygau imperialaeth a'u cyfosod â daioni cenedlaetholdeb. Hynny er mwyn argyhoeddi'r Cymry o'u dallineb a'u taeogrwydd a'u harweiniai i glodfori popeth Seisnig tra'n dirmygu Cymru, canlyniad gwaseidd-dra a feithrinwyd gan ganrifoedd eu darostyngiad gan Loegr. Roedd rhaid ceisio gwrthweithio'r sarhad a'r anwybyddu cyson ar werth personoliaeth y genedl a oedd wedi suddo i mewn i'w henaid. Dyma'r cyfrwng a fu'n gyfrifol am i Gymru golli, 'o dipyn i beth bob teimlad o arwriaeth a fu'n perthyn iddi erioed'. Nid yn unig y genedl a effeithiwyd ond pob Cymro oherwydd, 'y mae sarhad cenedlaethol yn sarhad personol'.[220] Mae'r sarhad personol yn feithrinfa i lwfrdra moesol. Dyma:

> yw'r peth mwyaf pwdr a pharlysol ddiffrwyth mewn bod. Ni ŵyr am anrhydedd; ni ŵyr am arwriaeth o unrhyw fath. Ni ŵyr am ddim ond hunan-les, esmwythyd, a diogelwch croen yr unigolyn, – dofrwydd di-antur meddwl ac ysbryd, yr hyn yw marwolaeth enaid mewn dyn a chenedl.[221]

Beth felly yw hanfodion yr imperialaeth hon a ysbaddodd eneidiau y Cymry? I ddechrau, awydd anghyfiawn cenhedloedd grymus ydyw i reoli cenhedloedd eraill. Ys dywed D.J., 'Yr enw gwir a chywir am yr awydd direol yma i ymyrryd â, ac i arglwyddiaethu ar fywyd a thynged gwledydd eraill ydyw – nid Cenedlaetholdeb – ond Imperialaeth.'[222] Meddai ymhellach:

> It is therefore, not Nationalism, as so many people maintain, but Imperialism that is the curse of the world. Nationalism is the natural, legitimate expression of a nation's personality, be that nation great or small. Imperialism is the lustful ambition of the Big Power to dominate over every race and territory it can lay its hands on.[223]

Mae'r awydd hwn yn beryglus, nid yn unig i genhedloedd bach, ond i heddwch y byd oherwydd ei hunanoldeb a'i werthoedd gau. Fe'i hamlygwyd yn Natsïaeth yr Almaen yn ogystal ag yn Imperialaeth Prydain:

> Nazism and Imperialism of the big power states are prone to selfishness and aggrandisement at the expense of the smaller nations under their authority. They can be wrecking forces in the world, stressing the false values of might and wealth, and have in them the seeds of their own destruction and even that of human civilization itself.[224]

Ie, dinistr yw pennaf effaith Imperialaeth oherwydd, 'Nid oes obaith am heddwch yn y byd yma hyd nes y cydnabyddir cydraddoldeb pob dyn, a phob cenedl ... ac Imperialaeth – yn filitaraidd, yn economaidd, ac yn ddiwylliannol – yw gelyn pennaf cydraddoldeb.'[225] Ys dywed Sir Stafford Cripps, '*Peace and Imperialism are contradictory terms ... the first principle of justice is self-government.*' [226]

Amlygir gelyniaeth Imperialaeth i gydraddoldeb, cyfiawnder a heddwch mewn dwy ffordd; heintir y gorthrymwr a'r gorthrymedig. Llygrir y gormeswr oherwydd ei fod yn credu yng nghyfiawnder ei nerth sy'n ddwyfol ei gynhysgaeth. Mae'r sefydliad Seisnig yn Llundain yn meddu ar '*unctuous self-righteousness*'. Ac ymhellach:

> In its own sight this Supreme Bump of Wordly Wisdom towers high above God's Ten Commandments and human judgements the world over.[227]

Oherwydd hynny ystyr pob rhyddid Ymerodrol yw rhyddid i'r 'gwan gael ei lyncu gan y cryf'.[228]

Mae cynneddf ffroenuchel yr Imperialydd Seisnig yn ddifaol ei heffeithiau ar y gormeswr, effeithiau na allai'r Imperialydd eu gweld ei hunan. Meddai D.J.: '*Imperialism curses him that rules ... It makes the ruler arrogant, blind and stupid to the sensibilities of others.*'[229] Mae'r dallineb hwn yn, ac wedi, caniatáu i'r nerthol mawr trwy'r oesoedd gyfiawnhau'r anfadrwydd o ddinistrio bywyd a diwylliant cenedl; yn enw crefydd a democratiaeth gellir, yng ngŵydd cenhedloedd y byd, gyfiawnhau a chyflawni hil-laddiad :

> This blind and insolent assumption of the right of the Big Imperial Power of whatever political hue, to disintegrate the body, and thus destroy the very life and culture of the small defenceless Welsh nation, [neu unrhyw genedl arall y gellir ei gormesu], and that in the broad daylight of the mid-twentieth century, is a cry to High Heaven and to the United Nations to deliver us from such a great wrong. This gross hegemony of might over right – carried out today in the holy name of democracy – is not a new thing in this world. It is as old as sin, and equally ugly and loathsome.[230]

Mae canlyniadau credu bod grym yn bwysicach na chyfiawnder yn atgas. Gellir cyfiawnhau rheibio cenedl o'i holl eiddo a threisio hawliau'r gorthrymedig os tybir bod angen ei adnoddau ar y gorthrymwr:

> The necessity of the Imperial power knows no law. Armed with the proper legal and physical means to enforce its demands nothing belonging to the subject nation is too sacred for it to lay its hands on.[231]

Na, nid oes dim yn gysegredig i'r hunangyfiawn oherwydd ni fedr gydnabod hawliau cenedl dan ei fawd. Dim ond trwy drallod a dioddefaint y gellir llacio crafanc gormes:

> Imperial Powers, blinded by a long tradition of authority and self-righteousness, find it hard to recognise the strangling effects of their policies upon the life of the subject nation, economically, culturally, and spiritually, and often will not let go their hold until it is too late to avoid hardship and suffering on both sides.[232]

Yn ogystal â llygru'r gormeswr mae pla Imperialaeth yn heintio enaid y gorthrymedig. Trwy ddwyn oddi arno ei hunan-barch mae'r aflwydd hwn yn effeithio ar yr unigolyn a'i wneud yn llwfr. Meddai D.J., *'Imperialism curses him that … bows. It makes … the vanquished diffident, prevaricating and mercenary.'*[233] Nid yw anrhydedd, gwerthoedd, geirwiredd a delfrydau yn cyfrif dim oherwydd mai pobl yw'r Cymry:

> wedi ymbesgi ar fywyd moethus a'u dallu gan gyflogau a llwyddiannau bydol, heb odid ddim yn cyfrif oni fo o ryw fudd personol, uniongyrchol iddynt hwy … a'r crafanc am fwy o arian wedi dod yn beth cydnabyddedig barchus.[234]

Dyma, meddai D.J.:

> Y peth tristaf oll amdanom ni'r Cymry heddiw, yw nad oes arnom gywilydd o'n llwfrdra. A lle bo cywilydd wedi darfod, neu yn darfod, arwydd yw hynny fod cywirdeb moesol ac anrhydedd, a'r rhiniau hynny sy'n dal cymdeithas rhag mynd yn deilchion ar drai pell hefyd.[235]

Effaith llwfrdra yw diraddio pobl yn eu golwg hwy eu hunain gan greu cachgwn diurddas:

> Servility … whether in a nation or in an individual, is a debasing quality. It is usually bred by a long subjection to someone else's will or authority, and can easily degenerate into shiftiness, lying and cowardice.[236]

Dyma bobl sy'n dioddef o *'moral paralysis'*. Heb deimlo cynddaredd na chywilydd gallant, *'… listlessly look on at the ruins of their own heritage'*.[237] Digwydd hyn oherwydd treiddia cancr Imperialaeth i galon yr ysglyfaethwr a'i ysglyfaeth a'u gorfodi i feddwl yn imperialaidd trwy eu hamddifadu o'u cydwybod:

> The obsession of such a thing as Imperialism is felt in the spirit, and in the spirit only … The psychology thereof has never been understood by any Imperialist. For to think Imperially is to ignore psychology. The fact of the national will being thwarted for centuries by an alien external power has woven itself with endless and subtle ingenuity into the very fibre of each individual consciousness.[238]

Canlyniad y gwau hwn o faglau imperialaidd yn enaid y gorthrymedig yw iddo ddod i gredu mai 'gwaseidd-dra ufudd dan bob amgylchiad' yw ei bennaf rhinwedd.[239] Gellir yn hawdd dilysu'r farn am effaith Imperialaeth ar y gorthrymedig, o leiaf yng Nghymru, beth bynnag. Ystyrier barn H. A. Bruce, Arglwydd Aberdâr, am y Gymraeg, iaith genedlaethol ei wlad ef ei hun, *'I consider the Welsh language a serious evil, a great obstruction to the moral and intellectual progress of my country men.'*[240] Dyma gyplysu Cymreictod â thwpdra ac anlladrwydd, iaith y dylid ei difa ar bob cyfrif. Ac yna dyna Gruffydd Rhisiart yn 1865 yn ei gefnogi. Meddai ef, 'byddai'n fantais anhraethol i Gymry a Saeson pe bai'r "Gymraeg", ie'r Gymraeg, wedi darfod amdani cyn bore yfory, a chenedl y Cymry wedi ymdoddi i mewn i'r genedl Seisnig …'.[241] Ac yn union fel y geilw'r gormeswr Imperialaidd ar y dwyfol i ddilysu ei anfadwaith felly hefyd y gorthrymedig. Trefn Rhagluniaeth sy'n ei gefnogi yntau yn ei waseidd-dra dirmygedig. Meddai 'Philologos' yn 1865 yn ei lith ar farwolaeth y Gymraeg:

> Beth bynnag y mae Rhagluniaeth foesol Duw yn ei gyfnewid neu ei ddiddymu yn helyntion teyrnas a chenedl, gellir bod yn sicr ei fod er gwell: canys y mae tuedd a chychwyniad holl Ragluniaethau Duw er dechreuad amser at berffeithrwydd.[242]

Gellid, pe bai angen, amlhau enghreifftiau o'r taeogrwydd parlysol hwn. Dyma anhwylder a drosglwyddwyd yn helaeth i Gymru'r ugeinfed ganrif ac mae'i wenwyn yn britho tudalennau papurau a chylchgronau Cymraeg a Saesneg y genedl yn gyson. Ac ni iachawyd Cymru o'i chlefyd ar enedigaeth mileniwm newydd ychwaith.

Anghenion Cenedl

Gwelir felly i D.J. ddeall yr elfennau gwleidyddol a oedd ar waith ymhlith ei gyfoeswyr. Mae'r grymoedd difaol yng Nghymru yn golygu na ellir gwireddu ei obeithion am ddyfodol Cymru oherwydd gwaherddir i'r genedl yr anghenion ar gyfer sylweddoli'r freuddwyd o sefydlu gwladwriaeth wâr, Gristnogol. Wedi iddo ddiffinio Cenedlaetholdeb a chyferbynnu ei ddaioni â drygau Imperialaeth, aeth ati i restru'r anghenion hynny a oedd yn anhepgorol i'w genedl os oedd hi i oroesi a'i sefydlu ei hun yn gydradd â chenhedloedd rhydd y byd. Nodwyd eisoes ei gred bod gwarchod y Gymraeg yn hanfodol i oroesiad a datblygiad y genedl. Yn hynny o beth yr oedd yn cytuno ag Emrys ap Iwan, rhagflaenydd iddo ym mrwydr goroesiad Cymru. Ond y mae rhyngddynt un gwahaniaeth pwysig. Credai Emrys ap Iwan, fel y nododd Hywel Teifi Edwards, y gallai'r genedl:

> Heb sefydliadau gwladwriaeth o'i phlaid … ddiogelu ei harwahanrwydd, pe mynnai, trwy drysori'r famiaith. Ynddi a thrwyddi hi fe allai'r genedl ddangos y gwerth a rôi arni'i hunan a'i hetifeddiaeth.[243]

Ond nid oedd trysori'r famiaith yn unig yn ddigon ym marn D.J. Williams. Sylweddololodd fod yr anghenion yn lletach ar gyfer sicrhau goroesiad hunaniaeth cenedl y Cymry. Mor gynnar â 1926 gosododd y dasg a wynebai'r Cymry yn glir ger eu bron, sef:

> creu gwladwriaeth Gymraeg mewn iaith a diwylliant, mewn ysbrydiaeth a gweledigaeth, mewn diwydiant a masnach, mewn deddf gwlad, bywyd cymdeithasol a pherthynas gydwladol a roddo ryw syniad i'r byd pa fath bobl ydym ni'r Cymry, mewn gwirionedd.[244]

Wrth gwrs, yn ychwanegol at yr arweddau diwylliannol ac economaidd rhaid i genedl berchen ar ei throedle ar y ddaear:

> … not only must we preserve what we still retain of our rural Welsh civilization and culture, but strive without ceasing to reclaim as our own in the fullest sense all that territory of Wales and the borders whose basic civilization was Welsh, and which, when it ceased to be Welsh, became to all intents and purposes nothing at all. We should be out for a task worthy of a mighty effort. We should be out for a Welsh Wales in culture and civilization, bent on living our own life to the full. Nor can we ever hope to accomplish such a task as this until we are in complete possession of all our national resources, materially, morally and spiritually conceived.[245]

Blaenoriaeth D.J., felly, oedd sefydlu 'corff gweddus i enaid y genedl' ys dywed M. Islwyn Lake.[246] Dyma ' … un o'r gorchestion pennaf y dichon bod meidrol ymgyrraedd ato yw ceisio llunio cyfundrefn wladol a fo'n gyfrwng i genedl fynegi ei chymeriad ei hun drwyddi, cyfundrefn i fod yn deml weledig i enaid cenedl drigo ynddi..'.[247] Ond ni ellir hynny ond trwy hunanlywodraeth, wrth gwrs. Rhaid sefydlu yng Nghymru, '... Senedd a Llywodraeth gyfrifol i bobl Cymru, ac ar dir Cymru', sefydliad 'i fod yn ymennydd, yn gyfarwyddwr canolog, i holl egnïon ac ymdrechion y genedl'.[248] Ni fedr gwleidyddiaeth yng Nghymru gyflawni ei diben heb hynny gan mai diben gwleidyddiaeth, 'yw meithrin, datblygu ac amddiffyn bywyd gwlad a chenedl ymhob ryw agwedd arnynt'.[249]

Cyn y gellid sylweddoli'r anghenion hyn gwyddai D.J. fod angen i'r Cymry feithrin hunan–barch a'r ewyllys i weithredu drostynt eu hunain. Sylweddola felly, er mwyn cyflawni'r orchest, fod '... deffroad crefyddol a chenedlaethol ...' yn hanfodol.[250] Gwelsom pa mor ddibris oedd, ac yw, y Cymry o'u treftadaeth. Meddai D.J., 'Yr unig beth o wir bwys i Gymru yw – a yw hi o wir bwys iddi hi ei hun ...'.[251] Yn ganolog i'r ymdrech o geisio'r deffro gwleidyddol a chrefyddol sydd ei angen ar Gymru y mae sefydlu cyfundrefn addysg deyrngar i'r genedl, cyfundrefn addysg i drosglwyddo i'r Cymry falchder yn eu hanes a'u diwylliant, cyfundrefn i feithrin hyder a hunan-barch. Gesyd D.J. yr angen am chwyldroi byd addysg Cymru yn ddiamwys:

> Yn lle peiriant sy'n lladd ei henaid, ac yn difodi ei hiaith a'i diwylliant, rhaid fydd iddi [h.y. Cymru] ymysgwyd a llunio iddi ei hun, o'r bôn i'r brig, gyfundrefn addysg a fyddo'n gyfrwng i greu ymdeimlad byw o berthynas ac undod ysbrydol rhwng pobl â'i gilydd. Ni ellir adeiladu bywyd cenedl ond ar graig ei hanes a'i chymeriad ei hun.[252]

Cenedlaetholdeb a Chydraddoldeb – A.E. a Mazzini

Nodwyd eisoes fod yn gynwysedig yng ngweledigaeth wleidyddol D.J. yr angen am sefydlu gwladwriaeth wâr, gwladwriaeth a allai osod gerbron y byd y moddion i ddileu gorthrwm a rhyfel. Ei ddehongliad ef o gymdeithas bro ei febyd yn Rhydcymerau yw'r patrwm crai y carai ef seilio ac adeiladu'r wladwriaeth Gymreig newydd arno, patrwm sy'n pwysleisio brawdoliaeth a chydraddoldeb dyn, patrwm sy'n mawrygu'r bywyd gwledig ac sy'n wrthwynebus i'r gred, ys dywed M. Islwyn Lake, ' ... mai peth buddiol yw canoli pob gweithgarwch mewn dinas a thref a thynnu gwladwyr yno yn yrroedd diwreiddiau ...'.[253] Dyn yn ei gymdeithas yn gyd-ddibynnol ar ei gyd-ddyn oedd y ddelfryd, nid dyn fel y tywod ar y traeth yn unigolyn digymdeithas, diymgeledd heb obaith cyfathrach â'i gyfoedion. Arswydai, fel y sylwodd Gwynfor Evans, rhag gweld dynoliaeth '... yn llu yn ymyl ei gilydd, eto bob un ohonynt yn gwbl annibynnol a digyswllt heb nac undeb na bywyd'.[254] Serch hynny, cyn y gellir sefydlu'r gymdeithas a'r genedl ddelfrydol, wâr, a datblygu strategaethau gwleidyddol i'w chynnal, mae argyhoeddi'r Cymry i fynnu eu rhyddid gwleidyddol yn flaenoriaeth hanfodol. O'r herwydd, a chan nad gwleidyddiaeth fel crefft a'i diddorai ef, ni ddatblygodd D.J. ei weledigaeth wleidyddol ei hun yn llawn i'w chyflwyno i'w gyd-wladwyr.[255] Yn hytrach, pwysodd ar syniadau pobl eraill i'w gynorthwyo i ddatblygu ei weledigaeth. Ei brif ladmeryddion gwleidyddol oedd A.E., a ddylanwadodd arno'n grefyddol fel y nodwyd eisoes, a Mazzini, prif ymgyrchydd dros undod yr Eidal yn y bedwaredd ganrif ar bymtheg. Heblaw am ei gyfieithiad o *The National Being* gan A.E. a sawl erthygl yn trafod ei waith, ysgrifennodd lyfr ar Mazzini, *Mazzini*: *Cenedlaetholwr, Gweledydd, Gwleidydd*.

Ganwyd Joseph Mazzini yn yr Eidal yn 1805. Bu farw yn ninas Pisa, er iddo dreulio y rhan fwyaf o'i oes yn alltud o'i wlad enedigol, yn 1872. Cysegrodd ei oes i frwydro dros undod yr Eidal a oedd yn rhanedig ac yn ysglyfaeth i bwerau milwrol estron yn yr ail ganrif ar bymtheg. Cartref delfrydol, tebyg i bortread cartrefi milltir sgwâr D.J., oedd cartref rhieni Mazzini. 'Yn y cartref hwnnw,' meddai D.J., 'nid oedd na gwreng na bonheddig, tlawd na chyfoethog, dysgedig ac annysgedig yn bod, ond pawb yn gydradd yn yr un gymdeithas ddynol.'[256] Dyma'r elfennau a ddylanwadodd ar ddatblygiad meddwl yr Eidalwr hwn ac a fu'n allweddol iddo wrth ffurfio'i weledigaeth grefyddol a' gwleidyddol. Rhoddai ei ffydd yn y werin, '... y dyn cyffredin fel y'i gwelir yn ei gymdeithas, ei wlad, ei genedl, a'i grefydd ydoedd arwr Mazzini'.[257] Dymunai weld 'gweriniaeth rydd yr Eidal mewn cymod â gweriniaethau eraill y byd yn un gymdeithas ddynol, gydradd â'i gilydd ... Dyna ei grefydd, ei athroniaeth, a'i wleidyddiaeth.'[258] Ac nid hawl unigryw yr Eidal oedd gwareiddio'r byd ychwaith, oherwydd credai, '... fod gan bob cenedl ei chenhadaeth a'i neges foesol arbennig ei hun i'w chyflwyno i'r byd'. Yn ôl Mazzini, 'ysgrifennodd Duw un llinell o'i feddwl ar grud pob cenedl'.[259] Dyma elfennau a adleisiwyd gan D.J. yn ei genhadaeth wleidyddol ef. Gwelsom taw cenedlaetholdeb fel y'i dysgid gan Mazzini, cenedlaetholdeb, 'wedi ei sefydlu ar yr egwyddor Gristnogol o gydraddoldeb dyn a chenedl ...' yw cenedlaetholdeb D.J.[260]

Ond er bod Mazzini wedi cadarnhau D.J. yn ei athroniaeth wleidyddol a'i gynorthwyo i'w datblygu a'i mynegi, ni wnaeth y naill na'r llall gynhyrchu maniffesto economaidd a chymdeithasol manwl ar gyfer eu gwledydd. Ennill rhyddid gwleidyddol i Gymru oedd y flaenoriaeth i D.J. a dyna'r flaenoriaeth i Mazzini hefyd ar gyfer yr Eidal. Ennill annibyniaeth i'w genedl oedd y cam cyntaf; gallai'r polisïau yn eu manylder ddilyn hynny. Meddai Mazzini wrth ei gyd-wladwyr:

> Heb eich gwlad eich hun yn eiddo i chwi nid oes gennych nac enw, na bodolaeth, na llais, na hawliau nac aelodaeth ym mrawdoliaeth y cenhedloedd – fe arhoswch yn fastardiaid y ddynoliaeth ... Na cham-arweinier chwi i geisio cynnig am ymwared rhag amodau cymdeithasol annheg hyd oni ryddewch chwi eich gwlad eich hun yn gyntaf ... Dim ond eich gwlad eich hunain ... a all sylweddoli eich gobaith am dynged well.[261]

Er i Mazzini gysylltu tynged well ag amodau cymdeithasol annheg yn y dyfyniad hwn mae'n bwysig inni nodi bod ei weledigaeth yn cynnwys elfennau aruchel, megis brawdoliaeth a chydraddoldeb.

Nid tynged faterol well, er bod gwelliannau materol i'w hystyried, oedd ei brif gonsýrn a dyna, wrth gwrs, pam y gorfodwyd D.J., oherwydd ei edmygedd ohono, i gyflwyno'i hanes i'w gyd-Gymry.

Ond nid anwybyddodd D.J. faterion gwleidyddol ymarferol ychwaith er iddo honni nad oedd e'n wleidydd yn yr ystyr gonfensiynol. Meddai Waldo Williams amdano:

> … pwysleisiodd ef dro ar ôl tro ac yn ddilys iawn nad yw'n ymddiddori mewn gwleidyddiaeth fel crefft a'r holl ymgymhwyso sydd ynglŷn â hi wrth raid.

Serch hynny, er taw deffro ei genedl i fynnu ei rhyddid oedd ei brif amcan ni allai ysgaru hynny oddi wrth yr angen i'w pharatoi 'i drefnu ei thŷ ei hun … yn olau ac yn deg'.[262]

Mynnai D.J. glymu'r ymarferol wrth yr ysbrydol a chafodd broffwyd cydnaws â'i amcanion, i oleuo'i ffordd, yn A.E. Honnodd taw ei lyfr ef, *The National Being*, fu'r dylanwad mwyaf arno heblaw am y Beibl.[263] Yn ei ragymadrodd i'r *Bod Cenhedlig* dywed am waith y gweledydd Gwyddelig hwn, 'Digon yw dweud mai'r un naws cyffredinol sydd i'r cyfan a sgrifennodd, sef mai sylfaen a sylwedd y Cread i gyd yw'r ysbrydol.' Yr ysbrydol yw'r moddion cymwys ar gyfer gwastrodi a threfnu'r mawr a'r mân; '… ni ellir dadrys problemau mawr y gwledydd mwy na'r mân broblemau bob dydd ym mywyd unigolion ond trwy nerth a goleuni'r ysbryd'.[264] Tybiaf fod y 'mân' yn cyfeirio at drefn gymdeithasol deg a rheolaeth o fywyd bob dydd trigolion cefn gwlad a threfol cenedl. Y manion hyn, sy'n aml yn ddibwys yng ngolwg arweinwyr y cenhedloedd a'r ymerodraethau, yw sylfaen bywyd ystyrlon a gwâr; a'r drefn gymdeithasol deg yw sylfaen gwladwriaeth iach hefyd. Ar batrwm cydweithredol y barnai A.E. y gellid trefnu cymdeithas gymodlon a theg. Dyma'r drefn i feithrin cydweithrediad rhwng dyn a dyn a dyma'r drefn i hybu cydraddoldeb a chymod, nid yn unig rhwng dyn a dyn ond hefyd 'rhwng dosbarth a dosbarth, a rhwng cenedl a chenedl'. Ys dywed D.J.:

> Fe dyfodd y syniad o gymdeithas gydweithredol ym meddwl A.E. nid yn unig fel ffordd i wella cyflwr economaidd y bobl ac o feithrin cymdogaeth dda yn eu plith eu hunain, ond hefyd fel ffordd o iachawdwriaeth i ddynion yn gyffredinol.[265]

Creu 'bod organig' neu gymuned oedd sylfaen gweledigaeth A.E. Yn ei farn ef, mewn gweriniaeth yn unig y gellid datblygu'r 'enaid cenedlaethol' cymeradwy. Mewn gweriniaeth meddai:

> ef yw'r bod lluosog, yn bendant ei gymeriad os yw'r weriniaeth honno yn fod organig gwirioneddol gymdeithasol. Ond lle na chlymir y weriniaeth wrth ei gilydd ond mewn dull llac gan y gyfundrefn gymdeithasol, mae'r bod cenedlaethol yn annelwig ei gymeriad, yn fod rhy egwan i ysbrydoli lliaws mawr y bobl i ymdrechion aruchel.[266]

Heb y clymau cymdeithasol a geir mewn cymuned mae'r boblogaeth yn unigolion digyswllt heb hawliau nac awdurdod ar ddim. Unigolion ydynt yn 'byw mewn isfyd o lafur nad yw eu hawl i bleidleisio yn rhoddi iddynt unrhyw wir awdurdod, ac fe'u dirmygir a'u hesgeuluso yn fynych gan y sawl sy'n elwa ar eu llafur'.[267] Er mwyn dileu diymadferthedd yr unigolion digyswllt mae angen eu gwneud yn bartneriaid yn y drefn gymdeithasol, 'nid partneriaid yn unig ym mywyd politicaidd y genedl, ond peth sy'n llawer mwy pwysig, – partneriaid yn y bywyd economaidd'.[268] Mae gan bartner mewn menter fusnes neu fudiad cymdeithasol cymunedol berchnogaeth ar yr elw neu'r budd sy'n deillio o weithgarwch y sefydliadau hynny. Meddai A.E.:

> Fe arweinir yr unigolyn, pa mor brin bynnag ei waddol naturiol o allgaredd, i feddwl am ei gymuned fel yr eiddo ef ei hun; oherwydd fe fydd ei incwm, ei bleserau cymdeithasol hyd yn oed, yn dibynnu ar lwyddiant y drefniadaeth leol a chenedlaethol y cysylltir ef â hi.[269]

Yn ôl A.E. y gymdeithas yng nghefn gwlad yw'r gymdeithas hawsaf i'w hystwytho ar gyfer gwireddu'r freuddwyd gydweithredol. A dyna, gyda llaw, daro tant ar unwaith gyda D.J. oherwydd iddo gredu bod y gymdeithas gydweithredol, i bob pwrpas, yn bodoli yn Rhydcymerau ei blentyndod. 'Traflyncu bywyd yn y dinasoedd mawrion yn wir yw'r perygl pennaf sy'n bygwth dirywiad y ddynoliaeth yn y Wladwriaeth fodern' ym marn A.E. Wrth gwrs, gallai'r drefn gydweithredol gynysgaeddu a iacháu'r bywyd trefol hefyd ond sail y cyfan yw'r bywyd cymunedol gwledig oherwydd, 'Ni ellir ystyried yr un genedl yn afiach tra fo gwerin wrol, boddlon ar weithgarwch gwledig, gan nad pa mor anniddig ar bethau eraill, yn byw ar ei thir.'[270] Eto, er taw'r ddinas sy'n bygwth dirywiad y ddynoliaeth, bywyd y trefi sy'n llachar, yn ddeniadol ac egnïol a bywyd y wlad yn undonog a diflas. Ond, meddai A.E., 'Nid oes yna reswm pam na fyddai'n bosibl i fywyd y wlad fod mor egnïol, mor feddylgar, ac mor gynyddol â bywyd y trefi.' Y rheswm am farweidd-dra'r gymdeithas wledig yw nad oes yno gymuned oherwydd absenoldeb trefniadaeth gydweithredol:

> Y gwir reswm am y marweidd-dra ydyw fod bywyd y wlad heb ei organeiddio. Fe glywn yn fynych yr ymadrodd "y gymuned wledig", ond y cwestiwn yw ymhle y ceir cymunedau gwledig? Y mae poblogaethau gwledig, ond peth cwbl wahanol yw hynny. Mae'r gair "cymuned" yn golygu cymdeithas o bobl a chanddynt ddiddordebau a meddiannau cyffredin wedi eu cysylltu gan gyfreithiau a rheolau sy'n mynegi'r buddiannau a'r delfrydau hyn, ac yn diffinio perthynas yr unigolyn â'r gymuned.[271]

Tasg diwygwyr y bywyd gwledig yw chwalu'r gred sy'n tybied nad yw bywyd o ansawdd uchel fel y ceir mewn dinas yn bosibl mewn pentref. Tasg dra phwysig yw hon oherwydd nid yw'r drefniadaeth lac o gymdeithas sy'n nodweddu bywyd y trefi mawrion yn creu dinasyddiaeth. Dyna'r freuddwyd y gobeithiai D.J. i Gymru ei gwireddu wedi iddi ennill ei rhyddid gwleidyddol, creu dinasyddion; hynny yw, 'creu pobl a feddiennir gan y delfryd o les cyffredinol, ac sy'n barod i suddo'u dyheadau preifat gan weithio mewn cytgord â'u cyd–ddinasyddion er budd uchaf y genedl'.[272] Ond delfryd yw breuddwyd D.J. o hyd oherwydd, yn hytrach na dinasyddiaeth, unigoliaeth remp sy'n nodweddu'r gymdeithas a'r cenhedloedd cyfalafol modern:

> a dynion … yn syrthio yn ôl ar fywyd preifat ac uchelgais breifat, gan adael anrhydedd eu gwlad … yn nwylo gwleidyddion proffesiynol – a'r rheini, yn eu tro, yn gaeth i'r buddiannau sy'n cyflenwi coffrau'r pleidiau; ac felly fe gawn lygredd yn y lleoedd uchel a siniciaeth ymhlith y bobl.[273]

Mae'r 'siniciaeth' gyffredinol hon yn gyfrifol am greu'r 'cribddeiliwr gwancus' a'r 'ymlid am gyfoeth i ddyn ei hunan yn hytrach nag uno egni er lles pawb a chreu cymdeithas frawdol'.[274]

Tasg y gobeithiai D.J. i'r Gymru Rydd ymgodymu â hi yw datrys sut i greu cytgord cymdeithasol. Sut, yng ngeiriau A.E., 'i drefnu cymdeithas fel na fyddo pobl yn ymryson â'i gilydd ac yn negyddu ymdrechion ei gilydd, ond bod i bawb gydgynllunio am undod, fel nad anghofier neb, na'i orthrymu, na'i adael allan o'n brawdoliaeth'.[275] Tybiaf i A.E. a D.J. gredu y byddai'r 'cymunedau' hyn, wedi eu seilio ar y cysyniad o frawdoliaeth dyn, yn meddu ar y grym gwleidyddol i ddylanwadu ar wleidyddion eu cenedl. Byddai gobaith iddynt feithrin 'yr ysbryd a wnâi'r syniad o ryfel mor atgas fel y byddai yn amhosibl i wleidyddion feddwl am y dull hwnnw o setlo'n problemau'.[276] Gwelir felly, trwy i D.J. gyflwyno i'w gyd-Gymry syniadau ymarferol A.E., syniadau yr oedd ef yn gweithredu arnynt yn Iwerddon, yr hyn y gellid ei gyflawni yng Nghymru pe bai'r genedl yn mynnu hunanreolaeth wleidyddol.

Gwleidyddion Twyllodrus y Pleidiau Prydeinig yng Nghymru

Cenhadaeth fawr bywyd D.J., felly, oedd ceisio peri i'w gyd-Gymry sylweddoli yr effaith andwyol a gâi Imperialaeth ar eu gwlad trwy ddadansoddi manwl, a thrwy hynny amlygu twyll a brad eu harweinwyr gwleidyddol. Yna, o ddannod iddynt eu difrawder yn wyneb sefyllfa adfydus eu cenedl, gobeithiai ysbrydoli ei gyfoeswyr i ddiosg hualau eu gorthrwm. Y twyll sylfaenol y dioddefai Cymru oddi wrtho, oedd diffyg llais yn Senedd y wlad oherwydd taw Senedd Lloegr oedd Senedd Cymru. Meddai D.J. yn 1927:

> Yn ymarferol, er fod ganddi gynrychiolaeth nid oes gan Gymru lais o gwbl yn ei gwleidyddiaeth ei hun yn Senedd y wlad. Ni fedr hi siarad ond drwy'r pleidiau Seisnig, ac ni allai'r rhain pe mynnent, siarad drosti. Y mae Cymru fel Cymru yn fud yn Senedd Lloegr, ac ni all hi byth fod ond mud yno.[277]

Awgryma D.J. nad ewyllysiai Aelodau Seneddol Cymru frwydro dros fuddiannau eu gwlad yn Senedd Lloegr, a hyd yn oed pe mynnent wneud ni fedrent oherwydd y sefyllfa bleidleisio yn Westminster. Eglura D.J.:

> Wales is represented in the English Parliament by a majority of 17–1 against ... But this mode of government is most useful to England, as by the means of it she can always with impunity impose any measure or commitancy act she likes affecting Wales.[278]

Ac ar ben hynny gwanychir y gynrychiolaeth ymhellach oherwydd rhennir Aelodau Seneddol pleidiau Seisnig Cymru yn dair rhan, rhwng y Ceidwadwyr, Llafur a'r Rhyddfrydwyr, heb unrhyw ddymuniad ganddynt i uno gyda'i gilydd er mwyn Cymru. Ond gwaeth na'r diymadferthedd hwnnw yw gwaseidd-dra'r cynrychiolwyr hyn. Fel hyn y disgrifia D.J. gywilydd diwrnod Cymreig Senedd San Steffan sy'n digwydd ar un noson unwaith y flwyddyn:

> ... here we witness ... the accredited leaders of our small nation, for one evening in the year, before some 600 empty seats, agreeing to tear themselves to pieces in righteous indignation against the wrongs of English rule in Wales ... For the remaining twelve months these Welsh members vie with each other in their wholehog support of this same regime which, for one day, they had so fiercely condemned.[279]

Wedi iddo osod sefyllfa wleidyddol Cymru a thwyll affwysol ei chynrychiolwyr, a dirmyg ei meistri Seisnig gerbron ei gyhoedd mor glir a chignoeth, gellid yn hawdd gredu na fyddai'r Cymry'n dioddef y sarhad dychrynllyd hwn eiliad yn hwy. Ond nid felly y bu. Anwybyddwyd ei neges ac, o'r herwydd, gorfodwyd D.J. trwy gydol ei oes hir i ychwanegu at y darlun tywyll hwn.

Wrth gyfeirio at y 'rhyddid gwladol a dinesig y sonnir amdano'n aml, sef fod y Sais a'r Cymro'n gydradd o dan yr un gyfraith, a'u bod ill dau yn gyd-gyfrifol am ei gwneud a'i gweinyddu' dengys y twyll sy'n llechu y tu ôl i'r tegwch arwynebol hwn. Er mwyn bod yn gydradd â'r Sais ym myd cyfraith rhaid inni ymddwyn fel Saeson. Pan ofynnir am hawliau a rydd flaenoriaeth i'n harwahanrwydd fel Cymry, yna diflanna cydraddoldeb. Ys dywed D.J.:

> yr unig adeg yr ydym ni o ddim gwerth i'r Saeson ydyw pan wnawn ni ein hunain mor debyg i Saeson ag y caniatao ein hacen a'n holl ragolwg ar fywyd i ni fynd ... Pan ddigwydd weithiau'n brin yng nghwrs y canrifoedd, beth mor chwith a dieithr ag i Gymro siarad wrth y byd y tu hwnt i'r ynys hon fel Cymro – ac ni ellid mewn un modd gwneud Sais ohono, – yna fel gelyn Lloegr yn ddieithriad y clywir sôn amdano.[280]

Ac ym myd addysg cyffelyb yw'r twyll. Er taw 'un o ddibenion cyfundrefn addysg yw diogelu a meithrin treftadaeth y bobl' nid yw'n cyflawni'r ddyletswydd honno yng Nghymru oherwydd 'ffordd dyrpeg yr Ymerodraeth Brydeinig yw hi, lle y gellir gyrru ei phlant ar hyd-ddi, megis y gyrrid ei gwartheg gynt, yn finteoedd diniwed dros y gororau, i'w pesgi ar gyfer marchnad fawr Mamon a Moloch'. Ei heffaith yw gwneud 'bywyd Cymro ond atsain ac efelychiad o fywyd Sais'.[281] Gwireddwyd hyn hyd at ddifodi Cymru'n llwyr, oherwydd seilio ac impio cyfundrefn addysg Cymru wrth goeden estron wedi'i gwreiddio mewn tir estron:

> Our school system has been grafted on to a foreign tree. The bedrock of the personality of the nation itself was ignored in forming

> the early curricula, and a layer of foreign soil was cast over it wherein to sow foreign seed … we were so effectively blinded and hoodwinked by the glamour of those early methods conscientiously adapted from England, and so diffident and feckless in national initiative, until we have to decide for ourselves as a people, once and for all, whether to be or not to be.[282]

Mae caniatáu rheolaeth San Steffan dros Gymru yn rhoi i Loegr dragwyddol heol 'dan bob amgylchiad … wneud fel y mynno â Chymru, – cymryd ei thir a'i dŵr, ei hawyr a'i phobl, a phopeth arall a fedd.' Ac er bod Cymru yn gyfoethog yn ei meddiannau, ei hadnoddau crai, oherwydd ei chaethiwed gwleidyddol ni fedr fanteisio arnynt; yn hytrach fe'u hysbeilir a'u hallforio ynghyd â'i phobl i Loegr er budd Lloegr:

> … the strangest phenomenon of all in the pattern of English rule in Wales is that here, in the richest of Britain's three countries, in raw materials, unemployment has all along been twice or three times higher than in England; and whereas the population of Wales has been practically static since 1921, that of England has increased by 28%. Our economic system has been allowed to develop in such a way, or has been helped to do so, that we have become, in effect, a slave nation, hewers of coal and drawers of steel for England's vast industrial centres, where Welsh men and women, mostly in the prime of life, are compelled to follow the raw materials exported from their own country, in order to find work in English towns turning those very materials into manufactured goods. During this century alone nearly a million of our people have so left.[283]

Yn ychwanegol at hynny, yn 1959 gall D.J. gyhoeddi na werir arian trethi Cymru yng Nghymru:

> on top of all this, economic statistics indicate that we pay annually to the Imperial Exchequer some £50,000,000 more than we receive in return.[284]

Gellir hawlio popeth, gellir llofruddio'r genedl oherwydd, *'necessity, imaginary or otherwise, to the strong and arrogant, knows no law, human or divine'*.[285] Mae popeth i'w ddefnyddio gan Loegr, ein tiroedd, ein dŵr, ein golygfeydd, ein pobl:

> Our ... resources ... are completely at the disposal of the London government to be utilized and exploited in any way deemed expedient for its own purposes. Cwm Tryweryn or any other valley can be drowned, and our lands, the last strongholds of our language and traditional culture can be confiscated.[286]

Cawn gatalog ganddo o'r enghreifftiau o sathru ar hawliau Cymru gan Loegr. Gall llywodraeth San Steffan osod diwydiannau trymion ar dir y genedl pa le bynnag a fyn, heb gysylltu â'r Cymry:

> Huge concerns like Margam and Trostre ... are planted just where "the gentlemen in London" think fit, irrespective of any wishes or plans which Welshmen might have for themselves.[287]

Gellir cartrefu Saeson, oherwydd gorboblogi yn Lloegr, yng Nghymru. Meddai D.J. yn 1958:

> now we are told that North Wales ... is threatened with inundation by an overspill of population from the Midlands to the extent of half a million to a million Englishmen.[288]

Atafaelir ffermydd ar gyfer coedwigaeth heb falio dim am dynged ffermwyr ac amaethyddiaeth Cymru. Meddai D.J. wrth gyfeirio at fro ei febyd:

> This upland area ... was reclaimed into smiling hillside farms by the toil of generations of industrious people. At one stroke of a pen the town-bred planners in London have given back once more to the jungle this hard won Welsh heritage .... The Forestry Commission embarked upon the scheme without a word of consultation with the inhabitants, and many of them had to find new homes and fend for themselves the best way they could.[289]

A thrwy gynllunio cyfrwys gellir cadw Cymru rhag datblygu'n uned ar wahân i Loegr trwy ei chysylltu fesul rhan â chanolfannau poblog Lloegr:

> When questioned about the North–South road communication so as to strengthen the Welsh economic unit, the Shadow Secretary for Wales, Mr Thornecroft, showed very little interest, for his great concern was to link North Wales with Liverpool, Mid Wales with Birmingham, and South Wales with Bristol – thus breaking

> up the one Welsh Region, established on a recognised national basis, into three separate sections all dominated by central English conurbations.[290]

Ac, wrth gwrs, ni fedr Cymru ddylanwadu ar bolisi tramor Lloegr na gweithredu'n annibynnol yn y maes rhyngwladol. Wrth drafod achos y cenedlaetholwr alltud o Lydaw, Dr Moger, dengys D.J. pa mor wrthun yw sefyllfa Cymru oherwydd na fedr hi wneud dim ond plygu i ewyllys Ysgrifennydd Cartref Lloegr:

> Has the English Home Secretary, in his own authority as such, the right to arrogate to himself the power of refusing to allow the Welsh nation to show similar hospitality towards whomsoever it pleases? Or are the people of Wales to be put on a separate footing, and their natural right to show hospitality in their own land to be limited by the ruling of the English Home Secretary enforced by the dictates of a foreign power? This is a question that brooks no delay in answering; for apart from its human aspect in the particular case of Dr Moger, it touches the very root of Welsh nationhood.[291]

Nid yw'r ateb, gwaetha'r modd, ond yn rhy amlwg; nid oedd gan y Cymry unrhyw hawliau i ddeddfu ar unrhyw fater yn eu gwlad eu hunain.

Ymddengys fod y Cymry yn hollol ddall i'r holl anghyfiawnderau amlwg hyn. Er iddynt ddioddef dirmyg a sarhad bu eu ffyddlondeb i Loegr yn ystod y ddau Ryfel Byd yn gadarn. Caniatawyd i'r Sais aberthu ieuenctid Cymru ar allor mawredd yr Ymerodraeth Brydeinig. Yn ei erthygl, 'Legalised Murder of a Nation', mae D.J. yn atgoffa'r Cymry o'u colled:

> Between two world wars Wales has lost to England almost half a million people, or practically a fifth of its population.[292]

A'r tâl a gafwyd am y ffyddlondeb hwn yn diogelu buddiannau dynion cyfoethog – mesur gwerth Cymru yn ôl ei defnyddioldeb i Loegr. Meddai D.J., 'All values are assessed in direct proportion to their usefulness to England.'[293] Ac effaith hynny yw dinistr a diflastod yng Nghymru:

> All that Wales with all her sacrifices got out of this war [1914 –18] for the rights of small nations, for democracy, and for everlasting peace, was a vast distressed area, with a third of her workmen on the dole, and a fifth of her population exiled to England; and later, a land blotched with munitions factories, and her beauty spots and sacred places made into bombing schools and training grounds for tanks. So much for English democracy at work in Wales.[294]

Yn 1957, ar ôl degawdau yn dadansoddi effaith Imperialaeth Lloegr yng Nghymru dywed D.J. wrth ei gyd-Gymry taw bwrw pleidlais dros barhau a dyfnhau anrheithio Cymru yw pleidleisio dros blaid Brydeinig:

> Ni fyddwch wrth wneud [pleidleisio i bleidiau Seisnig] ond yn estyn prydles y Llywodraeth Seisnig, o bob Plaid, a rhoi'r hawl iddi ymhellach i drin ac anrheithio eich treftadaeth chwi y modd y mynnont, gan ystyried Cymru a'i holl adnoddau fel eiddo eiddynt hwy – ei thir a'i dŵr, ei mwynau a'i golygfeydd, ei phopeth. Hawlir ei meibion i'r lluoedd arfog, a mudo o'i gweithwyr i ganolfannau diwydiannol Lloegr, gan ddryllio'r gymdeithas Gymreig ymhob agwedd arni, a thrwy hynny ddifodi ein cenedl ni.[295]

Trwy gydsyniad cynrychiolwyr Cymru yn San Steffan caiff Lloegr wneud fel y myn hi yng Nghymru, pob un ohonynt cyn buddugoliaeth Gwynfor Evans yn is-etholiad Caerfyrddin yn 1966, yn cynrychioli pleidiau Prydeinig. Yn 1938 dinoethir taeogrwydd truenus y Ceidwadwr Gwilym Lloyd George gan D.J. a'i feirniadu'n hallt, ynghyd â'i gyd-aelodau seneddol o bob Plaid, am eu cefnogaeth i orfodaeth filwrol yng Nghymru:

> Economically starved and bled of its manhood as a result of the last war, Wales has a body of Parliamentary representatives who, without a single dissentient voice among them, would hurl their own little nation into the cauldron of another world war, waged like the last in the interest of rich men's investments the world over. The destiny of Wales and of the Welsh people is apparently nothing to them in comparison with the might of British Imperialism.[296]

Ac y mae taeogrwydd y Llafurwr James Griffiths yn meithrin hyblygrwydd ei gydwybod er mwyn caniatáu iddo ymgreinio i'w feistri Seisnig a gosod buddiannau Lloegr uwchlaw popeth:

> Mr Griffiths' Labour conscience very readily allowed him to join in an English Coalition Party during the war when the life of England and the English empire was at stake. Now, that the Welsh Nation, in every aspect vital to its existence, is in greater peril than the mighty English nation could ever be in, his Welsh Labour conscience will not allow him 'for one minute to consider the possibility' of joining in a Welsh Coalition Party to press home the claims of Wales a little more effectively in Parliament. The English Imperialist Mr Griffiths says in England, 'Put Nation before Party'. The Welsh Socialist Mr Griffiths says in Wales, 'Put Party above Nation'.[297]

Ac i goroni hynny, pan gipiodd y Blaid Lafur bŵer yn yr etholiad cyffredinol ar ddiwedd y Rhyfel yn 1945, anghofiwyd yn llwyr am hunanreolaeth i Gymru a chafodd James Griffiths, a oedd erbyn hynny yn aelod o gabinet y Llywodraeth Lafur, weledigaeth newydd ynglŷn â'r ffolineb o geisio hunanlywodraeth i Gymru:

> Just about this time [h.y. 1945] Mr. Griffiths by then a member of the English Cabinet, had a new vision. He suddenly discovered that his native land of Wales was a frightfully poor country, and went about proclaiming high and low that Self-Government would, in consequence, be a most disastrous business for its people.[298]

Cafodd Desmond Donnelly, Aelod Seneddol Llafur Sir Benfro, ei feirniadu'n hallt a chyson gan D.J. am ei ddiffyg teyrngarwch i Gymru. Dyma ddyn a oedd wedi troi ei gefn ar ei wlad ei hun, sef Iwerddon, ac oherwydd hynny tybia D.J. na allai wybod dim am deyrngarwch. Meddai amdano, *'having discarded his own roots ... he has no understanding of ... the roots and traditions of any other land'*.[299] Er taw Aelod Seneddol Cymreig yw Donnelly nid yw treftadaeth Cymru, ei hiaith a'i thrysorau yn cyfrif dim iddo:

> For, though nominally a Welsh M.P. our own most sacred heritage – our national language, our own way of life, and our unquestionable right to Self Government so as to protect our treasures and develop our resources in the proper manner, are things of naught to him. He has no use for them.[300]

Wrth gwrs nid yw Desmond Donnelly, fel James Griffiths ei gyd-lafurwr, yn barod i gydnabod bod gan Gymru adnoddau i'w datblygu; ac yn sicr nid oes gan ei thrigolion y gallu i'w datblygu. Byddai hunanlywodraeth i Gymru yn golygu, '*economic suicide for Wales and a peasant's life for the farmer*'.[301] Heb flewyn ar dafod dywed D.J. ei farn yn groyw am Donnelly. *'His mind'*, meddai, *'seems to possess the mechanics and the blaring insensitivity of a juke box.'*[302] Ef hefyd yw'r *'voluble, self-appointed World reformer of colossal pretensions … full of his own empty-sounding self.'*[303]

Bu penderfyniad y Blaid Lafur i wrthwynebu hunanreolaeth i Gymru trwy foicotio'r Welsh Home Rule Conference, a drefnwyd gan Undeb Cymru Fydd ar 1 Gorffennaf 1950, yn gyfle i D.J. atgoffa'r Blaid honno o'i gorffennol anrhydeddus o'i gymharu â'i llibyndod yng Ngorffennaf 1950.

Yn 1945, barn Clifford Protheroe, Ysgrifennydd Cyngor Rhanbarthol Cymru – y gŵr a gyhoeddodd y boicotio yn 1950 – oedd:

> The people of Wales depend not only on political control of her own life, but economic control as well. True freedom for Wales would be the result and product of a Socialist Britain, and under such conditions self-government in Wales could be an effective and secure guardian of the life of the nation.[304]

Meddai Goronwy Roberts, Aelod Seneddol Llafur Caernarfon, yn gynharach yn yr un flwyddyn:

> I, personally, look forward to a Ministry of Welsh Affairs, a Department of State, and finally a Welsh Parliament. The latter is not only necessary to Wales, but is urgent from the point of view of the efficient government of Wales.[305]

Ond nid Aelodau Seneddol a swyddogion Llafur Cymru yw'r unig aelodau y'u cafwyd hwy yn brin yng nghlorian D.J. Dyfynna eiriau Attlee ar India a Phacistan:

> We followed the policy which we have always preached. We believed in the right of nations to govern themselves.[306]

Meddai D.J. am blaid mor llysywennaidd ei hymwneud â Chymru, *'Such a glaring example of the* [sic] *callous cynicism as the betrayal of all the professed policies of the socialist Party … would be hard to beat.'*.[307]

Mae'r Blaid Ryddfrydol Brydeinig hefyd yn ddiwerth er iddi gael arweinydd o Gymru, David Lloyd George, yn gynnar yn yr ugeinfed ganrif. Ar ôl esgyn i swyddi uchel pylodd ei sêl dros Gymru a datblygodd yn was ffyddlon i Imperialaeth Seisnig, 'a Chymru'n fawr mwy iddo na sentiment hwyliog dydd Eisteddfod'. A'i effaith ar Gymru, 'un o'r [*sic*] rhwystrau pennaf ein cenedl fach ni i feithrin ei hymwybod genedlaethol briod ei hun'.[308] Ac y mae'r Aelodau Seneddol a'i holynodd yn dangos dirywiad llwyr Rhyddfrydiaeth yng Nghymru. Mae ymateb Roderic Bowen, Aelod Seneddol Ceredigion, i ymweliad D.J. â'i gartref yn Aberporth yn 1956 ar fater y ddeiseb hunanreolaeth i Gymru yn esgor ar y cofnod hwn yn ei ddyddiadur:

> Gweld Roderic Bowen A.S. yn ei gartref yn Aberporth a chael ei gymorth at y Ddeiseb yn Sir Aberteifi – ei gael yn wlanennaidd ddiwerth, heb egwyddor nac argyhoeddiad ar ddim, ragor na bod yn neis, neis i bawb. Dyna ddiwedd Rhyddfrydiaeth fel Plaid Wleidyddol.[309]

Yn gyffredinol, felly, nid yw aelodau seneddol Cymru'r ugeinfed ganrif o unrhyw werth ym marn D.J., ac eithrio Gwynfor Evans, wrth gwrs, yr unig aelod seneddol a gafodd Plaid Cymru cyn marwolaeth D.J. yn 1970. Nid ydynt yn ddim llai na bradwyr mewn Senedd estron. Maent yn fodlon ar 'friwsion y wledd Seisnig … i gadw Cymru'n bles' oherwydd mae 'seigiau'r penaethiaid yn Llundain yn werthfawrocach yn eu golwg na bywyd Cymru'.[310] Cardotwyr yw ein cynrychiolwyr gwleidyddol ni, *'tramping regularly to London cap in hand, begging for this that and the other'*.[311] Nid yw Cymru'n ddim iddynt namyn darn o Loegr. Nhw yw'r *'Welsh mercenaries out for their own ends'* sy'n gosod ffyddlondeb i'w parti uwchlaw ffyddlondeb i'w gwlad.

Oherwydd hynny nid yw eu hymdrechion dros Gymru ond ofer a distadl:

> pledged as they are to put loyalty to their own political party above loyalty to their own country it is not strange that their record of achievements to meet the nation's demand, at perhaps the most perilous hour in its whole history, is so utterly futile and inglorious.[312]

Dyma'r giwed sydd, er mwyn eu lles eu hunain, yn arswydo 'rhag y syniad y gallai Cymru fod o gwbl yn genedl y dylid ei hystyried fel cenhedloedd bychain eraill, yn deilwng o gael ei llywodraeth ei hunan'. Dyma'r cynffonwyr sy'n honni credu y gallai hunanlywodraeth i Gymru olygu 'ei thranc llwyr mewn dim o dro'. Ond i'r ymgreinwyr dianrhydedd, yr hyn a fyddai'n waeth o lawer yw, y gallai terfysg ac anesmwythyd yng Nghymru 'olygu tranc yr Ymerodraeth Brydeinig, peth a fyddai iddynt hwy yn gyfystyr â therfyn llywodraeth Duw ar y ddaear'.[313]

Diwerth, gwaetha'r modd, yw'r arweinwyr lleol hefyd, y cynghorwyr Sir a'u tebyg. Pobl ydynt hwy 'a faged ac a fygwyd' gan y gyfundrefn addysg Seisnig. Oherwydd hynny ni allent weld:

> fod yna gysylltiad rhwng gwleidyddiaeth leol … sef trefniant amgylchiadau gwlad – a diwylliant lleol … Gallai'r Cynghorwr Sir … fod yn Gymro mawr fel cadeirydd yr eisteddfod leol, ac arswydo rhag y syniad o ddweud gair Cymraeg, nac ar ran dim Cymreig, ar bwyllgor ei Gyngor Sir.[314]

Hynny oherwydd mai dyna'r math o awyrgylch a feithrinwyd yn ein gweriniaeth dan nawdd pleidiau estron:

> yn siroedd Cymru o'r bron, – awyrgylch sy'n gwanhau greddfau moesol pob un sy'n ei anadlu ac sy'n torri'n gudd a chyson o dan sail pob hunan-barch cenedlaethol fel sy'n cynnal ac yn dyrchafu pob gwlad arall, gan wneud unrhyw fath o arwriaeth ysbrydol yn amhosibl.

Ychwanega D.J., 'Pa ryfedd fod yr iaith Gymraeg, ein trysor

pennaf oll, yn diflannu gyda'r fath gyflymder mewn tir o'r fath, a'i arweinyddion mor ddibris o hynny.'[315] Yn Sir Gaerfyrddin yn 1945 yr arweinwyr lleol hyn sy'n gyfrifol am hysbyseb am is-gyfarwyddwr addysg yn datgan mai dymunol yn unig fyddai gwybodaeth o'r Gymraeg. Meddai D.J., 'Y mae treftadaeth ddrutaf Sir Gaerfyrddin yn malu ac yn chwalu o ddydd i ddydd o dan drwynau'r bobl hyn; a hwythau wedi eu hethol mewn ystyr, yn stiwardiaid arni.'[316]Adar o'r unlliw yw'r Cynghorwyr a'r Aelodau Seneddol. Ys dywed D.J., 'mae gennym Gynghorwyr Sir ac Aelodau Seneddol … cyn belled ag y mae Cymru yn y cwestiwn; fe'u maged ar laeth tun yr Ymerodraeth'.[317] Credant 'fod pob peth o werth mewn bywyd yn dibynnu ar rwysg a gogoniant Llywodraeth y Sais'.[318] Nid y gwleidyddion yn unig sy'n dwyllodrus a thaeog chwaith. Mae'r arweinwyr crefyddol o gyffelyb anian. 'Gall y rhain,' meddai D.J., 'a barnu wrth eu hagweddiad, eistedd yn dawel a gweld y gymdeithas y maent hwy yn rhan ohoni yn ymddryllio o flaen eu llygaid.'[319] A thebyg, hyd yn oed, yw'r beirdd a'r llenorion. Ceir ganddynt weithiau trist, atgofus a chwynfanllyd o adfyd eu presennol. Meddai amdanynt wrth ymateb i bryddest fuddugol Tom Huws yn Eisteddfod Genedlaethol Caernarfon 1959:

> Pryddest drist, atgofus, gwynfanllyd o'r adfyd heddiw, fel awdl Tilsley, a phryddestau buddugol Llewelyn Jones, Aberystwyth y llynedd ac eiddo W.J. Griffith cyn hynny. Pam na ddaw'r bobl hyn i weithio'n egnïol dros Blaid Cymru yn lle bodloni ar duchan ac achwyn fel hyn?

Ym marn D.J. nid yw eu cyfraniad, eu hwylo i '… ormodedd am a fu, er dagrau pethau, yn help i ennill brwydr'.[320]

Di-asgwrn-cefn yw'r bobl yn gyffredinol hefyd a'u difrawder bron yn anghredadwy. Yn ei erthygl 'Mr Bosworth Monck criticised; parable of the goose and the gander', sonia D.J. am ddigwyddiad pan oedd yr ymgeisydd Llafur hwn, a barasiwtiwyd i Benfro o Loegr i sefyll etholiad yn 1947, ar lwyfan yn annerch cynulleidfa. Wrth iddo ateb ymholiad o eiddo D.J., a chyfiawnhau sefyllfa Cymru yn Senedd Lloegr a'r mwyafrif yn 18 i 1 yn erbyn Cymru, awgrymodd fod y Cymro yn israddol i'r Sais. Derbyniwyd ei ateb â bonllefau'r gynulleidfa. Awgryma D.J. nad dyna fyddai'r ymateb i siaradwr yn Lloegr yn meiddio awgrymu bod y Sais yn israddol i'r Cymro. Byddai, mwy na thebyg, wedi'i erlid yn ddiseremoni o'i lwyfan.[321] Hola D.J., '*... why is it ... when a Welshman ... declares his first loyalty to [Wales] ... he is often, even by his own fellow countrymen, looked upon as something of a fanatic and danger to his country?*'[322]

Yna wrth annerch ei bobl ychwanega D.J.:

> You think like Englishmen and look upon Wales as a part of England. But you behave very differently from them. For I venture to think that there is no Englishman alive who would entrust even the poorest corner of England to any outside power.[323]

Mae malltod dibristod hunaniaeth ac iaith Cymru wedi treiddio i enaid rhieni a phlant ac athrawon. Yn gwbl ddiesgus bradychir y Gymraeg ganddynt 'mewn modd sy'n gwaedu calon pob un a ŵyr rywbeth am werth y trysor y maent hwy yn gwbl ddibris, yn ei daflu o'u dwylo'. A'r dyfarniad, 'Y mae'r hen falchder a'r bonedd naturiol Gymreig wedi darfod – a'r taeog di-dras â'i Saesneg slic wedi cymryd ei le.'[324] '*We as a nation,*' meddai D.J., '*have nothing to be proud of in a political sense except our servility.*'[325] Ein bai ni yw bod ein harweinwyr yn llwfr oherwydd ni sy'n penderfynu pa fath o genedl yw Cymru. '*It is a sycophant nation,*' meddai D.J., '*sunk in materialism and content with its traitor leaders in the London Parliament.*'[326] Oherwydd ein llwfrdra:

> mae arnom ofn ymladd dros ddim yn agored ... Pa ryfedd fod y Saeson, o Churchill i lawr yn ein dirmygu, rhagor y Gwyddyl a'r Sgotmyn. Ni haeddwn ddim arall. Ac nis cawn ddim oni ddysgwn fod yn wrolach.[327]

D.J. a Phlaid Cymru

Plaid Cymru a roddodd i D.J. y llwyfan i geisio dysgu a chywilyddio ei gyd-Gymry i fod yn wrolach. Gwnaeth hynny â'i holl nerth ac â dyfalbarhad rhyfeddol a gellir yn ddibetrus osod D.J. ymysg y ffyddlonaf o aelodau'r Blaid. Roedd ei deyrngarwch iddi ac i'w harweinwyr, o gyfnod ei sefydlu yn 1925 tan ei farwolaeth yn 1970, yn ddiwyro. Y rheswm am y ffyddlondeb hwn oedd ei gred ddiysgog ef taw Plaid Cymru oedd yr unig gyfrwng a allai wireddu ei ddyhead o ddiogelu'r Gymraeg ac ennill i Gymru statws cenedl; dyhead a oedd, fel y gwelsom, wedi ei gyffroi hyd yn oed cyn sefydlu'r Blaid Genedlaethol. Er i'r Blaid newid ei henw, ac er i'r Blaid newid ei harweinydd a'i pholisïau ni wanychwyd ffydd D.J. ynddi. Ys dywed Kate Roberts amdano:

> Yr oedd D.J. wedi bod yn gweithio dros Gymru cyn bod sôn am blaid a phan ddaeth plaid wleidyddol, a Chymru yn nod iddi, daeth i fod y peth yr oedd D.J. wedi dyheu amdano, plaid a fynnai ryddhau ein gwlad oddi wrth ormes estron a diogelu'r iaith Gymraeg. Glynodd wrthi tra fu byw, er i'r Blaid newid ei phwyslais, a'i pholisi efallai, ar ôl y blynyddoedd cynnar.[328]

Er pob siom, a chafodd ei wala o siomedigaethau gwleidyddol, ni pheidiodd â chredu taw gan y Blaid yr oedd y gallu gwleidyddol i sicrhau goroesiad Cymru. Yn Etholiad Cyffredinol 1959, pan gollodd Plaid Cymru ei hernes mewn 14 o etholaethau allan o'r 20 a ymladdodd, a phan gollodd Gwynfor Evans ym Meirion, meddai D.J.:

> y mae hyn wedi bod yn ergyd enbyd i Blaid Cymru … ergyd y bydd hi'n anodd iawn dod drosto. Ond ni all y Blaid fynd i'r wal gan nad beth a ddigwydd, heb i'r genedl Gymreig beidio â bod yn genedl bellach. Gan y Blaid y mae allwedd bywyd Cymru.[329]

Mynegodd D.J. y ffyddlondeb hwn i'w Blaid trwy weithio'n ddiflino trosti. Ef, ys dywed ei gyfaill Lewis Valentine, 'oedd y cenhadwr taeraf a mwyaf llwyddiannus a gafodd y Blaid'.[330] Yn ei gyfraniad i gyfrol deyrnged D.J. rhestrodd J. E. Jones ei weithgarwch gwleidyddol eang ac amrywiol. Ef oedd y blaenaf yn ennill darllenwyr i'w llenyddiaeth, y *Ddraig Goch* a'r *Welsh Nation*. Ef oedd y casglwr arian mwyaf diwyd i'w chronfeydd. Ef hefyd oedd y gwerthwr pamffledi polisi taeraf, yr ysgrifennwr llythyrau anogaeth prysuraf at aelodau'r Blaid a'i gydnabod, a'r cyfrannwr ysgrifau a llythyrau i'r wasg mwyaf cyson a fu gan y mudiad erioed. Ac ar ben hyn oll, ef oedd mynychwr pwyllgorau ffyddlonaf Plaid Cymru, yn lleol a chenedlaethol.[331]

Bu ffyddlondeb D.J. i'r Blaid yn dreth enfawr arno yn feddyliol a chorfforol. Ar ôl gorffen teipio'r llith, 'Arwyddocâd Ymgeisyddiaeth Waldo Williams', cofnoda yn ei ddyddiadur:

> Mae pob llith a sgrifennais erioed, a phob dim arall o ran hynny yn costi poen ac ymdrech i fi, a chydag ochenaid o ryddhad bob amser y gollyngaf bob un i mewn drwy dwll y blwch llythyron. Felly'r tro hwn gan obeithio y gall fod o beth ysbrydiaeth i rywrai. Rhois fy ngorau iddi.[332]

Câi ei orfodi gan ei gydwybod yn groes i'w ewyllys i weithio dros y Blaid. Teimlai mai ei gyfraniad gorau tros Gymru fuasai ymroi yn llwyr i'w waith llenyddol. Dyna a ddymunai ei wneud, dyna a fyddai'n ffynhonnell pleser iddo. Eto, mi dybiaf, gwyddai mai penderfyniad hunanol fyddai dilyn trywydd ei bleser pennaf. Ei ddyletswydd ef oedd gweithio'n wleidyddol dros Blaid Cymru. Ysgrifennodd yn ei ddyddiadur yn 1947:

> Brwydr yn mynd ymlaen yn fy is-ymwybod yn fynych – a ddylwn i fod yn gweithio â'm holl egni dros y Blaid, yn hytrach na rhyw whilibawan â hi fel y gwnaf. Credu wedyn mai rhoi fy hun yn llwyrach i sgrifennu a ddylwn gan y credaf yn sicr mai dyna'r cyfraniad gorau a allaf wneud i achos Cymru yn y pen draw. Ond pwy sy'n mynd i weithio dros Gymru wedyn, oni wnaf i, dyna'r pwynt.[333]

Go brin y gallwn ni gytuno â D.J. mai 'whilibawan' â'r Blaid a wnâi. Mewn gwirionedd nid oedd gweithio'n ddi-baid dros y Blaid yn ddigon ganddo ychwaith. Ys dywed Kate Roberts, 'aeth i'r carchar drosti a rhoes ei arian iddi'.[334] Cyfeiriad sydd yma, yn gyntaf wrth gwrs, at weithred D.J., yn enw'r Blaid Genedlaethol, yn Llosgi'r Ysgol Fomio yn 1936 ac yna yn ail, at ei haelioni yn 1966 yn trosglwyddo £2,000, arian gwerthiant Pen-rhiw, i'r Blaid yn ei grynswth. Gobeithiai, yn sgil y ddwy weithred hyn, ysgogi ei gyd-Gymry a'i gyd-aelodau yn y Blaid i ymlafnio dros Gymru. Anfonodd lythyr at Kate Roberts ym Medi 1936 yn nodi y gobaith y gallai gweithred tri Penyberth ddeffro'r wlad:

> ... mae'r sialens wedi ei rhoi. Ein gobaith pennaf yn awr yn ôl ein barn ni'n tri, yw i eglwysi'r wlad gefnogi ein protest. Po galetaf y cawn ni hi, tebycaf oll, o bosib, yw, y bydd i'r wlad ddeffro o'i chysgadrwydd diobaith. Fe ddioddefwn y gosb yn orfoleddus, pe byddai hyn yn debyg o ddigwydd.[335]

Trwy gyfrwng yr ail weithred ceisiai eu symbylu i gyfrannu i'w choffrau; gweithred na olygai lawer o aberth i sawl Cymro cefnog yn ei farn ef. Meddai am y rhodd yn ei ddyddiadur yn Ionawr 1966:

> Mentro dweud wrth Gwynfor yr hyn a fu ar fy meddwl ers tro, sef rhoi'r £2000 a gefais am Ben-rhiw, yr Hen Dŷ Ffarm yn rhodd i'r Blaid yn awr – nid ar ôl fy nydd i – gan adael ar Gwynfor pryd i hysbysu hynny; Gwynfor yn falch o'r rhodd, ac yn credu y gall fod yn symbyliad i eraill sy'n werth eu miloedd, na welant byth mo'u heisiau. Does dim synnwyr fod dynion mor grintach yn eu rhoddion, gan drethu nerth y gweithwyr a'r swyddogion drwy eu gor-weithio o ddiffyg arian i dalu staff yn briodol.[336]

Yn ei erthyglau gwleidyddol a'i weithiau llenyddol, heblaw am gyflwyno gweledigaeth wleidyddol a dadansoddi sefyllfa Cymru, bu D.J. yn amddiffynnwr cadarn i'r Blaid rhag ei gelynion. Yn *Y Faner* yn 1963 yn ei erthygl 'Gwleidyddiaeth Barn' mae e'n ymosod ar Alun Talfan Davies, golygydd y cylchgrawn *Barn*, a geisiai chwifio baner Rhyddfrydiaeth yng Nghymru drwy ddilorni Plaid Cymru a chenedlaetholdeb. Mynnai Alun Talfan taw yn nwylo'r Rhyddfrydwyr yr oedd iachawdwriaeth Cymru oherwydd iddynt gynnwys yn eu rhaglen wleidyddol Gymreig y bwriad o sefydlu Cyngor i Gymru yn hytrach na Senedd a hunanlywodraeth. Mae D.J. yn dilorni'r syniad ac yn datgelu gwir fwriad y Rhyddfrydwyr a chanlyniad dilyn eu trywydd. Meddai:

> Mae'n weddol amlwg, goeliaf i, i bob un sydd â llygad yn ei ben nad yw'r cyhwfan yma am orchestion dyfodol y Blaid Ryddfrydol Seisnig dros Gymru yn ddim ond cynllwyn i geisio bwrw Plaid Cymru allan o gomisiwn fel mudiad gwleidyddol, a thrwy hynny fwrw pob arwriaeth allan o frwydr Cymru am ei rhyddid.[337]

Tebyg yw tynged y Blaid Lafur Seisnig a'i chefnogwyr. 'Crachfeirniadu' Plaid Cymru a wna Daniel, un o golofnwyr *Y Faner,* gan 'godi llewys Plaid Seisnig nad yw, er ei holl honiadau, ond yn chwarae â thynged ein cenedl ni'. Yr haint sydd wedi ei lygru a'i wyrdroi yw 'ei fyd esmwyth a'i gymhleth y taeog'.[338] Llafurwr arall, y cyfeiriwyd at ddirmyg D.J. ohono eisoes, sy'n aml dan ordd D.J. yw ei aelod seneddol lleol, Desmond Donnelly. Ei drosedd ef yn erthygl D.J., 'Chicken Run Economy', yw iddo ystumio ffeithiau, er mwyn llesteirio twf Plaid Cymru, trwy honni mai amcan y Blaid yw sefydlu Cymru'n uned economaidd hollol annibynnol wedi ei hysgaru oddi wrth gyfathrach â chenhedloedd eraill y byd. Dyna ffwlbri, yn ôl D.J., na ellid cyhuddo Plaid Cymru ohono. Diffyg tystiolaeth amgenach sydd wedi gorfodi Donnelly i ddilyn ei drywydd celwyddog:

> Mr Donnelly according to the report of his recent Press Conference must have been hard up for material in his effort to halt the progressive growth of Plaid Cymru, since he had to resort to a complete distortion of the aims and policies of the Party in order to frame up his case. For if I have fairly grasped the real implication of his rather vague 'chicken run' metaphor it would seem that Plaid Cymru wanted Wales under Self Government to be a completely isolated economic unit, wholly cut off from the rest of the world. Can Mr Donnelly or anybody else produce a shred of evidence to show that the Plaid, or any member of it, ever mentioned or even contemplated such a foolish absurdity. Nations, great and small like human individuals, are interdependent upon one another for their existence. How else could they live at all?[339]

Caiff Iorwerth C. Peate ddyrnod go egr gan D.J. am iddo

anghytuno â'i erthygl, 'Y Ddau Genedlaetholdeb yng Nghymru', yn ei adolygiad o *Nationalism and After* gan Edward Hallett Carr. Awgryma i'r Dr Peate arfer, yn fwriadol, gymylogrwydd cydwybod sy'n beryclach cynhysgaeth na chymylogrwydd meddwl. Fe'i cyhudda o 'dreulio cymaint o'i nerth a'i allu digamsyniol yn hau rhagfarnau, a chodi ac erlid bwganod ymhlith Philistiaid a gelynion ein cenedl ...'. Dadl Peate oedd na fyddai amcanion y Blaid o geisio sofraniaeth wladwriaethol ac annibyniaeth boliticaidd i'r genedl yn rhoi rhyddid a chydraddoldeb i bersonau unigol yng Nghymru. Yn ei farn ef byddai'n well i'r Cymry roi'r gorau i 'ymboeni am sofraniaeth wleidyddol ... a chyffelyb sibolethau a oroesodd eu dydd', oherwydd oni fuasai ceisio cael 'Cymru yn rhan o Undeb yng ngogledd-orllewin Ewrob' yn amgenach nod, nod a fyddai'n 'ymboeni am gyfiawnder a rhyddid i bob dyn byw ar linellau ei draddodiad a'i ddyheadau ei hun'? Etyb D.J. mai ceisio am Statws Dominiwn oedd polisi Plaid Cymru yn hytrach na sofraniaeth ac annibyniaeth, ac na ellid diogelu iaith a diwylliant Cymru, pethau y gwelai'r Dr Peate yr angen i'w diogelu, heb rym politicaidd i'r genedl i drefnu ei bywyd ei hun. Ys dywed D.J., 'heb ryw hawl ... i drefnu ei bywyd ei hun yn economaidd a diwylliannol, fe beryglir, hyd dranc llwyr, siawns y genedl Gymreig i oroesi storm totalitariaeth y dydd heddiw'.[340]

Os llym oedd beirniadaeth D.J. o'i gyd-Gymry difraw o'u cenedl, fflangellai ei gyd-genedlaetholwyr hyd yn oed yn llymach yn ei ddyddiaduron, ac nid oedd yn brin o'u beirniadu i'w hwynebau mewn llythyr ac mewn sgwrs ychwaith. Er iddo eu dwrdio ni chredai fod hynny'n talu'r ffordd ac, yn aml, fe'i llethwyd gan ddigalondid. Meddai yn ei ddyddiadur:

> Cael pylau o ddigalondid weithiau o weld nad yw'r bechgyn a fu'n gweithio'n dda dros yr Etholiad wedi gwneud dim gwerth sôn amdano ers misoedd – ond gadael i fi wneud y cyfan – casglu at y Gronfa, derbynwyr i'r papurau, aelodau newydd, sgrifennu i'r Wasg, trefnu cyrddau etc. etc. Maent yn rhoi cwpwl o bunnoedd drwy orchymyn banc, dod i ambell bwyllgor weithiau a chredu fod

> hynny'n eitha digon. Nid yw siampl o weithio'n mennu dim arnynt, a does dim i'w ennill wrth achwyn arnynt.[341]

Eto achwyn arnynt a wna oherwydd credai taw llwfrdra moesol fyddai osgoi rhoi pryd o dafod iddynt a bod onestrwydd yn y gyfathrach rhwng yr aelodau yn sail hanfodol i'r mudiad cenedlaethol. O'r herwydd nid yw hyd yn oed swyddogion y Blaid yn dianc yn ddianaf. Meddai am arweinwyr ei gangen leol yn 1956:

> Anfon dros £100 yn barod lan o Abergwaun a'r cylch i Gronfa Gŵyl Dewi. Ysgrifennydd y Gangen Teifryn Michael a'r Trysorydd John Richards hyd yma heb gasglu na rhoi dimai eu hunain. Dweud hyn wrth Teifryn nos Lun ... Roedd yn rhaid dweud neu fod yn foesol lwfr gan na ellir nac eglwys nag unrhyw fudiad arall heb lwyr onestrwydd a didwylledd yn sail iddo.[342]

Un o'i gyfeillion pennaf, Waldo Williams, sy'n derbyn ei gerydd miniocaf. Nid yw ymgyrchu Waldo yn ystod Etholiad Cyffredinol 1959 yn plesio D.J. o gwbl. Dywed amdano:

> Teimlo nad yw Waldo yn manteisio'n ddigonol ar bob cyfle yn y Wasg a ffurfio pwyllgorau, i beri i bobl weithio a dadlau eu hunain ar bethau, yr wyf i. Unigoliaethwr (individualist) yw Waldo – gwreiddiol a didaro ei ffordd. Ond peth i'r dorf yw Etholiad, a rhaid derbyn hynny a gweithredu arno, – neu ei gadael hi. Taflu arian i'r gwynt a cholli'r frwydr cyn dechrau ei hymladd hi yw peidio â chydnabod hyn. Penderfynu ysgrifennu ato i geisio ei argyhoeddi o hyn, – ar berygl ei ddigio, rwy'n ofni, gan ei fod yn ystyfnig a sensitif iawn ei natur. Ond y mae'r etholiad yn rhy bwysig i gellwair â hi.[343]

Ac eto ar ôl a rhwng etholiadau yr un yw'r gŵyn:

> Siomedig o glywed Waldo'n sôn am fynd draw i Iwerddon dros yr haf yma i ddysgu Gwyddeleg, y gŵyr lawer ohoni yn barod – a chymaint o'i angen yn Sir Benfro i gynnal cyrddau ac agor llygaid y bobl...Nid oes ond rhyw hanner dwsin o gyrddau'r Blaid wedi eu cynnal yma er dydd yr Etholiad ... Mae dosbarthiadau nos gan Waldo yn ystod y gaeaf yn rhwystr iddo fynd i gyrddau. Ac yn awr eto a'r haf o'n blaen mae'n sôn am fynd i Iwerddon ... Ond bydd yn rhaid i fi siarad ag ef y tro nesaf y cwrddwn ni.[344]

I D.J. nid oes dim yn bwysicach na cheisio argyhoeddi'r Cymry o werth eu hetifeddiaeth sydd mewn perygl o ddiflannu. Credai'n ddiysgog yng ngrym cenhadu. Nid felly Waldo. Iddo ef, rhodd gynhenid yw gweledigaeth ac amgyffred o werth diwylliant; mae rhai yn ei meddu tra bo eraill hebddi. Eglura ei safbwynt yn ei gyfraniad i gyfrol deyrnged D.J. Meddai, 'Rwy'n teimlo nad y maes gwleidyddol yw'r man lle gwneir cenedlaetholwyr, yn enwedig os ceisir trwy bregethu dwys a moesoli trwm am bethau a deimla'r naill ar ei galon tra ni ŵyr y llall ddim oddi wrthynt.'[345] Ni all D.J. ddirnad y safbwynt hwn ac y mae'n cydnabod ei fod ef a Waldo yn hollol annhebyg o ran agwedd a thymheredd cymeriad. Mynegodd hyn oll yn ei ddyddiadur ym Medi 1961 mewn bwrlwm o rwystredigaeth sy'n brawf llym ar eu cyfeillgarwch i'r ddau ohonynt:

> Waldo yma ddechrau'r wythnos yn dadlau nad oedd diben gweithio dros y Blaid – os oedd Cymru i fyw fe ddôi'r waredigaeth iddi mewn rhyw ffordd nad oeddem ni yn ei ddeall. Ni welais i neb erioed yn gallu ei argyhoeddi ei hun mor rhwydd â Waldo i'w esgusodi rhag gwneud rhyw beth na sydd wrth ei fodd. Gall wneud pethau anodd fel mynd i garchar yn erbyn gorfodaeth filwrol; ond ni all ei ddisgyblu ei hun i wneud pethau llawer symlach yn ei Sir ei hun, pethau y rhaid i rywrai eu gwneud os ydyw achos y Blaid i lwyddo ... Mewn pethau cyffredin y mae'n barod i roi ffordd o flaen y rhwystrau lleiaf. Mae ef a finnau yn hyn o beth yn gwbl wahanol i'n gilydd mewn tymheredd. Po fwyaf y rhwystrau a'r anawsterau i fi, mwyaf oll y mae rhyw gyndynrwydd cynhenid yn fy ngorfodi i wneud yr eithaf i'w trechu ... Math o gyset ysbrydol o gredu fy mod i mor bwysig yn yr arfaeth yw hyn, yn ôl Waldo. Fe ddaw pethau'n iawn – neu fe beidiant â dod – nid yw hynny o fawr pwys yn y pen draw – heb ein help ni, yn ôl credo Waldo, hyd y gallaf i ei ddeall – ni ellais i erioed dderbyn yr athroniaeth hon am fywyd. Cleddyf yr Arglwydd a Gideon yw hi gen i ... er colli ei dymer yn gaclwm ataf ar adegau ... yr ydym yn ormod o ffrindiau yn y gwaelod i wahanu ein cyfeillgarwch byth, rwy'n deimlo, er ei bod yn dipyn o brawf ar y ddau ohonom weithiau.[346]

Mae amharodrwydd Waldo i ymresymu ar fater cenhadu

gwleidyddol yn fodd iddo osgoi gweithredu dros Gymru ym marn D.J. Ac nid yw, hyd yn oed, ei brotest yn erbyn gorfodaeth filwrol a'r carcharu sy'n deillio o hynny yn ddim amgenach na dihangfa rhag ymlafnio beunyddiol dros ei genedl:

> Nid yw'n fodlon ymresymu rhag y byddai hynny yn ei orfodi i weithredu gallwn feddwl … Mae lle i ddadlau mai dihangfa rhag gwneud gwaith ymarferol o ddydd i ddydd dros achos Cymru yw mynd i garchar am ychydig fisoedd yn awr ac eilwaith fel protest yn erbyn gorfodaeth filwrol. Mae diogelwch yno dros dro, ac nid yw mor galed â hynny.[347]

Gan taw Waldo oedd un o hoelion wyth y Blaid yn Sir Benfro yn ystod pumdegau a chwedegau'r ganrif ddiwethaf mae ei ddiffyg gweithio cenhadol beunyddiol yn ddifaol ei effaith ar eraill. Cwyna D.J. amdano ym Mehefin 1962:

> Ni wnaeth ddim dros Blaid Cymru wedi etholiad 1959 ac y mae hynny'n rheswm gan eraill iddynt hwythau beidio â gwneud dim na rhoi dim chwaith, – aelodau blaenllaw yn ennill £1,500 i £1,700 o gyflog, a hyd y gallaf i weld y maent yn gwbl gysurus felly, yn dadlau'n dalog nad oes diben gwneud dim mewn lle mor anobeithiol â Sir Benfro. Mae'n brawf cadarn ar ffydd dyn i gadw ymlaen gyda chydweithwyr fel y rhain … Mae rhai pethau yn Waldo, er rhagored a hoffused cymeriad ydyw, na ellais i erioed eu deall. Ac nid ydyw'r blynyddoedd yn goleuo dim arnynt.[348]

Mae parodrwydd D.J. i ddweud ei farn yn ddi-flewyn-ar-dafod yn cythruddo Waldo, ac wrth adrodd am sgwrs a fu rhwng y ddau ym Mehefin 1963 cyfaddefa D.J. ei bod hi'n dân gwyllt rhyngddynt:

> Waldo yma'r bore yma yn sôn am gwrs o ddarlithiau yn Rhydychen ar 'Nationalism' – gan enwi nifer o wledydd y byd. Finnau'n dweud yn hollol ddi-dramgwydd, *'Nationalism in Pembrokeshire'* sy'n fy mlino i. Waldo'n colli ei dymer yn gaclwm gwyllt mewn amrantiad gan ddannod i fi fy mod i wedi ei boeni ef yn enbyd yn ystod y flwyddyn ddiwethaf yma drwy fy mod fel pe'n amau ei air a oedd o ddifri gyda gwaith y Blaid.[349]

Roedd diffyg amynedd D.J. a'i anallu llwyr i ddeall safbwynt

Waldo ar fater cenhadu etholiadol yn deillio o'i ffydd gadarn yn y dull etholiadol o ennill statws cenedl i Gymru. Dyma'r dull cyfansoddiadol y rhoddodd Gwynfor Evans ei ffydd ynddo pan etholwyd ef yn arweinydd y Blaid yn 1945 a chafodd gefnogaeth barod D.J. Meddai yn *The Welsh Nationalist* yn 1946:

> One Welshman returned to Parliament in the name of Wales would carry more weight with the Government than the whole lot that are there at present. That day Parliament would know that Wales is a nation and our shame would begin to lift.[350]

Nid â Waldo yn unig y bu D.J. yn dadlau'r pwynt hwn. Ar anogaeth Saunders Lewis, trwy ei erthyglau yng ngholofn 'Cwrs y Byd' yn *Y Faner* yn 1949, ceisiodd Lewis Valentine ysgwyddo'r Blaid yn ôl i'w pholisïau gwreiddiol, polisïau a oedd wedi eu gosod o'r neilltu dan arweinyddiaeth Gwynfor Evans. Meddai mewn llythyr at D.J.:

> ... wedi fy nghythruddo'n fawr gan 'Gwrs y Byd' yr wythnos hon. Erthygl dra phwysig – ac ar ei chorn dylid galw cyfarfod arbennig o'r Pwyllgor Canol i ystyried ein polisi etholiadol yn ei golau. Cytunaf yn rhwydd â Saunders, – ymladd dau etholiad – un yn y Gogledd ac un yn y Deheudir, a chrynhoi pob tipyn o ddawn sydd gennym ar y ddau a siawns na chawn ddilynwyr lawer. Effaith hynny ar bobl fydd hyn:– credu mai canlyniadau cyffelyb ped ymladdesid ymhob etholaeth, ac yna ystyried awgrym Saunders o daro ar y Cynghorau Sir. Mynd yn ôl i'r polisi gwreiddiol o weithio yng Nghymru yn unig ynte? Beth a ddywedwch, gyfeillion mwyn? Yr wyf wedi gyrru gair at J.E. gyda'r un post â hwn yn crefu am sylw i'r awgrymiadau hyn, ac ail ystyried ein polisi etholiad – y mae Atli wedi rhoddi amser i ni wneuthur hyn trwy ohirio'r etholiad tan y gwanwyn. Os yw'r peth yn eich corddi chwithau efallai y gyrrwch chwithau air ato i'r un perwyl.[351]

Gwrthod barn Lewis Valentine a wnaeth D.J. ac yn 1949 mae'n atgoffa ei gyfaill o effaith cenhadu etholiadol ar Gymru a'r golled i'r genedl pe na bai gan y Blaid ymgyrch rymus:

> Pa ffordd mwy effeithiol wedi'r cyfan o fagu cynghorwyr ar gyfer y dyfodol nag ennill nifer luosog o bobl i gredu yn rhaglen y Blaid

> ym mhoethder etholiad seneddol. Meddylia am Gymru gyfan, ac eithrio mewn dwy etholaeth, heb glywed neges y Blaid yn ystod yr etholiad … Rhaid i ni greu ysbryd bod o ddifri yn y genedl, ac nid disgwyl wrth ryw Ragluniaeth garedig i ymladd drosom. Dan arweiniad ysbryd Duw rhaid i ni fel Mazzini a Gandhi greu ein cyfle ein hunain.[352]

Eto yn 1963 yr un yw ymateb D.J. wedi i Valentine godi'r mater drachefn ar gorn sylwadau gan Huw T. Edwards. Meddai wrtho mewn llythyr:

> Ond fe ganiatei i fi ddweud fod un pwynt y tro hwn, na allaf o gwbl gydweld â thi yn ei gylch, sef dy sylw am *Droi'r Drol* Huw T. Edwards, y talai i'r Blaid roi ystyriaeth ddwys i'w awgrym ef y dylai'r Blaid gefnu ar y polisi o gystadlu am seddau yn San Steffan. I fi dyna ddiwedd y Blaid fel Plaid Wleidyddol. Fyddai hi wedyn yn ddim amgen nag Undeb Cymru Fydd, neu'r Cymrodorion sy'n burion yn eu maes eu hunain.
>
> Ond fe fyddai polisi H. T. Edwards yn orfoledd pur i'r Pleidiau Seisnig ac yn rhoddi llonyddwch cydwybod i bob llwfrgi a chybydd sydd â rhyw naws gwlatgar yn eu calonnau. Waeth dyna'u tiwn hwy wedi bod erioed – gwastraffu arian trwy golli deposit etc. Ac os cân nhw hanner awgrym fod arweinwyr y Blaid yn gwanhau yn eu garrau ar y pen, dyna hwy mwy uchel eu gorohïan na'r A.Sau Cymreig o weld yr un peth.[353]

Mewn llythyr a anfonwyd at Kate Roberts yn 1964, wrth achwyn ar rywrai a fynnai roi heibio ymladd etholiadau, y mae D.J. yn cyplysu grym gwleidyddol ag ymgyrchoedd etholiadol. Dyma dystiolaeth bendant ei fod e'n credu taw dyma yw'r grym cymwys i ddatod clymau Lloegr sy'n tagu Cymru. Meddai wrth Kate Roberts:

> Does genny ddim amynedd â'r lot diwetha yma sy'n rhoi'r bai ar bopeth ond ar eu diogi a'u llwfrdra moesol nhw'u hunain ac ar lywodraeth Lloegr am na wnaethon ni'n dda yn yr etholiad diwethaf, – a mynd i'w cwd fel malwon â halen ar 'u cwte, a chwilio am ryw ffordd rwydd ma's ohoni fel rhoi heibio ymladd Etholiadau … Yr unig rym sydd gennym y mae Lloegr yn ei ddeall yw grym gwleidyddol. Rhaid i ni ei feithrin, costied â gosto, neu gilio allan o'r

> ffordd, yn gyff gwawd i genhedloedd y byd, ac yn ddamnedigaeth ymlaen llaw, i unrhyw fath o ddyfodol.[354]

A thebyg yw ei ymateb i amheuon Islwyn Ffowc Elis hefyd, er ei fod yn edmygydd mawr ohono. Ar ôl derbyn llythyr ganddo yn crybwyll y posibilrwydd mai trwy ffyrdd eraill y gallai Cymru oroesi, cofnoda yn ei ddyddiadur ei ffydd y cai Cymru ei rhyddid pe gellid ennill mwyafrif pleidleisiau Cymru i'r Blaid:

> Llythyr trist ei ysbryd oddi wrth Islwyn Ffowc Elis yn mynegi ei amheuon o barhau i ymladd Etholiadau Seneddol ... Arwyddion mai trwy ffyrdd eraill y daw hi, a hynny'n araf araf, – e.e yr ysbryd newydd ymhlith y bobl ifanc, y diddordeb newydd yn yr iaith etc. Anghytuno'n bendant ag Islwyn am y tro cyntaf erioed, oherwydd y mae ef yn un o'r lledneisiaf a mwyaf cywir a diffuant o'n llenorion a'n gwleidyddion.
>
> Gyda'r rhagolygon gobeithiol hyn o'n tu. Ie dyma'r union adeg i Blaid Cymru i fwrw i mewn i waith gyda'n holl egni a'n holl nerth, gweithio fel rhai yn gweld yr anweledig, ac yn ddi–ildio hyd nes y bo Cymru'n genedl rydd, gyfrifol am ei bywyd ei hun fel y cenhedloedd eraill.[355]

Y tu ôl i ffydd D.J. yn y dull etholiadol mae ei deyrngarwch i Gwynfor Evans. Meddai amdano yn 1944 ac arweinyddiaeth y Blaid yn debyg o ddisgyn ar ei ysgwyddau, 'Un o halen y ddaear yw Gwynfor yn ôl fy syniad i, un o'r rhai gwyleiddiaf, un o'r rhai cywiraf ac un o'r rhai dewraf yng Nghymru.'[356] Mae ei edmygedd o'i arweinydd yn atgyfnerthu ei ffydd yn y grym gwleidyddol cyfansoddiadol – y grym y credai Gwynfor Evans y gellid cael cefnogaeth iddo, a'r grym y credai y byddai Lloegr yn ei barchu. Hyd yn oed yn ystod adeg y beirniadu a fu ar Blaid Cymru oherwydd ei diffyg gwrthwynebu effeithiol ar ladrata tir Cymru gan Loegr yn Nhryweryn y mae D.J. yn amddiffyn ei harweinydd. Mewn ateb i lythyr gan Kate Roberts a gyfeiriai at lwfrdra polisi'r Blaid yn cydnabod hawl Lloegr ar dir Cymru meddai D.J.:

> Mae Gwynfor yn wladweinydd go fawr yn ôl fy marn i. Rhaid

> cofio'r defnyddiau rhyfeddol o frau sydd ganddo i weithio arnynt yng Nghymru yma, – llwfrdra canrifoedd yng ngwaed y bobl a'r holl gyfryngau propaganda bron yn nwylo Lloegr a'r Llywodraeth ... Parthed Tryweryn, hyd yma, mae'r cyfan wedi bod mor annelwig ac ar wasgar fel na ellid gwneud dim yn ymarferol yno, hyd yma, fel gwrthwynebiad.[357]

Yr oedd datganiad Plaid Cymru ar fater Tryweryn yn cynnwys y canlynol:

> Erys y busnes hwn yn gam mawr â Chymru ac yn anfri ar y genedl, ac ni ddylid edrych arno ond felly ... Fodd bynnag, er mwyn esmwytho ychydig ar y dolur cymdeithasol ac economaidd, awgrymir y cynigion hyn:
>
> 1. Fod cyflogi Cymry hyd y byddo'n bosibl ar y gwaith yng Nghwm Tryweryn.
>
> 2. Fod cyflogi Cymry wedyn ar staff sefydlog y Gronfa Ddŵr, ar ôl ei chwblhau.

Awgrymwyd hefyd defnyddio rwbel a llechi chwareli Ffestiniog ar y gwaith o adeiladu'r gronfa, fel y caffai'r dynion segur waith. Wedyn awgrymwyd fod sefydlu cyd-fwrdd Dŵr yn cynnwys tri chynrychiolydd o Gyngor Gwledig Penllyn, a thri chynrychiolydd o Gyngor Dinas Lerpwl, a bod y cadeirydd a'r is-gadeirydd i'w henwi gan Gyngor Sir Feirionnydd. Yr oedd Kate Roberts wedi awgrymu yn ei llythyr a anfonodd at D.J. fod y Blaid yn cydnabod hawl Lloegr ar dir Cymru. Er fod hynny'n wir ni fynnai D.J. weld bai ar y Blaid.[358]

Er yr anesmwythyd ynglŷn ag ymateb y Blaid i Dryweryn a boenai rai cenedlaetholwyr pybyr nid yw D.J. yn gweld bai ar arweinyddiaeth Gwynfor Evans. Ar ôl mynychu Pwyllgor Gwaith y Blaid yn Aberystwyth ym mis Ebrill 1959 cofnoda ei farn amdano yn ei ddyddiadur, 'Gwynfor yn ei brofi ei hun yn wladweinydd mawr, – yn ddoeth, treiddgar, pell ei weledigaeth, bonheddig, diymhongar, yn llawn hyder a ffydd hefyd – cyfuniad go arbennig o ddoniau, heblaw ei allu a'i wybodaeth.'[359]

Awgrymwyd eisoes bod rhai cenedlaetholwyr yn anhapus ynglŷn â gosod ennill seddau mewn etholiadau cyffredinol a mynychu senedd San Steffan yn brif fwriad, a thrwy hynny ddatblygu tactegau a pholisïau meddal y Blaid dan arweinyddiaeth Gwynfor Evans. Prif ladmerydd y garfan hon oedd Saunders Lewis, un o sylfaenwyr y Blaid a'i harweinydd rhwng 1926 a 1939. Ef a fu'n gyfrifol am lunio amcanion cyntaf y Blaid Genedlaethol, ac fe'u nododd hwynt mewn llythyr a anfonodd at D.J. ym mis Mawrth 1924:

> Cael Cymru Gymreig, ac felly
>
> 1. Gorfodi'r iaith Gymraeg yng Nghymru yw prif amcan uniongyrchol y Mudiad, ac felly ym myd addysg ceisir effeithio'n bennaf, – ond heb gyfyngu'r cylch ddim.
>
> 2. Cymru yn unig yn faes gweithio. Hynny yw, bod i'r mudiad amcanion politicaidd, a thrwy gynghorau lleol (sir, tref, dosbarth, plwy) y ceisir gweithio. (h.y. – nid mynd i senedd Lundain).[360]

Yn fuan wedi sefydlu'r Blaid ychwanegwyd cystadlu am seddau San Steffan at y rhestr ond gyda'r bwriad o foicotio senedd Llundain. Yna datblygwyd y dull ymgyrchu i gynnwys gweithredu anghyfansoddiadol. Dyma'r unig ddull gweithredu a fyddai'n debyg o lwyddo yn ôl Saunders Lewis oherwydd bod dulliau eraill meddalach yn agored i'w llygru a'u defnyddio i hyrwyddo buddiannau ac uchelgais bersonol. Meddai yn 1936 ar ôl llosgi'r Ysgol Fomio yn Llŷn:

> Yr wyf yn credu ein bod ni'n iawn ein llwybr. Hyd yn hyn nid oes gan neb ohonom ddim mewn golwg ond lles Cymru, dyna'n man cryf ni. Pan ddaw llwyddiant fe ddaw gobeithion personol hefyd yn ddiau, a llygru ar y mudiad. Dyna hanes mudiadau, ni raid wylo am hynny, ond ei dderbyn yn ddiolchgar fel arwydd o lwyddiant. Ond yr awr hon, yr wyf i a chithau a phawb ohonom mi dybiaf yn amhersonol ffyddlon i ddelfryd Cymru. Gan hynny, nid oes berygl i'ch llythyr chi yn cydnabod cyfiawnder ein polisi ni roi chwydd yn fy mhen i. Dewisasom y ffordd anodd, wrth gwrs, ond yr unig ffordd (mi gredaf) na arweinia ddim i ddistryw.[361]

Nid oedd D.J. yn gwrthod dulliau ymgyrchu a barn Saunders Lewis yn ei ffyddlondeb diweddarach i lywyddiaeth Gwynfor Evans. Cyfuniad o ddulliau'r ddau wersyll a geisiai tra na fynnai'r Blaid, ar ôl i Saunders Lewis roi'r gorau i'w arweinyddiaeth ef ohoni, fabwysiadu unhyw ddulliau ymgyrchu yn sawru o hyd yn oed y lled-anghyfansoddiadol, heb sôn am dorcyfraith. Yn ei ymateb i apêl D.J. yn 1954 ar iddo ddychwelyd i rengoedd y Blaid, mae Saunders Lewis yn dangos pa mor annerbyniol fyddai hynny i'r arweinyddiaeth a pha mor anobeithiol, yn ei farn ef, yw ei thactegau cyfansoddiadol:

> … byddai fy nychweliad i wleidyddiaeth mor annhymig ac annerbyniol â dychweliad Rip Van Winkle. Heblaw hynny y mae Plaid Gwynfor Evans mor annhebyg i'r Blaid y ceisiais i ers talwm ei llunio fel na fedrem ni ddim hyd yn oed ddeall ein gilydd. Y mae cyhoeddi o hyd ac o hyd mai dulliau 'cyfansoddiadol' yn unig a gymer y Blaid i ennill hunan–lywodraeth – a dweud hynny wrth gofio Llywelyn ap Gruffydd! – gystal â dweud wrth y Blaid Lafur nad rhaid iddi gymryd Plaid Cymru fyth o ddifri. Ac y mae'n lladd yr unig ysbryd a allasai ysgwyd y wlad. Mi wn o'r gorau fod Gwynfor yn ddyn da ac yn aberthu llawer iawn etc.etc., – gan hynny, yr unig beth i mi ei wneud yw tewi o hyd a pheidio ag ymyrraeth. Ond, ond, yn 61 oed yr wyf yn credu o hyd mai trwy Wormwood Scrubs yn unig y daw fyth obaith i Gymru. Eithr rhaid wrth ddoethineb a challineb politicaidd go fawr, ac nid ffwlbri a chwarae plant y Gweriniaethwyr, y ffordd honno.[362]

Nid oedd D.J. yn cytuno â Saunders Lewis. Er ei fod yn uchel ei barch ohono, ac yn credu y gallai ei arweiniad ef fod wedi dwyn ffrwyth oni bai am frad ei gyd-Gymry, deil o'r farn bod dulliau gwahanol ac arafach Gwynfor Evans yn effeithiol. Meddai mewn llythyr, a anfonodd at Lewis Valentine yn 1958, wrth drafod brad W. J. Gruffydd yn sefyll yn erbyn Saunders Lewis yn etholiad y Brifysgol ar gyfer senedd San Steffan:

> Oni bai am frad W.J. Gruffydd a'r cynffongwn gwael hynny iddo, fe allai Saunders Lewis fod wedi mynd i'r Senedd fel cynrychiolydd y Brifysgol yn 1943. A hwyrach y byddai Cymru ar fin bod yn

genedl rydd, erbyn hyn. Ond fe ddaw yn rhydd eto, neu drengi o'r ffordd, os dyna'i haeddiant, – dan arweiniad uchelfrydig ond arafach Gwynfor. Oherwydd, y mae Gwynfor yn ddyn mawr arall, mewn gwirionedd.[363]

Erbyn 1959 nid oedd gan Saunders y gronyn lleiaf o ffydd ar ôl ym Mhlaid Cymru a'i dulliau uchelfrydig a chyfansoddiadol. Wrth geisio darbwyllo D.J. i beidio â pheryglu ei iechyd wrth ganfasio dros Waldo Williams yn yr Etholiad Cyffredinol dywed, 'ar ôl Tryweryn, y peth gorau y geill y Blaid ei wneud yw diflannu'n dawel. Fel y dywedodd erthygl flaen *Y Ddraig Goch* dro'n ôl, "Nid Gwyddelod ydym ni." A dyna feddargraff y Blaid.'[364]

Dal ati a wnaeth D.J. i geisio denu Saunders Lewis yn ôl i fywyd cyhoeddus yng Nghymru. Meddai wrtho yn 1962 ar ôl clywed am ei fwriad i draddodi ei ddarlith radio enwog *Tynged yr Iaith*:

Tybed onid oes modd i chi eto ddod yn ôl i gymryd rhan ymarferol, mewn rhyw fodd neu'i gilydd, yn y frwydr dyngedfennol hon nad yw eto, diolch i Dduw, wedi darfod, – yn hytrach na thynnu eich gwisg atoch yn fwy eto, a'n gadael ni, drueiniaid twp a llwfr yn sbort i'r Diawl a'i griw.[365]

Ac eto yn 1963 yn ei gofnod dyddiadurol ynglŷn â'i ran yn amddiffyn Gwynfor Evans rhag cynllwyn gan gatholigion y Blaid i'w ddisodli, cynllwyn y tybiai rhai yr ymwnelai Saunders Lewis ag ef, meddai:

Gobeithio yn fawr yr wyf y bydd i S.L. a Gwynfor, y ddau ddylanwad mwyaf sydd gennym yng Nghymru heddiw, gwrdd â'i gilydd a thrafod y sefyllfa yng Nghymru heddiw er mwyn achub y cyfle olaf a gawn ni yn ddigon posib i sicrhau parhad ein bodolaeth ni fel cenedl.[366]

Heblaw am gredu bod cyd-weithio rhwng Gwynfor Evans a Saunders Lewis yn bosibl, roedd ffydd D.J. yn nhegwch system lywodraethol Lloegr yn gadarn. Yn hynny o beth cytunai â hyder Plaid Cymru ym mawrfrydigrwydd llywodraeth y Sais. Credai

Plaid Cymru y buasai ennill mwyafrif yng Nghymru mewn etholiad cyffredinol yn rhoi'r awdurdod iddi alw am act seneddol a fyddai'n sefydlu Senedd i Gymru a Llywodraeth Gymreig. Dywedir ymhellach mewn datganiad a gyhoeddwyd ganddi yn 1968, 'Y mae gennym bob ffydd mai felly y bydd [h.y. y byddid yn pasio deddf i roi i Gymru ei llywodraeth ei hunan ar gorn ennill mwyafrif seddau seneddol Cymru] a phob rheswm dros gredu y rhoddir i bobl Cymru yr hyn a hawliant.'[367]

Ni chredai Saunders ym mawrfrydigrwydd Llywodraeth San Steffan. Ond er iddo osod y sefyllfa'n glir gerbron D.J. mewn llythyr ato yn 1966, nid yw ei ddadansoddiad min rasal o sefyllfa Cymru yn Senedd Llundain ac aneffeithiolrwydd dulliau cyfansoddiadol yn siglo ffydd D.J. yn nhegwch Llywodraeth Lloegr. Meddai Saunders Lewis:

> Ni ddaw senedd i Gymru drwy senedd Loegr. Petai pob etholaeth Gymreig yn mynd i Blaid Cymru, nid drwy hynny y deuai hunan-lywodraeth. Ni ddaw hunan-lywodraeth ond yn unig drwy wneud llywodraethu o Lundain yn amhosibl. Y mae dysgu mai dulliau cyfansoddiadol sy'n mynd i ennill yn chwarae'n syth i ddwylo Llywodraeth Loegr. A dyna'r hyn y mae Gwynfor a J.E. yn ei ddysgu o hyd ac o hyd, – ac yn gwneud drwg moesol mawr. Yn fy marn i y mae bechgyn a merched Cymdeithas yr Iaith Gymraeg yn dangos y ffordd yn well, yn adeiladu Cymreigrwydd yn arf yn erbyn gwasanaeth suful Lloegr, yn codi mur Cymreig.[368]

Mae'r erthygl, 'Hunan-lywodraeth i Gymru', a gyhoeddodd Saunders Lewis yn *Barn* ym mis Hydref 1968 yn adleisio barn y llythyr a ddyfynnwyd. Ynddi mae e'n rhybuddio Plaid Cymru o'i naïfrwydd a ffolineb ei thrywydd 'gwên fêl' gwleidyddol. Naïfrwydd llwyr yn ei farn ef yw credu y byddai llywodraeth Lloegr yn caniatáu trwy fesur seneddol i Gymru sefydlu ei senedd annibynnol ar gorn buddugoliaeth mewn etholiad cyffredinol. Meddai wrth arweinwyr y Blaid:

> Y mae bod Plaid Cymru'n datgan ei hymddiried llwyr yn nhegwch a haelioni anhunanol Llywodraeth Loegr, a'i pharodrwydd i wrando

> ar ddeisyfiadau Cymru, y mae hyn ar ôl profiadau Tryweryn a Chlywedog a Phenyberth, yn arwydd yn wir o ras rhyfedd ... Ni feiddiai unrhyw lywodraeth Lafur Seisnig nac unrhyw lywodraeth Geidwadol ddwyn mesur o'r fath gerbron Tŷ'r Cyffredin, hyd yn oed ped enillai Plaid Cymru bob sedd etholiadol yng Nghymru gyfan.

Yn ychwanegol at gredu ym mawrfrydigrwydd aelodau Tŷ'r Cyffredin yn Llundain cyhoeddodd arweinwyr Plaid Cymru, yn y datganiad a drafodir gan Saunders Lewis, na fynnent ystyried 'sefydlu Gwladwriaeth Gymreig drwy foddion anghyfansoddiadol'. Byddai hynny, yn eu barn hwy, yn achosi '[g]ofid a thrueni anhraethol i bobl Cymru ... a ... chwerwder ac ... atal ymddiried gartref a chan wledydd tramor yn y Wladwriaeth Gymreig'. Barn Saunders Lewis yn ei erthygl yw bod angen arddel polisïau anghyfansoddiadol ynghyd â thactegau cyfansoddiadol er mwyn ennill rhyddid Cymru. Canlyniad cyhoeddi amharodrwydd i ddefnyddio dulliau anghyfansoddiadol yw 'na cheir fyth, fyth hunanlywodraeth i Gymru'. Hynny oherwydd bod y Blaid yn 'ymrwymo i fynd yn noeth a di-arfau a di-help i Dŷ'r Cyffredin a dwy blaid fawr Seisnig yno'n unfryd ar gadw, doed â ddelo, Act Uno Cymru a Lloegr yn ffaith annileadwy ar lyfrau statud Prydain Fawr.' Mae breuddwydio am hunanlywodraeth ddi-gost i Gymru yn ffwlbri. 'Ni ellir omlet heb dorri wyau' meddai tra'n rhagweld, o ennill mwyafrif yng Nghymru, y byddai angen ymwrthod â San Steffan a dychwelyd i Gymru i sefydlu llywodraeth. Buasai hynny'n creu chwerwder, restio a charcharu ac, yn y pen draw, yn gwneud llywodraethu o Lundain yn amhosibl. Ym marn Saunders Lewis dyna'r unig fodd y gellir sefydlu senedd, rhydd o hualau Lloegr, yng Nghymru.[369]

Bu tipyn o bryder ymhlith hoelion wyth Plaid Cymru yn dilyn cyhoeddi erthygl Saunders Lewis oherwydd credent y gallai rwygo'r Blaid a sigo ymddiriedaeth yr aelodau ynddynt hwy. Serch hynny, er mai ffwlbri oedd ceisio gwadu taw rhybudd i'r Blaid oedd sylwadau Saunders, yr oedd D.J. yn dawel ei feddwl oherwydd y credai mai rhybudd i'r llywodraeth Seisnig oedd byrdwn y llith. Mewn llythyr a anfonwyd at Lewis Valentine dywed D.J. iddo ddweud wrth Elwyn Roberts, trefnydd Swyddfa Plaid Cymru, na chredai y byddai'r llith yn rhwygo'r Blaid yn y pen draw o gwbl. Hynny oherwydd:

> mai rhybudd arswydus o ddifrifol i'r llywodraeth Seisnig yn ei thriniaeth o Gymru ydoedd trwyth yr ysgrif: y byddai'n debyg o greu cynnwrf go fawr am dipyn, efallai. Ond mai lles a ddoi ohoni yn y diwedd drwy beri i Loegr gymryd Cymru o ddifri.

Ychwanega, gan amlygu drachefn ei barodrwydd i ystyried gwyro oddi ar lwybr polisi'r Blaid gan fabwysiadu yn rhannol ddulliau y mae Saunders Lewis yn eu harddel:

> ... ond mai gwrthwynebiad di-drais yw polisi swyddogol y Blaid wedi bod yn gyson. Ni olygai hynny beidio â thorri cyfraith Lloegr yn rhacs, dan amgylchiadau arbennig, fel y gwnaeth mudiad Satragraha Gandhi yn yr India, ar hyd y blynyddoedd. Ond grym moesol yw arf grymusaf Plaid Cymru.[370]

Serch hynny, ymddengys nad oedd D.J. yn credu, fel y gwnâi Saunders Lewis, fod rheidrwydd ar y Blaid i newid a chaledu ei pholisïau os oedd hi i lwyddo yn ei bwriad o ennill hunanlywodraeth i Gymru. Nodwyd eisoes iddo goleddu'r gred y byddai ethol un cenedlaetholwr i'w anfon i San Steffan yn ddigon i orfodi Lloegr i sylweddoli bod Cymru'n genedl ac i godi cywilydd ei waseidd-dra oddi ar ysgwyddau'r Cymro.[371] Credai'n ogystal bod y pleidiau Prydeinig yn ofni her Plaid Cymru oherwydd bod cyfiawnder o'i phlaid:

> Plaid Cymru is the youngest and numerically by far the smallest of the Parties. Yet it is the one most feared by all the other Parties, owing to the justness of its cause, and that they have no answer to its claims.[372]

Ar gorn ei ffydd yng ngrym un fuddugoliaeth i Blaid Cymru ynghyd â thegwch system wleidyddol Lloegr gwireddwyd ei obeithion ym muddugoliaeth Gwynfor Evans yn is-etholiad

Caerfyrddin yn 1966. Cofnododd yn ei ddyddiadur iddo anfon llythyr at Saunders Lewis, na chredai o gwbl, fel y gwelsom, yng ngwerth y brwydro cyfansoddiadol heb ddur yr anghyfansoddiadol i'w ategu, yn awgrymu iddo gysylltu â Gwynfor i'w longyfarch ar ei gamp bellgyrhaeddol. Mynnai gael gan Saunders Lewis:

> sêl ei fendith ar y cyffro newydd yng Nghymru wedi buddugoliaeth Gwynfor yn Shir Gâ'r fel y cyfrwng mwyaf effeithiol i ddwyn yr holl elfennau disberod ynghyd yng Nghymru fel ag i ofyn i Loegr am hawliau cenedl rydd gan wireddu geiriau Syr John Morris-Jones: "A dyfod mae'r Dydd, pan na fydd brad i'n nychu, nac anwr i'n bradychu [sic]."[373]

Hyd yn oed yn 1968, wedi i iwfforia llwyddiant cyntaf Plaid Cymru bylu ac i wleidyddion San Steffan anwybyddu ei gofynion a dilorni cenedlaetholwyr, mynnai gredu bod buddugoliaeth 1966, ynghyd â gwelliant sylweddol yn ei pherfformiad yn y Rhondda, wedi newid seicoleg y Cymry, wedi peri i'w hieuenctid yn enwedig, gofleidio cenedlaetholdeb. Mewn erthygl yn y *Western Telegraph* cyfeiria at gorwyntoedd chwyldro a daeargrynfeydd dadeni sydd, yn ôl ei ganfyddiad ef o Gymru ôl-1966, yn ysgubo'r wlad:

> Then, just four months later [yn dilyn etholiad cyffredinol 1966] came the Carmarthen tornado by-election, and soon afterwards the Rhondda ominous tremors, which shook the whole country, and far beyond. Since then, nothing has been the same in Wales ... The psychology of the whole Welsh people has changed miraculously almost over night; and nowhere is it more manifest than among the younger generation in our schools and colleges. Wales is acclaimed a nation in her own right, in every respect, and should be recognised as such by having a government of her own.[374]

Ni chlywodd Saunders Lewis gorwyntoedd a daeargrynfeydd yn ysgwyd Cymru. Ceisiai'n gyson ddwrdio'r Blaid yn '... ôl i'r hen lwybrau'. [375] Yn llwyr gyferbyniol i hynny credai D.J. fod y cynnydd ym mhoblogrwydd y Blaid a grisialwyd ym muddugoliaeth Gwynfor Evans yng Nghaerfyrddin, a hynny gan gofio a sylweddoli ei bod hi'n glastwreiddio ei pholisïau cynnar, yn sail gadarn i ddeffroad y genedl a fyddai, maes o law, yn sicrhau ei rhyddid a goroesiad y Gymraeg.

PENNOD 5

D.J. y Llenor

Dechrau llenydda

Ym Medi 1914 gosododd D.J. ei ddyheadau llenyddol ar bapur. Dyheadau cysylltiedig â lles a deffroad cenedlaethol Cymru oedd y gobeithion llenyddol hyn. 'Hoffwn,' meddai, 'ddod i ysgrifennu ystoriau byrion a nofelau yn fy iaith fy hun i ddifyrru fy nghyd-genedl a pheri iddi ar yr un pryd adnabod ei hunan yn well a chredu yn gryfach yn ei hadnoddau ardderchog ei hunan ac ym mhosibilrwydd ei thynged am y dyfodol. Hefyd hoffwn ysgrifennu erthyglau i'w hannog a'i hysbrydoli ymlaen ar ei gyrfa.'[376]

Bwrw ati yn ddiymdroi i geisio gwireddu'r dyheadau hyn a wnaeth D.J. a threio'i law, i ddechrau, ar ysgrifennu erthyglau yn *Y Wawr*, papur myfyrwyr Coleg Prifysgol Cymru, Aberystwyth.[377] Ond nid oedd llunio erthyglau yn boddio'r ysfa ysgrifennu creadigol y soniodd amdani yn ddiweddarach mewn ymgom â Saunders Lewis fel, 'ysfa i sgrifennu na allaf gyfrif amdani …'. Gan hynny, erbyn diwedd 1914 yr oedd wedi mentro i fyd y stori fer,[378] byd y llenor, byd a roddai iddo bleser digymysg oherwydd câi ynddo y cyfle i loddesta yn ei 'hoffter o liw, ac awgrym, a chynnwys geiriau … a'u troi yn gyfryngau mynegiant'. Hynny, ynghyd â chyfle i ddilyn ei ddiddordeb pennaf, sef astudio a dadansoddi'r ' … natur ddynol, yn ei drwg a'i da …'.[379] Serch hynny, nid ildiodd i'r temtasiwn o ddilyn ei bleserau yn llwyr oherwydd cadwodd ati'n ddyfal trwy'i oes i ysgrifennu erthyglau gwleidyddol heb fod iddynt, yn ei farn ef, unrhyw werth llenyddol. Er bod eu llunio yn fwrn ar ei enaid ni allai ymwrthod â hwy gan y gwyddai na fyddai neb ar ôl i ddarllen llenyddiaeth Gymraeg heb i rywrai dorchi llewys yn ddi-oed i ddiogelu'r Gymraeg rhag difodiant. Iddo ef, rhan bwysig o'r torchi llewys hwnnw oedd pregethu ar lafar ac ar bapur gan gyflwyno'i neges i'w bobl yn uniongyrchol, ddi-flewyn-ar-dafod, heb ddim awgrymusedd llenyddol yn perthyn i'r dweud i gymylu'r neges.

Serch hynny, neu oblegid hynny, ymrwymedigaeth[380] D.J. i'w genedl, cenedl dan warchae sy'n wynebu difodiant, yw'r catalydd sy'n gwneud ysgrifennwr ohono. Ni allai osgoi ei gyfrifoldeb, neu'r ysfa, i geisio, trwy lenyddiaeth, ysbrydoli ei gyd-Gymry i ymfalchïo yn eu treftadaeth. Dyma hefyd y brif elfen sy'n llywio'i ddatblygiad fel llenor. Datblygiad herciog ac iddo wyth cyfnod fu'r datblygiad hwnnw, yn cynnwys pendilio rhwng cefndir, *genre*, dychan a mawl. A gormes ei ymrwymedigaeth arno sydd, fel y cawn weld yn y man, yn achosi'r pendilio hwn. Dan ddylanwad O.M. Edwards a W. Llewelyn Williams y cychwynnodd D.J. ar ei yrfa lenyddol. Hwy, ys dywed Hywel Teifi Edwards, oedd:

> ... penseiri'r Gymru y rhoes [D.J.] ei fywyd i'w chynnal ... Yn eu llyfrau a'u cylchgronau hwy y cafodd yr ysbrydoliaeth a'i gwnaeth yntau'n storïwr a fynnai gadw'r chwedl yn fyw.[381]

Ac eithrio 'Y Fan', a gyhoeddwyd yn *Y Wawr* yn 1917, yng nghylchgrawn *Cymru* 'O.M.' rhwng 1914 ac 1918 y cyhoeddodd D.J. bedair o storïau byrion ei gyfnod cyntaf ac fe'u hadargraffwyd, ac eithrio 'Hen Gleddyf y Teulu', wedi ei farw, yn y gyfrol *Y Gaseg Ddu a Gweithiau Eraill*. Ni chredaf y byddai D.J. wedi bodloni ailgyhoeddi yr un o'r pedair, pe bai ganddo lais yn y penderfynu ar gynnwys y gyfrol, oherwydd bu'n ddilornus iawn ohonynt wrth gyfeirio atynt o dro i dro yn ystod ei yrfa lenyddol a rychwantodd bron i hanner can mlynedd. Serch hynny, y mae ynddynt egin ei ymrwymedigaeth wrth Gymru a ddatblygwyd maes o law yn elfen lywodraethol yn ei weithiau llenyddol. Yn 'Y Gaseg Ddu' er enghraifft, dilornir yr uchelwyr difraw o'u mamiaith a'u cefndir gwledig. Llundain yw eu meca hwy ac er mwyn bod yn ffasiynol maent yn britho'r Gymraeg ag ymadroddion Seisnig a hynny'n arddangos eu parodrwydd i ddifrïo'u hetifeddiaeth ddiwylliannol. Cymysgedd carbwl o Gymraeg a Saesneg yw iaith yr uchelwr Nat Fychan, 'Fe ro'i *five pounds* i lawr *any day* ar yr hen Gwt Fain yn erbyn *any horse, any horse, – mind you in Cardiganshire*,' meddai wrth geisio annog Wil Pen Ddôl, mab ffarm a Chymro isradd, gwerinaidd yn ei dyb ef, i fentro herio Bert Edwards, ei gyd-uchelwr Llundeinig, mewn ras geffylau. Yna, i Bert, ' … *pretty little tart…*' a ' … *country bred* …' yw Elen Morgan, merch Tŷ'n Fron a chariad Wil Pen Ddôl, merch y mae ef yn hollol barod i'w denu a'i thwyllo er difyrrwch iddo ef a'i ffrindiau. Bechgyn di-ras, digydwybod, diddiwylliant ac ysgeler yw'r uchelwyr hyn ac fe'u cyfosodir â Wil Pen Ddôl, y gwerinwr syml, gonest ac ' … agored a rhadlon wrth natur …' sy'n parchu ei gefndir a'i dreftadaeth.

Cofier taw ymrwymedigaeth wrth y Gymru wledig, ddi-lwgr yw ymrwymedigaeth D.J. Yn y stori 'Mari Morgan' mae'r purdeb hwnnw, neu burdeb ei phobl, yn cael ei fygwth. Yn y Rhondda lofaol, ddiwydiannol cawn ein cyflwyno i fywyd 'didoreth' John Morgan a'i debyg, a drawsblannwyd i'r Rhondda oherwydd eu hangen am waith, yn llymeitian ac yn gwastraffu eu henillion ar gwrw. Ond yn y cyfnod cynnar hwn mae grymoedd rhinweddol y wlad yn ddigon cryf i wrthsefyll y llygru. Trwy ddylanwad Mari Morgan achubir John rhag dinistr. Hi yw'r elfen achubol, y *Mutter Courage* sy'n herio adfyd. Hi, yn ôl John Gwyn Griffiths, sy'n cynrychioli ' … y fatriarchaeth nobl …' a fu'n ' … ffaith gadarn ym mywyd llu o deuluoedd …' Cwm Rhondda.[382] A hi sy'n profi'r ffaith taw ffynhonnell y dylanwad achubol yw'r wlad. Lletywraig i Gymry o'r wlad yw Mari Morgan na fyn hi eu galw'n 'lodjers'. Meddai Mari:

> Mae'n burion iddyn nhw alw lodjers ar ryw hen dacle o Saeson sy'n dod yma o Lunden a Bryste … nid lodgers sy'n aros gyda fi, ond bechgyn glân, talaidd o'r wlad …[383]

Hedyn o fawl diweddarach D.J. i fywyd gwledig a geir yma a thinc o'i feirniadaeth lem ar y dinistrio a fu ar Gymreictod y maes glo a Chymreictod Cymru'n gyffredinol.

Y lluniwr portreadau

Cynnyrch ail gyfnod llenyddol D.J. yw *Hen Wynebau*, a gyhoeddwyd yn 1934. Yn y gyfrol hon o bortreadau cymeriadau a llwythau ei filltir sgwâr, mae'n troi ei gefn ar ffuglen er mwyn delfrydu bro ei febyd. Ynddi mae D.J. yn camu yn ôl o'r cefndir diwydiannol y mentrodd iddo yn stori 'Mari Morgan'. Yma, bwriad D.J., yn ôl ei addefiad ei hun, yw crisialu ei brofiad o fywyd ei ieuenctid a chyflwyno i ni yn syml, afieithus y dedwyddwch gwledig a brofodd yn Rhydcymerau ym mlynyddoedd ei blentyndod a'i laslencyndod. Meddai amdani:

> Yn *Hen Wynebau* sôn am wynfyd bore oes a wnawn. Popeth yno fel y dylai fod – yn hardd, yn sefydlog, ac yn annwyl; a minnau mewn afiaith anfeirniadol plentyn yn mwynhau'r cyfan mewn atgof.[384]

Mae yna bwysigrwydd deublyg i'r ymhyfrydu hwn yng ngwynfyd ieuenctid. Bwriad D.J. oedd ceisio argyhoeddi ei ddarllenwyr taw'r gymdeithas syml, wledig oedd y gymdeithas ddelfrydol. Ond, yn ogystal, er nad oedd D.J. yn sylweddoli hynny ar y pryd, mae llunio'r portreadau yn cynnig iddo'r deunydd i fyfyrio arno a'i alluogi maes o law i draethu arno. Ys dywed R. M. Jones:

> Cyn dewis unrhyw bwnc i draethu arno, cyn cael ei swyddogaeth gymdeithasol-wleidyddol, dyweder, a chyn mynegi ei ddymuniadau neu ei farn am gant a mil o bynciau, sylweddola'r llenor ei brofiad o fywyd yn ei gyfanrwydd personol.[385]

A dyna'n union y mae D.J. yn ei wneud yn *Hen Wynebau*, sef sylweddoli, gerbron ei ddarllenwyr, ei brofiad o'i fywyd cynnar ac agor y drws i fyfyrio a thraethu pellach. Yn greiddiol i bortread D.J. o ardal ei febyd y mae rhadlonrwydd y cymeriadau a bortreadir ganddo. Adlewyrchir y rhadlonrwydd hwnnw yn y gymdeithas wledig, ddiddan, fodlon a gwaraidd sy'n hybu cydraddoldeb y trigolion yn y capel ac ym mywyd diwylliannol yr ardal, a'r cydraddoldeb hwnnw yw sail y tangnefedd a fodolai yno. Serch hynny mae'n anodd dychmygu cymdogaeth heb gweryl yn tarfu ar yr heddwch weithiau, yn enwedig o gofio, yn achos Rhydcymerau, bod yno dri llwyth, 'mor annhebyg i'w gilydd mewn corff a meddwl a thuedd ag ydoedd yr Iberiaid, y Celt a'r Sacson traddodiadol'.[386] Dyma, yn sicr, sail i raniadau a magwrfa '... ysbryd clannaidd ...' cecrus. Ond er na ellir gwadu bodolaeth y claneiddiwch hwn nid yw'n amharu ar ddedwyddwch yr ardal oherwydd, fel y nodwyd gan Hywel Teifi Edwards, mae yno ddisgyblaeth y llwyth sy'n gwarantu nad yw cwympo ma's teuluol a thylwythol byth yn treisio ffiniau ac yn peri tramgwydd i lwyth arall.[387]

Bu llwyddiant portreadau D.J., a'r derbyniad gwresog a gafodd *Hen Wynebau* gan y beirniaid, yn ddiau, yn hwb iddo. Yn dilyn cyhoeddi'r portreadau'n gyfrol cyfarchodd Saunders Lewis ei gyfaill mewn llythyr fel 'Annwyl Hen Wyneb' ac meddai wrtho:

> A gaf i yn awr roi gwybod i chwi fy mod eisoes wedi darllen *Hen Wynebau* deirgwaith – heblaw'r tro y darllenais hwynt bob yn un ac un mewn cylchgronau. Y mae'r llyfr ar un naid yn ymrestru ymhlith clasuron diogel rhyddiaith Gymraeg. Gwyn eich byd, – pe medrwn sgrifennu Cymraeg yn debyg i chwi mi rown fy llaw dde'n llawen am y ddawn.[388]

Ar unwaith gwelir bod y clodfori hael hwn gan Saunders Lewis yn cydnabod gloywder arddull unigryw D.J., arddull sydd â'i seiliau yn ei filltir sgwâr wledig yn Rhydcymerau. Ys dywed Saunders Lewis yn ddiweddarach:

> Y mae D.J. Williams yn gwneud mewn rhyddiaith yr hyn a wnaeth Williams Pantycelyn yn ei emynau, sef cyfuno'r iaith lenyddol â thafodiaith, gwau'r ddwy ynghyd yn un brethyn cyfoethog yn ôl patrwm a thraddodiad llên Sir Gaerfyrddin ...[389]

Iddo ef, arddull D.J. yw'r nodwedd bwysicaf ar ei waith a myn fod yr awdur yn cydnabod hynny trwy osod ei bortread o Dafydd 'R Efail Fach yn flaenaf yn ei lyfr cyntaf. Dyma deyrnged D.J. i'w ail athro llên anllythrennog. Meddai Saunders Lewis amdani:

> Pennod yn trafod iaith ac arddull yw'r bennod gyntaf hon. Y mae hi'n glasur byr a chryno, yn deyrnged i'r ail o feistri bore oes D.J., meistr a luniodd ei frawddegau …

Ei athro cyntaf oedd John Jenkins a roddodd iddo 'gyfansoddiad ei benodau a'i baragraffau'. Yn ôl Saunders Lewis, *Hen Wynebau* yw'r 'allwedd i'w holl waith' oherwydd ei bod yn cynnwys, 'Teyrnged y llenor llythrennog i'w batrwm, y llenor anllythrennog.'[390]

Er taw bwriad D.J. yn *Hen Wynebau* yw cyflwyno ger ein bron ei fro ddelfrydol mae yma weithiau gyffyrddiad ysgafn o anesmwythyd. Canfyddir hynny yn rhai o'i bortreadau sy'n ymylu ar fod yn storïau byrion fel y sylwodd Pennar Davies, 'Prin,' meddai, 'y gall neb ddarllen yr "ysgrifau" hyn heb weld fod dawn y storïwr gan eu hawdur. Y mae "Mac" a "Ben Tŷ'n Grug a'i Filgi" a "Jones y Goetre Fawr" yn ymylu ar fod yn storïau byrion…'.[391] Ynddynt cyflwynir inni gymeriadau a sefyllfaoedd amherffaith sy'n ymylu ar dreisio'r darlun delfrydol. Er enghraifft, yn y bennod fer 'Mac' cawn gyfarfod â Dash. Ci defaid ifanc anystyriol yw Dash sy'n gorfodi Mac, ci defaid sydd wedi mynd i oed, i'w amddiffyn ei hun, a hynny yn dwyn arno gosb greulon annheg. Ac yna yn y portread o Jones y Goetre Fawr cyflwynir inni ŵr diog, diwerth sydd ymhell o fod yn addurn ar y gymdeithas. Ac eto, wrth sôn am y tangnefedd a fodolai yn ei Hen Ardal clywir tinc o feirniadaeth ar effeithiau difaol y datblygu diwydiannol a fu ar Gymru. Meddai D.J.:

> Yn nyddiau fy ieuenctid cyn nesáu o'r bysus a llawer o bethau blin eraill nad oes i mi ddim diddanwch ynddynt, credaf fod yr hen ardal fechan, anghysbell, hon yn un o'r mannau mwyaf heddychlon a thangnefeddus yng Nghymru gyfan.[392]

Effaith yr anesmwythyd hwn a wasgai ar wynt D.J. oedd ei yrru i chwilio am fodd i gyflwyno i'w ddarllenwyr neges ehangach a gweledigaeth ddyfnach. Nid oedd gofynion crefft yr ysgrif yn ddigon cymhlyg i foddio'i uchelgais lenyddol oherwydd ysai am lunio gweithiau dyfnach eu harwyddocâd a chyfrwysach eu gwead. O'r herwydd bu atyniad y stori fer yn rhy gryf iddo a chanlyniad hynny fu ailafael yn y cyfrwng a chyhoeddi, ar ôl ennill clod eisteddfodol, ei gasgliad cyntaf, sef *Storïau'r Tir Glas.*

Mentro'r eildro i fyd y stori fer

Mae *Storïau'r Tir Glas* a'r triawd storïau 'Yr Eunuch', 'Pwll yr Onnen' a 'Cysgod Tröedigaeth' a gynhwyswyd yn *Storïau'r Tir Coch* yn perthyn i drydydd cyfnod llenyddol D.J. Mawl yw elfen lywodraethol y cyfnod hwn a'r bwriad yw adeiladu ar weledigaeth *Hen Wynebau*, y weledigaeth sy'n mynnu taw cymdeithas wledig, ddi-nod, ddiuchelgais yw'r unig gymdeithas ddelfrydol. Dyma gymdeithas, er na ddywedir hynny'n uniongyrchol, i'w chwennych a'i diogelu. Serch hynny, oherwydd awydd D.J. i gyflwyno inni ddarlun amgenach, llawnach o gymdeithas ei filltir sgwâr, gwthir pendil ei weledigaeth, er ei waethaf, yn sicrach tuag at yr anneniadol, y brith a'r amherffaith. Wrth iddo gyflwyno inni, trwy gyfrwng cymhlyg, ystwythach y stori fer, olwg ehangach ar bersonoliaethau ei gymeriadau a'r rhyngweithio rhyngddynt, cawn nad yw popeth yn berffaith yn y filltir sgwâr. Yn y stori 'Iechyd' gwelir bod pen draw i gydymdeimlad wrth i ffyddlondeb Gwen wanychu yn wyneb afiechyd Fred, ei chariad. Effeithiau creulonderau caru'n ofer yw thema 'Cysgod Tröedigaeth' ac yn 'Yr Hers' disodlir hen gegin tafarn y Swan gan far goreuraid ac ystafell breifat ' … lle y gallasai Deon yr Eglwys chwythu'r llwch oddi ar dop ei sigar heb lychwino dim ar ei frocloth'.[393] Oes, mae yma ragrith yn pylu sglein y darlun erbyn hyn. Yn yr 'Eunuch' wedyn mae yna gyffyrddiadau awgrymog, cyfrin bron, yn cwmpasu rhywioldeb, hunangyfiawnder a chyfrwystra. Clown o ddyn yw Daniel, prif gymeriad y stori, a phwdryn diedifar parod i feio eraill am bob diffyg ac anhawster sy'n ei fygwth. Ar ben hynny mae'n hunandybus, a'r hunan-dyb hwnnw'n blodeuo yng nghwrs y stori oherwydd iddo lwyddo i ddatrys problem ei simnai fyglyd. Heblaw am ei hunan-dyb a'i ddiogi y mae Daniel hefyd yn hunangyfiawn oherwydd ei ffyddlondeb i ddysgeidiaeth ei weinidog sy'n fawr ei sêl dros ddiweirdeb a dirwest. Yn ei dro mae'r ffyddlondeb hwn yn ei arwain i amau mai Jonah, ei gwrcyn anniwair, yw tad pob anghaffael sy'n ei boeni; y craciau ym muriau ei fwthyn, y to rhidyllog a'r simnai fyglyd. Ac y mae ystyried anniweirdeb Jonah yn lled-gyffwrdd â'r atalfa ar reddfau rhywiol naturiol a osodwyd ar bobl Oes Victoria a hanner cyntaf yr ugeinfed ganrif, ac yn sgil hynny wedyn cyfeirir yn gellweirus at ragrith crefyddwyr y cyfnod yn datblygu anniweirdeb yn gelfyddyd gain. 'Po nesaf i'r allor y byddai'r rhain,' meddir, 'diogelaf oll eu crefft ...' A thrwy ddatgan mai 'Dyn yn gweled ymhell ydoedd y gweinidog a daranai yn erbyn pechod', datgelir inni'n gyfrwys ei ddiniweidrwydd sy'n adlewyrchu'n anffafriol ar grefydd anghydffurfiol.[394]

Awyrgylch mwll, oeraidd sydd i'r stori 'Pwll yr Onnen'. Nid cefn gwlad heulog i'w chwennych yw'r wlad o gwmpas ffermdy Pwll yr Onnen. Lleithder a thywyllwch a gwlybaniaeth cleiog sy'n teyrnasu a ' ... glaw gwlyb yr Hydref yn aros yn llynwenni ymhob man ar hyd hewlydd culion y wlad'.[395] A chybydd yw'r hen Domos Ifan y Bigws hefyd, adroddwr y stori, sy'n cynnal '... [m]agïen o dân ...' yn ei gartref llwm. Mae yma ddychryn hefyd. Saif y ffermdy uwchben cymoedd coediog, dwfn ac o'r gwaelodion hyn ' ... daw cryndod ffrwd a ddyfal ddisgyn i ryw stên fythol wag – sŵn hir, ingol, na ddihengir rhagddo'. Cryndod neu ddychryn diddiwedd yw hwn na all y ffrwd sy'n ei greu ei ddiffodd gan na ddiwellir fyth syched ' ... stên fythol wag ...'. Ac adeg nythu, yn gyfeiliant i ddadwrdd bythol wag y ffrwd mae ' ... cecraeth cras y brain a'r piod yn ddigon i dynnu clustiau dyn'. Yna ychwanegir, 'Y maent fel petai gorchest ysglyfaeth beunydd o flaen eu pigau llygadog.'[396] Rhyw ragrybudd yw hyn o'r dirgelwch peryglus sy'n llechu yng nghymeriadau bechgyn rhyfedd Pwll yr Onnen a fynnai, trwy drais gorffwyll, gosbi Dafydd, yr ieuengaf o'r brodyr, am ymhel â'r rhyw deg. Fe'i hachubir rhag ei dynged waedlyd dan law ei frodyr, sy'n rhyw adlais pell o dynged Joseff yr Hen Destament, gan hen ŵr Cilwennau Fawr. Yn dilyn ei ymyrraeth ef adferir i'r brodyr ryw gymaint o sadrwydd. Ond ni ddihengir rhag tynged personoliaeth wyrdroëdig teulu Pwll yr Onnen. Clo tywyll sydd i'r stori. Fel stên wag y ffrwd islaw'r ffermdy ni ddiwellir syched natur. Ac y mae ffrwyth llwynau Dafydd wedi'i heintio gan wallgofrwydd ei wehelyth. Yn sicr, nid oes dim atyniadol ym mhersonoliaethau na chefndir 'Pwll yr Onnen'. Trwyddi, mae D.J. yn camu y tu hwnt i ffiniau ei fwriadau plwyfol. Ym marn Kate Roberts mae'r stori'n cynnwys y cyffredinolrwydd hwnnw sydd, ym marn beirniaid llenyddol, yn un o gynhwysion anhepgorol gwir lenyddiaeth. Meddai Kate amdani:

> Mae hi'n stori gymhleth, a theimlir iasau ffiniau gwallgofrwydd yn rhedeg drwyddi ac yn peri dychryn. Mae hyn, a'r awgrymiadau o effaith rhyw sydd yn y stori, yn ei gwneud yn un sy'n perthyn i'r byd ...[397]

Yn 'Dros y Bryniau Tywyll Niwlog' cyflwynir inni gipolwg ar ymgecru mewn eglwys anghydffurfiol wledig. Yna yn 'Blewyn o Ddybaco', cyferbynnir diffyg amynedd Ifan â natur hamddenol Esther, ei wraig. Meddir amdanynt:

> Byddai Ifan yn aml wedi gorffen gwneud rhywbeth cyn dechrau meddwl a oedd ef yn werth i'w wneud ai peidio. Gallai Esther, o'r ochr arall, bendrymu cyhyd uwch ei ben fel na byddai bellach yr un diben i'w wneud.[398]

Oherwydd y gwahaniaeth hwn mewn tymheredd rhwng y gŵr a'r wraig nid yw eu bywyd gyda'i gilydd yn un cyfnod di-baid o heulwen nefolaidd. Yna dichell a chwant rhywiol yw'r cyneddfau sy'n rheoli ymddygiad Teimoth a Rachel yn 'Blwyddyn Lwyddiannus' a'u presenoldeb a'r ymdriniaeth ohonynt eto'n anafu'r darlun delfrydol ac yn pylu disgleirdeb byd gwyn *Hen Wynebau*.

Er bod y trydydd cyfnod hwn yn natblygiad llenyddol D.J. yn perthyn i gyfnod portreadu'r filltir sgwâr ddihalog gwelir fod ynddo dipyn go lew o grafu'r 'wyneb' gan amlygu'r haenau dan y croen. Yn wahanol i O. M. Edwards ac Anthropos, llenorion y 'pentre gwyn'[399] delfrydol a difrycheulyd, wrth i D.J. fyfyrio ymhellach ar y byd gwyn y myn ei gyflwyno i'w ddarllenwyr, daw elfennau gwrthnysig i'r fei i'w ddrysu. Gwelsom, yn gwthio'u bysedd i'r brywes, gybydd-dod a chweryla, rhagrith a dichell sy'n dinoethi dadrith D.J. y carai ei gelu. Dyma'r dadrith a'i gorfododd i fynegi yn ei ddyddiaduron ei siom yn nifaterwch a chybydd-dod ei gyfeillion a'i berthnasau yn Rhydcymerau na fynnai, er yn gyfoethog ddigon, gyfrannu rhyw lawer i goffrau Plaid Cymru. Meddai yn 1957:

> Dydd Sadwrn diwethaf cefais 10/– at Gronfa Gŵyl Dewi oddi wrth Lilian, prifathrawes ifanc Ysgol Rhydcymerau, sef 2/6 ganddi hi, 2/6 gan ei thad, Arthur Evans C.S. ŵyr i Wncwl Josi ac i Ddafydd Ifans y siop a phen blaenor ei gapel, 2/6 rhwng tair o ferched Dafydd Ifans, ffrindiau mawr i fi erioed, a 2/6 oddi wrth D. C. DaviesY.H., cyfyrder i fi – Dai ac Arthur yn werth eu miloedd – gwelsant barlysu un ochr i'r ardal gan y Fforestfa yn difrodi'r hen gartref. Gwyddant hefyd ddigon am gyflwr Cymru heddiw, gan fod digon o bennau ar bob un ohonynt. O siarad â hwy cytunant â'r cyfan fel y gwelaf i bethau. Ond y fath yw eu difaterwch, wedi arfer derbyn popeth fel y mae, ac yn glyd eu hamgylchiadau eu hunain fel na chyffroir eu cydwybodau gan ddim. Mae rhai ohonynt hefyd yn rhyw esgus o aelodau o'r Blaid. Ni theimlais yn fwy siomedig, er yn gwybod amdanynt, a'u gafael am y geiniog ers tro. Lle nad oes weledigaeth wele trengi a wna'r bobl. A oes rhywbeth a all ddeffro pobl fel hyn sy'n rhy gibddall i sylweddoli'r dynged a wyneba'r hen gymdeithas y perthynant iddi? Sgrifennais air at Lilian mor ddidramgwydd ag y gallwn. 'O Jerusalem, Jerusalem,' dyna fel y teimlaf.[400]

A dyma, yn ogystal, y dadrith a'i gwnaeth yn amheus o werth storïau'r *Tir Glas*. Addefodd yn gyhoeddus gerbron Saunders Lewis mewn ymgom radio mai yn sgil cilio o fyd gwyn *Hen Wynebau* y ' … daeth *Y Tir Glas*, cymysg ei gynnwys, ac, ysywaeth, brith ei grefft'.[401]

Gwyddai D.J. felly fod troi eilwaith at y stori fer wedi arwain at dreisio delwedd y byd gwyn y ceisiai ei gyfleu i'w bobl er mwyn ennill eu teyrngarwch iddo. Hyn sy'n ei arwain at ei bedwerydd cyfnod llenyddol, cyfnod y dadwreiddio, sy'n ceisio dangos sut y drylliwyd yn ffiaidd fywyd diddan bro wledig ei ieuenctid. Gwneir hynny trwy symud ei gymeriadau o'u cynefin, eu troi'n alltudion. Dyma'r moddion i'w gadw rhag halogi delfryd y byd gwyn gan fwrw'r bai ar gefndiroedd newydd, gwahanol – y cefndiroedd trefol a diwydiannol. 'Shistans' yw'r stori sy'n cychwyn yr ymadael â chefndir byd gwyn *Hen Wynebau*. Ynddi mae Moc yn ymadael â llyffetheiriau ei gartref gwledig ac yn anelu am ryddid y gweithfeydd glofaol a'u bywyd ysgyfala, anghyfrifol. Dyma'r cynfas sy'n caniatáu i D.J. gyferbynnu'r cefndir gwledig hyfryd â'r cefndir diwydiannol gwachul. Yn dilyn hynny, yn ail driawd *Storïau'r Tir Coch* – 'Goneril a Regan', 'Crechy Dindon' ac 'Y Cwpwrdd Tridarn' ymchwilir ymhellach i effaith gwanychu gafael y wlad ar gymeriadau ei storïau. Yn 'Goneril a Regan' mae'r symud o'r wlad i fyw mewn lle poblog yn rhoi cyfle i Loti Lloyd dyfu'n falch. Efallai mai gwendid bach diniwed oedd ei balchder pan oedd hi'n byw yn y wlad. Ond yn y dref, a than effaith ei diwreiddio, mae ei balchder yn tyfu ac yn gwanhau ei gafael ar ei chrefydd. Yn ogystal, dirmyga ei Chymreictod sydd, yn ei thyb hi, yn llestair i lwyddiant ym myd busnes. Mae effaith eu diwreiddio ar Loti a'i gŵr yn datblygu'n wrthuni yn eu plant. Anfonir Goneril a Regan i ysgol breifat ' … er mwyn dysgu acsent Saesneg berffaith'. O ganlyniad dirmygir Loti, sy'n dal yn wladaidd yng ngolwg ei phlant soffistigedig, gan ei dwy ferch sy'n ei thrin yn ffiaidd. Er ei bod hi yn ei gwendid ar ddiwedd y stori, nid oes gronyn o dosturi tuag ati yng nghalonnau Goneril a Regan a theimlir, oherwydd dyfnder eu casineb, fod ei merched wedi gyrru Loti i'w bedd cynnar. Diffyg dewrder yw'r gwendid cymeriad sy'n drysu bywyd Gwion yn 'Crechy Dindon'. Oherwydd ei ddiwreiddio cyll afael ar y canllawiau gwledig a allai ei achub rhag trybini. Ond y mae ei gydwybod, sydd â'i gwreiddiau yn ei gefndir gwledig, dihalog, er yn ei arwain at ffoi i ddiogelwch y fyddin, yn iach a dilychwin. Yn 'Y Cwpwrdd Tridarn' mae Harri Bach, fel D.J. ei hun, er yn alltud, yn driw i'w fro wledig, enedigol. Yn ei alltudiaeth salw mae gan Harri Bach ei gwpwrdd tridarn, ei angor i'w gynnal, ei gyswllt parhaus â'i fro enedigol. Ond ar noson ei angau cenfydd olion pryf difa pren ar yr hen gwpwrdd deri a daw hynny â'i siom yn ei nai yn fyw i'w gof. John Hendri, y nai hwn, oedd cannwyll ei lygaid pan oedd yn fach a gobeithiai Harri y byddai'n mawrygu ei genedl a'i iaith wedi tyfu'n ddyn. Ond nid felly y bu hi. Saesneg a siaradai John Hendri a difraw ydoedd o'i dreftadaeth. Ac yn gadarnhad o'i ddifrawder, clywsai Harri y noson cynt, trwy glustfeinio dirgelaidd, am fwriad ei nai i ymuno â byddin y Sais. Na, ni olygai Cymru na Chaeo, ardal maboed Harri, ddim i'w nai. Yna, yn ei wendid, cofia Harri fod ei ewyllys yn yr hen gwpwrdd deri yn cyflwyno'i holl eiddo i John Hendri, eiddo na fydd ef yn gwerthfawrogi dim ohono gan gynnwys y cwpwrdd tridarn. Ceisia Harri ddinistrio ei ewyllys ond y mae hi'n rhy hwyr canys fe'i trechir gan angau. O sylweddoli mai cwpwrdd tridarn D.J. yn ei alltudiaeth ei hun yw ei lenyddiaeth, ei angor sy'n ei ddal wrth ei gefndir gwledig a'i dreftadaeth a'i iaith a'i genedl, canfyddir y pryf yn y pren llenyddol. Onid John Hendri yw'r llu Cymry difraw y cyflwynodd D.J. ei dreftadaeth iddynt yn gymynrodd i'w dilorni a'i difetha? Yn ei ddyddiadur y mae D.J. yn mynegi ei rwystredigaeth a'i ddigalondid sy'n deillio o'i sefyllfa ddiwreiddiedig ef ei hun. Yr alltud yn Abergwaun sy'n siarad pan ddywed:

> Fel unigolion rwy wedi bod yn eitha cyfeillgar â phobl Pentowr, erioed, a phobl Abergwaun, o ran hynny, ac yn hoff ohonynt. Ond fel corff, en masse, teimlaf yn fynych eu bod yn fy erbyn. Brwydr ysbrydol, barhaus, ddigymod fu'r deng mlynedd ar hugain. Nid wyf wedi dod yn ôl yma, erioed, dros Garn Gelli gyda'r bws, neu i olwg

> y môr, gyda'r trên, heb gael y teimlad mai dod yn ôl i frwydro yr wyf. Ac nid yw'n deimlad hapus. [402]

Gwthio'r pendil ymhellach i gyfeiriad y byd brith, difaol a wneir ym mhumed cyfnod llenyddol D.J. gan geisio gosod y bai am ddifrodi'r byd gwyn gwledig yn sicrach yng nghôl y datblygiadau economaidd a'r penderfyniadau gwleidyddol a achosodd ddiwreiddio'r boblogaeth wledig. Mae'r gyfrol *Storïau'r Tir Du* yn perthyn i'r cyfnod hwn, cyfnod y dadansoddi pellach ar gyflwr y Gymru ddiwreiddiau a diangor yn ei chrynswth. Ynddi dychenir yn helaeth daeogrwydd a sycoffantiaeth ac ystwythder cydwybod trigolion ein cenedl ddarostyngedig ni. Difrawder a diffyg gweledigaeth a diffyg dewrder Ymneilltuaeth Cymru yn ei holl ystwythder cordeddog yw pwnc 'Y Gorlan Glyd', a'r gweinidog, Y Parch. John Ystwyth Jones, yn crynhoi yn ei bersonoliaeth aflwydd ei grefydd a'i genedl. Stori yw hon, fel gweddill *Storïau'r Tir Du,* sy'n llwyr amddifad o'r awyrgylch braf, gwledig, nodweddiadol o'r rhan fwyaf o weithiau llenyddol D.J. a ragflaenodd y gyfrol hon. Serch hynny, mae'r portread a geir o bersonoliaeth gweinidog eglwys Seion, Bryncastell, yn fyw a chyflawn ac anel y saethau'n sicr a miniog. Ac i ategu'r darlun a gyflwynir o'r arweinydd crefyddol, llysywennaidd hwn cawn gyflwyniad gwych o'i bregeth ystwyth, plesio-pawb; pregeth sy'n gondemniad digymrodedd o ryfel ond sydd eto'n cyfiawnhau gweithredoedd rhyfelgwn Prydain. Yna mae'r cyflwyniad o'r newid tac acrobataidd, byrfyfyr yn ystod y bregeth, sy'n ymateb sydyn i anesmwythyd ei flaenoriaid yn wyneb condemnio pob rhyfel, gan gynnwys rhyfel Lloegr ddifrycheulyd, yn gymysgedd amheuthun o'r dwys a'r digri. Edith, yr heddychwraig ddigyfaddawd, wrth gynnig ei barn am ei gweinidog, sy'n dadansoddi cyflwr crefydd Bryncastell a chyflwr crefydd Cymru hefyd. Meddai hi am ei gweinidog:

> Mi'r ydw i'n ystyriad mai'n gweinidog ni ydy'r acrobat mwyaf ystwyth a ddringodd erioed i mewn i bulpud. Mi fedar o chwara rings rownd i'w gydwybod 'i hunan.

Ac, wrth gwrs, y mae crefyddwyr Cymru, fel cynulleidfa'r Parch. Ystwyth Jones, yn dir ffrwythlon ar gyfer mabwysiadu ac etifeddu'r acrobatiaeth hon. Mae Edith yn awyddus i'w gweinidog sylweddoli nad yw e wedi twyllo pawb, 'rhag iddo feddwl 'i fod o'n glyfrach na Duw 'i hunan'. A dyma yw colyn y stori: mae Edith druan yn rhy hwyr ac ynysig, ac o'r herwydd, ar glust fyddar y mae ei rhybudd hi'n disgyn. Mae dyn yn credu ei fod e'n glyfrach na Duw. Dyna yw'r aflwydd sy'n heintio crefyddwyr Cymru ac sy'n heintio'r ddynoliaeth gyfan. Ac onid yw sefyllfa Edith yn Eglwys Bryncastell yn ddrych perffaith o brofiadau D.J. ym Mhentowr lle bu'r aelodau a'r swyddogion yn euog o'i ddirmygu ar sawl achlysur.[403]

Dyn wedi colli ei wreiddiau yw'r Capten yn y stori 'Y Capten a'r Genhadaeth Dramor', dyn a ddatblygodd yn ei alltudiaeth forwrol ryw ffydd hurt yn yr Ymerodraeth fawr Brydeinig. Mae'r cyflwyniad digri, hwyliog ohono – yr hen gapten boliog, hunan-dybus hwn, ynghyd â'r disgrifiad o'i ymarweddiad anghonfensiynol yn y capel – yn paratoi'r ffordd i rialtwch y cyflwyniad o berfformiad y Capten yn y Cwrdd Gweddi Cenhadol. Perl o araith yw araith y Capten. Mae meistrolaeth D.J. ar arddull yn cyrraedd yr uchelfannau wrth iddo'i gosod hi yng ngenau clogyrnaidd yr hen 'forgi' hwn. A heblaw am ei fratiaith chwerthinllyd mae ei ddiffyg rhesymeg a'i ddiffyg gallu i ddilyn trywydd ei feddwl yn cyfrannu ymhellach at yr hwyl. Ond yn llechu y tu ôl i'r rhialtwch mae yna sawl dimensiwn sobr. Derbynnir y Capten a holl wrthuni ei gredoau gan ei gyd-gapelwyr â breichiau agored – ei Brydeindod, ei Seisnigrwydd a'i fost. Sylwer hefyd mai rhyw led–deimlad '... nad oes modd crefydda'n briodol ond yn y Gymraeg ...' sy'n arwain y capten i gyfarch ei gyd-gapelwyr yn ei Gymraeg gwarthus. Y Gymraeg yw iaith y nefoedd i'w chadw yn ei phyrth priodol ac i'w dirmygu hyd at ei hanwybyddu ym mhob maes arall. A dyna'r cyplysu Cristnogaeth â'r Union Jack wedyn. O'i hawdurdodi â chrefydd yr Ymerodraeth, sef Cristnogaeth wedi'i llurgunio ar gyfer gwasanaethu Prydain, y mae gweledigaeth y faner honno'n ddilychwin a phob ysgelerder o'i heiddo yn gyfiawn. Ymhlyg yn hynny hefyd, er na sylweddolai D.J. hynny, y mae'r gwrthuni cenhadol sy'n credu taw crefydd y Cristion yw'r unig wir grefydd. Crefyddau i'w hysgubo o'r neilltu a'u dilorni yw pob crefydd arall a phobl i'w dwyn o'r tywyllwch i'r goleuni Cristnogol yw eu dilynwyr.

Dychanu ymhonwyr gwleidyddol, rhagrithwyr, sbwnjers a chybyddion a wneir yn 'Meca'r Genedl', pobl sy'n llwyr amddifad o'r rhinweddau sy'n eiddo i drigolion y byd gwyn gwledig. Eto, fe gyflwynir y cymeriadau brith ynddi yn ddiddorol a deheuig – Mrs Lloyd, perchennog gwesty'r Epynt, yn hyblyg ei phiwritaniaeth a'i chrefydd er mwyn gwasanaethu ei chybydd-dod; Mr Dogwell Jones, Bargyfreithiwr yn chwilio elw a phoblogrwydd ac yn barod, pan fo pwys a gwres y dydd yn gwasgu arno, i anghofio pob egwyddor a delfryd er mwyn cyrraedd ei nod; ac yna'r O.B.E., y ffermwr hunanbwysig, a'i fedal a gafodd am ei ffyddlondeb taeog i deyrn yr Ymerodraeth Brydeinig ynghyd â'i gyfoeth yn cynnal ei swigen wynt. Wedi gosod y llwyfan hwn chwaraeir yn ddigri arno a'r cymeriadau'n ceisio'u mantais eu hunain ar bob cyfle. Drysir y cynllwynio, hyd yn oed cynllwynio cyfrwys y prif ystrywiwr, Mr Dogwell Jones, Bargyfreithiwr, gan sildyn y chwarae, rhyw Beregrin sy'n hofran ar ymylon y stori. Er y siom, ac er cyfrwystra Mrs Lloyd, daw Mr Dogwell Jones, Bargyfreithiwr, trwy dric doniol, allan ohoni'n groeniach yn y diwedd gan nad yw'r fantais y mae ef yn ei chwennych o bwys gwirioneddol iddo. Ac ar gorn hynny gwelwn yn glir na warchodir cenedl y Cymry, sy'n gwegian dan fygythiad Prydeindod, gan y pen-pwysigion a chardotwyr ystrywgar hunan-les.

Yn 'Colbo Jones yn Ymuno â'r Fyddin' nid oes dim cymwynasgarwch gwledig yn perthyn i'r bydolddyn, y dyn busnes llwyddiannus, yr Ynad Hedd a'r cynghorwr Sir sy'n adrodd y stori. A'r cwestiwn a gyfyd yw pa rinweddau sy'n eiddo iddo i sicrhau ei lwyddiant? A'r ateb: ei ddawn i fanteisio ar ei gyfle ac ar ei gyd-ddyn ac i fod yn llwyr amddifad o unrhyw sentimentaleiddiwch ym myd busnes. Ond er y wythïen galed, ddidostur hon y mae'r cof am rai gwersi rhyfedd gan Colbo, yr heddychwr sy'n plygu tan bwysau gwatwareg disgyblion ysgol gan fradychu ei egwyddorion ac ymuno â'r fyddin, yr athro anobeithiol fel arfer, yn ei gyffroi. Gwersi am hanes a barddoniaeth Cymru oedden nhw a'r cyfrwng i'w wneud yn falch o'i dreftadaeth. Ond gwaetha'r modd, a dyma golyn y stori, unig effaith yr atgof hwnnw o'r gwersi ysbrydoledig hynny yw peri iddo roi pleidlais ar y Cyngor Sir i ambell ymgeisydd a thinc ynddo yn debyg i'r hyn a glywodd gan Colbo gynt. Ymarferoldeb yw arwyddair pobl lwyddiannus ym marn adroddwr y stori, a chostrelir athroniaeth ei fywyd yn ei weithredoedd a'i ddywediadau. Ar fater crefydd, er enghraifft, cofiwn iddo ddweud na 'All neb fforddio bod yn Gristion ond mewn byd lle y mae pawb yn Gristion. Mae'n rhaid i ddyn dreio bod ar y "safe side" o hyd ...'. Yn y siop, wedyn, mae'n codi ac yn gostwng prisiau yn ôl y galw heb ofidio am unrhyw ddrwg effaith a allai hynny ei gael ar gwsmeriaid neu ddynion busnes eraill. Ac wrth sôn am oriogrwydd ei weinidog, y rhyfelwr adeg rhyfel a'r heddychwr adeg heddwch, myn nad y gweinidog 'sy'n anghyson, ac yn gyfnewidiol, ond yr amgylchiade ...'.[404] Ac y mae'r ymateb hwn i 'amgylchiade' yn ei arwain yn rhwydd at gyfiawnhau ymbaratoi ar gyfer rhyfel a bwrw'r bai ar eraill pan ddaw hi'n daro. Stori sicr ei seicoleg yw 'Colbo Jones yn Ymuno â'r Fyddin'. Ni ellir gwadu nad ymarferoldeb digydwybod yw duw y grymus yn ein byd diwydiannol, technolegol ni.

Yn 'Ceinwen', y stori fer olaf a ysgrifennodd D.J., rhyfel estron, rhyfel yr Ymerodraeth Brydeinig, yw achos diwreiddio Ceinwen a dryllio'i bywyd. Pe na bai'r rhyfel wedi dod ar warthaf ieuenctid Aber Rheidol byddai Ceinwen, mwy na thebyg, wedi priodi'n hapus ac ni fyddai ei phenchwibandod diniwed wedi ei drysu a'i difetha. Ond druan ohoni fe'i cipiwyd i Loegr i weithio mewn ffatri arfau, ei chipio o'i chynefin i gymdeithas anaddas iddi. Ys dywed Ceinwen amdani yn y gymdeithas honno, 'Rown i'n teimlo fel brân o unig ynghanol crowd …'. Mae hi wedi'i hamddifadu o'r angor a'i cynhaliai. Ei hunig gyswllt â'i bywyd blaenorol yw'r 'canu gyda'r dyrfa o Gymry yn y Capel Wesle bob nos Sul …'. Ond nid yw'r ddogn brin yma o grefydd a Chymreictod, yr 'unig ymyl ole' i'w bywyd yn ei halltudiaeth, yn ddigon.[405] Nid oes ganddi ei hen griw o ffrindiau i gyd-chwerthin â hwy ac i'w chynorthwyo i ' … wherthin am ben 'i hunan.' Meddai Ceinwen yn dreiddgar, drist, 'roedd y wherthin i gyd yng Nghymru …'. Heb ei chymuned, heb ei hangor mewn bywyd gall ddweud amdani hi ei hun, '… rown i'n teimlo fel dyn â'i draed ar escalator, – yn symud heb 'i fod e'n cyffro.'[406] Ar ei gwely angau mae Ceinwen yn cipio awenau'r stori a gwelir taw diwreiddio oherwydd galwadau rhyfel sy'n dinistrio'i bywyd. Oherwydd ei hunigrwydd, nid oherwydd ei phenchwibandod, y cyll Ceinwen reolaeth ar ei bywyd. Caiff ei denu i gwmni ei fforman ystrywgar a'i thwyllo i gyd-fyw gydag ef a chael ei heintio'n angheuol â'r clwy gwenerol. Mae'r cyflwyniad o bersonoliaeth Ceinwen trwy lygaid ei ffrind a thrwy ei sylwadau ei hunan yn ddarlun trwchus o ferch ddeallus a chymhleth. Y syndod yw iddi syrthio i grafangau ei fforman, Fordson. Mae'r hoelen olaf yn ei harch, ei thwpdra yn ceisio twyllo'r awdurdodau i ganiatáu iddi ddychwelyd adref at fam glaf, yn ymddangos, ar y cyntaf yn naïf. Ond merch wedi cyrraedd pen ei thennyn yw hi ac yn colli'r ddawn o feddwl yn glir. Dyna yw grym pwysau diwreiddio ar bersonoliaethau cryf a deallus. Heblaw am hynny, o osod y stori hon yn fframwaith holl weithiau llenyddol D.J., er bod yma yn amlwg ble dros heddychiaeth y mae yma hefyd islais o gynddaredd oherwydd rhyfel Prydeinig, rhyfel y grymus, sy'n difetha Ceinwen a'i chymuned a'i chenedl fechan. Stori rymus yw 'Ceinwen' sy'n ein hatgoffa na cheir unrhyw fanteision o ryfeloedd ymerodraethol, er geiriau teg eu hyrwyddwyr, i genhedloedd bychain. Dinistrir eu cymunedau a dygir oddi ar eu pobl ganllawiau bywyd gwâr a'u hunaniaeth a'u dedwyddwch.

Er i sawl beirniad gollfarnu storïau'r byd brith fe'u clodforwyd gan eraill. Ym marn J. Gwyn Griffiths, er enghraifft, mae'r grwgnach ynglŷn â'r newid cefndir yng ngweithiau D.J. yn annilys oherwydd myn fod y newid a'r datblygu yn y storïau yn cadw cysylltiad â'r cefndir gwreiddiol. Noda, '... yn rhai o storïau'r *Tir Coch* a'r *Tir Du*, mewn ystyr foesol deil yr Hen Ardal i deyrnasu ...'.[407] Serch hynny, er i werthoedd yr Hen Ardal '... [d]dal i weithredu'n waelodol yn ei weledigaeth ...', cydnebydd fod y cefndir a'r ymhyfrydu cynnar wedi diflannu. Meddai, '... collwyd y llawenydd hoenus rai troeon a diflannodd yn ogystal, i raddau helaeth, y cefndir gwreiddiol'. Ond ni fyn gollfarnu D.J. am hynny, gan ddal ei fod wedi gwrthod '... unrhyw duedd i fod yn statig neu'n gaeth i'r gorffennol'. Deil iddo ddefnyddio ei '... dreftadaeth oludog a dihysbydd bron ei hysbrydiaeth ... yn sail ac adeiladodd arni'. Mewn gwirionedd, mae absenoldeb llawenydd y bywyd gwledig yn grymuso'i werth a'i ddylanwad. Meddai J. Gwyn Griffiths:

> Er gwaethaf tristwch 'Goneril a Regan' a'r 'Cwpwrdd Tridarn', mae *Storïau'r Tir Coch* ... gan mwyaf yn arddangos grymusderau a llonderau'r bywyd gwledig a'i ddylanwad ...

Serch hynny, o golli y '... *genius loci* ... hyfryd o riniol yn y ddarluniaeth wledig' sydd mor bwysig yng ngweithiau D.J. cydnebydd J. Gwyn Griffiths nad yw'r 'cyflead yn argyhoeddi cystal.' Ond er bod hynny'n ymddangos 'yn fethiant yn y cyfleu, dylid sylwi bod y newid cefndir yn cydfynd â'r pwrpas artistig canolog'. A hynny oherwydd taw cymeriadau wedi eu trawsblannu yw cymeriadau'r storïau 'dieithr' hyn '... sy'n byw ac yn ymddiddori bellach mewn bro arbennig, ond bod tynfa bro arall – Yr Hen Ardal – yn bresennol yn ogystal'.[408] A'r 'pwrpas artistig canolog' hwnnw yw dangos y dinistr, dangos y gwerthoedd gwledig yn eu hysblander a'r tanseilio a fu arnynt yn ddiweddarach. Ys dywed J. Gwyn Griffiths mewn man arall:

> Loyalty, humour, artistry, love, courage, these are the virtues that flow with Cothi's stream. Williams Abergwaun has not been appreciated yet as he deserves. His stories are a paean of earth, green and red, virgin and violated.[409]

Mae W. J. Gruffydd, hefyd, yn canmol D.J. am fentro i gefndiroedd tu hwnt i'w filltir sgwâr. Yn ei farn ef llwyddodd i drin ffurf y stori fer yn gywrain gan ganiatáu i'r iaith Gymraeg deyrnasu'n llwyddiannus mewn cefndiroedd dieithr. Iddo ef mae'r gyfrol *Storïau'r Tir Coch* yn cyrraedd y perffeithrwydd sydd yn, '... [b]rawf terfynol bod llenyddiaeth ein cyfnod wedi bwrw ei phrentisiaeth'. Wrth gyfeirio at 'Crechy Dindon', un o'r storïau sydd wedi'i gosod mewn cefndir dieithr, dywed:

> ... fe gyfyd syndod ym meddwl unrhyw ddarllenydd sy'n gyfarwydd â llên, wrth ei darllen, syndod wrth sylweddoli bod yr iaith Gymraeg erbyn hyn wedi ymaddasu mor rhyfeddol i fod yn offeryn mor gywrain a "lluosain", ac edmygedd wrth weld llaw mor feistraidd yn trin yr offeryn hwnnw.

Yna rhoddir clod, yn naturiol efallai, i 'Y Cwpwrdd Tridarn' gan ei bod hi wedi'i chlymu'n agos i'r Gymru draddodiadol yn ei chefndir a'i dull, ond yn annisgwyl efallai, ymateba'n wresog i'r '... stori mewn cywair anghyffredin – "Goneril a Regan"'. Dyma waith, meddai W. J. Gruffydd, 'sydd ar unwaith yn ymrestru yn ein meddwl gyda phigion cynnyrch yr ehangder a'r dealltwriaeth a dyfodd o ddyneiddiwch diweddar Ffrainc ...'. Yna yn sgil darllen y gyfrol mae'r adolygydd hwn yn datgan, 'yr wyf yn gryfach o'r farn nag y bûm erioed yn fy nghred mai *saeculum mirabile* yn ein hanes llenyddol yw'r amser presennol. A gwaith D.J. Williams yw un o'r profion.' [410]

Yr hunangofiannydd

Er i sawl beirniad llenyddol uchel eu parch glodfori ei storïau aeddfetaf, gwyddai D.J. yn nwfn y galon fod Saunders Lewis wedi taro'r hoelen ar ei phen pan gollfarnodd gymeriadau gwlanennaidd *Storïau'r Tir Du*. Meddai Saunders amdanynt mewn llythyr byr drannoeth cyhoeddi'r gyfrol:

> Nid wyf yn hoffi Ceinwen ddim oll, na Cholbo lawer. Wrth gwrs, darllenaf bob dim a sgrifennwch gan fwynhau'r arddull a'r Gymraeg loyw gain hyd yn oed pan fo'r mater yn ddamniol – megis Ceinwen. Byddaf wrth eich darllen yn teimlo na ddylwn i ddim ymyrryd â'r Gymraeg; ond er fy holl edmygedd diffin o'ch gafael arni, mae'n gas gen'i eich pobl dda chwi. Mae 'na wlanen yn eu heneidiau a'u hymennydd sy'n fy nhagu i. Dyna fi wedi ei dweud hi! Yr arswyd annwyl.[411]

Cyfeiriodd drachefn at gymeriadau duwiol D.J. mewn adolygiad yn 1950. Meddai, 'Fedraf i ddim dygymod o gwbl â'i bobl dda, ei dduwiolion ef. Mae eu heneidiau a'u hymennydd hwy wedi eu gwneud o wlanen, Edith, Colbo a Cheinwen.'[412] Sylweddolodd D.J., gyda chymorth Saunders, fod cymeriadau'r dadrith a'r diwreiddio yn wrth-arwrol ac yn tarfu ar ei gynlluniau llenyddol. Er eu bod wedi'u symud o'u cynefin, ac er y gellir canfod rhesymau dilys dros eu cyflwr, maent yn heintio'r byd gwyn yr oedd D.J. â'i fryd ar ei amddiffyn a'i adfer. Oherwydd hynny, yn ei chweched cyfnod llenyddol, dyma D.J. yn gwthio'r pendil yn ddiseremoni yn ôl i ganol byd gwyn difrycheulyd *Hen Wynebau* gan ailymweld â'i fro enedigol yng nghyfrol gyntaf ei hunangofiant a phenodau cyntaf yr ail. Yn *Hen Dŷ Ffarm* a dwy bennod gyntaf *Yn Chwech ar Hugain Oed* darlun cyflawn o'i fro yw darlun D.J.; y mân gymeriadau yn britho'r tudalennau, y prif gymeriadau, fel Nwncwl Jams, yn gornelog gyflawn a'r ardal a'i anheddau a'r anifeiliaid hefyd, yn ogystal â'r bobl, yn gymeriadau hefyd. Estyniad yw hynny ar y darlun a ddechreuwyd yn *Hen Wynebau,* a'r darlun cyflawn hwnnw yn ymrithio ger ein bron fel cymuned bendefigaidd unigryw Gymreig a Chymraeg sydd, fel y dangosodd Saunders Lewis, yn wahanol i'r aristocrasi Seisnig elitaidd, yn cynnwys pawb. Meddai Saunders Lewis, 'nid ei gofiant ei hunan, ond cofiant teulu, bro, cymdogaeth, cymdeithas, cenedl

...' yw *Hen Dŷ Ffarm*. Ac oherwydd iddo gysylltu'i gofiant â'i genedl dyma, meddai:

> y llenor a gafodd, drwy ei dras a'i dreftadaeth ef ei hunan, weledigaeth ddyfnach ar Gymru na neb arall sy wedi sgrifennu yn ein canrif ni [h.y. yr ugeinfed ganrif] ...

Trwy ei bortreadau o anifeiliaid, o geffylau i fod yn fanwl gywir, a'u safle yn y gymdeithas y mae canfod yr allwedd i'r weledigaeth hon. Wrth gyfeirio at y disgrifiad o Blac ym mhennod gyntaf *Hen Dŷ Ffarm* dywed Saunders Lewis mai cymdeithas o uchelwyr yw'r gymdeithas hon â'u 'medr i drin ceffylau a magu ceffylau a rasio ceffylau yn perthyn iddynt erioed'. Nid hynny'n unig chwaith. Mae iddynt fedrau diwylliannol, aristocrataidd eraill yn cynnwys hel achau, ymddiddan, campau gwŷr y mynyddoedd, cerdd dafod a cherdd dant. Ond deall ystyr hyn oll sy'n bwysig. Darlunio cenedl '... o uchelwyr ... cenedl aristocrataidd; nid aristocratiaid yn ddosbarth bychan ar wahân i weddill y genedl', a wnaeth D.J. Eglura ymhellach ei fod, yn wahanol i bob llenor Cymraeg arall, yn gwrthbrofi haeriadau'r Saeson, haeriadau a fu'n foddion i'n hargyhoeddi ni, mai pobl heb urddas na thras ydym. Meddai Saunders Lewis:

> Un o fuddugoliaethau ysbrydol pwysicaf y Saeson ar y Cymry yw eu bod hwy wedi llwyddo i'n hargyhoeddi ni ... mai peth yn perthyn i ddosbarth bychan Seisnig yw pendefigaeth, ac nad cenedl o uchelwyr mo'r Cymry, eithr "gwerin" yn ystyr boliticaidd bas y gair hwnnw, sef dosbarth isel heb urddas gorffennol na threftadaeth na hanes na thras na balchter teulu na diwylliant breiniol ...

Ond ni lwyddwyd i fygu balchder D.J. yn ei dreftadaeth a'i dras. Oherwydd iddo 'ymwybod â hen werthoedd' ei genedl, myn ysgwyddo cyfrifoldeb 'personol am eu parhad'. A dyna ddywed Saunders Lewis yw 'athroniaeth boliticaidd barddoniaeth yr uchelwyr'.[413]

Cryfder pendefigaeth Cymru yw ei bod hi'n falch o'i thras; hynny yw ei chyfoeth. Nid cyfoeth materol nac arwahanrwydd dosbarth sy'n rhoi iddi ei statws. Dyma'r gymuned gytûn, gyfartal a chyfathrach y trigolion â'i gilydd, ynghyd â'u llafur caled, yn ddiddanwch iddynt. Adlewyrchir y diddanwch hwnnw yn y darlun o Abernant, tŷ a chartref nodweddiadol o'r ardal. Yn y gegin gynnes, isel a thywyll mae'r cig moch, y silots, y wynwns a'r dryll, y basgedi a'r wermod lwyd a'r gawmil wedi'u sychu, yn hongian rhwng y trawstiau. Yno hefyd mae'r lamp wen fantellog, y simnai lwfer, y crochanau uwchben y tân da, y sgiw a'r cadeiriau deri trwm, diaddurn a'r '... seld y gwelech eich llun ynddi gan ôl y cŵyr gwenyn a'r eli penelin ar ei phanelau'. Ond pwysicach na chynhesrwydd y tai yw cynhesrwydd pobl. Meddai D.J. am Abernant:

> yr oedd yno, bob amser, lond aelwyd o groeso cartrefol, di-lol, i bwy bynnag a drôi i mewn; a chynnig pryd o fwyd, – bron cyn iddynt eistedd i lawr, ond i'r cymdogion nesaf, a oedd mor gartrefol yno â ni ein hunain.[414]

Heblaw am y balchder tras a amlygir yn yr olrhain achau, a heblaw am y cynhesrwydd cymdogol mae yna gadernid pellach allweddol i'w pharhad yn eiddo i gymuned wledig y filltir sgwâr. Yn y bedwaredd ganrif ar bymtheg gallai ei chynnal ei hun. Ym Mhen-rhiw, heblaw am ffermio anifeiliaid a'r cnydau arferol, yn waddol o chwys a dawn tad-cu D.J., ceid ffrwythau ar y cloddiau, digon i ddiwallu anghenion siopwr o Lambed, a choedwigoedd ar y llethrau anhygyrch ar gyfer cyflenwi anghenion diwydiant gwlad.

Tan 'Gadael Pen-rhiw', y bennod olaf yn y llyfr, plethwaith hudol o bortreadau a digwyddiadau'r gorffennol, wedi'u gosod ar gefndir gwledig heulog sy'n loddest o lawenydd yw *Hen Dŷ Ffarm*. Serch hynny y mae yma gysgodion sy'n pylu disgleirdeb yr haul. Y cysgodion hynny, heblaw am un eithriad, yw'r ymyriadau gwleidyddol sy'n cyfeirio at ddirywiad y gymdogaeth yn Rhydcymerau ac sy'n taranu yn erbyn ei dinistrio. Dyma ddinistr a oedd yn ddinistr bwriadol o gymdeithas Gymraeg wledig gan rym gwleidyddol estron. Enghraifft o'r ymyriadau hyn yw sylwadau D.J. ar arfer y Cymry o Seisnigeiddio'u henwau a gosod enwau Hebreaidd ar eu capeli ac enwau Saesneg ar eu tai busnes (*HDFf,* tt. 32–3). Beirniedir ymhellach y Cymry, neu'r Cymry cydwladol, wrth i D.J. gyfeirio atynt fel pobl 'sy'n selog dros hawliau pob gwlad a chenedl, ond yr eiddynt eu hunain …' (*HDFf,* t. 49). Yna, wrth iddo nodi pwysigrwydd achau, dywed D.J., 'Arwydd … o'r dirywiad yng ngwerthoedd ein bywyd cenedlaethol ni, heddiw, yw fod cynifer o Gymry yn cymryd cymaint mwy o ddiddordeb ym mhedigri eu cŵn … nag yn nhras a hanes eu tadau a'u mamau' (*HDFf,* t. 73). Cyfeirir hefyd at y polisïau a'r datblygiadau dinistriol a orfodwyd ar Gymru gan Loegr; y gyfundrefn addysg estron (*HDFf,* t. 85) a sefydlwyd er mwyn 'porthi Llywodraeth estron â chlercod a gweision da' (*HDFf,* t. 131); y Rhyfeloedd Byd Ymerodraethol a waedodd Cymru o'i hieuenctid ac a waethygodd galedwaith yr amaethwyr (*HDFf,* t. 132) a gwanc Prydain am nwyddau crai a fynnodd blannu coed ar dir ffrwythlon. Ys dywed D.J., 'Heddiw mae waliau coed, filltiroedd o drwch yn cau rhyngddynt [rhwng Rhydcymerau a Gwarnogau], a tho llawer tyddyn lle bu cân a phennill wedi syrthio iddo, – diolch i ofal Llywodraeth Llundain dros fywyd gwledig Cymru!' (*HDFf* t. 157).

Dyma yw gwaddol dylanwad straeon byrion D.J. ar ei hunangofiant, a dyma'r islais o gynddaredd sydd yn rhoi rhuddin i'r gwaith. Ys dywed Bobi Jones am *Hen Dŷ Ffarm*:

> Mae peth o rym y gyfrol yn tarddu o'r ffaith ein bod yn cael ein taflu er y dechrau, weithiau'n ddiymwybod, ac yn sicr heb fod yn oramlwg, o'r gorffennol tlws i'r presennol erch, o fwynhad i ddicter, hyd nes ein dal ni cyn bo hir yn y ddau yr un pryd. Islais yw'r presennol a'r dicter, mae'n wir, tu hwnt i'n clyw ymron … Er mor achlysurol yw'r gyfeiriadaeth at hyn, mae ei bresenoldeb cyson yn peri i'r cwbl o'r gwaith gael ei ddal mewn ffrâm gelfyddydol sy'n rhoi dimensiwn o bwys arall iddo … mae'r llawenydd yn eironig. Mae hyd yn oed y storïau digrif yn greulon. Mae'r troeon trwstan, y

> canu, y tipyn yfed, y ceffylau, yr achau, y sgwrsio difyr, a'r ffermio ei hun yn rhan o ddelfryd a gafodd ei ddistrywio, nid o ddelfryd a ddarfu, ond un a gafodd ei difetha'n ffiaidd … [415]

Ymhlyg yn y dicter hwn y mae'r 'elfen o gyfrifoldeb personol' y cyfeiriodd Saunders Lewis ato, am barhad y bywyd a bortreadir. Golyga hynny wrthwynebu ei ddinistrio gan estron trwy warchod buddiannau cenedl y Cymry. Ac y mae yma fwy na hynny hefyd. Cyfrifoldeb cyfansawdd yw gwarantu parhad cenedl, cyfrifoldeb ei deiliaid hi. A dyna yw'r trasiedi. Yn y storïau byrion gwleidyddol, nad oedd gan Saunders Lewis fawr o olwg arnynt, wynebir y caswir, heb sylweddoli hynny'n llawn gan D.J. ei hunan, na ellir parhad Cymru o osod y cyfrifoldeb amdano ar ysgwyddau ei deiliaid taeogaidd hi. Serch hynny, er anhawsed y dasg, myn D.J. ar dudalennau *Hen Dŷ Ffarm* geisio cywilyddio'i gyd–wladwyr difraw i weithredu dros eu cenedl.

Yng nghlo *Hen Dŷ Ffarm* mae yna gysgod arall a thrasiedi nad yw'n rhan uniongyrchol o'r trasiedi gwleidyddol. Dyma drasiedi sy'n nes at wreiddyn y gymdogaeth ddelfrydol hefyd, sef y chwalu ar ddedwyddwch teulu D.J. o'r tu mewn gan gasineb Nwncwl Jams a'r ymadael â Phen-rhiw yn ganlyniad i hynny. Ni allai mam D.J. ddygymod â diogi a sylwadau sbeitlyd ei brawd-yng-nghyfraith, a hwythau'n byw dan yr un to, a bu'n rhaid symud i Abernant, lle bach na allai gynnal y teulu cyflawn, y tad a'r mab. Ni fynnai D.J. gydnabod bod yna elfennau cynhenid yn y gymdogaeth ddelfrydol yn cyfrannu at ei dinistr. Yn ôl ei dystiolaeth ei hun ni sylweddolai eu bod yno ac wedi gwthio'u pig i'w hunangofiant. Ni phlesiwyd ef gan adolygiad Kate Roberts a bwysleisiai'r anghydfod ac anghysur a ganfu hi ar dudalennau *Hen Dŷ Ffarm*. Meddai yn ei ddyddiadur, 'Adolygiad Dr Kate Roberts ar *HDFf* – pwysleisio pethau nad oeddwn i wedi eu rhoi yn y llyfr – ffraeo a chasineb etc.'[416] Ond y mae elfennau chwalfa yn bresennol yn y filltir sgwâr ddihalog sy'n mynnu tarfu ar fwriad D.J. o gyflwyno inni ei iwtopia. Mae'r chwalfa hon yn milwrio yn erbyn un o brif elfennau *Hen Dŷ Ffarm*, sef y cydweithredu rhywiog sy'n cynnal y gymdeithas. Mae yna ddwyster ynghlwm wrth eironi'r symud o Ben-rhiw i Abernant oherwydd diffyg sensitifrwydd a chasineb Nwncwl Jams. Meddai Waldo Williams wrth roi ei fys ar ddolur yr eironi hwn sy'n deillio o gymharu'r darlun hyfryd â'r stori drist:

> Un o'r prif elfennau yn y darlun, sef y cydweithredu rhywiog, ydyw'r un sy'n methu yn y stori, lle y dylai fod gryfaf ... ac yn achosi'r diweddiad.

Ac y mae'r diweddiad yn dod â ni yn ôl ar unwaith at y trasiedi o ddifetha'n ffiaidd y gymdeithas hyfryd. Achos chwalu'r gymdeithas yw ei bod hi'n methu ei chynnal ei hunan a bod rheidrwydd ar ei hieuenctid i'w gadael er mwyn chwilio gwaith a chynhaliaeth yn y broydd diwydiannol. Ac o'i gadael, cymuned yw hi yn ei gwendid sy'n agored i raib pellach cynllun coedwigaeth y llywodraeth. Yn eironig ddigon hyn sy'n dwysáu a dyfnhau ymhellach liwiau'r darlun.[417]

Mae dwy bennod gyntaf *Yn Chwech ar Hugain Oed* yn ffurfio seithfed cyfnod llenyddol D.J., cyfnod y gohirio. Ynddo atelir dros dro chwalfa cymdogaeth Rhydcymerau. Er i deulu D.J. ddioddef '... chwalu'r "hen nyth" ...' daw dedwyddwch iddynt yn y cartref newydd yn Abernant ac yn y bennod 'Yr Awyr Las' cawn yr un olrhain heulog ar hynt a helynt trigolion yr ardal a'r un cyflwyno deheuig ar gymeriadau diddorol a ffraeth ag a gafwyd yn *Hen Dŷ Ffarm*. Ond gan taw lle bach yw Abernant nid oes yno'r moddion i gadw'r teulu ynghyd ac yn y pen draw gorfodir D.J. a'i chwaer i adael bro eu mebyd. Meicrocosm o dynged cymdogaeth gyfan yw tynged teulu D.J. oherwydd, ar ôl cenedlaethau lawer, daw rhawd amaethyddol y rhan fwyaf o dylwythau'r fro i ben gan chwalu am byth y gymdogaeth gydweithredol, rywiog.

Mae ymfudiad D.J. i'r gweithfeydd glo yn esgor ar ddarn o lenyddiaeth odidog sy'n ffurfio'r wythfed a'r olaf o gyfnodau llenyddol D.J. Ynddo mae'r pendil llenyddol yn cael ei wthio yn ddi-lol, o'r byd gwyn, yn ôl unwaith eto i fyd llwyd diwreiddio a difreintio'r Cymry. Mae'r bennod 'Yn Ffas y Glo', pennod bwysicaf *Yn Chwech ar Hugain Oed,* yn ddarlun byrlymus o'r gymdeithas liwgar, ysgyfala a dyfodd o gwmpas maes glo De Cymru. Ynddi cyflwynir inni folawd i ddewrder a chrefft y gweithwyr tan ddaear a hanai o'r wlad, yn enwedig y coedwyr rhyfygus o ddewr.[418] Ac yna, yn gyfeiliant i'r folawd, mae ynddi feirniadaeth gymdeithasol gref ar gyfundrefn ddiwydiannol anystyriol na ofidiai ffeuen am y difrod a wneid i iechyd y glowyr a orfodid i weithio mewn lleoedd tanddaearol llychlyd ac afiach, a hynny'n gyfrwng i fyrhau einioes dyn gymaint ag ugain mlynedd. Mae ynddi feirniadaeth bellach hefyd, beirniadaeth sy'n seiliedig ar yr islais a glywyd yn *Hen Dŷ Ffarm*. Yma cyfyd yn don o gynddaredd hyglyw yn erbyn diwreiddio'r gwladwr a'i rwygo o'i gynefin gan rym Sosialaeth faterol. Datgenir ymhellach mai effaith y diwreiddio hwn ynghyd â dylanwad addysg estron Seisnig, yw amddifadu'r Cymry o'u hiaith a'u hunaniaeth a dwyn oddi arnynt eu cymunedau a'u gwarineb. Meddai D.J.:

> Dysgodd ein Cyfundrefn Addysg ddigon o Saesneg i blant Cymru i'w gwneud yn weision da, – ufudd hyd angau i'r Llywodraeth, a bod galw; i hel swyddi, ac i gronni arian. Gwnaeth ohonynt drefedigaeth o ddynion dof, defnyddiol, diogel, di-wreiddiau, – dynion y gellir eu cyflyru bron at unrhyw beth heb beri unrhyw boen iddynt … A dyna dro olaf y sgriw yn y Peiriant Mwrdro Cenedlaethol sy'n bygwth llethu a difetha'n derfynol enaid ein cenedl ni.[419]

Serch hynny, nid yw'r beirniadaethau cymdeithasol a'r pregethu gwleidyddol yn amharu dim ar fwrlwm stori 'Yn Ffas y Glo' oherwydd mae lliwiau'r darlun yn ddyfnach o'u plegid. Mae'r bwrlwm fel petai yn chwerthin yn nannedd trallod a dioddefaint a dinistr. Yn britho tudalennau'r bennod hon mae'r cymeriadau lliwgar sy'n gyfrifol am y rhialtwch a'r sioncrwydd a'r chwerthin. Yma cawn gwmni'r glowyr garw ond caredig a chrybwyll yr hen baffwyr dyrnau moelion tebyg i Ianto Llyged Toston, Dai

Llygad Rigli a Wil Cross Inn a'u hanesion hwythau yn cymell y D.J. ifanc i feistroli'r gamp focsio. Yna mae storïau difyr y bennod hon yn llawn cyfaredd y cyfarwydd; yn eu plith hanes yr ymweliad â Chaerdydd a Sam Bwtsiwr â'i drwyn fflat a'i glustiau fflatach, gwaddol sawl ymladdfa ffyrnig, yn rhwystro D.J. a'i gyfeillion lluddedig a newynnog rhag cael llety a swper hwyr yn y dref; hanes y tŷ lodjin, 32 Dyffryn Street, wedyn a'r llu cymeriadau diddorol a oedd yno, yn eu plith 'Whatsmecall' Palmer a'i draed drewllyd, Jack Nottingham cythreulig na fynnai dalu ei ddyledion a'r anfarwol Bili Bach Crwmpyn a ddaeth â'i gyfaill, y Northman Mowr meddw, i'r llety ac a ddifwynodd nwyddau'r siop a oedd yn union o dan ystafell wely'r 'lodgers' trwy ddymchwel y pot piso â'i gynnwys yn dihidlo trwy'r estyll gan ddiferu'n ddyfal ar y bocsys a'r poteli losin islaw. Meddai Saunders am y stori honno:

> ... [p]an ddois i at stori Bili Bach Crwmpyn mi chwarddais mor uchel ac mor ddilywodraeth nes imi ddeffro'r wraig uwchben yn y llofft. Diolch i'r nefoedd eich bod wedi cael calon i'w sgrifennu hi. Mae hi'n siwr o roi canrif arall o einioes i'r iaith Gymraeg.[420]

Yn y bennod hon, felly, cawn gip, ys dywed D.J.:

> ar un ochr i fywyd y Rhondda ddechrau'r ganrif hon,– [yr ugeinfed ganrif] y gwrthun, y digrif, a'r cynnes yn un hylif berw beunyddiol, y naill ar ben y llall.[421]

Cip tebyg a gawn gan D.J. ar fywyd yng Nghwm Aman a Chwm Dulais hefyd, dwy ardal lofaol y bu ef yn gweithio ynddynt ar ôl gadael y Rhondda.

Mae Bedwyr Lewis Jones yn awgrymu bod *Yn Chwech ar Hugain Oed* yn ddiffygiol pan dry yr awdur ei olygon tuag at wlad y pyllau glo. Er yn cydnabod disgleirdeb y cyfleu, dywed:

> Yn y sôn am yr Hen Ardal, er hynny, y mae rhyw ddimensiwn arall na cheir mohono wrth ddarlunio gwlad y pyllau glo. Mae'n anodd taro ar air i fynegi hyn, oni chydir mewn trosiad o eiddo D.J. Williams ei hun. Fe soniodd ef mewn un man am adeiladwaith

> *digynghanedd* trefi Cymru. Gweld y *gynghanedd* ym mywyd yr Hen Ardal yw'r weledigaeth arbennig a gafodd ef.[422]

Do, fe welodd D.J. gynghanedd bywyd ei fro enedigol a'i mynegi'n gelfydd yn *Hen Wynebau* a *Hen Dŷ Ffarm* a dwy bennod gyntaf *Yn Chwech ar Hugain Oed*. Sylwodd hefyd nad oedd y gynghanedd honno yn bodoli yn y Rhondda, yng Nghwm Aman a Chwm Dulais. Ond nid yw cyfleu hynny yn ail ran *Yn Chwech ar Hugain Oed* yn andwyo'r llyfr ar wastad llenyddol. O edrych ar gyfanwaith llenyddol D.J. gwelir fod yma gyferbynnu dwy ardal neu ddwy gymdogaeth, cymdogaeth wledig gydweithredol a chymdogaeth lofaol ddiwydiannol, ac yn y cyferbynnu hwnnw y gorwedd grymoedd nodedig. Yr hyn sydd ar goll yn yr ardaloedd glofaol, diwydiannol, fel y'i mynegir trwy bregeth uniongyrchol a thrwy awgrymusedd cyfrwys, yw'r cydweithredu a fodolai yn y gymdeithas amaethyddol. Ni ellir hynny oherwydd, yn y pen draw, cwmnïau mawr cyfalafol sy'n trechu, sy'n meddiannu'r diwydiant glo. Er i sefydlwyr y blaid Lafur amddiffyn hawliau'r gweithwyr ac er gwladoli'r diwydiant glo yn ddiweddarach ni chafwyd yno yr ymdeimlad o berchnogaeth, neu fân berchnogaeth, a fodolai yn y gymuned amaethyddol ac a hybai gydweithredu rhwng ffermwyr a thyddynwyr a gweision a morynion. Yr oedd y diwydiant glo yn anghenfil rhy fawr i feithrin cydweithrediad. Cafwyd, yn lle hynny, wahaniaethu rhwng gweithiwr a rheolwr a pherchennog ac ymryson rhyngddynt. Collwyd yr ymhyfrydu mewn caledwaith a fodolai yn y wlad a diflannodd parch at grefft i raddau helaeth wrth i beiriannau ddisodli dwylo'r gweithwyr. Ac ar ben hynny, bu'r mudiad Llafur yn hynod wrthwynebus i Gymreictod. Seiliwyd eu gweledigaeth hwy o ddemocratiaeth ar Seisnigrwydd. Er mwyn ennill cydraddoldeb roedd rhaid meistroli Saesneg gan taw yn nwylo Lloegr yr oedd pob grym gwleidyddol ac economaidd. Ac ar ben hynny eto, y modd i ddianc rhag diflastod caledwaith y maes glo a thlodi'r ardaloedd gwledig oedd llwyddiant yn y byd addysg Seisnig. Canlyniad y llwyddiant hwnnw oedd diwreiddio'r Cymry ymhellach, boed hwy'n hanu o'r wlad neu'r ardaloedd poblog, trwy ddwyn oddi arnynt eu hunaniaeth. Dyna a ddigwyddodd i D.J. ei hun. Yr unig wahaniaeth rhyngddo ef a'i lu cymheiriaid tawedog, bodlon a thaeog oedd ei fod ef, yn ei alltudiaeth, wedi'i dynghedu i gicio yn erbyn ei ddiwreiddio. Gwaetha'r modd, y mae cydnabod taeogrwydd y diwreiddiedig unwaith eto'n treisio bwriad llenyddol D.J., a dyna sy'n poeni Bedwyr Lewis Jones mewn gwirionedd, oherwydd ni ellir osgoi'r ffaith taw gwendidau trigolion y byd gwyn yn eu halltudiaeth yw'r elfen sy'n gyfrifol am ganiatáu dinistrio cenedl y Cymry. Mae hynny'n poeni D.J. hefyd, ond er iddo geisio'i orau i'w osgoi oherwydd ei fod yn cytuno â'i feirniaid, ni allai beidio â wynebu'r gwir plaen a'i gyflwyno'n ddi-flewyn-ar-dafod i'w ddarllenwyr.

D.J. a phropaganda

Credai D.J. fod gan lenor hawl, neu hyd yn oed gyfrifoldeb, i gynnwys propaganda yn ei weithiau creadigol. Ni chytunai â'r beirniaid llenyddol a fynnai nad oedd lle i bropaganda mewn llenyddiaeth. Iddo ef:

> … nid yw celfyddyd ond ymdrech aruchelaf dyn i esbonio bywyd … fel ag i'w wneud yn fwy amgyffredadwy i'w gyd-ddyn … yn rhyw fath o fynegiant … o'r hyn a gred ef yw bywyd, neu yr hyn a hoffai iddo fod. A dyna, yn gyffredinol, yr hyn a olygir gennym wrth bropaganda, onid e? Troi barn ac ymddygiad eraill i fod yr un fath â'r eiddom ni.[423]

Nodwyd eisoes ei edmygedd o broffwydi'r Hen Destament. Dyna oedd eu hamcan hwy. Hwy oedd propagandwyr mawr eu dydd a'u hebychiadau a luniwyd yng ngwres eu hangerdd yn troi'n llenyddiaeth fawr yr oesau. Meddai D.J.:

> Allan o gyfnodau ac amgylchiadau yn hanes Israel gynt … y cafodd y byd rannau o lenyddiaeth odidoca'r oesoedd, a hynny, cofier, nid gan feirdd a llenorion wrth grefft … ond gan bropagandwyr mawr

eu dydd ... O'u hiaith brin lluniasant feddyliau ac ymadroddion sy'n atsain o hyd yng nghlustiau plant dynion. Llenorion dan angerdd cydwybod oedd y rhain a gadwodd Israel yn genedl hyd heddiw.[424]

Felly nid diddanu yw unig swydd llenyddiaeth ond dehongli hefyd. Dyna a ddywed yn ei feirniadaethau eisteddfodol a'i adolygiadau ar waith ambell lenor. Yn 1938, yn ei feirniadaeth eisteddfodol ar y nofel, dywed am y ffurf honno ar lenyddiaeth:

Y mae'r nofel fel y ddrama a'r stori fer yn ddehonglydd, yn gystal ag yn ddiddanydd cymdeithas ... Swydd artist felly yw peri i ni weled lle yr oeddem ni gynt yn ddall. Ef sydd yn canfod, yn dewis ac yn trefnu drosom, ac wrth wneud hynny yn ein diddanu hefyd.[425]

Diddorol yw sylwi mai at ffurfiau rhyddiaith y mae D.J. yn cyfeirio yn y dyfyniad uchod. Rhyddiaith, yn ei farn ef, yw'r cyfrwng addas ar gyfer dehongli cymdeithas a dylanwadu ar ddynion gan nad yw'r lliaws ohonom yn ymddiddori mewn barddoniaeth. Mynega'r gred hon yn groyw yn ei feirniadaeth ar y Fedal Ryddiaith yn Eisteddfod Genedlaethol Llanrwst 1951. Meddai:

Rhyddiaith yw'r ffurf symlaf a'r fwyaf uniongyrchol a dealladwy o'r celfau cain i gyfleu a mynegi meddyliau a syniadau dynion; ac, o ganlyniad, y mae ymhlith y pennaf yn ei dylanwad ar gymdeithas, gan ei bod o fewn cyrraedd pawb ... nid ar ganu a barddoni yn unig y bydd byw cenedl ... ond ar ddatblygu ohoni, mor gyflawn ag y galler, bob gwyddor a chynneddf a berthyn i'w bywyd hi, – yn faterol, moesol ac ysbrydol. Gan hynny, fe fydd yn arwydd o iechyd ac o obaith newydd yng Nghymru pan welir ei phlant yn noddi ei llenyddiaeth, a'i rhyddiaith yn rhan mor bwysig o honno, drwy brynu a darllen ei phapurau ... yn hytrach na bodloni fel y gwneir yn awr, ar sŵn gorohïan un dydd ynghylch rhywbeth nad yw, ysywaeth, o fawr ddiddordeb i'r lliaws ohonynt, weddill y flwyddyn.[426]

Heblaw am ddiffyg diddordeb pobl mewn barddoniaeth, teimlai D.J. mai ffurfiau wedi ffosileiddio oedd barddoniaeth eisteddfodol ei gyfnod ef. Mynegodd y farn mai ymarferion academig yn unig oeddynt a'r beirdd heb awydd dehongli na dweud dim wrth y

Cymry am eu byw a'u bod. Yn ei adolygiad ar y nofel newydd ei thechneg ar y pryd, *O Law i Law* gan T. Rowland Hughes, dywed D.J.:

> Y mae'r awdl a'r cywydd yn ddigyfnewid bron er y bymthegfed ganrif; a'r bryddest hithau, wedi ymsefydlogi yn ei ffurf ers dros gan mlynedd. Tuedd y rhain yw mynd yn ymarferion academaidd yn unig, a pheidio â bod yn ddrych yn adlewyrchu bywyd a thyfiant y genedl fel y gallasai'r ddrama, y nofel, a'r stori fer pe rhoesid iddynt ddegwm o sylw a roed i'r hen ffurfiau. Rhaid i lenyddiaeth cenedl, od yw hi i fyw, fod yn rhywbeth heblaw addurn yn unig; rhaid iddi fod yn ddrych ac yn ddehonglydd hefyd. Y mae popeth byw, yn ôl ansawdd ei le a'i dymor, yn gwingo, yn cicio, ac yn gwneud arbrofion parhaus ar gyfryngau helaethach i'w fynegi ei hun. Y mae'n bosib i'r gor-bris a roddwyd yng Nghymru ar hyd y blynyddoedd ar gipio'r llawryf am orchestion meirwon y gadair a'r goron yn yr Eisteddfod Genedlaethol fod wedi llesteirio datblygiad cytbwys llenyddiaeth Gymraeg.[427]

Gwelir yn glir, felly, fod yna ddimensiwn gwleidyddol i ryddiaith lenyddol (a barddoniaeth heb ffosileiddio mae'n debyg), ym marn D.J. Williams. Yn ei ragair i *Hen Dŷ Ffarm* dywed D.J. mai un o'r rhesymau pwysicaf dros ysgrifennu llyfr yw bod yr awdur:

> am gael gwared ar faich ar ei ysbryd, ac nad oes iddo lonyddwch hyd y gallo, rywsut neu'i gilydd, drosglwyddo rhan o'r baich i arall. Y baich hwnnw, a'r trosglwyddiad ohono, a stamp personoliaeth yr awdur ar y cyfan, yw swm a sylwedd gwir lenyddiaeth.

Wrth gyfeirio mewn adolygiad at y datganiad hwn o eiddo D.J., dywed Lewis Valentine amdano, 'Nid er mwyn ennill neb i'w ffydd wleidyddol yr ysgrifennodd ei lyfrau.' Ar yr un anadl myn mai, 'Camp yr awdur ydyw iddo lwyddo i'n hennill ninnau i garu'r fro hon [milltir sgwâr D.J. yn Rhydcymerau], a'i gweld fel y fro y dylasai pob dyn synhwyrol ddymuno byw ynddi, ac ymglywed â'i chynhesrwydd a'i chwennych.'[428] Ie, yr ail ddatganiad hwn sy'n iawn, nid y cyntaf, oherwydd o gydnabod ei gamp cofier bod y 'fro hon', Rhydcymerau D.J., yn feicrocosm sydd, yn ei dro, yn cwmpasu Cymru gyfan, y macrocosm. I D.J., ei faich yw ei gariad tuag ati ar adeg ei difrodi, baich sy'n ei orfodi i ymdrechu drosti hyd yr asgwrn ddydd a nos er mwyn ei hachub a'i hadfer i'w hen ogoniant. Golyga hynny ymdrech wleidyddol ddygn ac y mae hi'n amlwg bod un o'i gyfeillion agosaf wedi camddehongli ei awydd i rannu ei faich gwleidyddol â'i gyd-Gymry trwy ei weithiau llenyddol.

Oherwydd i D.J. gredu bod gan awdur hawl i lunio gweithiau creadigol a gynhwysai elfennau didactig, hyd yn oed elfennau didactig gwleidyddol, condemniwyd ei weithiau aeddfetaf gan rai beirniaid. Ni chyhuddwyd ef gan neb o anafu ei greadigaethau cynnar, ei bortreadau, ei storïau byrion cynharaf, ynghyd â'i bortread o'r Hen Ardal ym mhenodau agoriadol *Hen Dŷ Ffarm*, â phropaganda. Er eu bod yn weithiau a glodforai y Gymru a ddifrodwyd nid oedd eu propaganda, a oedd yno dan yr wyneb, yn ddigon ymwthgar i gythruddo hyd yn oed y beirniaid mwyaf sycoffantaidd eu hymlyniad wrth Brydeindod.

Ond wrth i'w weledigaeth ddyfnhau a chaledu, cloddiodd D.J. yn y pridd a dinoethodd y graig, craig y gwir noeth, ar ran ei ddarllenwyr. Ac wrth i'w storïau byrion gynnwys themâu yn ymwneud â chenedlaetholdeb, heddychiaeth a thaeogrwydd, ar yr wyneb fel petai, heb obaith i'w hosgoi, fe'i condemniwyd gan rai beirniaid. Credai Bedwyr Lewis Jones, er enghraifft, fod y ' … portread o'r Hen Ardal yn llawer grymusach propaganda yn ystyr lawnaf y gair, na'r hanes am Ceinwen a'r dychan ar draul Dogwell Jones, yn rymusach hefyd na'r areithiau tua diwedd *Yn Chwech ar Hugain Oed*'. Er iddo nodi, wrth gyfeirio at yr Hen Ardal, taw portread 'cenedlaetholwr trwyadl ydyw', eto fe'i cymeradwyai. A'r rheswm am hynny oedd mai dan yr wyneb yr oedd propaganda'r gweithiau hyn a gellid, o'r herwydd, ddewis peidio â chloddio amdano, a thrwy hynny ei ddirymu.[429] Craidd y feirniadaeth oedd, ys dywed Dafydd Jenkins:

> the real gravamen of some criticisms of D.J's later stories is that they have too obviously ceased to be simply stories, that they have a didactic purpose which makes them artistically disreputable.[430]

Ac i raddau y mae Dafydd Jenkins yn cytuno â'r feirniadaeth honno, er iddo, ar yr un anadl, amddiffyn D.J. Meddai:

> Some of those later stories ... do seem to be rather vulnerable to the charge of conscious striving towards propaganda ... The complaint which can be made of those few stories is that their technique is not good enough, so that the characters tend to give the impression of having been specially constructed to play the morality parts assigned to them. So they look insincere; instead of being propaganda for the values which their author unshakeably holds, and to which their characters should give life, they have the tiny, fatal, touch of obviousness. Their propaganda is a pill, recognisable through the jam, where it should have been a delectable fruit growing naturally on a living plant. [431]

Ond er i'r beirniaid ei gollfarnu credai Dafydd Jenkins na phoenai D.J. am eu beirniadaethau gan ei fod yn credu yn hawl yr artist i'w bropaganda. Ychwanega:

> D.J. was not much worried by that kind of criticism. He certainly accepted Eric Gill's statement, 'All Art is Propaganda', as a truth; it was not an aspiration, 'All Art *should be* Propaganda', but a statement of fact. [432]

Yn sicr y mae Dafydd Jenkins, fel y gwelsom, yn gywir yn dweud fod D.J. yn credu'n ddiysgog y dylai pob gwaith artistig fod yn bropaganda. Ond ni ellir cytuno ag ef pan ddywed na flinwyd ef gan y feirniadaeth a ddatganai fod propaganda yn andwyo'i waith, yn enwedig y collfarnu ar ei storïau byrion diweddar. Meddai D.J. yn ei ddyddiadur yn 1965:

> Ail ddarllen rhai o'm storïau byrion, Ceinwen, Colbo Jones, Mecca'r Genedl etc. a sgrifennais yn ystod yr Ail Ryfel ac a gondemniwyd gan rai oherwydd y propaganda sydd ynddynt, a'u cael ar y cyfan, yn well nag yr own i wedi ofni. Mae darllen y Gyfrol Deyrnged wedi codi tipyn bach ar fy nghalon, oherwydd fy syniad i am fy storïau wedi'i bwyso adref arnaf yn arbennig gan S.L. ydoedd – nad oedd rhyw lawer o werth ynddynt ...[433]

Barn Saunders Lewis oedd taw canlyniad y pregethu a'r moesoli yng ngweithiau D.J. oedd colli gafael ar yr arddull loyw ac unigryw a gafodd gan gyfarwyddiaid bro ei ieuenctid oherwydd, meddai, ' … yr unig droeon y mae Dafydd 'R Efail Fach yn troi ei gefn ar ei ddisgybl annwyl D.J. Williams, yw pan fo hwnnw yn groes i holl draddodiad yr hen ardal yn ymroi i bregethu'.[434]

Nid oedd D.J. yn hyderus o werth ei storïau tra oedd yn eu cyfansoddi ac yn eu cyhoeddi gan nad oedd Siân ei wraig, heb sôn am eraill, yn fyr o'u collfarnu. Mae'r cofnod yn ei ddyddiadur ym mis Awst 1948 sy'n cyfeirio at gyfansoddi 'Y Gorlan Glyd' yn mynegi rhwystredigaeth a gwewyr awdur sy'n teimlo nad yw'n cyrraedd y nod o greu llenyddiaeth rymus sy'n trosglwyddo'i neges i galon ei ddarllenwyr:

> Gorffen y stori "Y Gorlan Glyd" y bore yma. Siân wedi bod yn difrïo'r stori ar hyd yr amser, ac fe'i hystyriaf yn feirniad craff a chywir. Rhwng hynny a'm harafwch poenus innau'n sgrifennu – sgrifennu rhai paragraffau drosodd chwech, saith ac wyth o weithiau, a darllen y llyfr ar George Eliot yn ddiweddar, a gweld ei nofelau dihafal hi yn llifo allan yn ddi-dor, yr wyf wedi bod ers tro ar fin rhoi fyny'r ysbryd amdanaf fy hun fel sgrifennwr, gan gredu mai fy nhwyllo fy hun a wnâi'r awydd parhaus yng ngwaelod fy enaid am sgrifennu; ac y byddai'n llawn cystal i mi gyfaddef fy methiant trist, a rhoi heibio'r ymdrech. Os mai pastynu didalent oedd fy sgrifennu i i fod, cystal darfod â threio, a gwneud rhywbeth fwy o fewn fy nghyrraedd.[435]

Felly, er iddo ymdrechu'n galed i berffeithio'i grefft fel ysgrifennwr storïau byrion, teimlai D.J. mai methiant fu'r ymgais. Serch hynny, penderfynodd ddygnu arni yn hytrach na rhoi'r ffidil yn y to a llunio stori 'Ceinwen'. Ond nid oedd y rhwystredigaethau wedi cilio ac ym mis Hydref 1948 cofnododd ei anfodlonrwydd ar gyfrwng y stori fer, cyfrwng sy'n ei gaethiwo a'i rwystro rhag cyflwyno'i neges i'w gynulleidfa yn effeithiol:

> Syniad sydyn yn fy nharo i'r bore yma wrth sgrifennu Ceinwen. Teimlwn fod y cyfrwng sydd genny hyd yn hyn, heb roi digon o gyfle i roi'r neges ysbrydol rwy'n deimlo weithiau yn ddigon cryf ac amlwg yn y storïau. Teimlo mai o'r Beibl a Tolstoy (ac eraill o'r Rwsiaid) y cawn i'r gynhysgaeth ysbrydol hon orau. Meddwl am sgrifennu nofel yn disgrifio diwedd Mynachlog Talyllychau.[436]

Ond wrth iddo ddarllen *War and Peace*, Tolstoy, daw ei edmygedd o ddawn yr awdur mawr hwnnw i'w gloffi. Ym mis Tachwedd meddai:

> Gorffen darllen cyfrol 1 *War and Peace* neithiwr. Un o'r llyfrau mwyaf a ddarllenais erioed ymhob agwedd ohono. Y mae darllen ei bortreadau gorchestol o gymeriadau yn creu y fath syndod ynof nes peri i mi bron anobeithio'n llwyr sgrifennu dim ymhellach, gan mor eiddil a bychan yw pob dim a geisiaf i wneud. Rwy'n meddwl o ddifri, weithiau, a ddylwn i gynnig sgrifennu llinell yn rhagor yn greadigol.[437]

Serch yr holl amheuon hyn mynnodd D.J. orffen ei drydydd casgliad o storïau byrion gan fentro ei gyhoeddi. Ond o wneud hynny ni theimlai'n hyderus y câi ymwared â'i feichiau. Meddai, ym mis Mai 1949:

> Teimlaf yn siomedig iawn ar y casgliad [*Storïau'r Tir Du*] yn gymaint felly, fel y credaf nad ysgrifennaf stori fer am yn hir, hir, eto, os byth o ran hynny. Ac eto, bydd yn rhaid i mi sgrifennu rhywbeth, – neu drengi fel cachgi diwerth. Pwy a'm gwared i – teimlwn wrth sgrifennu rhain fod tristwch a thywyllwch pethau yng Nghymru'n gwasgu beunydd arnaf fel na allwn gael gwared arno yn fy storïau. Wedi eu gorffen hwyrach y caf ymwared i'm hysbryd. Bwriadaf yn awr glirio'r byrddau ar gyfer fy Hunangofiant.[438]

Bu D.J. yn ffyddlon i'w fygythiad i beidio ag ysgrifennu stori fer arall yn dilyn cwblhau casgliad *Y Tir Du*; nid oherwydd diffyg syniadau ar gyfer storïau byrion, gan ei fod yn cofnodi cnewyllyn stori yn ei ddyddiaduron yn fynych. Yn eu plith y canlynol:

(1) Defnydd stori fer – dyn bach da a duwiol yn cael ei dwyllo gan sgempyn duwiol tebyg i dramp, gan gredu mai'r Arglwydd a'i harweiniodd ato. Syrthio hefyd yn ei ddiniweidrwydd i grafangau menyw ddrwg. Effeithiau hyn ar ei feddwl. 5 Hydref 1949.

(2) Am dro neithiwr a chael cwmni gŵr diddan, Tom Edwards o Rose Bush ...un o'r toughs, wedi gweithio blynyddoedd dan ddaear ... un o'r darnau cryfaf o gorff a gwrddais erioed, ymladdwr, trainer ceffylau, nafi yn ei ddydd ... Tipyn o ymffrostiwr mae'n

wir, ond un o'r cymeriadau mwyaf diddan ... Defnydd digon o storïau ynddo pe gallwn i ymddatod oddi wrth waith y Blaid. 3 Awst 1961.

(3) Darllen darn olaf Efengyl Mathew ... Crist yn'i rhoi hi i'r Phariseaid ... Teimlo'n gwmws yr un fath ag E at ambell i hymbyg o grefyddwr rydw inne'n 'i nabod, ac yn methu gwybod beth i wneud ag e – ai ei gondemnio fe'n syth yn 'i wyneb, ai ceisio gras ac amynedd i dreio'i ddiodde fe? Rwy'i wedi treio'r ddwy ... Ond dyna fe – mae'r broblem y tu hwnt i fi. Fe leiciwn i sgrifennu stori ... neu ei roi mewn nofel petai genny ddigon o ddawn – dyn diddrwg, didda, diwerth, doniol, ond a chanddo air gwael am bawb yn ei gefen a llawn gweniaith yn ei wyneb, ac eto yn un hoffus iawn. 22–3 Medi 1963.

(4) Y gweinidog ... yn pregethu'n odidog y bore yma ar dair gŵyl ... y rhoddi – geiriau y bregeth fel pe baent wedi cael eu blaenllymu gan yr Ysbryd Glân i fynd i galon y cybydd bach tyn ar ei bwrs a'i gymwynas. Teifryn yn beichio canu'r emynau dwys eu geiriau a'i groen yn gwbl iach; wedi ei godi i dir uchel yna'n llechu'n ôl yn ei gragen yn gwbl ddiogel ar ôl hynny. Defnydd stori dda yma, – angladd crefydd yn ôl dehongliad yr Athro J. R. Jones. 18–9 Mai 1964.

(5) Cael cyfle i weld Sioned, Felin Dolau ... Cael peth o hanes ei bywyd,– eitha caled gallwn feddwl ... Collodd ei gŵr a'i deulu dipyn o arian wrth speculato'n rhy awchus arian mewn cwmni llongau ar ôl y Rhyfel Cynta', "to get rich quick" ys dywedai hi. Bu raid iddi hi weithio'n galed iawn i gadw pethau i fynd ar ôl hynny ... Merch syml, onest ddiddichell, arwr, er heb fod ganddi syniad fod dim o hynny'n perthyn iddi. Defnyddiau stori ragorol ynddi. 26 Hydref 1966.

Ni luniwyd yr un stori fer gan D.J. yn seiliedig ar y nodiadau dyddiadurol hyn am na theimlai y gallai, trwyddynt, drosglwyddo ei feichiau a'i weledigaeth i eraill. Yn ogystal, mae'n debyg iddo dderbyn, er na chredai yn ei dilysrwydd yn ei galon, farn y beirniaid a fynnai nacáu iddo'r hawl i gynnwys hyd yn oed arlliw, pa mor gyfrwys a chelfyddydol bynnag y'i pwythwyd i'w straeon, o bropaganda gwleidyddol yn ei storïau byrion. Er iddo grybwyll ei awydd i ysgrifennu nofel yn cofnodi diwedd Mynachlog Talyllychau, sef nofel grefyddol, hanesyddol, ni feiddiodd hyd yn oed geisio cychwyn arni. Yn hytrach, awgrymodd mewn adolygiad ar *Tabyrddau'r Babongo*, y dylai Islwyn Ffowc Elis, awdur y nofel honno, fentro ar y dasg. Meddai D.J. amdano:

> A dywed rhywbeth wrthyf mai mewn nofel hanes, nofel fawr grefyddol ... yn delio ag un o gyfnodau mwyaf cyffrous Cymru, megis y ddeunawfed ganrif, dyweder, y cawn ni, rywdro, ei waith pennaf oll.[439]

Serch hynny, nid bwriad a breuddwyd seithug fu ei ddyhead am gyfrwng addas ar gyfer trosglwyddo a rhannu ei faich gydag eraill trwy lenyddiaeth, oherwydd cydiodd yn *genre* yr hunangofiant, gan ehangu ei gynfas a'i ystwytho, fel y ceir gweld maes o law, i'r graddau fel y gellid caniatáu iddo ei hawlio fel ei nofel gyntaf. Meddai yn y rhagair i'r gyfrol gyntaf o'i Hunangofiant mai, 'ar lun hunangofiant – fy nofel gyntaf fel petai', yr ysgrifennodd y llyfr. Ychwanegodd mai'r 'cefndir sydd o'r tu ôl' i'r hunan-gofiannydd sy'n bwysig yn hytrach na'r hunan-gofiannydd'.[440]

Ac nid ehangu'r cynfas yn unig, a rhoi iddo gyfle gwell trwy awgrym i ddangos i'w gyd-Gymry yr hyn y dylent ymlafnio i'w warchod, y teimlai D.J. y cynigiai *genre* yr hunangofiant iddo, ond peth hawl i gynnwys propaganda uniongyrchol yn y gwaith. Dengys hynny'n glir yn ei ymateb i feirniadaeth T. J. Morgan ar ei gyfrolau hunangofiannol. Dywed hwnnw yn ei gyfraniad i gyfrol deyrnged D.J.:

> Ac yma mae'n rhaid cyffwrdd yn fyr â'r hyn sy'n fai yng ngwneuthuriad y cyfrolau hunangofiannol, sef y mynych droeon y mae D.J. yn achub ar y cyfle i draethu propaganda ... mae'r pregethu neu'r moesoli yn difetha neu'n niweidio'r cyfansoddiad, oblegid nid hunagofianna ydyw.[441]

Ond er i D.J. amddiffyn ei hawl i gynnwys propaganda yn y gweithiau hyn – noda yn ei ddyddiadur iddo ohebu â T. J. Morgan er mwyn mynegi iddo ei anghytundeb â'i safbwynt, 'Ysgrifennu … at yr Athro T. J. Morgan yn diolch iddo am ei bennod ddiddorol yn y *Gyfrol Deyrnged*, ac yn mentro amddiffyn fy hun yn wyneb y cyhuddiad fod y propagandydd yn yr Hunangofiannau, lle'r oedd gennyf bob hawl i fod, mi gredaf …',[442] – nid oedd yn hollol hapus â'i fynych foesoli, yn enwedig y traethiadau gwleidyddol a gynhwyswyd ac a ddilëwyd o'i gyfrol *Yn Chwech ar Hugain Oed*. Wrth iddo olygu teipysgrif y llyfr am y tro olaf ar gyfer y wasg dywed yn ei ddyddiadur, 'Yr ail bennod yn darllen yn weddol foddhaol, ond rhaid gadael allan ambell ddarn o bregethu yr wyf yn dueddol iddo er fy ngwaethaf, wrth sgrifennu.'[443] Ac eto dair wythnos yn ddiweddarach:

> Chwysu wrth ddod ar draws ambell ddarn rheithegol o bropaganda noeth yn y llyfr. Fel y dywed Siân, y maent yn ddigon da ynddynt eu hunain. Mae'r ysfa'n gafael ynof wrth sgrifennu am Gymru fel ceffyl wedi cael y bit yn ei ddannedd rwy'n methu'n deg ag ymatal.[444]

Ond nid oedd hynny'n ei arwain at ddileu pob darn o bregethu chwaith er iddo resynu ei fod e'n fwy o foesolwr nag o artist crefftus:

> Cael fod llawer o bregethu yn y llyfr, – pregethu da cynllwn weithiau, mae'n wir. Wn i ddim shwd bydd hynny'n cyfrif. Ond yr wyf i dipyn yn fwy o foesolwr, ysywaeth, nag o artist cynnil, awgrymog.[445]

Mae'n bwysig sylweddoli, mi gredaf, bod D.J., wrth adolygu'r gwaith a cheisio'i fireinio, yn anghofio, dros dro, ei gred bod ganddo hawl i bregethu yn ei hunangofiant; dyna un rheswm dros iddo ddewis y ffurf hon ar lenyddiaeth. Ond wrth iddo geisio gofalu, ar yr un pryd, nad yw'r moesoli yn ormodol, yn drymaidd na chlogyrnaidd, a thrwy hynny'n andwyo'r gwaith, daw amheuon i'w boenydio. Dyna, wrth gwrs, yw tynged pob crefftwr, beth bynnag ei faes, wrth iddo geisio perffeithrwydd.

Dylid ychwanegu na fu D.J. yn hollol ddiamddiffyn yn dadlau'i hawl i gynnwys propaganda yn ei hunangofiannau. Mae J. Gwyn Griffiths, ymhlith eraill, yn gadarn o'i blaid. Meddai:

> Anghytunaf, wrth reswm, â'r awgrym mai nam ar gelfyddyd yr hunangofiannydd yw ei fod weithiau'n traethu ei farn ar faterion gwleidyddol a chymdeithasol. Mae'r traethiadau hyn yn rhan bwysig o feddwl yr awdur, ac fe'u disgwylir yn wir mewn hunangofiant. Cymharer gweithiau'r Sais Bertrand Russell a'r Sgotyn Compton Mackenzie a'r Almaenwr Thomas Mann: mewn llyfrau hunangofiannol nid yw'r llenorion hyn yn petruso rhag traethu eu barn am lu o faterion. Pam yn y byd mawr na chaiff Cymro yr un rhyddid?[446]

Mynnodd D.J. y rhyddid i draethu ei farn yn ei storïau byrion aeddfetaf a'i hunangofiannau. Oherwydd hynny bu'r amheuaeth fod propaganda yn andwyo'i weithiau yn ei boeni trwy gydol ei yrfa lenyddol.

Y beirniad a'r adolygydd

Yr oedd D.J. yn berffeithydd ym mhopeth y ceisiai ei gyflawni. Ffynhonnell ei barch mawr i grefftwaith mirain mewn amryfal feysydd oedd gwylio yr amaethwr, yr adeiladwr a'r glöwr yn cyflawni campau anhygoel â'u dwylo medrus. Gellir yn hawdd olrhain parch mawr D.J. i grefftwaith mirain. Yn ei stori 'Y Cwpwrdd Tridarn', yr unig stori yn ôl Saunders Lewis y rhoddodd D.J. dipyn ohono'i hunan ynddi,[447] y mae'n sôn yn serchus, fel pe bai'n mwytho'r darlun, am Harri Bach yn edmygu masiwnwaith y teras tai a adeiladodd â'i ddwylo ei hun. Fe'i gwelir yn '[l]lygadu'n annwyl a hoffus ar grefftwaith y cerrig nadd ar eu ffrynt, ac ar bileri'r cwrt bach o'u blaen'. Ychwanega'r awdur, 'Yr oedd pob carreg nadd yn y rhain yn esmwyth gadarn yn ei lle, fel pe wedi ei thoddi yno.' Yna mae Harri'n cofio drachefn 'am y cerrig dethol o'r pentwr yn llithro i'w lle megis ohonynt eu hunain, a chnoc fendithiol coes y morthwyl ar ben pob un wrth ei gadael'. Ac ar ben hynny i gyd cyhoedda'n falch na roddodd e, Harri Bach, 'ddim carreg slac o'r golwg, na charreg salw yn y golwg, mewn wal erioed'. Dyna ddarlun, nid yn unig o barch at grefft ond o ymhoffi ynddi yn ogystal, er mwyn ei cheinder.[448] A cheir darlun drachefn o'r ymhoffi hwn mewn crefftwaith cywrain, a oedd yn nodwedd gref ar bersonoliaeth D.J. er yn gynnar iawn yn ei fywyd, wrth iddo ddisgrifio'i brofiadau'n gadael cartref am y tro cyntaf yn un ar bymtheg mlwydd oed. Ar yr achlysur hwnnw cofia iddo feddwl am berth wedi'i phlygu gan Wiliam Dafys, Cwmcoedifor. Fe'i disgrifia, '… y rhesi polion cyd-oleddog a'u topiau crwn dan fin y bilwg fel botymau arian uwch plethen lefn y berth a'r clawdd taliaidd odanodd'. Ac y mae'r crefftwaith arni'n anwylach iddo ar fore ymadael â'i gynefin yng ngaeaf 1902 oherwydd ansicrwydd ei fuchedd a'i ddyfodol. Â'i eiriau atgofus anwesa'r berth. Meddai amdani:

> Yr hydref cynt y torrwyd y berth hon; ac ni fyddwn innau byth yn ei phasio heb ei llygadu'n hir a serchog wrth weld y gamp nodedig arni. Ond y bore hwn yn y gwyll llwyd cofiaf graffu ar y berth a'r clawdd yma gyda mwy o fanylrwydd ac anwyldeb nag erioed.[449]

A'r grefft hon ym myd amaeth sydd, o'i throsglwyddo i ffas y glo, yn cynysgaeddu disgrifiad D.J. o fedr y coedwr dan ddaear ag iasau o edmygedd. Dyma ddyn sy'n 'berchen pâr o ddwylo yr ymfalchïai yn y cyrn arnynt er ei ddyddiau ysgol', a 'llygad a allai agor grwn fel saeth heb gymorth un marc, a llaw a blygai berth na allai neb gwir ddiwylliedig gerdded heibio iddi heb ei dynnu'n ôl drachefn a thrachefn i edmygu ei chrefft a'i harddwch'. A chyda'r medrau hynny 'i drin ei fwyell a'i ordd, ei far a'i bren mesur' gallai'r coedwr dan ddaear:

> wneud ambell ddarn o hewl a "gwasg" y creigiau'n drwm arno, fel na allai cath ysgathru trwyddo ond ar berygl ei bywyd, yn gadarnle i ddyn a cheffyl ei dramwy mewn diogelwch; ie, ac yn fynych hefyd, yn ddarn o gelfyddyd mewn gwirionedd.[450]

Ni allai ysgrifennwr mor ddi-ffin ei edmygedd o gampau crefft ei gyfoeswyr ar y tir ac yng nghrombil y ddaear fod yn bles ar ddim ond ceisio perffeithrwydd crefft yng nghynnyrch ei ysgrifbin. Gwyddai D.J., oherwydd ei fod yn gwybod am ymdrech crefftwyr ei febyd a'i las-lencyndod, nad ar chwarae bach y gallai feistroli crefft y llenor, ac yn enwedig meistroli ffurf y stori fer, a'i gwneud yn gyfrwng addas i arddangos mabolgampau ei ddawn. Gellir olrhain peth o'i ymdrech i gyrraedd perffeithrwydd trwy gyfrwng ei gyngor i eraill a welir, gan mwyaf, yn ei feirniadaethau eisteddfodol. Er mwyn tanlinellu'r angen am ymdrech galed ar gyfer ymgyrraedd at safon dderbyniol ym myd ysgrifennu rhyddiaith, dyfynnodd D.J. y bardd R. Williams Parry, a wnaeth, yn ei farn ef, y 'sylw craffaf a glybum erioed ar fater rhyddiaith Gymraeg'. Meddai hwnnw:

> Dydw i'n gweld yr un gobaith o gwbl i ryddiaith Gymraeg, hyd nes y bydd ein hysgrifenwyr ni'n barod i dreulio pythefnos gyfan o amser i geisio llunio brawddeg berffaith o bros, fel y bydd yn rhaid i fardd weithiau wneud, wrth lunio llinell agoriadol mewn soned.

Dyma'r ymboeni sydd ei angen er mwyn perffeithio mynegiant mewn pros fel sydd ei angen ar y beirdd, ond bod gan y beirdd yng Nghymru 'draddodiad canrifoedd o ymboeni am berffeithrwydd mynegiant y tu ôl iddynt'. Nid felly'r ysgrifenwyr pros. Meddai D.J.:

> Rhyddiaith flêr, anniben y ganrif ddiwethaf [y bedwaredd ganrif ar bymtheg] oedd y porth agosaf i law gan lawer o ysgrifenwyr storïau byrion. Ymddengys bod y beibl Cymraeg a'i bros digymar, yn rhy hen ffasiwn i'r rhan fwyaf ohonynt. [451]

Ond nid arddull yw'r unig elfen, er ei phwysiced, sy'n angenrheidiol ar gyfer llunio stori lwyddiannus. Rhaid iddi gynnwys cymeriadau, rhaid iddi greu awyrgylch a rhaid iddi fod yn gaboledig ei thechneg – rhaid i'r holl elfennau fod yn gymesur ac wedi'u pwytho ynghyd yn ddestlus, gywrain. Edrydd D.J. ddameg yn ei feirniadaeth er mwyn gosod y prentis ar ei lwybr cymwys, dameg sy'n haeddu ei chynnwys yma yn ei chrynswth gan na ellir gwell cyngor i'r cyw lenor:

Ac yr oedd crydd yng Ngogledd Sir Gaerfyrddin a'i enw John. Ac yn y dyddiau hynny pan nad oedd esgidiau parod yn llenwi parwydydd siopau, ef oedd y crydd gorau yn y wlad. Nid oedd John y Crydd yn fab i grydd, ac ni bu'n brentis i grydd. Eithr, ac ef eto'n llanc, cymerth i'w ben ddatod hen esgidiau. Ceisiai'n ddyfal ddod o hyd i hen barau o waith y cryddion gorau. Wrth ddatod, dac ar dac, y naill esgid ar ôl y llall, sylwai'n graff a manwl ar y modd y'u lluniwyd; ac yn y diwedd dechreuodd wneuthur esgidiau ei hun. Dyna'r modd y daeth John y Crydd yn grefftwr gorau'r wlad ...

Ychwanega wrth drosglwyddo neges y ddameg i fyd y stori fer:

Darllener degau, ugeiniau, ie, cannoedd o storïau ...gan gymhwyso hen dric cyntefig John y Crydd o ddatod pwythi ymhob un ohonynt a gweled sut y lluniwyd hi o ran techneg, awyrgylch a chymeriadau.[452]

Gwelir mai neges D.J. yw, o gyfuno ymboeni am arddull a llunio cymeriadau ag ymdrechu'n ddygn i berffeithio techneg, y mae llwyddiant yn bosibilrwydd. Rhybudd D.J. yw na cheffir llwyddiant yn ddiymdrech oherwydd y mae pob elfen yng ngwead stori yn gofyn am ddisgyblaeth lem i'w pherffeithio. Nid ar chwarae bach y gellir llunio cymeriad. Rhaid i'r awdur hydreiddio'i gymeriadau 'â churiad o'i waed ei hun' oherwydd rhaid i '[b]ob cymeriad a lunir gan y storïwr ... [f]od rywle yn ei natur ef ei hun yn gyntaf. Nid yn unig y maent yn byw y tu mewn iddo ef, ond y mae yntau yn byw y tu mewn iddynt hwy.'[453] Yn amlwg, er mwyn deall cymeriad i'r graddau hynny rhaid wrth oriau bwygilydd o fyfyrio dwys sy'n galluogi'r ysgrifennwr i greu cymeriadau yn hytrach na'u darlunio'n allanol. Dyna yw dawn Kate Roberts; dywed D.J. amdani:

... y mae hi'n meddu dawn brin y storïwr i fynd y tu mewn i brofiad pobl eraill a mynegi'r profiad hwnnw'n berffaith. Gan hynny, creu cymeriadau, ac nid sôn am bersonau a wna bob amser. Dyna ddirgelwch yr argyhoeddiad sydd ym mhob dim o'i gwaith: y mae wedi gweld ei chreadigaeth ymlaen llaw.[454]

Ond nid yw'r myfyrdod hwn yn ddigon chwaith. Rhaid cyplysu'r myfyrio â geiriau cymwys i'w fynegi. Ys dywed D.J.:

> … y mae darlunio cymeriad … a cheisio ei ddirnad yn yr hyn oll ag ydyw, a deall ei fewnol ddyn y galon, yn gofyn am fyfyrdod caled a didwyll; heb sôn am y myfyrdod pellach, cwbl anhepgor, i ddod o hyd i'r union air i fynegi'r union beth a welir ac a deimlir, fel ag i gyflawni'r wyrth o droi defnyddiau crai bywyd yn llenyddiaeth.[455]

Felly, nid techneg a chymeriadaeth yw'r unig elfennau mewn pros sy'n troi'r cyfansoddiad yn llenyddiaeth oherwydd 'y mae celfyddyd yn rhywbeth amgen na thechneg gywir. Rhaid wrth chwaeth a champ ar sgrifennu.'[456] Dyma yw arddull, wrth gwrs, ac fe'i gosodir hi ar bedestl uchel gan D.J. Meddai amdani:

> … y mae'r fath beth yn bod ag arddull greadigol sydd ar wahân i'r deunydd ei hun, sef y ddawn honno i gonsurio geiriau; a chael ohonynt riniau a chyfriniau nas gwybuwyd eu bod yno o'r blaen; uno, mewn priodas ddedwydd, annatod … eiriau a fu'n caru ei gilydd drwy'r oesau.[457]

Dyma yw'r gallu i greu awyrgylch, a hyd yn oed mwy na hynny, dyma yw'r gallu i greu cyfaredd â geiriau. Ond er ei harwahanrwydd nid yw arddull, o'i chyplysu â thechneg a chymeriadaeth, hyd yn oed yn ddigon i greu llenyddiaeth. Rhaid i'r llenor ddethol a dewis ei ffeithiau a defnyddio'i ddawn i'w gweddnewid yn greadigaethau'r dychymyg. Meddai D.J. wrth annerch cystadleuwyr y stori fer yn Eisteddfod Dinbych yn 1939:

> … nid yw'r ffaith fod digwyddiad yn rhyfedd, neu'r tro yn ddigrif neu ryw berson yn od, yn sicrwydd yn y byd y gellir ei droi'n llenyddiaeth. O'i droi, nid ei droi yn gymaint a wneir ond ei weddnewid. Dyna a wnaeth Shakespeare a Scott o hanes a rhamantau Lloegr a Sgotland, gweddnewid ffeithiau heb eu trawsnewid, a thrwy hynny llunio [*sic*] creadigaethau'r dychymyg. Hudlath sydd gan y llenor nid pren llathen. Swynwr ydyw â chyfaredd yn ei eiriau. Fel gwrachod Macbeth nid yw'n bwrw popeth a ddaw yn ei ffordd i bair ei brofiad ond yn dewis yr elfennau pwrpasol hynny ar gyfer ei gonsuriaeth. Y gonsuriaeth gyfrin honno a ddigwydd ym mhair profiad a dychymyg yr awdur sy'n gwneud yr holl wahaniaeth rhwng hanesyn a stori fer, rhwng gwaith y diddanydd a gwaith y cyfarwydd llenyddol … Ymddelwa'r awgrym, neu'r syniad, neu'r digwyddiad

> yn weledigaeth fwy neu lai cyflawn ym meddwl yr awdur, a'i waith nesaf yntau fydd troi ei weledigaeth artistig yn greadigaeth lenyddol drwy gyfrwng geiriau dethol, hedegog eu hawgrymiadau. Gwelir felly, mai math o delyneg mewn pros yw stori fer, a delw ac argraff personoliaeth yr awdur arni.[458]

A sylwer nad cyfaredd y cyfarwydd llafar yw cyfaredd y llenor chwaith. Nid diddanydd yn unig ydyw, er bod diddanu yn un o gynhwysion ei greadigaethau, y mae yma gonsuriaeth yn ei eiriau ar bapur sy'n swyno'r darllenydd. Rhaid iddo, yng ngeiriau D.J., fedru 'llunio ambell frawddeg a fyddo'n dawnsio dan ei baich'.[459] Er y llwyth trwm ar ei gefn, llwyth digon i'w lethu, ni all y llenor fforddio gadael i'w feichiau ormesu ei frawddegau a'u gwneud yn glogyrnaidd, yn afrosgo a di-fflach. Fel y ceffyl gwedd, y march balch ei gerddediad yr ymhoffai D.J. ynddo, hwnnw â'r gwar a'r llygad a'r 'symud gosgeiddig a'i weryru porthiannus fel miwsig rhyfel', hwnnw a fu'n 'cwafrio'i garnau yn y gwynt'; fel hwnnw rhaid i eiriau'r llenor, wrth ddangos eu pedolau heriol, ddawnsio dan eu baich.[460]

Trwy gyfrwng ei feirniadaethau gwelsom D.J. yn mapio'i daith hir a charegog yn ei gais i droedio'r copaon llenyddol. A thrwy rannu'r daith honno ag eraill gwnaeth gymwynas glodwiw â llenyddiaeth a llenorion Cymru. Yn hytrach na baldorddi am haniaethau thematig a gweledigaethau a ffasiynau amheus y funud, aeth ati i drafod hanfodion crefft. Ys dywed Dafydd Jenkins:

> He must have been a particularly helpful adjudicator to the apprentice storyteller because he gave particular attention to the detail of craft. The tendency of critic-adjudicators, when they have been appointed, has been to concentrate on broad issues of concept and message and vision, and to eschew examination of the writer's skill in the craft of presenting the concept or message or vision. D.J. always gave full attention to the presentation.[461]

Heblaw am fod o gymorth i'r prentis ceisiodd D.J. hybu ac ysbrydoli rhai o'i gyfoeswyr llenyddol cydnabyddedig gan ymgadw rhag beirniadu llym, o leiaf yn gyhoeddus. Fe'i gwelsom yn ceisio cyfeirio Islwyn Ffowc Elis i borfeydd brasach y nofel hanes yn ei adolygiad ar *Tabyrddau'r Babongo*. Wrth fynegi anfodlonrwydd ar gamp y nofel honno cyfeiriodd at ' … briod athrylith …' y nofelydd; modd sicr i'w ysbarduno ymlaen ar ei yrfa. Prif gŵyn D.J. yn erbyn y nofel hon yw bod y 'newid yn yr amgylchiadau … yn digwydd yn rhy sydyn' i gario ymddiriedaeth y darllenydd gydag ef'. Dyna hefyd yw ei gŵyn, yn ei ddyddiaduron, yn erbyn y nofel *Yn ôl i Leifior* a gyhoeddwyd gan Islwyn Ffowc Elis yn 1957, er na nododd hynny'n gyhoeddus mewn adolygiad. Meddai yn ei ddyddiadur, 'Siân yn darllen rhannau o *Yn ôl i Leifior*, Islwyn Ffowc Elis [ei wraig yn ei darllen i D.J. oherwydd ei olygon gwan] – yn dda neilltuol ar y cyfan, ond ynddi y duedd arferol o ganiatáu i bethau ddigwydd yn rhy rwydd.'[462] Eto wrth adolygu *Yr Etifeddion* gan W. Leslie Richards, er iddo nodi'n ddigon diamwys ei gwendidau technegol o fod yn rhy ffotograffig a hunangofiannol a thrwy hynny beri bod 'y defnyddiau crai heb eu bathu'n ddigonol ym mowld y dychymyg fel ag i ddod allan ar eu newydd wedd yn gelfyddyd …', mae ei ganmoliaeth yn ddigon o siwgr ar y bilsen i'w hybu ymlaen ar ei yrfa. Meddai am ei ddawn i greu cymeriadau:

> Mae ei ddawn i weld ei gymeriadau yn glir a phendant, a'i allu, o ganlyniad, drwy gywirdeb ei sgrifennu, i beri i ninnau hefyd eu gweld yn yr un modd. Mae pob cymeriad yn y stori yn gofiadwy am eu bod yn gyntaf oll yn gwbl gredadwy. Nid eu gweld yn y niwl a wnawn ond eu gweld mewn golau dydd glân a byw, yn symud, ac yn bod o flaen ein llygaid.

Ychwanega, a hynny'n anogaeth bendant i'r awdur ddileu'r meflau o'i waith nesaf:

> I'r llenor creadigol y rhoed iddo'r gynneddf gyntaf hon "yr holl bethau hyn" [hynny yw, gwaith heb y gwendidau technegol a nodwyd], o feithrin ei grefft, a roddir iddo yn ychwaneg.[463]

Yna, yn ei adolygiad ar y casgliad ysgrifau, *Chwaryddion Crwydrol ac Ysgrifau Eraill*, adolygiad sy'n glasur twymgalon, ni ellir gwell anogaeth i awdur na chyhoeddi ar gorn darllen ei waith, '... onid angel yw pob llyfr gwerth ei ddarllen'. Ac yna cyfeiria at ei ddawn disgrifio â'r sylw, 'Fflachiad o weledigaeth bardd yw pethau fel hyn wedi eu dal yn berffaith mewn geiriau.'[464] Ond y mae ganddo ris uwch o ganmoliaeth yn ei adolygiad ar y gyfrol *O Law i Law*, T. Rowland Hughes. Canmoliaeth i athrylith yn bathu ffurf newydd ar lenyddiaeth sydd ganddo, ffurf yn seiliedig ar dechneg ffilm a chyflwyniad radio, a hynny wedi ei guddio gan loywder rhagoriaethau eraill y gwaith. Meddai D.J. am y gyfrol:

> Ond er cyfrwysed ei thechneg, nid dyma unig na phennaf rhagoriaeth *O Law i Law*, eithr hefyd, ei harddull loyw, syml, gartrefol – y gelfyddyd sy'n cuddio celfyddyd; heblaw'r ddynoliaeth gynnes, fawrfrydig a'r hiwmor byw a red trwyddi o'r dechrau i'r diwedd.[465]

Tebyg yw ei ganmoliaeth hael i storïau byrion Kate Roberts fel y sylwyd eisoes; meddai am ei gwaith oherwydd iddi fyfyrio'n ddwys ar ei deunydd, 'Nid oes felly wall ar ddim.'[466]

Serch hynny, fel y gwelsom, pan fo gwall, nid yw D.J. yn ei osgoi. Yn ei adolygiad ar y nofel *Gŵr y Dolau*, er i'w sylwadau gynnwys peth canmoliaeth, mae ei feirniadaeth ohoni'n ddi-flewyn-ar-dafod, a hyd yn oed yn ddidostur. Meddai am ei hawdur, W. Llewellyn Williams, '... ni chymerodd yr awdur y trafferth gofynnol i berffeithio doniau cynhenid'. Ychwanega:

> Ar wahân i athrylith Daniel Owen, ni wnaethai'r bedwaredd ganrif ar bymtheg yng Nghymru ryw lawer o wir ymdrech i feithrin y grefft o adrodd stori. A rhaid dweud na wnaeth Llewelyn Williams ryw lawer i wella'r diffyg. Wado bant, ffwrdd â hi yn y ffordd rwyddaf a wnâi, gan ymddiried y gweddill i'w asbri naturiol a'i hiwmor cyfoethog ei hun. Nid oes yma gynllun na phatrwm a weithiwyd allan ymlaen llaw i drin arno edafedd drud bywyd.[467]

Eto yn ei adolygiad ar y gyfrol *Seirff yn Eden,* a erchwyd iddi gan ei hawdur, dywed fod ynddi bethau amrwd sydd, yn ei farn ef, yn brawf:

> fod cof y storïwr yn fwy craff ac effro am yr hyn a welsai â'i lygaid nag yw ei ddawn i gynllunio ac ail greu pethau wedi iddynt fod trwy bair ei ddychymyg. Y tynnwr lluniau sydd yma yn fwy na'r peintiwr lluniau.

Ond nid yw collfarnu gwaith ei gyd-awduron yn dod yn hawdd iddo ac yn yr achos hwn ceisiodd chwilio am rywbeth da i'w ddweud am y llyfr. Er bod ynddo '[g]yfres o ddigwyddiadau … ym myd bechgyn a merched, heb na phlot na datblygiad na chymeriadaeth ry amlwg i'w clymu wrth ei gilydd …', eto dywed fod 'bywyd bob dydd … yn cael ei gyfleu'n effeithiol drwy weithrediadau'r plant'.[468] Ond mae ceisio canmol er ei waethaf, er mwyn osgoi dolurio awdur, yn pwyso ar ei gydwybod lenyddol. Meddai yn ei ddyddiadur, 'Ceisio adolygu llyfr newydd Gwilym R. Jones – *Seirff yn Eden* – ar ei gais ef. Nid yw'n llyfr da. Ceisio bod yn garedig heb fod yn anonest.'[469]

Fel y gwelsom nid yw D.J. yn cyfyngu ei sylwadaeth lenyddol i'w feirniadaethau cyhoeddus. Yn ei ddyddiaduron, bu'n nodi gwendidau a rhagoriaethau gweithiau ei gyfoeswyr llenyddol Cymraeg a Chymreig, ynghyd ag ambell nodyn ar weithiau awduron estron. Ond er eu cyfyngu i breifatrwydd ei ddyddiaduron, mae'r sylwadau hyn eto, yn eu tro, yn taflu goleuni pellach ar ymchwil a thaith D.J. tuag at geisio perffeithio ei gyfansoddiadau llenyddol ei hunan. Cawn sylwadau edmygus ganddo yn ei ddyddiadur ar nofel Eingl-Gymreig T. F. Powys, *Mark Only*. Meddai amdani:

> Stori am fywyd amrwd gwerinos ddiniwed y tir, ac un diafol, Charlie Tulk, wedi dyfod i'w plith. Tybed ai'r gair 'twlc' a awgrymodd yr enw i'r awdur Cymreig hwn, – teimlo fod y bennod ar y ddau gyd-frawd ynghyfraith Mr Peach a Mr Tolly a'i fotymau bollt, yn cydymdeimlo â'i gilydd yn stabl Mark Only oherwydd eu triniaeth gan y ddwy wraig o wragedd, yn glasur ewn doniolwch anymwybodol dynion twp. Teimlo na ellid yn unman yng Nghymru cael nythaid o daeogion mor agos i'r pridd â'r cymeriadau yn *Mark Only*, y ddau grwt, Sam a Tom – Peach a Tully, sy'n fyrdwn i'r holl stori ond megis rhyw ddau gi bach chwennog, chwaraegar. Rhaid

wrth athrylith a chalon fawr i sgrifennu llyfr mor ddidwyll a chywir â hwn.[470]

Mae ei sylwadau byr ar nofel y Ffrancwr Gustave Flaubert, *Madame Bovary*, yn dreiddgar. Dywed iddo gael ei:

synnu gan fanylrwydd a chywirdeb y disgrifiadau, o'r golygfeydd, y digwyddiadau, ac yn arbennig gan y datblygiad o'r pechod gwreiddiol yn y wraig ei hun. Hadau'r cymhlethdod rhywiol, seicolegol yn mynnu blaguro a thyfu'n wyllt. [471]

Ond er y gamp arni mae D.J. yn canfod ei gwendidau a:

chael cyn belled ag y mae ffeithiau syml bywyd yn y cwestiwn fod rhannau ohoni'n hollol amhosibl – e.e. y cyfathrachu nosawl dirgel rhyngddi hi a Rodolphe Boulanger yn parhau am fisoedd heb yn wybod i'w gŵr, na neb arall …

Serch hynny, nid yw elfennau anghredadwy'r plot yn difetha'r gwaith oherwydd mae 'seicoleg y stori yn berffaith gywir, er hynny'.[472]

Nid yw Saunders Lewis, hyd yn oed, er edmygedd mawr D.J. ohono fel gwleidydd, llenor a phroffwyd, yn dianc yn ddianaf rhag ei feirniadaeth lenyddol breifat bob tro. Dylid nodi, oherwydd ei barchedig ofn ohono efallai, na fentrodd D.J. erioed adolygu gweithiau Saunders Lewis yn gyhoeddus, na nodi unrhyw wendid sylweddol ynddynt yn y llythyrau a anfonodd at ei gyfaill. Serch hynny, ni phlesiwyd ef gan y ddrama *Gan Bwyll*. Meddai amdani yn ei ddyddiadur, 'Gweld drama Saunders – *Gan Bwyll*. Gormod o goelaid i'r actorion – clyfar iawn – rhy glyfar efallai.'[473] Ac eto gwêl fai ar ei gyfraniad yn y llyfr *Triwyr Penllyn*, '… darllen Saunders Lewis ar O. M. Edwards yn y llyfr *Tri Wyr o Benllyn* [*sic*] – teimlo ei fod yn rhy ysgolheigaidd feirniadol a dadansoddol i ateb y pwrpas, sef apelio at yr ifanc fel y dywed y rhagair'.[474]

Mae ei gofnod yn cyfeirio at y stori 'Where My Dark Lover Lies' yn pwysleisio'r gofal y credai ef y dylid ei roi i fynegiant clir, i arddull loyw sy'n cyfoethogi'r gwaith yn hytrach na thynnu sylw ato'i hun a chymylu'r ystyr. Meddai am y gwaith hwnnw:

> Newydd fod yn darllen stori 'Where My Dark Lover Lies' – a'i chael yn niwlog a chymysglyd – llif o eiriau a meddyliau fel glaw taranau'n llanw'r cwteri – resrvoir yn llifo drosodd heb hidlydd.[475]

Yna, mae techneg a seicoleg trydedd nofel W. Leslie Richards yn wallus. Meddai amdani, 'Er ei sgrifennu mewn iaith raenus, meddwl ei bod hi'n hen ffasiwn ei thechneg, ei chymeriadau yn gymeriadau papur a'i seicoleg yn wallus.'[476] A thebyg yw ei gŵyn yn erbyn nofel Gerallt Jones, '… darllen … *Y Foel Fawr* – amrwd a diffygiol mewn seicoleg yn fynych, ond yn dangos dipyn go lew o addewid'.[477] Er mwyn darlunio cymeriadau'n gymeradwy rhaid i awdur dreiddio i'w heneidiau; dyna'r unig ffordd i lunio gwaith didwyll, sicr ei seicoleg. Dyna yw cryfder Kate Roberts a dywed D.J. am ei llyfr bywgraffyddol *Y Lôn Wen*:

> Ei gael fel popeth o'i gwaith yn onest a didwyll. Y bywyd caled y maged ei theulu ynddo yn dangos cryfder a gonestrwydd mawr. Gwirionedd a didwylledd yw nodweddion pennaf pob dim o waith Kate, mae hi'n gymeriad mawr o wir athrylith.

Ond y mae colyn yn y ganmoliaeth hefyd oherwydd ychwanega, '… er y gall fod yn bigog a phrin o hiwmor yn ei hysgrifau yn fynych'.[478] Ac y mae'r colyn yn cyfleu a goleuo tipyn ar deithi meddwl D.J. sef, efallai, ei duedd weithiau, yn ôl Saunders Lewis beth bynnag, i lunio cymeriadau gwlanennaidd a'u trin â thipyn gormod o garedigrwydd.

Mae didwylledd a chywirdeb eneidegol gweithiau llenyddol yn allweddol i D.J. Nid oes ganddo amynedd â ffasiynau a chlyfrwch modernaidd. Dywed am ddarllediad radio o gyfres o ddramâu mawr Ewrob:

> Gwrando ar ddrama gan Dürrenmatt o'r Swisdir heno … I fi siomedig a gwag yw'r mwyafrif ohonynt, ymbalfalu'n glyfer ym mwrllwch moesol y cyfnod – wedi gwadu'r safonau Cristnogol a heb gael dim yn eu lle. Clyfrwch disglair di-foes a geir yn bennaf – o'r Almaen (Brecht) a Ffrainc a hon heno.[479]

O graffu ar ychydig enghreifftiau gwelir taw hybu ac annog

gyrfaoedd llenyddol eraill yw prif bwrpas sylwadau llenyddol llythyrau D.J., ond cynhwysir ynddynt, yn ogystal, gyfeiriadau at yr elfennau sydd yn ei farn ef yn anhepgorol ar gyfer cyrraedd perffeithrwydd crefft. Mae *Cymru Fydd* Saunders Lewis, er enghraifft, yn 'ddrama aruthrol o gyfrwys ei gwead ... a chwim a ffraeth a choeth ei hymadroddion'. Ychwanega ei bod hi yn hynny o beth yn debyg i'w ddramâu eraill i gyd. Hynny yw, y mae eu techneg yn loyw a'u harddull yn orchestol.[480] Yn ei sylw ar *Laura Jones,* Kate Roberts, mae D.J., fel y gwnâi weithiau, yn cyfeirio at elfen anniffiniol y gwaith, y cyfaredd hwnnw sy'n nodweddu llenyddiaeth fawr, na ellir ei ganfod wrth ddadbwytho esgidiau cryddion gorau'r byd, chwedl alegori D.J. Meddai amdani, 'Y mae'r stori fel telyneg o brydferth, ac mor hapus â Laura ei hun, a chanddi'r un swyn, syml, anorchfygol.'[481] Yn ei sylw ar *Traed Mewn Cyffion,* seicoleg y cymeriadau, y dehongli arnynt, yw'r elfen i'w chlodfori. Meddai:

> ... [c]efais wledd feddyliol ac ysbrydol o'r fath a garaf wrth ddilyn pererinion taith yr anial o genhedlaeth i genhedlaeth. Y mae'n waith tan gamp yn ddi–os – yn iach, yn gryf, ac yn gywir, – epig y dioddefwyr – arwyr traed mewn cyffion – a'r sawl a'u deallodd i'r gwaelod yn eu dehongli.

Ond o ran techneg y mae ganddo gŵyn yn erbyn y nofel. Ei gwendid yw:

> ... gormod o gymeriadau neu ry fach o gynfas, ac oherwydd hynny diffyg amser i hamddena'n foddhaus a chyflawn uwchben y prif gymeriadau wrth eu datblygu'n llawn. Y mae'r cymeriadau hyd yn oed y rhai a ddatblygir lawnaf fel Jane Gruffydd, y ddwy Sioned, Twm, Owen ac Ifan yn gorfod rhuthro gormod ar y llwyfan – fel darluniau byw.

Tymhera'i feirniadaeth trwy ychwanegu:

> Teyrnged odidog i allu creadigol awdur yw hynyna yn y gwaelod wrth gwrs – anfodlonrwydd darllenydd o ddwyn y wledd oddi arno ac yntau heb hanner ei ddigoni. [482]

Er y tymheru hwn ni ellir osgoi y collfarnu ar ddiffyg techneg sy'n fai difrifol ar waith creadigol.

Diffygion arddull sy'n ei boeni yng ngwaith Ambrose Bebb. 'Y mae Siân,' meddai wrth Kate Roberts:

> yn darllen *Dial y Tir* ac yn fy niddanu'n awr ac eilwaith â dyfyniadau nodweddiadol Febaidd megis y disgrifiad yma o ferch: "… y sylwedd brodiog brau hwnnw … cronnai gwefusau eu hiaith, a'u hiraeth, eu swyn a'u syndod, eu gwrid a'u gwres, a gwasgent i'w gilydd naid y gwaed a nwyd y galon" – a mil myrdd o afieithusrwydd tebyg – loshin wedi toddi'n stecs.[483]

Treiddio i'r enaid er mwyn byw ym meddwl y cymeriad a thrwy hynny, trwy gyfrwng y ffwrnais honno, mowldio creadigaeth newydd – dyna a wna Kate Roberts yn ei stori yn *Y Llinyn Arian,* yn ôl D.J.:

> Y mae athrylith cenedl wych yn y gyfrol hon … Fel darn o seicoleg plentyn … y mae Begw yn sicr o fod ymhlith eich pethau gorau chi … Y chi yw'r ferch fach or-sensitif a gofidus yn Begw yn ddiau. Ond wedi bod trwy bair eich dychymyg y mae hi'n greadigaeth newydd.[484]

Dyna sy'n anhepgorol, deall yr enaid a byw meddyliau cudd calon y cymeriadau fel y gwna Kate Roberts yn ddi-feth. Yn ei chyfrol *Stryd y Glep* y mae hi eto'n taro deuddeg. Meddai D.J.:

> Mae'r ddyfais yna o ddyddiadur yn eich gweddu chi'n dda sy'n gymaint campwr ar ddatrys meddyliau cudd y galon …Mae dyn yn dod yn fuan i adnabod y cymeriadau drwy eich bod wedi eu gweld yn glir eich hun yn gyntaf. John, efallai, yw'r cymeriad a adewir fwyaf heb ei lanw i mewn, heblaw dweud amdano yng ngeiriau yr haliers adeg stop drams ar y partin dwpwl – nad yw dyn ddim yn siwr p'un mwy "o bwtryn diawl neu o libyn uffarn" yw e oboutu'i fusnes. Ond teimlaf fod y gymdeithas gynnes fyw yna yn *Stryd y Glep* wedi ei thynnu'n rhagorol – y rhai hoffus fel Besi, Enid, Dan, a Ffebi ei hun, a Liwsi Lysti, (enw da iawn) yn gystal â Joana ddiwerth a Miss Jones druan: ac y mae'r aeddfedu mewn barn a thynerwch Ffebi fel effaith y cystudd yn brydferth iawn.

Y dehongli hwn ar feddyliau cymeriad sy'n bwysig mewn stori ac y mae D.J. yn pwysleisio hynny trwy gyfeirio eilwaith at slicrwydd ysgrifennu Ambrose Bebb, ' … pan aeth Bebb i sgrifennu nofel fe welodd na wnâi rhibi-di-res o eiriau pert yn taro'n erbyn ei gilydd mo'r tro. Ar 'i liniau y gall dyn ddehongli bywyd a sgrifennu stori; nid â'i ben yn dalog yn y gwynt.'[485]

Gormod brys a rhy ychydig o gloddio eneidiau ei gymeriadau yw diffyg Islwyn Ffowc Elis. Er bod ei:

> … [d]dychymyg … yn anghyffredin o ffrwythlon a dyfeisgar, ei arddull yn glir a disglair, a'i ddisgrifiadau o natur bob amser yn gampus … ei gynfas yn ysblennydd o eang yn agor ar orwelion llydain celfyddyd i lawer cyfeiriad newydd i ni yng Nghymru … a thrwy hynny gau pennau rhai o'r Eingl Gymry hollwybodol hynny.

Er hyn i gyd, ac er fod ei nofel *Ffenestri Tua'r Gwyll* yn 'llyfr o bwys gwirioneddol i Gymru …':

> ei goll pennaf ef yw diffyg myfyrio'n ddigon hir, ac aros gyda'i gymeriadau nes troi ohonynt yn gig a gwaed yng ngwres ei athrylith, yn hytrach na bod yn haniaethau neu'n deipiau yn ôl gofynion y plot – fel y mae tuedd ganddo weithiau. Er pob ymdrech a champ gormod o dreth yw ceisio creu bod byw personol o Geridwen Davies [*sic*] a rhoi iddi gysondeb merch o'r un defnyddiau a ninnau sy'n argyhoeddi dyn.[486]

Yr argyhoeddi cymeriadol hwn a geir trwy ymdrech a didwylledd awdur, sydd ar goll yng ngwaith Islwyn Ffowc Elis, sy'n gwneud *Te yn y Grug* yn gyfrol mor nodedig. Ei chryfder yw ei chymeriadau byw. Meddai D.J.:

> Mewn gwirionedd, Kate, mae gennych chi ddawn ryfeddol i fynd i mewn i seicoleg plentyn a gweld y manion dyrys sy'n dryfrith mor fyw yno. 'Rown i'n mwynhau y rhain yn rhyfedd a'r eirfa werinaidd gyfoethog sydd drwy'r llyfr, – a hefyd y caredigrwydd mawr sydd yn waelod i nifer o'r cymeriadau er gwaetha'r straen o gasineb a chaledi sy'n brigo i'r wyneb mor amlwg yn y lleill; mwy felly, o dipyn, rwy'n deimlo, nag a geir yn eich storïau cynharach. Ond y mae plant gymaint yn fwy gonest ac agored yn eu teimladau na phobl hŷn. Ac y mae'r gonestrwydd amrwd hwn, os caf ei osod felly, yn gwneud y cymeriadau hyn i gyd, mor ddiangof o fyw.[487]

Gwewyr awdur

Er i D.J. ymdrechu'n galed i feistroli ffurfiau llenyddol a ystyriai ef yn ffurfiau amgenach na'r ysgrif, ac er iddo fapio'r ymdrech honno er lles llenorion eraill yn ei feirniadaethau, ni theimlai, fel y gwelsom, yn bles ar ei gynnyrch. Oherwydd ei fod yn berffeithydd, fel y nodwyd eisoes, dymunai feistroli ffurfiau mwyaf cymhlyg ei gyfrwng. Datganodd yn ddigon eglur na ellid ystyried ei bortreadau'n gyfrwng dilys ar gyfer ymgyrraedd at ei amcanion llenyddol. Meddai unwaith yn ei ddyddiadur, ' ...[y]r ysgrif yw'r ffurf isaf ar lenyddiaeth'.[488] Gellir canfod, yn ogystal, yr un anfodlonrwydd ar *genre* yr hunangofiant. Fel y gwelsom, wrth iddo ganu clodydd Tolstoy, penderfynodd roi'r gorau i ysgrifennu'n greadigol heblaw am ei hunangofiant. Yr awgrym yw nad yw gofynion crefft a dawn y ffurf honno yn gofyn am gymaint o fedrusrwydd. Y ffurfiau y mynnai ef eu meistroli felly oedd *genre* y stori fer a'r nofel. Yn achos y stori fer, y ffurf y mentrodd ymgodymu â hi, yr oedd yn rhaid i D.J. ei hystwytho er mwyn ei gwneud hi'n addas ar gyfer ei ddibenion llenyddol ei hun a'i gorfodi i gynnwys themâu cymhleth a dull traddodi yn perthyn i ddulliau cyfarwyddiaid Cymru, y dulliau traddodi Celtaidd efallai. Ac am geisio gwneud hynny cafodd ei glodfori'n hael gan lu o feirniaid. Yn ôl G. J. Williams mae'r defnydd o 'dafodiaith gyfoethog amryliw' yn cynysgaeddu'r ysgrifennu â dewiniaeth sy'n '[p]eri i ni ymdeimlo â rhyfeddod y bywyd hwn [bywyd bro ieuenctid D.J.]', bywyd sy'n cynnwys yr:

> hwyl; a'r diddanwch a'r rhadlonrwydd a'r hiwmor a fu erioed yn nodwedddu storïwyr llawen y fro [h.y. milltir sgwâr D.J.] ... gyda'r sylwadau ffraeth a threiddgar ymyl y ddalen sy'n rhan hanfodol o grefft y cyfarwydd.[489]

Ac awdur sy'n llwyddo i dreiddio'r hanfodion yw D.J. Nid cyflwyno'r fro a'i chymeriadau a wna ond eu dehongli mor drylwyr nes rhoi iddynt eu llais eu hunain a'u galluogi i gyfathrebu'n uniongyrchol â'r darllenydd:

> The author's marvellous assimilative memory as a boy absorbed not only the persons, places, sights, sounds, modes, moods, but also the voice of the neighbourhood … the author moves everywhere with that ease and sense of inward relatedness that makes us feel that the neighbourhood is not being reported, but is achieving its own expression.[490]

A dull adrodd stori cartrefol y gymdogaeth hon yw dull D.J., dull a gafodd gan ei chyfarwyddiaid. Ys dywed Aneirin Talfan Davies, 'Dawn y cyfarwydd yw dawn D.J. – y ddawn a luniodd "Pedair Cainc y Mabinogi"'.[491] Naturioldeb yr ysgrifennu yw'r allwedd sy'n rhoi i'r gyfrol ei naws gartrefol braf ac y mae Bobi Jones yn dadansoddi manylion crefft D.J. Ef, meddai:

> yw pennaeth ein rhyddieithwyr naturiol. A'r rheswm am hynny … yw nid oherwydd iddo atgyfodi hen eiriau crefft cefn gwlad a lluchio atom briod-ddulliau blasus yr oes a fu, ond am iddo roi'n ôl i'n hiaith lenyddol ei rhythmau llafar cartrefol, a chyfuno sŵn braf llais y storïwr celfydd traddodiadol ag iaith lenyddol gaboledig y traddodiad llyfr.[492]

Ategir hynny hefyd gan John Gwyn Griffiths pan ddywed:

> ni all neb ddarllen *Hen Wynebau* neu *Storïau'r Tir Glas* heb gael aroglau'r wlad i'w lawenhau, a chael ymhyfrydu hefyd ym mharabl lliwus y gwladwr Cymreig.[493]

Ond nid yw'r dull hamddenol o adrodd stori yn plesio Saunders Lewis oherwydd, yn ei farn ef, mae D.J. yn aml yn rhy amleiriog a chrwydrol yn ei ddull o ysgrifennu. Meddai amdano, '*He is too often discursive, digressive, too anxious to include everything, and so spoils the shape of his writing. He had no plastic sense.*'[494] Nid yw D.J. ei hun yn hollol hapus ynglŷn â'i duedd o gael ei ddenu i ddilyn trywydd a allai fod, ar ryw olwg, yn amherthnasol i brif lwybr ei stori. Wrth drafod dawn y cyfarwydd yn ei ymgom radio gyda Saunders Lewis mynnodd mai gwendid oedd y duedd hon o'i eiddo ac yn rhywbeth i ochel rhagddo yn ei storïau llenyddol:

> … wrth adrodd stori … mae'n demtasiwn barhaus i ymhelaethu ar ymyl y ddalen – gair efallai am y sawl a ddywedodd y stori wrthyf i,

> yr amgylchiad, ymhelaethiad ar y cymeriadau yn y stori, nes bod y cyfan wedi agor yn rhy helaeth heb yn wybod i mi, cyn dod at glo'r stori.[495]

Ond, yn ôl Dafydd Jenkins, yr oedd D.J yn cyfeiliorni wrth gredu taw gwendid oedd y duedd hon o'i eiddo. Meddai amdano wrth gyfeirio at stori'r 'Eunuch', '*... though he regarded himself as a poor raconteur, that was rather because he did not realise that his hearers like his readers could revel in his digressions and embroideries.'*[496] Yna eto, yn ôl J. Gwyn Griffiths, y dull hwn yw ei gamp, dull sy'n cael ei ddisgrifio gan yr awdur ei hun ym mharagraff cyntaf 'Y Capten a'r Genhadaeth Dramor'. Dyn yw'r adroddwr gwreiddiol sy'n meddu ar y gallu i orfodi'i wrandawyr i dyngu eu bod 'yn y man a'r lle pan ddigwyddodd y peth'. Dyna awgrym, ychwanega John Gwyn Griffiths:

> o'r dull dengar, diymhongar a ddatblygodd yr artist hwn; a dynodiad ar yr un pryd, o'r gamp sy mor gyson yn ei feddiant, sef creu cyflawnder y profiad agos a bywiol drwy fedr ei ddawn a'i ddyfais.[497]

Y dull crwydrol, felly, dull y storïwr gwledig o adrodd stori, yw sylfaen dengarwch D.J. Er iddo roi peth ffrwyn arno yn ei storïau byrion er mwyn creu unedau llenyddol effeithiol ni theimlai'n fodlon. Teimlai, efallai, yn unol â barn beirniaid llenyddol Saesneg y cyfnod, nad oedd y stori fer yn addas ar gyfer ymdriniaeth gymdeithasol. Mae Waldo, wrth drafod storïau byrion D.J., yn cyfeirio at honiad a wnaeth Frank O'Connor 'mai trafod dyn yn ei unigrwydd yw hanfod stori fer'. Ac ar gorn hynny dywed fod storïau D.J. yn cynnwys naws gymdeithasol sydd i'w chael mewn nofelau.[498] Yma gwelir, mi gredaf, ddylanwad beirniadaeth Saesneg yn llywio barn rhai beirniaid Cymraeg ynghylch hanfodion y ffurf a thrwy hynny'n tanseilio llenyddiaeth Gymraeg.

Y mae D.J. yn nodi o leiaf dri phrif reswm arall am ei anfodlonrwydd ar ei ymdrechion llenyddol ym myd y stori fer. Diffyg techneg yw'r gŵyn gyntaf y mae'n ei mynegi yn erbyn rhai o'r straeon yn ei gyfrol *Storïau'r Tir Coch*. Yn eu plith mae

'Goneril a Regan', stori sy'n lledu gorwelion ac yn darlunio ei Gymru gyfoes ddiantur, ddiargyhoeddiad a thaeog. Wrth gywiro proflenni'r gyfrol meddai yn ei ddyddiadur:

Darllen "Cysgod Troëdigaeth", "Goneril a Regan" a'r "Eunuch" drosodd heno; a chael fod ynddynt rannau da; ond fod gwallau technegol yn y tair ohonynt – peth sy'n gondemniad difrifol ar stori fer, sydd i fod yn uned gwbl berffaith, os sgrifennwyd hi'n iawn.

Yn sgil yr hunanfeirniadaeth honno ychwanega:

> Meddwl weithiau mai brasluniau o gymeriadau adnabyddus i mi megis yr *Hen Wynebau* yw fy mhriod faes. Siân a Saunders, gwaetha'r modd, o'r farn honno hefyd.[499]

Wrth gwrs, ni allai fodloni ar ddychwelyd at lunio portreadau gan na fyddai hynny'n gyfrwng addas i'w fwriadau llenyddol. Palu arni a wnaeth D.J. felly gan ailadrodd ei gŵyn yn erbyn ei storïau byrion ychydig cyn cyhoeddi *Storïau'r Tir Du*. Meddai wrth Kate Roberts mewn llythyr ym Mai 1949:

> Teimlaf ... nad ysgrifennaf stori fer am yn hir, hir eto, os o gwbl, – a hynny nid am nad oes digonedd o ddefnyddiau storïau wrth law gennyf yn barhaus, – ond am nad wyf yn medru defnyddio'r cyfrwng yn llwyddiannus.[500]

Mae ei ail gŵyn yn cyfeirio at ei anallu i greu cymeriadau'n effeithiol. Cawsom gip eisoes ar eiddigedd D.J. o ddawn loyw Kate Roberts yn y maes hwn oherwydd iddo deimlo ei bod hi, yn wahanol iddo yntau, yn medru treiddio'n ddwfn i seicoleg ei chymeriadau. Oherwydd hynny, ynghyd â chymorth beirniadaeth gecrus Saunders Lewis ar gymeriadau duwiolaidd rhai o'i storïau byrion, teimlai fod ei frws ef yn ddiffygiol mewn gonestrwydd, yn gelwyddog felly, ac yn heintio'i gymeriadau. 'Gwn', meddai:

> mai fy nhuedd barod i yw rhyw feddalwch merfaidd at fy nghymeriadau, yn gymaint felly fel y dywedodd Saunders wrthyf un tro fod rhai o'm storïau duwiolaidd i "yn codi cyfog" arno ef. Dyna i chi feirniadaeth ofnadw ar waith dyn, ynte![501]

Ac wrth gynnig sylw neu ddau ar *Prynu Dol*, cyfrol arall o straeon byrion o'i heiddo, y mae D.J. yn gresynu drachefn at ddiffyg dyfnder ei gymeriadau ef. Meddai:

> Wrth feddwl am fy storïau bach i, teimlaf mai croen allanol y cymeriadau sydd gen i, mewn cymhariaeth. Ond bod eu perfeddion nhw gyda chi.[502]

Er y collfarnu ar ei gymeriadau gan Saunders Lewis ac er iddo deimlo ei hunan eu bod yn ddiffygiol mewn dyfnder dyma un arall o'r prif elfennau yn ei waith sy'n ennyn edmygedd y beirniaid llenyddol. Yn hyn o beth, ei lawforwyn parod ei gwasanaeth i'w gynorthwyo yw ei arddull. Gyda llaw, heblaw am glodfori arddull *Hen Wynebau*, a nodwyd eisoes, mae Saunders Lewis yn ailddatgan ei edmygedd o ieithwedd D.J. wrth gyfeirio at *Hen Dŷ Ffarm* mewn llythyr a anfonodd ato ym mis Rhagfyr 1953:

> Gorffennais ddarllen eich llyfr y tro cyntaf. Darllenaf ef eto'n fuan, y gwyliau hyn efallai. Os bydd y ddwy gyfrol nesaf o'r hunangofiant gystal â hon, yna byddwch wedi cyfansoddi un o gampweithiau mawr llenyddiaeth Gymraeg. Mae'r llyfr hwn yn gyfoeth di-ben-draw a'r darlun o Nwncwl Jams yn orchestol … Un gair arall; daeth drosof ryw don o ddigalondid hefyd ar ôl gorffen eich llyfr – mi dd'wedais wrthyf fy hun, "does gen ti ddim hawl i roi gair o Gymraeg ar bapur, oblegid wrth a geir yma o ddihysbydd stôr yr iaith, wyddost ti ddim oll am y Gymraeg". [503]

Ac yna ychwanegodd Saunders Lewis ryw fis yn ddiweddarach, mewn llythyr arall:

> A gaf i ddweud wrthych mewn gwaed oer, heb fymryn o weniaith o gwbl, – nid wyf yn enwog fel gwenieithydd, – yr hyn a dd'wedais i wrth lawer eisoes yng Nghaerdydd, mai *Hen Dŷ Ffarm* yw'r gwaith rhyddiaith mwyaf oll yn yr iaith Gymraeg er 1909; hynny yw, pennaf campwaith yr ugeinfed ganrif.[504]

Ac y mae Saunders Lewis yn cadarnhau ei farn ynglŷn â champ arddull D.J. yn ei hunangofiannau yn ei adolygiadau cyhoeddedig. Meddai amdano:

> He tells of these people [pobl milltir sgwâr ei ieuenctid], men

> and women, each individual in detail, the physical appearance, mannerisms, turns of speech … the craftsmanship is expert; the humour ripples through the phrasing. And when, as often happens, the subject of the portrait has the golden gift of epigram or metaphor or repartee, then the writer lifts it, as it were, in his two hands and drops it into place in the light of his narrative with the assurance of Velasques in the court of Spain …And this in a prose that at first glance seems not to be other than a countryman's rich talk.But it wasn't so. He worked very hard at his paragraphs, seeking exactitude, desperate for truth in description … No man in Wales ever listened better. No man so cherished and illuminated his inheritance.[505]

Cyfeiria drachefn at arddull D.J. yn ei gyfraniad i'w gyfrol deyrnged. Meddai amdano:

> Un o feistri mawr y pros sy'n tynnu ei nerth o ddaear ac o ddynoliaeth ardal ei blentyndod yw ef, o gymdeithas bonedd nad yw'n bod mwyach ond yn ei lyfrau ef. Yn ei ddarnau gorau y mae tafodiaith y bedwaredd ganrif ar bymtheg yn Llansewyl naill ai'n ymwthio'n wridog i'r wyneb a chymryd meddiant o'i bin a'i bapur, neu ynteu'n ymchwyddo'n agos i'r don a brigo hwnt ac yma gan roi rhin a lliw a blas i'r iaith lenyddol.

Myn Saunders Lewis taw, 'Ffling olaf achau Llywele oedd rhoi i Gymru artist nad oes modd deall ei swyn heb ddeall hanes cymdeithasol Cymru a holl gyfoeth chwe chanrif o'i thraddodiad llenyddol.'[506] Dyma'r arddull sy'n caniatáu iddo gynysgaeddu ei bortread o'i bobl a'i fro â rhin arbennig. Pobl y pridd yw ei bobl ef a cheir eu blas yn hydreiddio'i holl waith. Ys dywed J.Gwyn Griffiths amdano, *' … he gives the true smell and flavour of our mother earth … the tang of native earth, the richness of native character'.*[507] A'i artistwaith geiriol, ei arddull, sy'n rhoi rhuddin i'w gymeriadau. Mae ganddo, *'fidelity of observation both in quick pen-pictures of the outer man and in penetrating psychological glimpses of the inner being'* a *'a happy freshness of figurative power'.*[508] Ychwanega J. Gwyn Griffiths, wrth gyfeirio at y ddwy gyfrol *Storïau'r Tir Coch* a *Storïau'r Tir Du*, fod yr elfennau, 'lleddf a'r trist, y dychanol a'r miniog, y ffraeth a'r arabus …yn gyfoethog yn y storïau.' Ac ar ben hynny meddai:

> Nid yn aml y gellir dangos bod D.J. Williams wedi cymryd cam gwag yn ei seicoleg a'i sylwadaeth. Mae'r cymeriadau a'u sefyllfaoedd mewn cwlwm naturiol, a'u hadwaith i'r digwyddiadau yn dilyn yr un mor naturiol.[509]

A'r cymeriadau hynny, yn ôl ei addefiad ei hunan, oedd ei brif ddiddordeb, a'r gymdeithas lawen a fodolai yn Rhydcymerau ei ieuenctid yn cael ei llunio ganddynt, yn fath o fonws, ac yn bodoli'n anymwybodol yn gefndir i'r cyfan. Meddai D.J. mewn ymgom â Saunders Lewis:

> Nid oedd dim ymhellach o'm meddwl i wrth dynnu lluniau'r cymeriadau a geir yn *Hen Wynebau* na rhoi darlun o unrhyw fath o gymdeithas. Nid y gymdeithas fel y cyfryw a'm diddorai i, ond y cymdeithion, yr unigolion a ffurfiai'r gymdeithas. Yr oedd y gymdeithas i mi fel yr awyr o'm cwmpas, yn rhywbeth anymwybodol. Fe'i cymerwn yn ganiataol fel rhywbeth nad oedd bodolaeth yn bosib hebddi. Ond yr oedd y cymeriadau eu hunain i mi yn bethau diddorol ac arbennig, bob un ohonynt.[510]

Cyfeirio at gymeriadau *Hen Wynebau* a wnâi D.J. yn yr achos hwn, wrth gwrs, yn hytrach na chymeriadau ei storïau byrion a godai gyfog ar Saunders Lewis.

Mae ei drydedd gŵyn yn erbyn ei weithiau, efallai, yn fwy difrifol, gan ei bod yn ymwneud â diffyg dawn. Elfen yw hon na ellir ei hoelio na'i dadansoddi fel y gellir gwneud â chrefft y llenor. Cofnododd yn ei ddyddiadur yn 1948, ac yntau ynghanol llunio rhai o'r storïau a gynhwyswyd yn ddiweddarach yn *Storïau'r Tir Du*:

> Y mae gen i duedd a chymhelliad cyson i sgrifennu ond heb y rhuthr creadigol hwnnw sy'n ofynnol i wneud rhywbeth o werth. Teimlaf mai rhyw chwarae a chellwair â chreu a wnaf.[511]

Gwyddai D.J. fod angen dawn, yr elfen anniffiniol greadigol, a chrefft, yr elfen y gellir ei dadansoddi ac ymlafnio i'w pherffeithio, ar lenor os oedd i ddatblygu'n artist llwyddiannus. Mynegodd hynny yn un o'i feirniadaethau eisteddfodol. Maentumiodd, 'mae gweddw dawn heb ei chrefft yn llawn mor wir â "gweddw crefft heb ei dawn". O'r briodas hon, crefft a dawn, y ganed athrylith. Ond gweddw yw'r naill heb y llall.'[512]

Mynegodd D.J. ei anfodlonrwydd ar y diffyg fflach anniffiniol, y diffyg dawn, yn ei waith creadigol dro ar ôl tro. Dyna sydd wrth wraidd ei eiddigedd at ddawn Kate Roberts a'i resynu at faster ei gymeriadau ef o'i gymharu â dyfnder ei chymeriadau hi. Oherwydd iddo gredu bod y gwendid hwn yn amharu ar ei storïau byrion y trodd at yr hunangofiant, ffurf, fel y nodwyd wrth drafod propaganda yn ei waith llenyddol, a fyddai'n rhoi mwy o ryddid iddo drosglwyddo'i weledigaeth i'w ddarllenwyr yn ogystal ag amlygu llai ar ei ddiffyg dawn creadigol y teimlai ef ei fod yn amharu ar ei waith. Cofiwn iddo nodi unwaith na ddylai 'sgrifennu llinell yn rhagor yn greadigol', ond ychwanegodd, 'heblaw'r hunangofiant a ddaw yn rhwydd ddidrafferth mi gredaf pan ddechreuaf arno'.[513] Hyd yn oed wedyn, er iddo gredu fod *genre* yr hunangofiant yn ddigon amrwd i'w alluoedd llenyddol ei thrin, er eu prinned yn ei farn ei hun, daliai i fynegi ei anfodlonrwydd ar ei ymdrechion llenyddol. Wrth iddo lunio dwy gyfrol ei hunangofiant meddai am *Hen Dŷ Ffarm* cyn ei gyhoeddi:

> Gorffen darllen *Hen Dŷ Ffarm* drosodd eto – cymysg yw'r argraff a edy arnaf. Ofni ei dderbyniad gan y cyhoedd yr wyf – darnau ohono'n go dda: darnau eraill yn fflat.[514]

Eto meddai am *Yn Chwech ar Hugain Oed*:

> Darllen ... darn o'r lls. yn disgrifio'r coediwr dan ddaear a sgrifennais y ddeuddydd neu dri diwethaf yma ma's i Siân neithiwr, ac yn tagu ar fy ngwaethaf wrth wneud gan gymaint gafael a gafodd y darn arnaf wrth ei sgrifennu – disgrifiad cywir, diffuant yn ôl fy nheimlad i. Ei ail ddarllen yn ddiweddarach a'i gael yn ddigon dof. Dyna fy mhrofiad yn fynych.[515]

Oherwydd iddo deimlo bod ei waith yn amddifad o'r elfen anniffiniol sy'n hanfod pob llenyddiaeth, ymddengys i D.J. gredu ei fod yn analluog i drafod pob *genre* llenyddol y dymunai ymhel â hwy oblegid ei ddiffyg dawn – y nofel yn ogystal â'r stori fer, ac i raddau, yn y pen draw, yr hunangofiant. Yr ansicrwydd hwn yn ei werth fel llenor yw'r rheswm dros iddo ymgadw rhag mentro ar lunio nofel. Dyna oedd ei fwriad, fel y cofiwn, yn dilyn sylweddoli nad oedd y stori fer yn cynnig cynfas digonol iddo drosglwyddo'i neges 'ysbrydol' i'w ddarllenwyr fel y gwnâi Tolstoy. Ni wireddwyd y cynllun hwnnw a gellir canfod y rheswm dros fethu â chyflawni'i fwriad yn ei ymateb i ymholiad Aneirin Talfan Davies, a deledwyd yn 1960, ynglŷn â'r cymhelliad a'i harweiniodd at lunio hunangofiant. Eglurodd wrth ei holwr iddo lunio hunangofiant:

> am y mod i'n teimlo na allwn wneud dim gwell … fe dreies fy llaw … ar straeon byrion … ond doeddwn i ddim yn bles arnyn nhw … 'rown i'n teimlo nad oedd gen i ddim digon o ddychymyg neu dim digon o ddawn i gynllunio plot stori neu nofel.[516]

Gellir datgan yn ffyddiog, mi gredaf, nad cynllunio plot oedd y bwgan mwyaf iddo. Er iddo gydnabod fod hualau crefft yn pwyso arno mae gennym dystiolaeth y credai iddo ymgodymu â hi yn lew iawn ar adegau – cofiwn iddo ddatgan fod y ddwy stori 'Pwll yr Onnen' ac ' Y Cwpwrdd Tridarn' yn berffaith eu crefft. Y bwgan iddo oedd diffyg dawn, y gynhysgaeth anniffiniol sy'n eiddo'r gwir lenor, cynhysgaeth y credai ef, ar ôl ymdrechu'n galed i'w chaffael, nad oedd yn eiddo iddo.

Er bod ansicrwydd D.J. o'i werth fel llenor wedi'i lesteirio ar adegau bu hefyd yn fendith iddo. Oherwydd i'w amheuon ei orfodi i geisio perffeithio'i gynnyrch llenyddol llwyddodd i greu corff o lenyddiaeth sy'n ei osod ymhlith prif awduron Cymru. Y mae i'w waith arwyddocâd pellach, yn ogystal. Yr hyn a wneir gan D.J., fel y dywed R. M. Jones, yw gosod y profiad o fod yn Gymro o fewn fframwaith y Traddodiad Mawl Cymraeg sy'n cynnwys cyferbynnu hyfrydwch y gorffennol â nychdod y presennol. Ac y mae i hynt a helynt y Cymry yn y fframwaith llenyddol hwn gyffredinolrwydd sy'n berthnasol i'r byd cyfan. Meddai R. M. Jones ymhellach:

> Mae unplygrwydd mawr y Traddodiad Mawl Cymraeg drwy'r canrifoedd yn cynrychioli'r gaer a adeiladwyd i geisio diogelu cyfiawnder a daioni, haelioni a dewrder … Dichon yn isymwybodol fod y traddodiad Cymraeg wedi dodi'i fys beirniadol ar yr hyn a oedd yn sylfaen ac yn gymhelliad diarwybod i bob celfyddyd. Dyma asgwrn cefn cenedl, onid asgwrn cefn pob cymdeithas wâr.[517]

Un o gymwynasau pwysicaf llenorion mawr y byd yw eu hymgais i hybu gwarineb dynoliaeth. Mae D.J., yn bendifaddau, yn aelod clodwiw o'r frawdoliaeth honno, ac er taw dylanwadu ar ei gyd–Gymry oedd ei brif fwriad ni ddylid tybio bod plwyfoldeb ei waith yn ei annilysu. Oblegid hynny gellir yn dalog honni iddo ennill iddo'i hun safle anrhydeddus ymhlith awduron rhyddiaith gorau yr ugeinfed ganrif.

RHAN 2

Detholiad o gofnodion dyddiadurol D.J. Williams

(i) Nodiadau dyddiadurol D.J. Williams 1913–14 (Cafwyd gan Rachel James, Boncath).

18 Awst 1913

O Dduw rwy'n gofyn i ti yn enw dy Annwyl Fab Iesu Grist roddi o honot i mi nerth a chyfarwyddyd dy lân ysbryd i sefyll yn wrol a gonest dros dy enw di a thros fy ngwlad. Dyro i mi hefyd gariad a doethineb. Fy ngweddi yw ar i mi gael dy nerth Di i adeiladu cymeriad grymus a nerthol, disigl a phenderfynol, tymer boneddigaidd a siriol, gonest a diffuant, fel y delo pawb i gredu ynof ac i ymddiried ynof.

O Dduw bydd o fy mhlaid. Rwyf am ddadblygu fy hun fel cenedlaetholwr Cymreig, i wneyd Cymru i gredu ynddi ei hunan, i ddod yn allu a dylanwad yn hanes y byd. Yr hyn a fedraf bo leied ag y bo, cysegraf ef i wasanaeth Cymru. Gad i mi ddadblygu personoliaeth rymus a nerthol, yn ddylanwad iachusol a dyrchafol ar bawb y dof i gyffyrddiad â hwy.

Gad i mi hefyd ddadblygu ewyllys fel dur i orthrechu pob anhawsder ac i'w roddi dan fy nhraed. O Dduw gad i mi gael pwyll a meistrolaeth pan yn siarad yn gyhoeddus. Yr wyf yn benderfynol o ddod yn siaradwr, costied a gostio i mi. Gad i mi o Dduw golli yr hunan-ymwybyddiaeth yma sydd yn parlysu fy ymdrechion yn bresennol ac i ddod i siarad yn bwyllog ag yn hunan-feddiannol.

O Dad gwared rhag fy mod i yn rhyfygu ac yn gwrthod gwrando ar dy leferydd di. Er hynny credaf fod dyledswydd yn dywedyd wrthyf am ymroddi i genedlaetholdeb Cymreig yn ei agwedd fwy ardderchog yn hytrach na chyfyngu fy hun i'r pulpud yn gyfangwbl. Credaf ar adegau yn sicr fod gennyf neges arbennig i Gymru, sef ei gwneud i gredu ynddi ei hunan ac i wneyd cyfiawnder â'i adnoddau dihysbydd sydd yn ei meddiant. Pregethaf efengyl bur wedi ei chymhwyso i Gymru ac i genedlaetholdeb Cymreig a siaradaf genedlaetholdeb Cymreig wedi ei drwytho gan ysbryd cadarn yr efengyl.

Yr wyf am ddod i bregethu gyda nerth a dylanwad ac i siarad yn rhydd, rhwydd ac eofn, ac uwchlaw'r oll i gael cymeriad cadarn a disigl fel craig a chydymdeimlad a thynerwch diymhongar fel y delo Cymru i gredu ynof ac i ymddiried ynof.

Gad i mi lynu wrth y gwir ac wrth egwyddorion fy nghydwybod yn ddiwyro ac yn ddisyfl.

16 Medi 1914

Wel lyfryn bychan dyma fi yn ymaflyd ynot eto. Amser difrifol ydyw hi heddiw ar ein byd – y rhyfel mawr ar y cyfandir.

Byddaf yn ôl yn y coleg ymhen llai na phythefnos. Os ffurfir batalion o'r brifysgol Gymreig, yr wyf am wneud fy ngorau i ymuno â hi, er o gymaint anhawster fydd fy llygaid. Ymunaf o ymdeimlad o ddyledswydd, ond yn bennaf feallai er mwyn y profiad. Nis gwn beth yw ofn angau lle bo angau yn anrhydeddus ac y mae gan wir beryg ei gyfaredd drosof bob amser.

Hoffwn wneud 'Honours English' y flwyddyn nesaf gan y credaf y gwnaf yn well ynddo nag y gwnes y llynedd mewn Cymraeg. Er hynny bodlon wyf i'w aberthu er mwyn mynd i'r ffrynt.

Yr wyf hefyd am fynd i Rydychen a chymeryd fy ngradd

yno mewn Saesneg. Yr wyf am berffeithio a chymhwyso fy hun ymhob modd fel ag i fod yn deilwng arweinydd i'm cenedl yn nyfodol fy mywyd.

O Dad cynorthwya fi ymhob modd i ddadblygu fy hun ac i gryfhau fy holl gymeriad. Gad i mi osod pob ystyriaeth israddol o dan fy nhraed ac ymestyn ymlaen am gamp uchel alwedigaeth i fod yn rhywfaint o allu i ysbrydoli ac i buro a dyrchafu dyheadau uchaf fy nghenedl. O Dduw cofia am Gymru heddiw yn nyddiau y Deffroad Cenedlaethol. O cymhwysa ei meibion a'i merched fel offerynnau teilwng yn dy law di i weithio allan ein hiachawdwriaeth genedlaethol er lles a dyrchafiad cenhedloedd eraill ac er clod a gogoniant Duw i ni ein hunain. O Dduw dyro dy ysbryd glân a sanctaidd di i aros yn fy nghalon i. Gad i mi gysegru fy hun yn llwyrach bob dydd i wasanaeth fy ngwlad drwot ti. Gad i mi ddatblygu personoliaeth gref a dylanwadol. Gad i mi fod yn bur i'r gwirionedd fel ag y deallaf fi ef ynof fy hunan. Gad i mi ddod i siarad yn bwyllog, hunanfeddiannol ac argyhoeddiadol. Dangos i mi O Dduw pa lwybr i'w gymeryd yn y dyfodol. Hoffwn ddod i ysgrifennu ystorïau byrion a nofelau yn fy iaith fy hun i ddifyrru fy nghyd genedl a pheri iddi ar yr un pryd adnabod ei hunan yn well a chredu yn gryfach yn ei hadnoddau ardderchog ei hunan ac ym mhosibilrwydd ei thynged am y dyfodol. Hefyd hoffwn ysgrifennu erthyglau i'w hannog a'i hysbrydoli ymlaen ar ei gyrfa. Treigla dy ffordd ar yr Arglwydd ac ymddiried ynddo, ac efe a'i dwg i ben.

(ii) Dyddiadur achlysurol D.J. Williams 1941–1951 (Detholiad) *LlGC Papurau D.J. Williams, Abergwaun, P3/11*

Dyddiadur Dyn Anonest.

24 Mawrth 1941

Diwedd yr wythnos ddiwethaf darllenais Ddyddiadur Bebb yng nghyfres Llyfrau'r Dryw, a'i gael drwyddo yn rhyfeddol o ddiddorol. Ymddengys y gall cadw dyddiadur ddod yn ffasiynol yng Nghymru bellach.[518]

Ond atolwg a yw canrifoedd o fyw dan lywodraeth estron wedi ein gwneud ni yn rhy lwfr ac anarwrol i gadw dyddiadur â dim budd ynddo. Nid yw'r Cymro na sant nac adyn na ffŵl – yr unig fodau a faidd gadw dyddiadur. Hyd yma nid euthum i ymhellach na Ionor 10fed yn y ddau neu dri thro o'r blaen y rhois gynnig arni. Yn Awst 1923, fodd bynnag, cedwais innau ryw eiriadur tair wythnos, a hynny yn Llydaw wrth deithio yng nghwmni Ambrose Bebb. Rown i'n caru Fflora Forster yn ddwys iawn yn fy nychymyg yr adeg honno, ac yn cofio amdani'n fynych wrth ymweld â'r eglwysi heirdd a chyd-addoli â'r Llydawyr defosiynol rhwng y colofnau gwych. Wn i ar y ddaear ymhle y mae'r dyddiadur hwnnw bellach. Ond pe trawn arno rywdro gwn na chawn gyfeiriad at Fflora ynddo. Wrth ddechrau cadw'r dyddiadur hwn gan nad ba hyd y pery'r clwy hwn odid y byddaf yn onestach …

5 Ebrill 1941

Darllen 'Cofiannau'r Ganrif Ddiwethaf' gan Saunders Lewis yng Nghofnodion y Cymrodor 1934–35–36, a'i gael fel arfer yn dreiddgar a meistraidd ei driniaeth. Dywed fod y cofiant yn fynegiant mor gywir o gymdeithas Gymreig y bedwaredd ganrif ar bymtheg ag yw'r emyn o'r ddeunawfed ganrif a'r cywydd o'r bymthegfed ganrif. Efallai y gellid dweud mai canrif y soned neu'r delyneg a fu'r ganrif hon hyd yma. A ddaw hi'n nes ymlaen yn ganrif y stori fer neu'r ddrama wn i.[?] Dyna'r ddisgyblaeth orau y gallai llenorion eu gosod eu hunain otani, gredaf i. Ni all neb llac ei feddwl sgrifennu na stori fer na drama gwerth yr enw.[519]

5 [6] Ebrill 1941

Clywed fod yr Almaen wedi cyhoeddi rhyfel yn erbyn Iwgo-Slafia a Groeg. Druain o'r cenhedloedd bychain hyn. Eto, efallai, nad ydynt mor druenus eu cyflwr â Chymru – sydd fel y dywedodd 'Cwrs y Byd' yn barod i dynnu'r llygad de, bob amser, er mwyn i'r Sais fynd i mewn i'w deyrnas. Druain ohonom. Druain ohonom. P'un ai myfi sy'n ynfyd, ynteu fy nghenedl sy'n foesol wedi ei phuteinio a'i hysbryd a'i balchter a'i hunan-barch wedi eu sathru'n ddiffrwyth o dan draed gan ganrifoedd o lywodraeth estron … Mr. Lloyd, mab Dyffryn Saith, Tresaith yn pregethu yno [Pentowr] ar y geiriau a welir ym Mathew XXV1 40 'Ac efe aeth at y disgyblion ac a'u cafodd hwy yn cysgu: ac a ddywedodd wrth Pedr; Felly, oni ellych [*sic*] chwi wylied un awr gyda mi?' Dydd Gwener diwethaf, darllenwn yr adnodau hyn o lyfr bach rhagorol y Bible Reading Fellowship, ac yn teimlo petawn i'n cael pregethu'n awr, y dewiswn yr union adnod hon i wneud pregeth arni. Wedi dechrau'r rhyfel, pan na chaf siarad ar ran y Blaid Genedlaethol, teimlaf yn aml yn flin na fuaswn wedi mynd ymlaen â'm bwriad o bregethu. Diau na fyddai gennyf eglwys ers blynyddoedd, os cawn alwad o gwbl o ran hynny, gan y gwrthodid cyhoeddiadau i mi yn ddigon cyffredin adeg rhyfel o'r blaen oherwydd fy syniadau gwrth ryfelgar …

9 Ebrill 1941

Darllen *A Passage to India* E.M. Forster[520] … Mewn llythyr, dywedodd Arthur Gray Jones wrthyf mai Cymro ydyw Forster, ac mai ei enw cywir ydyw Llywelyn. Gweld fod tebygrwydd mawr rhwng cymhleth y taeog ymhlith yr Indiaid gorchfygedig ac ymhlith y Cymry sydd wedi aros yn Gymry. Yn y Sais Gymry magwyd math o ffug hyder gwag nad yw'n werth dim o gwbl pan yw'n ddydd o brysur bwyso arnynt …

Clywed Jubilee Young[521] yn Hermon ar 'Diwygwyr a Diwygiadau' – clwstwr o ddarluniau difyr mewn llifeiriant o eiriau rhugl. Ei ddawn siarad anghyffredin wedi ei rwystro i eistedd i lawr weithiau a meddwl. Pinsiaid o hanes digon ansicr mewn crochan berw o huawdledd. Holl bechodau'r gorffennol wrth ddrws y Pab a'i Eglwys – ffordd rwydd o osgoi wynebu problemau'r dydd heddiw. Gyda llaw, y Pab oedd wedi crogi John Penry[522] hyd yn oed.

22 Ebrill 1941

Gorffen darllen *Guilty Men* gan ryw Gato. Unig gŵyn y llyfr yw – nid nad oedd y Llywodraeth wedi gwneud ei rhan i osgoi achosion rhyfel yn Ewrop, ond ei bod wedi mawr a phechadurus esgeuluso ymarfogi pan oedd cyfle ganddynt – Macdonald, Baldwin, Chamberlain fel ei gilydd. Yr unig ddynion o weledigaeth yn Lloegr oedd y rhyfelwyr – Eden, Duff Cooper a Churchill. Ymddengys weithiau fod y Saeson yn rhy gib-ddall a chroendew i ddysgu dim ond drwy gael eu gorchfygu'n druenus. 'Those whom the gods wish to destroy they first make mad.'…[523]

17 Mai 1941

Gorffen darllen llyfr Peter Howard, cyn gapten tim Rygbi Lloegr – *Innocent Men* – a anfonwyd i mi ddechrau'r wythnos gan Sarah Reynolds (yn awr – Mrs Edgar Thomas …).

Llyfr amrwd gan ŵr amrwd yn ceisio'n amrwd ddehongli Cristnogaeth i fyd amrwd. Anodd gennyf gredu fod Buchman a'i gyd-weithwyr yn yr 'Oxford Group' sy'n ddiau wedi rhoi ysgogiad ysbrydol i'r oes hon, yn cael eu dangos mewn golau teg yn y llyfr hwn. Os ydynt, nid yw'r mudiad ond megis rhyw ddiferyn o olew ar olwynion cyfalafiaeth sydd wedi suddo hyd y bŵl yng nghors leidiog ei rhaib gibddall ei hun.

O'm rhan fy hun o'r braidd y teimlaf fod y llyfr hwn yn cyffwrdd â gwir fywyd y Cristion. Seilir y mudiad ar onestrwydd llwyr, purdeb llwyr, anhunanoldeb llwyr, a chariad llwyr. Ac eto y mae'r mudiad yn ôl Peter Howard o leiaf, am wneud popeth a all i hyrwyddo'r paratoadau ar gyfer y rhyfel hwn – sydd ynddo ei hun fel pob rhyfel arall yn wadiad llwyr ar hanfod Cristnogaeth. Am lwyr onestrwydd eto – os gall y mudiad gau ei lygad ar ddallineb gwleidyddion Prydain a Ffrainc yn ystod yr ugain mlynedd diwethaf a cheisio rhoi'r bai am erchyllterau'r rhyfel hwn i gyd ar Hitler, yna, yn sicr nid yw'r mudiad yn onest. Ac ni all mudiad sydd yn gwadu mewn ymarfer seiliau ei broffes ei hun, fod yn naill ai yn bur nac yn anhunanol. Y mae wedi ei adeiladu ar y tywod. Gresyn hynny.[524] Gobeithio, er mwyn y nefoedd fy mod i wedi ei gamfarnu. Ond o ddifrif fe ymddengys i mi yn beth [tebyg] i ryw fath o argraffiad parchus o Natsïaeth Saesneg, sef addoliad o'r wladwriaeth Imperialaidd Seisnig, peth y methodd y digrifddyn ffraeth A. P. Herbert ei ddeall.[525] Yn wir nid yw Herbert a'r Grŵp nepell o deyrnas ei gilydd, – y deyrnas honno yw'r 'Fflag' y bu Herbert yn darlledu arni yn ysbryd Harri'r V o flaen Hurfleur ryw ychydig Suliau'n ôl.

19 Gorffennaf 1941

Cwrdd Pwyllgor Sefydlog Urdd y Graddedigion yng Nghaerfyrddin … di-fudd iawn yw'r Pwyllgor Sefydlog i'm tyb i … Yr agenda yn foel a diddychymyg fel rheol, a'r un bobl arno ers cenedlaethau debygwn i; rhai yn gwneud dim mwy nag a wnaf innau; eraill yn hollti blew drwy gynnig gwelliannau ar unrhyw benderfyniad o ryw werth a ddigwydd fod ger bron, er mwyn ei wneud mor ddiniwed a di-werth â gweddill y gweithrediadau … Doe dygais y ddau benderfyniad hwn gerbron …

(1)That at the expiration of four years time, viz, in July 1945, Welsh should be included as a compulsory subject in the Matriculation of the University of Wales.

(2)That in addition to the S.W.1 and S.W.2 and the Sa and Sc I and II papers in the Central Welsh Board Examination, a third paper of an easier standard should be set for purely non-Welsh speaking candidates.

Eiliodd yr Athro Ernest Hughes[526] y ddau benderfyniad er mwyn cael trafodaeth. Ond cyhwfan y rhwystrau mawr a wnâi'r siaradwyr er datgan eu cyd-ymdeimlad â'r peth, yn enwedig yr Athro Henry Lewis.[527] Ofnai ef o orfodi'r Gymraeg, y 'drewdod' dyna'r gair mawr a ddefnyddiai (cyfatebol i 'stink' yn Saesneg y mae'n debyg) a ddigwyddodd yn Iwerddon yn ôl ei dystiolaeth ef, drwy orfodi'r Wyddeleg yn yr ysgolion.

Wedi tipyn o siarad yn ôl ac ymlaen drafftiwyd y penderfyniad yma gan Mr T. I. Ellis drwy gynorthwyo'r Athro Henry Lewis, gan nad beth a all ddod ohono:–

That in view of the desirability of giving a more effective place to the Welsh Language in the Secondary Schools of Wales the Standing Joint Committee has decided to institute an enquiry into the relative position of the Modern Languages, particularly in reference to the Certificate Examination of the C.W.B. …

Fe'm hychwanegwyd innau yn anrhydeddus iawn at y cyfryw Bwyllgor. Duw a roddo nerth a doethineb i mi fod o ryw fudd arno fel ag i sicrhau'r lle a'r anrhydedd gofynnol i'r Gymraeg ar ei haelwyd. Ymdynghedaf yma, os na wna'r Pwyllgor hwn ei ran yn anrhydeddus yn hyn o amcan, y codaf y mater fy hun i sylw'r wlad drwy gyfrwng y Wasg.

Y mae'r peth yn warth fel y mae. Dyma Brifysgol Genedlaethol a'r prifysgolheigion Cymraeg ynddi yn chwilio am bob rhwystr ar y ffordd rhag gosod y Gymraeg yn destun gorfodol yn ei Matriculation …

Prynu copi o *Rabelais* 'Dent's Double Volume' … Ni welais ac ni chlywais ddim o waith Rabelais er pan ai Buchanan i hwyl wrth ei adrodd yn stafelloedd ei gyfoedion yng Ngholeg yr Iesu, Rhydychen, yn agos i bum mlynedd ar hugain yn ôl. Y mae llawer iawn o Rabelais, ei dda a'i ddrwg ym mhawb ohonom, petai gennym ei onestrwydd a'i ddawn ef i'n mynegi ein hunain. Aeth 'Yr Eunuch' yn eunuch ar fy ngwaethaf i. Nid yw awyr Cymru yn ddigon tenau i gynhyrchu yr un Rabelais hyd yma. Y mae gormod o dawch paent y sêt fawr arni. Eto, os yw'r Gymraeg i fyw fe fydd yn rhaid ei gael. Nid yw ond yr ochr arall i Bantycelyn gan athrylith gyffelyb.[528]

15 Rhagfyr 1941

… euthum i gyfarfod cyntaf o Eglwysi Rhyddion cylch Abergwaun a gynhaliwyd yn Hermon … Y dyddiau hyn y mae mesur gorfodaeth filitaraidd i ferched ar ei ffordd drwy'r senedd: Dyma dri phenderfyniad a osodais ger bron:–

(a)Ein bod ni yn gwrthwynebu yn y modd mwyaf pendant y duedd gynyddol i rwyddhau a lluosogi cyfleusterau diota, yn enwedig mewn ffatrioedd lle y cyferfydd cynifer o bobl ieuainc, a'n bod yn protestio yn erbyn dwyn i mewn i Gymru y fath arferion estron a ffiaidd sydd yn drygu ein safonau moesol ac yn tanseilio ein holl ffordd o fyw. Fod y penderfyniad hwn i'w anfon i'r Ysgrifennydd Cartref, ac i Mr Gwilym Lloyd George A.S. dros y Sir.

(b) Ein bod ni'n protestio yn erbyn gorfodi merched i wasanaeth militaraidd oherwydd y dylanwadau aflednais ac andwyol a edy gwaith ac awyrgylch o'r fath ar eu cymeriadau, a thrwy hynny ar gymdeithas y dyfodol.

(c) Ein bod ni'n protestio yn erbyn defnyddio Mudiad yr Ieuenctid i ddwyn perswâd ar fechgyn dan ddeunaw oed i gyflawni gwasanaeth o natur filwrol.

Yr oedd rhyw 15 o gynrychiolwyr yn bresennol. Wedi tipyn o ddadlau pasiwyd y penderfyniad cyntaf, am ei fod yn awgrymu'r gair dirwest yn bennaf mi gredaf a phawb yn bresennol bron, ond y fi, yn ddirwestwyr mewn proffes.

Bu dadlau brwd a maith ar y ddau gwestiwn arall. Cynigiodd y Parch Eurfin Morgan a'r Parch W. Davies y Cenhadwr yn eilio fod y ddau benderfyniad i'w gadael ar y bwrdd. Cefnogodd pawb hynny ond y Parch Odwyn Jones; Mr J. G. Martin a minnau. Ni phleidleisiodd y Cadeirydd. Siaradodd y Parch Wyn Owen yn gryf iawn yn erbyn y penderfyniad gan awgrymu fod a fynno'r peth â pholitics, fel pe na bai a fynno bron popeth o'n bywyd â pholitics. Awgrymodd fod y peth hwn, y politics hwn yn codi ei ben yng Nghymru ac yn debyg o fod yn fwy niweidiol i wareiddiad na Natzïaeth yr Almaen. (Druan o'r Blaid Genedlaethol, bwch dihangol pob drygioni unwaith eto). Ceisiais ofyn nerth y nef i wneud y safiad hwn, ac yr wyf yn diolch i mi deimlo rhyw gymaint ohono, er i'r bleidlais fynd bron yn llwyr yn fy erbyn, ac i eraill ddatgan eu barn yn y diwedd fod Cyngor yr Eglwysi Rhyddion wedi ei ddinistrio eisoes. A bod y cyhuddiad yn wir, tybed a fyddai'r golled yn fawr[?] Rhoddai o leiaf un cyfle'n llai i arweinwyr crefydd ragrithio.

Pasiwyd ein bod yn cael pregeth yn Hermon ddydd Nadolig am 10 o'r gloch, a'r Parch W. Davies y Cenhadwr yn ei thraddodi – fel pe na byddem yn cael digon o bregethu yn barod. A yw crefydd i'r eglwysi yn rhywbeth heblaw clindarddach drain dan grochan?

28 Rhagfyr 1941

Gorffen darllen *Testament of Friendship* cofiant Winifred Hotly gan Vera Britain [*sic*].[529] Dyma ddyfyniad o lythyr a anfonais heddiw i Dafydd Jenkins wrth anfon ei stori 'Anita' yn ôl iddo a rhyw ychydig o sylwadau arni – sef yn bennaf ei bod yn rhy farwaidd ei symudiad … dechreuais yr wythnos ddiwethaf ddarllen Cofiant Winifred Hotly *Testament of Friendship* gan ei chyfeilles anwahanadwy, Vera Britain [*sic*]. Y mae'n llyfr maith, ac yn werth ei ddarllen yn ofalus, yn enwedig gan neb a drallodir gan yr ysfa greu … Rhai pobl fel yna sy'n achub enaid y genedl Seisnig gredaf i, rhag mynd i gors o ragrith a hunan-gyfiawnder cibddall y dyddiau hyn. Credaf eu bod weithiau'n synnu Duw ei hunan at y perffeithrwydd dilychwin a berthyn iddynt yn eu holl ymwneud â chenhedloedd eraill. Dyna'n sicr, pam yr aethant mor llwyr i grafangau'r breuddwyd gwrach yna'r dyddiau hyn. Y mae'n amhosib fod dim allan o le ar y gwir Sais. Byddai synied peth o'r fath yn gyfartal â chydnabod fod twll crwn wedi ei fwrw trwy waelod y cread drwy'r hwn y llifodd allan bob ystyr a rheswm mewn bodolaeth. Hynny yw, bedlam fyddai'r bydysawd heb bwyll a rheswm y Sais i gadw trefn yno; a byddai cystal i'r Hen Ŵr bob mymryn roi'r ffidil yn y to. Yr unig fod mwy crediniol yn ei rinweddau na'r Sais ei hun yw ei was bach, y fflynci Cymreig …

3 Hydref 1942

Dydd Sadwrn wythnos i heddiw, sef Sadwrn Medi 26, cyfarfu'r pwyllgor Arbennig i drin y penderfyniad o wneud y Gymraeg yn bwnc gorfodol yn y Matriculation … Cawsai'r Athro Aaron[530] ganiatâd i wneud amddiffyniad i'r cerydd a roed i'r Adran Athronyddol Urdd y Graddedigion am ryw dresbas tybiedig a wnaed ganddynt ynglŷn ag arian a oedd mewn llaw ganddynt dan nawdd yr Urdd … Erbyn dod o'r diwedd at wir ddiben y cyfarfod, yr oedd hi bron bod yn amser i rai o'r cynrychiolwyr ddal y trên … Cynigiodd y Parch Meredydd, Aberystwyth heb ddim siarad ein bod yn derbyn y penderfyniadau. Eiliodd Mr Tom Ellis …

Yna bu distawrwydd mawr – am ennyd hir: neb yn dweud dim – wedi'r cynnig a'r eilio uchod. Ond wele, Elwyn ab Talfan, un o wŷr Grŵp Cymru 1942, yn dweud ei fod ef yn gwrthwynebu ar y tir fod y cynnig yn cau allan Saeson o'r Coleg. Ofnai'r Dr Saer y byddai 'inbreeding' yn y colegau Cymraeg yn niweidiol i'r Brifysgol, ni chytunai'r Warden â hynny. Ofnai Mr Roberts, cyfreithiwr o Aberystwyth, (mab y Parch T. E. Roberts) y golygai golled ariannol i'r Colegau drwy i lai o fyfyrwyr Seisnig ddod yno. Eglurodd Mr T. I. Ellis fod y trai Seisnig wedi digwydd yn barod. Ofnai'r Parch Herbert Morgan y golygai gorfodi'r Gymraeg golli pobl Morgannwg a Mynwy. Yr oeddwn ar fin ceisio dangos nad oedd hi'n ddim caletach i'r Sais-Gymry ddysgu Cymraeg pe mynnent hynny, nag yr arferai fod iddynt drwy eu gorfodi i ddysgu Ffrangeg a Lladin. Ond ymyrrodd y Warden, gan fod yr amser eto, fel yn Abertawe o'r blaen, yn rhy brin i barhau'r drafodaeth. A fu truenusach gŵr na fi erioed yn treio ymladd dros ei achos mewn pwyllgor? … Fodd bynnag pasiwyd y penderfyniad drwy fwyafrif o un … Gyda llaw, gadawyd allan y rhan yn ymwneud â'r Senior, ar y tir y golygai gosod Cymraeg yn hanfodol ar gyfer Matriculation y byddai'n rhaid ei baratoi ar gyfer y Senior …

14 Mawrth 1943

O lythyr at Siani wedi dyfynnu brawddeg neu ddwy o adolygiad W. J. Gruffydd ar y *Tir Coch* yn *Y Llenor* (Gaeaf 1942 – Cyfrol XX1. Rhif 4).

'Y pethe sy'n fy hala i'n sâl yw fod genny' ddigon o ddefnyddiau cystal â'r *Tir Coch*, a gwell yn ôl fy nheimlad i cyn mynd ynghyd â hi, yn corddi'n ddyddiol yn fy enaid, ac yn galw am fynegiant. O ar Dduw na chawn i dawelwch yr hen ardal i ori arnynt a'u deor yn gywion byw adeiniog. Y mae'r dyddiau hyn mor hir i mi â'r dyddiau yn Wormwood Scrubs. Y mae gennyf rhwng dwy a thair blynedd eto o gaethiwed [fel athro yn Ysgol Ramadeg, Abergwaun] …'

28 Ebrill 1943

Mynd i'r Borth … Plant Anna a phlant Magi yn dwyn delw amlwg y ddwy fam …

Plot stori fer yn May, hen forwyn Magi, – merch hardd, artistig, gerddorol, ddoniol, fflirtgar: gwneud oed â bechgyn, ac yna'n mynd i ymguddio er mwyn eu gweld yn troi a threiglo yn eu hunfan druain yn chwilio amdani hi.

O'r diwedd wedi cellwair â'r bechgyn hyd rhyw 25 oed, a dydd y cynhaea yn tynnu ei gwt ato, y mae'n taro ar fwstashen fain – bachgen stedi fel y bydden nhw'n dweud, ond diarhebol o fên, ond yn gwrddwr selog.

Hwnnw'n aros gyda'i rhieni tlawd yn ystod dyddiau prin y rhyfel, a hynny aml dro, heb ddod â chymaint â grofen caws ganddo i'w gynnal. Ei mam yn pacio lunsh iddo ar gyfer ei daith yn ôl. May yn mynd i'w hebrwng i'r dref: mynd i mewn i gaffe tywyll John a Jâms. Ef yn gofyn am ddau gwpanaid o de – yn tynnu sangwej allan, un iddo ef ac un iddi hi. May bron â chrio neu fynd drwy'r ddaear gan gywilydd, yn mynd allan.

Yn union deg a'r fwstashen fain wedi mynd bellach am y De, dyma May yn cwrdd ag un o'r hen gariadon – y gorau ohonynt oll efallai. Y ddau'n ffoli ar gwrdd ohonynt fel hyn mor hapus unwaith eto. Te arall yn y man gorau yn y dre, y llanc yma'n talu am y cyfan, er nad oedd ganddo, pe gwyddai May, fawr mwy nag a oedd ganddi hi, druan yn ei phoced. Caru'n baradwysaidd am ychydig fisoedd. Priodi i fod y Nadolig; ond ei thad yn ei pherswadio i dowlu tan y Pasg. Ymhen ychydig amser wedyn, llythyr yn dod oddi wrth y bachgen yn dweud wrthi am geisio ei anghofio yn fuan, gan fod y cyfan drosodd rhyngddynt. Hithau'n torri ei chalon yn lân. Mynd i'w weld i'w lety, ac yn cael yr esboniad. Gwraig heb enw rhy dda iddi, wedi ei feddiannu fel arthes, ac yn bygwth cyfraith arno'n ddioed, os na phriodai ef hi.

Hi'n gweithio mewn ffatri arfau gyda merched eraill yng Nghaer. Yn dod adref i'w bwthyn llwm bron marw – y doctor yn hala bron pythefnos o amser heb ddeall ei dolur. Yr oedd hen fil yn aros ar y teulu –

Dyna'r ffeithiau. Pa fodd i'w trin fel darn o gelfyddyd – troi ffoto yn ddarlun fel y gwnaeth Marjorie â'r postcardiau ar wal y gegin yn ein tŷ ni?[531]

5 Gorffennaf 1943

O weld a chlywed am fywyd a'r dirywiad enbyd ym mhlith ieuenctid Abergwaun, fel ym mhob rhan arall o'r wlad, y tafarnau'n llawn ohonynt bob nos, arian ddigonedd yn cael eu hennill yn Nhrecŵn, cwponau am bob dim bron, yn rhwystro i'w gwario, dim un caffe yn y dref o fawr faint; yr eglwysi a'r undebau crefyddol yn cwyno ac yn achwyn, y bobl yn siglo eu pennau ac yn gresynu; y festrïau yn nwylo'r milwyr, ysgrifennydd eglwys Pentowr, Mr J. J. Morgan, a eneiniwyd yn ddiacon o'r groth, yn cynnull swyddogion yr eglwysi at ei gilydd yn gynnar yn ystod y rhyfel er mwyn sicrhau unfrydedd ymhlith yr Ymneilltuwyr drwy gynnig y festrïau iddynt cyn gwybod a fyddai eu hangen arnynt ai peidio. Festri Pentowr, heb filwyr ynddi ar hyn o bryd, a chais i'w anfon eisoes i Milwriad Kellway yn gofyn am gael y festri yn rhydd dros ddyddiau'r Sasiwn sydd i'w chynnal yma ddydd Mercher a Iau, Medi 27 a 28. Yn y pwyllgor ar gyfer y Sasiwn y nos Wener cynt, codais y pwynt o ofyn am edfryd y festri yn llwyr i wasanaeth ieuenctid y lle. Fe'm trowyd i lawr gan y gweinidog am fy mod i allan o drefn, – er ei fod ef yn cytuno'n llwyr â mi yn bersonol, meddai ef, – am mai mater i'r eglwys i gyd ydoedd, ac nid i bwyllgor ar gyfer y Sasiwn.

Dyma'n fras y cefndir i'r cynnig a wneuthum i yn y seiet neithiwr wedi'r bregeth yn y cwrdd whech – o gael y festri'n ôl yn llwyr. Credaf i mi gael nerth ac arweiniad i osod yr achos yn deg, yn ddidwyll ac yn glir o flaen y gynulleidfa. Rhoddasai pregeth gref y gweinidog yn wynebu ffeithiau'r dydd gyfle da i mi wneud hynny.

Wrth godi ar ei draed i daflu dŵr oer ar fy nghynnig i fel arfer, heb wybod yn iawn y ffordd i wneud hynny fe'i cafodd Mr Evans ei hun wedi cynnig rhywbeth arall a oedd yn dra thebyg i'r hyn a gynigiaswn i.

Mynnai ef yn unig ymddiried i'r blaenoriaid wneud ymchwiliad ynglŷn â'r hyn y gellid ei wneud, yn hytrach na gwneud cais am festri fel y cynigiais i. Trodd y gweinidog gynnig W.E. fel eilydd i mi, blaenor hynaf yr eglwys.

Yna cododd Mr John Morgan a'i chyn ysgrifennydd a thad yr eneiniog, yn rhoddi agwedd arall ar y mater – sef nad oedd rhyw lawer o'i hangen ar hyn o bryd, fod yr eglwys yn cael tâl am ei benthyg, ei bod mewn cyflwr drwg ar hyn o bryd oherwydd triniaeth y milwyr ohoni, a bod yr awdurdodau milwrol o dan addewid i'w gosod yn ôl mewn cyflwr priodol ar ddiwedd y rhyfel.

Eiliwyd ef ar unwaith yn y cynnig gan Mr D. W. Lewis a ddywedai y gallai gallu milwrol ar unrhyw adeg yn y dyfodol, a bod Pentowr yn ei gosod mewn stad briodol yn awr, ei mynnu yn ôl ar unrhyw adeg, petai amgylchiadau'n galw. Ategwyd yntau gan Mr Dafydd Owen, un arall o'r blaenoriaid; ac yna gan y rhain y naill ar ôl y llall gydag unfrydedd mawr am yr un rhesymau :– Mr Emrys Davies, Angorfa; Mr D. M. Davies y Banc.

Ni ddywedwyd yn y sêt fawr na'r tu allan iddi air o blaid fy nghynnig i. Codais innau eilwaith cyn gosod y mater i bleidlais i geisio dangos iddynt mai'r hyn oedd ganddynt i'w benderfynu mewn gwirionedd oedd – pa un oedd bwysicaf yn eu golwg fel eglwys yn dwyn arni enw Crist, ennill rhyw ychydig bunnoedd oddi ar law'r llywodraeth at gyllid yr achos, ynteu gwneud rhywbeth yn ymarferol drwy roi'r festri yn fan agored a chyfleus i bobl ifanc gwrdd a chymdeithasu â'i gilydd, yn hytrach na'u gyrru i'r unig fannau eraill y gallent fynd iddo, sef y tafarnau.

Yn y bleidlais cododd un o'r blaenoriaid, Mr , aelod o'r Blaid, ac un o'm cyfeillion gorau yn y lle yma, ei law dros fy nghynnig i, a rhyw dri arall, sef dwy o ferched Lannwg a Mrs Davies Angorfa, un arall o ffrindiau cywiraf fy ngwraig.

Dyma'r ffeithiau'n syml. Collais fy ffydd yn derfynol rwy'n ofni yng ngwerth rhai o weinidogion yn y lle yng nghyfarfod yr Eglwysi rhyddion y croniclwyd ei hanes yn barod gennyf yn y dyddiadur hwn. [Gweler cofnod 15 Rhagfyr 1941 uchod]. Ofnaf fod fy ffydd neithiwr wedi cael ysgytiad arall yn yr eglwys y bûm yn aelod ohoni am o fewn dim i 25 mlynedd, ond na fu'n gartref ysbrydol o gwbl i mi yn ystod y blynyddoedd hyn. Duw o'i ras a'm cynorthwyo i beidio â chwerwi a digio. Ond yn onest, ni theimlaf fod i mi gymdeithas ysbryd â'r arweiniad a roir yn yr eglwys; a heb hynny nid oes eglwys. Â'r aelodau yn gyffredin yr wyf ar delerau hollol hapus â hwy …

24 Medi 1943

Tua diwedd Awst diwethaf anfonais y copi a baratois fel memorandum ar gyfer Urdd y Graddedigion ar Gymraeg gorfodol yn y Matric[532] i'r *Faner.* Yn Eisteddfod Bangor bûm yn siarad â Morris T. Williams, Gwilym R. Jones a Gwenallt.[533] Tua'r un adeg anfonais air at Mr T. I. Ellis fel mater o gwrteisi fy mod i wedi gwneud hynny. Yr oedd y pwyllgor arbennig hwnnw yr ysgrifennais i'r llith ar ei gyfer drosodd ers blwyddyn (26.9.42). Cael gair yn ôl oddi wrth T. I. Ellis, yn gofyn i mi beidio â chyhoeddi'r llith, y byddai'n well gwneud propaganda personol drwy'r wlad yn gyntaf. Cynigiai ef ei hun annerch cwrdd yn Hwllffordd pe cynhullwn i'r cwrdd yno. Beth a wnaethwn i fy hun fel propaganda yn Nyfed etc. Anfon gair at Gruffydd [*sic*] John Williams[534] a Mrs Williams. Mrs Williams yn ôl fy marn i fel

Buddug gynt, yn fflam o argyhoeddiad a dewrder dros bob dim Cymraeg – yn gofyn eu barn hwy.

Wele rai brawddegau o'm llythyr i at Mr a Mrs G.J.W.

'Yn bersonol, ni welaf i ddim yn ei lythyr (T.I. Ellis) ond y gochelgarwch parlysol yna sy'n siglo fferrau pob Cymro bron a ddaw i geiniogwerth o awdurdod yng Nghymru. Llaw gyfrwys, grynedig y cyn-Warden R. T. Jenkins,[535] a welaf i yn hyn oll, oherwydd ef yw tad cyffes Tom yn bennaf, gallwn feddwl. Nid yw ei ddadl ef y dylwn i ac eraill drefnu cyrddau iddo ef fel Warden i fynd drwy Gymru gyfan i lefeinio barn y wlad yn tycio dim gennyf i. Os mai eisiau propaganda dros Gymraeg gorfodol sydd arno, fe fyddai cyhoeddi fy llith i, a chael eraill i brocio'r tân yn *Y Faner* ar ôl hynny, yn debyg o ateb mwy o ddiben na'i bererindota ef am ddeng mlynedd. Fy marn bersonol i yw fod gwŷr yr uchel gadeiriau am fygu'r cynnig yn ddistaw bach heb i'r wlad wybod dim; ac yn rhoi'r bai i gyd ar ddifrawder gwerin aelodau'r Brifysgol.'

Copi o ddrafft o'm llythyr i, dyddiedig Tach. 7 1943 yn ateb i lythyr T. I. Ellis y cyfeirir ato uchod:–

Annwyl Tom,

Y mae mater ein trafodaeth ni erbyn hyn yn hen beth; a chan i'r *Faner*, ar eich cais chi y mae'n debyg, weld yn dda beidio â chyhoeddi fy memorandum i parthed Cymraeg gorfodol yn y Matric, dyna ddiwedd ar y fusnes am y tro. Fe anfonaf i am fy llith yn ôl. Ond gan mai fi piau hi, a bod diben ei hysgrifennu hi ar y pryd drosodd ers tro, teimlaf fod gennyf yr hawl i wneuthur â fynnwyf â hi am y dyfodol.

Dymunaf ddweud yn glir fy mod i'n llwyr anghytuno â chi ar y pen, ac â'r polisi 'hush! hush!' y tu ôl i'r drws yna, sy'n nodwedd mor gyffredinol o uchel bwyllgorau Cymru, yn enwedig ynglŷn â'i Phrifysgol hi. Dyna un o'r rhesymau yn sicr, paham y mae ei graddedigion ar y cyfan, mor ddifater yn ei chylch.

I mi, nid mater i ryw ddyrnaid o bobl i'w drin mewn sibrydion fel petai, y tu ôl i'r llen yw Cymraeg gorfodol yn ymaelodaeth Prifysgol Cymru, ond mater o wleidyddiaeth i genedl gyfan – peth i'w drin yn agored ac i siarad amdano rhwng pob dau.

Ofnai'r Pwyllgor Gwaith fis Gorffennaf diwethaf ddatgan barn na gwneud dim am y teimlid nad oedd gan ryw ddwsin o bobl hawl i siarad dros ryw ddeuddeg mil o raddedigion. A phan geisiais, yn absenoldeb neb arall yn gwneud y peth, agor y mater yn y Wasg, a dangos drwy hynny fod Pwyllgor Gwaith y Guild yn trin materion o bwys, – yr unig ffordd y gwelwn i o'i wneud yn bwnc y dydd i bob perchen gradd, fe'm rhwystrwyd gennych chwi. Ofnai'r Cyn-Warden weithredu heb farn y cyhoedd o'r tu ôl iddo. Ofna'r Warden newydd o'r ochr arall, osod y peth gerbron y cyhoedd o gwbl.

Druan o Gymru fach, ddywedaf i. I mi, polisi llwfr ac anwaraidd yw'r cyfan hyn, nodweddiadol o genedl â gwaseidd-dra pedair canrif o lywodraeth estron wedi mynd i'w gwaed. Y mae arnom ofn ymladd dros ddim yn agored ac uniongyrchol, gan nad pa mor deg a rhesymol a chyfiawn y gall ein hachos fod. Gwell gan ein harch-bwyllgorwyr bob amser ddoethineb gwdihwaidd y llwyn iorwg. Pa ryfedd fod y Saeson, o Churchill i lawr, yn ein dirmygu, rhagor y Gwyddyl a'r Sgotmyn. Ni haeddwn ddim arall. Ac nis cawn ddim oni ddysgwn fod yn wrolach. Yr wyf wedi ystyried bob amser mai William George yw'r dyn cyhoeddus gorau a'r mwyaf ymarferol sydd gennym ni yng Nghymru. Y mae ef yn agored, yn ddoeth, yn gweld ymhell, ac yn ddewr.

Fy marn i am fwyafrif y Pwyllgor Gwaith yw na fynnant weithredu o gwbl os gallant rywsut beidio. Ffordd rwyddaf ac esmwythaf iddynt hwy yw lladd y baban egwan hwn yn ei grud, cyn iddo roi'r un sgrech i dynnu sylw'r cyhoedd. Gallai dyfu i fyny a thynnu gwarth ar y Brifysgol drwy barablu iaith ei fam yn hytrach nag iaith yr Ymerodraeth. Gweithio'n uniongyrchol i ddwylo'r bobl yna a wnewch chi, hyd y gwelaf i, drwy rwystro trafodaeth gyhoeddus wedi bod yn sefyll yn gyhoeddus dros Gymru drwy [*sic*] byddai ar y bobl hyn gywilydd i wrthwynebu'r mater hwn yn agored. Yr wyf i ymhell o fod yn ddrwgdybus o'm cyd-ddyn wrth natur; ond ofnaf yn fy nghalon mai lladd y bwriad yna yn y pwyllgor cyn i'r cyhoedd wybod odid ddim amdano yw'r prif reswm am yr awydd i gadw'r cwbl yn ddistaw.

Amser a ddengys p'un a wyf yn gywir ai peidio. Os wyf wedi barnu arwyddion yr amserau yn anghywir ni fydd neb yng Nghymru yn falchach na mi o'r herwydd …

Copi o lythyr T. I. Ellis yn ateb i'r uchod:

4 Laura Place Aberystwyth.

10 Tachwedd 1943

Annwyl D.J.,

Diolch am eich llythyr. Ni allwn ei ateb cyn hyn; bûm oddi cartref am ddeuddydd.

Byddaf yn ddiolchgar iawn o gael pa sail sydd gennych dros ddweud

1. '(gan) i'r *Faner*, ar eich cais chi, y mae'n debyg, weld yn dda beidio â chyhoeddi fy memorandum …'

1a. 'Fe'm rhwystrwyd gennych chwi etc.'

2. 'Ofna'r Warden newydd … osod y mater gerbron y cyhoedd o gwbl.'

Gellir dweud llawer, ond ymataliaf am y tro. Byddaf yn ddiolchgar am ateb buan.

Yr eiddoch yn gywir iawn,

T. I.Ellis.[536]

Dyma fy ateb innau, dyddiedig 13 Tachwedd 1943 i'r llythyr o'r blaen o'r eiddo T. I.Ellis

Annwyl Tom,

Y mae fy atebion i i'ch ymholiadau yn weddol syml ac uniongyrchol:–

(a) – 'i'r *Faner* ar eich cais chi mae'n debyg, weld yn dda beidio â chyhoeddi fy memorandum …'

Hyd yma, nid ataliwyd dim erioed a anfonais i i'r *Faner* i'w gyhoeddi. Hyd y gwelwn i, ni allai fod yna'r un rhwystr amlwg iawn paham na ellid cyhoeddi'r llith hon, gan ei bod hi'n uniongyrchol ar linellau polisi arferol y papur parthed yr iaith Gymraeg a phopeth arall perthynol i Gymru.

Yn ychwanegol at hyn bûm yn trin y mater hwn gyda'r Mri Morris T. Williams a Gwilym R. Jones[537] yn Eisteddfod Bangor, eleni, a chytunent hwy â mi ar y pryd mai da o beth fyddai cyhoeddi'r llith yn *Y Faner* er mwyn paratoi barn y wlad. Cyn ei chyhoeddi, fodd bynnag, o ran cwrteisi a pharch tuag atoch chi fel Warden, er na welwn fod arnaf unrhyw reidrwydd arall, fe anfonais atoch mlaen llaw yn dweud fy mwriad.

Yn angladd Mr Dafydd Lewis, Llandysil, ddiwedd Awst diwethaf, dechreuasoch ymosod arnaf ar goedd, braidd yn annheg debygwn i, parthed fy annoethineb yn cyhoeddi'r llith. Roedd fy ngwraig a Gwenallt a'r Dr Gwenan Jones ac eraill yn y man a'r lle, a rhoed ar ddeall, gan nad beth a allai fod mater y ddadl rhyngom, nad dyna'r lle priodol i'w drin. Gorffenasoch chi gyda hynny, drwy ddweud yr anfonech lythyr i mi yn union wedi mynd yn ôl yn egluro'r sefyllfa yn llawn.

Daeth y llythyr hwn ryw dair wythnos yn ddiweddarach, dyddiedig Medi 16. Dyfynnaf dair brawddeg o'ch llythyr, ac ynddynt fe gewch yr ateb yn eich geiriau eich hun i'r ddau ymholiad arall a wnewch, sef (1) fy rheswm i dros ddweud i chwi fy rhwystro i i gyhoeddi'r llith a (2) fod y Warden newydd yn ofni gosod y mater gerbron y cyhoedd o gwbl. Dyma'r brawddegau:–

'Yr wyf yn erfyn arnoch i beidio â difetha'r achos drwy ormod cyhoeddusrwydd annhymig. Teimlaf yn gryf pe cyhoeddid y memorandum yn *Y Faner* gwnaethai fwy o niwed nag o les. Hyderaf eich bod yn teimlo'n weddol sicr fod rhai, o leiaf, o Aelodau'r Pwyllgor Sefydlog, yn ddigon iach yn y ffydd yn y mater, ac y gellwch ymddiried y mater i'r rheiny ... Ofer hollol, neu ofer i raddau helaeth iawn o leiaf, i'm tyb i, yw codi stŵr ar goedd ynghylch gwelliannau y dylid eu cael oni wneir ymdrech ar yr un pryd, neu cyn hynny, i oleuo barn y bobl y ceisir apelio atynt – a hynny'n bersonol uniongyrchol, nid drwy'r wasg yn gyffredinol.'

Gan na chyhoeddwyd fy llith i hyd eto, yn *Y Faner*, a chennyf eich barn bersonol chi mor glir ar y mater, onid rhesymol oedd i mi gasglu mai'r rheswm am hynny ydoedd rhyw ymgynghoriad rhyngoch chi â rhywun neu rywrai o staff *Y Faner*?

Os yw fy nyfaliad i yn y mater hwn yn anghywir fe gewch chi egluro. Ac oni'm bodlonir yn eich ateb y mae'n agored i mi ymholi ymhellach yn staff *Y Faner*.

Yr eiddoch yn gywir iawn,

D.J.

Llythyr ateb Mr T. I. Ellis i'r diwethaf.

4 Laura Place

Aberystwyth. 15 Tachwedd 1943

Annwyl D.J.,

Diolch am eich llythyr. Nid yw'n hawdd datrys materion fel hyn mewn llythyr, eithr dylwn ddweud fod gwahaniaeth rhwng yr hyn a ddywedwch ar ddechrau eich llythyr, sef cais ar fy rhan i at *Y Faner*, a'r hyn a geir ar ei ddiwedd, sef ymgynghoriad rhyngoch â rhywun neu rywrai ar staff *Y Faner*. Nid wyf yn cytuno â'ch casgliad yn hyn o beth, nag â'r esboniad ar y ddau bwynt arall. Am a ddywedais wrthych yn Llandysul, y mae'n ddrwg gennyf os teimlasoch fy mod wedi ymosod arnoch yn annheg. Y mae gennyf ormod o barch i chwi i ddymuno peth fel yna. Hyderaf y cawn gyfle i gyfarfod cyn hir, er mwyn datrys yr holl gwestiwn yn llwyr.

Gyda chofion caredig,

Yr eiddoch yn gywir iawn,

Tom.

3 Ebrill 1944

Cymhennu tipyn ar hen lythyron wedi eu cadw yn fy mhocedi ac ar hyd y tŷ, wedi iddynt gronni'n gywilyddus – a'u gosod yn y 'file'. Dod o hyd i lythyr oddi wrth y Parch Francis Roberts, golygydd *Y Traethodydd* a anfonwyd i mi gyda chopi gwrthodedig o'm hysgrif 'Y Ddau Genedlaetholdeb yng Nghymru'. Rhyw flwyddyn a hanner yn ôl cyhoeddwyd yn *Y Traethodydd* ysgrif ymosodol ar y Blaid Genedlaethol gan y Parch Gwilym Davies yn ei chyhuddo o Ffasgiaeth a Phabyddiaeth. Fe'i hatebwyd yn rymus ac effeithiol gan Saunders Lewis a J. E. Daniel mewn ysgrifau yn *Y Faner* a'r *Cymro*. Cyhoeddwyd y rhain yn bamffled yn ddiweddarach gan y Blaid. Yna ysgrifennwyd erthygl yn ateb i'r eiddo Gwilym Davies gan Ambrose Bebb.[538]

Dechrau'r flwyddyn hon anfonais innau lith ar 'Y Ddau Genedlaetholdeb yng Nghymru' i'r Parch Francis Roberts (un o olygyddion *Y Traethodydd* – sef Cenedlaetholdeb Cymraeg a Chenedlaetholdeb Seisnig tua'r Nadolig 1943. Fe'i dychwelwyd gyda'r llythyr sydd yn y 'file' dyddiedig Annedd Wen, Y Bala, Ion 28/44. Nid oedd fy llith i yn ddigon objective ar gyfer cylchgrawn di-duedd fel *Y Traethodydd*. Yr oeddwn yn cymryd safbwynt amlwg y Cenedlaetholwr Cymreig ynddi.

Rhywbryd tua dechrau Chwefror anfonaswn lythyr at yr Athro

Gruffydd A.S.[539] yn ymbil arno geisio cael gan Aelodau Seneddol Cymreig roi ystyriaeth i gynnwys yr ysgrifau gwych a gyhoeddasid yr wythnosau cyn hynny yn *Y Faner* a cheisio gweithredu yn ôl yr awgrymiadau ynddynt. Cael llythyr caredig yn ôl oddi wrth yr Athro (17/2/44 – gwêl y ffeil eto) – yn cynnwys yr awgrym hwn – 'When will you write something on these matters, as open and frankly as you like to the *Llenor.* I promise you I shall not use a blue pencil.' Doe (2/4/44) anfonais yr erthygl a wrthodwyd gan *Y Traethodydd* i'r Athro Gruffydd gan egluro'i thynged flaenorol. Ar gyfer yr erthygl hon darllenais yn ofalus iawn lyfr Berdyaev *The Origins of Russian Communism*[540] a'i gael yn fwnglawdd o lyfr mewn gwirionedd. Fe'i darllenais gan wneud nodiadau go dda ohono yn ystod wythnos o wyliau yn Northampton House, Llanwrtyd y mis Awst diwethaf (1943).

Anfonaswn yr erthygl hefyd ynghyd â nifer o bethau eraill a sgrifennais o bryd i bryd, gan gynnwys fy llith i'r *Efrydydd* – 'Y Gagendor' (1923) i Prosser Rhys,[541] Aberystwyth. Cafodd Prosser bwl o salwch hir yn ddiweddar. Felly, ni wn beth a wneir â'm casgliad. Gan fod cynifer o lyfrau newydd, ac ad-argraffiadau i'w cyhoeddi yn y Wasg Gymraeg yn fuan, diau nad oes fawr o bwynt mewn cyhoeddi casgliad o hen ysgrifau fel yr eiddof i.[542]

30 Hydref 1944

Defnyddiau crai dwy stori fer …

(1) Perchennog fferm fawr 400 erw drwy chwanegu cufydd at gufydd ar draul cymdogion llai medrus yn bwrw ar war dyn bach gwan ei amgylchiadau ond heb fod yn llawer o ffermwr, er mwyn gwneud rhagor o elw o'r rhyfel. Y perchennog mawr yn ddidwyll grefyddol hefyd, yn sgrythurwr cadarn, a rhyw fath o ddyn gonest iawn.

(2) Glöwr glew am ei geiniogau yn dioddef gan y silicosis, wedi rhoi benthyg £20 o arian i'r ffermwr gwan uchod. Yn ofni am

eu diogelwch o glywed am drachwant llygadog y ffermwr mawr, yn ceisio cael yr arian yn ôl. Hen gyfaill iddo yn troi i mewn i edrych amdano ac yn dweud ar ddamwain wrth y glöwr claf (fan hyn y dylai'r stori ddechrau rwy'n credu) fod y ffermwr bach wedi gwerthu dwy anner flwydd y diwrnod cynt, ac wedi cael £25 amdanynt. Y syniad o fynd i weld ynghylch hynny yn taro fel saeth i mennydd y glöwr claf, – penderfynu mynd yno gynted ag y trôi ei gyfaill ei gefn. Y ffermwr bach yn cael ei daro gan yr olwg wael arno a'i anadl fer wedi'r ymdrech galed i gyrraedd yno – yn rhoi'r arian yn ôl iddo gyda'r interest llawn arnynt yn ôl £5 y cant. Y glöwr yn mynd adref â llawenydd y £25 [*sic*] yn tanio ei fron yr holl ffordd. Mynd i'r cartre tragwyddol y noson honno yng ngorfoledd y pum punt ar hugain.[543]

1 Gorffennaf 1945

Wedi bod yn cecraeth â'r Dr Iorwerth Peate[544] yn ddiweddar yn *Y Faner*. Dechrau drwy wneud rhyw dipyn o sbort ar ei ben mewn adolygiad ar lyfr Dr. Carr yn *Y Cymro* – yn newid ei safle o dwmpath i dwmpath, a beunydd yn protestio dros ei sefydlogrwydd. Yna troi arno'n eitha cas mewn ateb i'w ymosodiad casach ef arnaf i. Cael fy hun yn mynd cyn gased, a chyn ddiffeithed ag yntau – ac yn ei gadael hi â'r gair olaf ganddo ef. Ithel Davies, Abertawe yn ei gwpla fe yn rhifyn olaf [*sic*] *Y Faner* 27/6/45.[545] Mynnai Peate ddweud fod Statws Dominiwn yn golygu sofraniaeth wleidyddol. Mynnwn innau wadu hynny. Cael ergyd ar y Blaid, yn deg neu annheg, wrth gwrs, ydoedd amcan y Dr Peate. Dyn yw ef, rwy'n ofni, a adawodd gasineb at bersonau i liwio ei holl farnau a'i ragfarnau. Dim digoni byth ohono rwy'n ofni.

Wrth ddadlau ag ef cael fy mod i'n ddiarwybod yn mynd i mewn i'r un ysbryd cas ag yntau; a thrwy hynny yn cael rhyw gymaint o eglurhad o'i holl atgasedd ef at y Blaid Genedlaethol y bu ef unwaith yn aelod blaenllaw ohoni …

22 Awst 1945

… ceisio cynllunio stori â'r hen wreican o Langollen [Mrs Roberts Llangollen y bu D.J. yn lletya gyda hi yn ystod Ysgol Haf Plaid Cymru 1945] yn gnewyllyn iddi – methu'n lân drwy'r bore â chael penllinyn ar blot y stori. Teimlo bore heddiw, wedi pendroni tipyn ymhellach uwch ei phen fod golau'n dechrau tywynnu arni. Wn i ddim a ddaw digon o olau iddi rywbryd weld golau dydd. Petai modd, hoffwn ei hysgrifennu yn ystod y mis hwn sydd ar ôl o wyliau gennyf. Teimlo ddoe bron â danto uwch ei phen. Os daw llun arni, bydd yn gysur i mi wybod am y dyfodol na ddylwn anobeithio am gynllun stori, er iddi fod yn fagddu dywyll arnaf am amser hir ar y dechrau. 'Nothing great is easy' meddai'r Sais. Ni allaf weld y bydd fawr o'r 'great' yn perthyn i hon os daw hi i ryw lun o gwbl …[546]

Keidrych Rhys … yn galw yma neithiwr … Chwilio am gyfieithiad Dafydd Jenkins o'r 'Cwpwrdd Tridarn' a wrthodwyd gan Gwyn Jones ar gyfer y *Welsh Review* oherwydd y nodyn rhy wlatgar Gymreig ynddi … Ei hanfon ymlaen heddiw ar gyfer *Wales* …[547]

24 Awst 1945

Wrthi am ryw bedair neu bump awr yn wampio ac ail wampio yr un paragraff – 120 gair. Ceisio awgrymu cymeriad Catherine Lloyd fel lletywraig gynnil ddiogel. – y par. sy'n dechrau – 'Yn wir, hi synnai ati ei hun' – i lawr hyd – 'Pwy a allai ddirnad byd lletywraig mewn gwirionedd?'…

27 Awst 1945

Dechrau am naw ar y stori … Fawr o glem yn dod ohoni. Cymeriad Dogwell Jones, bargyfreithiwr heb ei weld yn ddigon clir. Petruso datblygu'r ymddiddan wrth y ford fel materion y dydd. Gobeithio y daw goleuni ac ymwared heddiw …

31 Awst 1945

Fel y gwelwyd dychmygwyd thema'r stori – yr haearn yn hogi'r haearn – y mên yn cynllwyn i flingo'r mên ar y dechrau – yna'r siaradach topical mwy neu lai yng nghanol y stori – gan gadw'r thema mewn golwg o hyd.

Yna mân gynllunio bob yn bwynt, bron bob yn baragraff o hyn ymlaen. Heddiw'r bora, cynllunio'n fras bob yn gymal o'r stori hyd y diwedd. Dechrau sgrifennu'r rhan sy'n ceisio dadansoddi meddwl a chymeriad Mr Dogwell Jones, bargyfreithiwr ...

Canllawiau'r stori yn y cyfwng hwn a ddrafftiwyd heddiw:

1. Etiged y bar, – Cymru werinaidd – Cymro gwerinaidd o draddodiad Llewelyn Williams wedi byw i'n dyddiau ni – ymfflamychu'n sydyn yn anwedd cinio Gŵyl Dewi – mwy o enw nag o elw yn dod o hynny. Yna'r cilio diplomatig.

Etholiad yn y golwg – hau had ei bwysigrwydd ei hun, gan obeithio y gallai ambell hedyn ddisgyn ar dir da.

2. Rhesymau Mr Dogwell Jones, bargyfreithiwr dros ddewis yr 'Epynt' yn y Feca fach ddiniwed hon lle buwyd yn chwarae siop fach mewn gwleidyddiaeth Gymreig ugain mlynedd ynghynt, ac yntau yn eu plith.

3. Wrth y byrddau – Mrs Lloyd yn clustfeinio ar y siarad am faterion y gyfraith ymhlith pethau eraill – cofio am yr insiwrans, cweryl etc. Dod â chwpanaid o de a bisgïen i Mr Dogwell Jones, bargyfreithiwr, – yntau'n erchi rhai i'r gweddill.

4. Bomshell Pergrin – heb ei pharatoi'n fanwl etc.

5. Y diwedd mitsh matshaidd.

18 Ebrill 1946

Clywed fod etifeddes wedi ei geni i Gwenallt a Nel. Anfon gair o gyfarch a rhywbeth fel hyn ynddo, wedi bod sôn am gadw had hen deulu Esgerceir yn fyw:

Gallai dy dadcu, Deio Esgerceir, weiddi 'Diawl!' nes bod

olwynion y wagen goed a fyddai hyd y bŵl yn ffast yn y llaid yn troi'n wag yn yr awyr 'Bowler, Jin a Dol – a Capten hefyd' gwaeddai Deio, gyda chrac i'w whip ar y 'Capten' hefyd.

March oedd y 'Capten' yna gyda llaw, tad Jac y Trawsgoed, a hwnnw'n dad i Dol Abernant na charnwyd ei gwell hithau. Prynodd Esgerceir ferch i'r Dol yna yn eboles flwydd – hi felly'n or-wyres i'r dywededig Gapten. Dyna i ti barch hen deulu Esgerceir i 'aristocracy' y gorffennol – hen deulu nad oedd dim yn newid hyd yn oed llinach eu hanifeiliaid, yng nghwrs y canrifoedd ...[548]

5 Mehefin 1946

Mai 26, ysgrifennu llith ar gais Mr W. James, athro Saesneg yn Ysgol Sir, Abergwaun, i gylchgrawn yr Ysgol Sir, sydd i fod yn fath o rifyn arbennig Jiwbili'r Ysgol. Teitl yr ysgrif o ryw 1,500 o eiriau oedd 'Llyw ac Angor Cenedl' gan gymryd llyw ac angor a llong fel alegori. Y llong yw Cymru, y llyw yw ei chrefydd hi, a'r angor yw ei thraddodiadau – iaith, hanes, ffordd o fyw etc.

Echnos, (nos Fercher Meh 5) wedi bod gan Mr James er y 26 o Fai, y prifathro'n dod â'r ysgrif yn ôl gan ddweud na allai ef mo'i chyhoeddi am fod arno ofni [*sic*] tramgwyddo'r llywodraethwyr. Yn yr ysgrif rhoeswn fy syniadau am y perygl y mae Cymru ynddo heddiw, yn foesol ac ysbrydol – a'i chrefydd hi a chariad ac aberth ei phlant ar ei rhan oedd unig obaith ei dyfodol hi. Ataliwyd fel yna fy 'grand finale' i i'r ysgol.

Dywedais wrth y prifathro y cyhoeddwn i yr ysgrif yn yr *Echo* am y teimlwn i'n bersonol fod ynddi neges rhy bwysig i'w gadw o dan lestr. Nid oedd ganddo ef wrthwynebiad i hynny. Ni fu unrhyw eiriau croes rhyngof i a Mr Hughes ar y pen, ragor nag i mi ddweud wrtho fy mod i'n synnu na ellid cyhoeddi'r erthygl yng nghylchgrawn yr ysgol – a gofyn hefyd onid oedd gen i gystal hawl i geisio gwneud dynion a Chymry teilwng o'u gwlad o blant

Ysgol Sir Abergwaun ag a oedd gan bawb arall i wneud Cwislins a chachgwns ohonynt.

Anfon yr ysgrif y bore yma i Kate Roberts ar gyfer *Y Faner* gan egluro'n gyfrinachol a phersonol iddi gefndir yr ysgrif – ond nad oedd hynny i'w gyhoeddi …[549]

16 Medi 1947

Galw yn Hoplas, cartref y gŵr nodedig W. J. Jenkins, ymgeisydd Llafur y Sir amryw o weithiau drosodd. Bili ddim gartref – ym mart Hwlffordd. Cael hanes achub bywyd Bili gan y Wyddeles, Miss O'Donaghue – cyfnither Steve Donaghue, y joci enwog. Ni chlywais neb erioed yn adrodd stori'n fwy byw ac effeithiol. Y fuwch Shorthorn olau yn dod i fyny at y drws gan fugunad, Miss Donaghue yn sâl ers wythnos ar y pryd, yn mynd allan i gael gweld beth oedd yn bod. Y fuwch yn rhedeg yn ôl o'r buarth, ac i lawr at y cae o dan y tŷ lle'r oedd y tarw yn towlu Bili i'r awyr â'i gyrn. Hithau yn cael nerth i gydio yn y ring yn ei drwyn, rhoi'i braich dros ei wddwg a'i [*sic*] thynnu ei drwyn ati, a'i ddal yno. Dyn a arferai ddod i odro yno yn cyrraedd cyn hir i'r man, ac yn helpu i ddal y tarw. Bili yn ei waed a'i glwyfau yn llwyddo i gripian i fyny i'r tŷ, ac yn dod â rhaff, a chlymu ring yn ei drwyn i lawr wrth ei droed etc.

7 Tachwedd 1947

Echnos 5/11/47 darlledu yn Abertawe 7.15–45. a Saunders Lewis yn fy holi ar wreiddiau a defnyddiau'r stori fer. Rhaglen wedi ei pharatoi ymlaen llaw drwy i Saunders anfon nifer o gwestiynau i mi i'w hateb. Y cwestiynau yn fy ngoglais i gymaint fel yr arllwys fy nghwdyn yn dew ac yn denau, gan olygu i Saunders ddewis a fynnai o'r llanast.[550] Dewisodd yntau'r cyfan fel yr oedd heb newid dim. Aeth y darlledu yn dda iawn meddai Nesta a Mari, gwraig a merch Wil Ifan. 'Wedodd Pegi fy chwaer yr euthum i'w gweld hi y noson honno o Abertawe nac 'is' na 'no' lawer amdano, ys gwedodd Nel 'rEfail Fach gynt. Siân yn gweud iddo fe fynd yn dda, ac y mae hi cystal beirniad â neb.

Cyd-deithio â Saunders – ef yn dod o Aberystwyth a finnau o Abergwaun, – o Gaerfyrddin i Abertawe. Saunders yn teithio yn y dosbarth cyntaf. Dau reswm am hynny – i gael llonyddwch i weithio, meddai ef: ei falchder yn mynnu cuddio ei dlodi, ac yn dinoethi bychander gwŷr y cyflogau £1,500 a'r £2,000. Ond balchder bach plentynnaidd yw hwn wedi'r cyfan, – dim yn deilwng o wir fawredd ac athrylith Saunders.

Beirniadai'r Blaid am beidio â gweithredu adeg gwersyll Butlin.[551] Dim digon o her ac arwriaeth yn yr arweiniad, meddai ef. Minnau'n sôn wrtho am Mazzini yn dal ymlaen er pob siom i frwydro'n gibddall dros achos yr Eidal. Ef yn dadlau na allai fforddio gadw ymlaen arwain y Blaid am nad oedd ganddo'r modd i hynny – dylai arweinydd Plaid fod yn annibynnol ar y Blaid honno, meddai. Hefyd 'yr wyf i yn rhy gas iddynt dderbyn fy arweiniad i'.

Ei farn ef yw y bydd tlodi a dioddefaint, newyn a therfysg, o bosib yn ne Cymru cyn pen pedair neu bum mlynedd – polisi allforio Cripps[552] wedi methu'n llwyr erbyn hynny.

Tybed na ddaw Saunders yn ôl i arwain eto o weld Cymru'n barod i'w harwain ganddo.

Y mae ganddo feddwl uchel iawn o Gwynfor fel Cristion a dyn o egwyddor. Clywais ef yn dweud rywdro o'r blaen – un peth sy'n eisiau ar Gwynfor i wneud arweinydd iawn – mynd i garchar. Tybed hefyd nad ychwanegir ato'r cymhwyster hwn wedi i fudiad 'Keir Hardie' ddatblygu ...[553]

6 Chwefror 1948

... Dydd Sul diwethaf, Chwefror 1, 1948 postiais ysgrif i'r Dr Pennar Davies, Bangor, ar gyfer cyfrol werthfawrogol o waith

Saunders Lewis. Cymhariaeth yw'r ysgrif o Saunders Lewis a Dr Thomas Jones C.H. fel dau weledydd yng Nghymru, wedi ei seilio ar *Canlyn Arthur* Saunders Lewis a *The Return of the Native* [*sic*] Tom Jones. Bûm bron mis o amser i gyd yn ei sgrifennu – un o'r pethau mwyaf anodd y bûm yn ceisio ei gwneud, gan nad beth a feddylir ohoni gan eráill. Ymdrechais yn galed drwyddi i ddod o hyd i'r gwirionedd ac i'w fynegi.[554]

17 Ebrill 1948

... Y mae gen i duedd a chymhelliad cyson i sgrifennu ond heb y rhuthr creadigol hwnnw sy'n ofynnol i wneud unrhywbeth o werth. Teimlaf mai rhyw chwarae a chellwair a chreu â wnaf. Y mae yn fy mola ers tro sgrifennu stori yn dangos dyn dawnus duwiolfrydig, ofnus, honiadol, hirben yn weinidog hynod o lwyddiannus ar eglwys – y mae'r gwrthrych gwreiddiol yn weddol sicr yn fy meddwl – ond hyd yma, nid oes gennyf weledigaeth o gwbl sut i'w gyfleu orau mewn stori. Bûm wrthi'r bore yma yn gori arno. Ond fe ddaw, gobeithio, o rywle. Duw roddo ras a'i nerth a'i gyfarwyddyd i fi. Hoffwn i'r cymeriad yma fod yn allwedd i weld sut y mae Ymneilltuaeth wedi colli tir yng Nghymru – llwfrdra moesol a diffyg ffydd yn cael eu claddu dan lifogydd o huodledd slic. Nid rhagrithiwr sydd genny mewn golwg, ond crefydd mewn 'frock coat' a choler gwyn hynod o deidi – un y byddai'n anodd iawn dweud p'un ai Seion ai Sheol a fyddai fwyaf ar ei hennill o'i blegid. Dyna pam y mae mor anodd cael gweledigaeth arno ...

25 Awst 1948

Gorffen y stori 'Y Gorlan Glyd' y bore yma. Siân wedi bod yn difrïo'r stori ar hyd yr amser, ac fe'i hystyriaf hi yn feirniad craff a chywir. Rhwng hynny a'm harafwch poenus innau'n sgrifennu – ailsgrifennu rhai paragraffau drosodd chwech, saith ac wyth o weithiau drosodd, a darllen y llyfr ar George Eliot yn ddiweddar, a gweld ei nofelau dihafal hi yn llifo allan yn ddidor, yr wyf i wedi bod ers tro ar fin rhoi fyny yr ysbryd amdanaf fy hun fel sgrifennwr, gan gredu mai fy nhwyllo fy hun a wnâi'r awydd parhaus yng ngwaelod fy enaid am sgrifennu; ac y byddai'n llawn cystal i mi gyfaddef fy methiant trist, a rhoi heibio'r ymdrech. Os mai pastynu didalent oedd fy sgrifennu i i fod, cystal darfod â threio, a gwneud rhywbeth fwy o fewn fy nghyrraedd.

Y bore yma codais yn llawer ysgafnach fy meddwl, gan benderfynu parhau wrthi, doed a ddêl. Darllenodd Siân hi drosodd y bore yma hefyd, ac er fy mawr syndod a'm cysur, fe'i canmolodd. Ei chŵyn bennaf yn ei herbyn yw ei bod hi'n rhy gas ei hysbryd. Fy ateb i i'r ferniadaeth yw ei bod hi yn ôl fy nheimlad i yn gwbl wir fel darlun o gyflwr crefyddol Cymru heddiw. Os gall hi beri i rywrai i ail feddwl ac ystyried pethau, dyna'r unig beth y gallaf ei ddymuno.

Y mae Saunders Lewis wedi gofyn i mi ei hanfon iddo ef. Fe wnaf i hynny rai o'r dyddiau yma. Hefyd, y mae Wil Ifan yn Nhyddewi. Hoffwn gael barn y ddau ohonynt. Ni fûm i mor betrusgar ar werth stori erioed, ag eithrio 'Goneril a Regan' efallai ...

3 Medi 1948

... Waldo yn aros yma ryw noswaith yr wythnos ddiwethaf, a nos Fawrth yr wythnos hon (Awst 31). Dod â'r artist Konekamp, sy'n cartrefu yng Nghwm yr Eglwys, y Dinas, ers dwy flynedd bellach yn gwmni ganddo. Y mae yn y wlad hon fel ffoadur er 1932, – yn union cyn i Hitler ddod i rym. Roedd ef a threfedigaeth o Almaenwyr dysgedig yn cynnal math o Goleg ar Ynys Eust[?] gerllaw Heligoland – tua 250 ohonynt. Gŵr yw Konekamp ... sydd wedi ei lyncu yn llwyr gan ei gelfyddyd – yn syml, yn ddisglair a thanbaid. Nid oes ganddo fawr o amynedd â phaentwyr uniongred ein dyddiau. Prynasom ni y llynedd ddarlun o geiliog ac iâr ffesant ar eu hadain trwy goed Cwm Pant'r Onnen yr ochr uchaf i Abernant fan 'co! Llun pert iawn debygwn i – gwaith Ronald Green. Waldo'n dweud ymlaen llaw y byddai Konekamp yn debyg o fod am saethu'r ffesant hwn. A'r gwir a ddywetspwyd! Ond dyn anghyffredin o ddiddorol yw'r artist hwn. Gwahoddodd ni i ddod i weld ei luniau ef ryw ddiwrnod. Nid wyf i'n deall fawr o ddim o'r arlunwyr diweddar yma, nac o'r beirdd gor-fodern chwaith, – er fod gan y lluniau hynny y gallaf eu deall swyn rhyfeddol i mi.

Credaf fod gan Waldo yn ei fyd ef, lawn cymint o athrylith ag sydd gan yr artist hwn. Y mae ei wybodaeth am bob ryw fath o bethau – gwybodaeth fanwl a diddorol hefyd yn fy synnu bob amser, a'i feddwl yn fyw, yn llawn arabedd treiddgar, a'i linellau a'i gwpledi cynghanedd yn fflachio'n annisgwyl o hyd. Credaf fod y gynghanedd yn gyfrwng perffaith i feddwl nerthol, cyfoethog fel sy gan Waldo, i'w fynegi ei hun yn gryno a chynnil.

6 Hydref 1948

Doe, ar ei wahoddiad ef, bu Siân a fi yn ymweld â bwthyn Konekamp, yr arlunydd Almaenaidd sydd ers rhyw ddwy flynedd bellach yn aros ym Mhwll Gwaelod ger y Dinas. Perthyn ef i'r ysgol o arlunwyr a'u geilw eu hunain yn 'Abstract' yr 'Haniaethol'. Rhoddant bwyslais ar y mewnol mewn dyn a natur. Yr oedd ganddo nifer o luniau a'u lliwiau'n odidog mewn gwirionedd, – dau ar Gymru, un ohonynt yn dangos top Pendinas, y caeau sofl etc – yr orau gennym ni'n dau; llun castell; America – simneai a brics – pros meddai ef: un yn awgrymu 'Miwsig'; i iâr fach yr haf: 'Agony': 'Redemption' – llun ofnadwy o ingol: Pren y Bywyd wedi ei ddangos yn barod. Y mae ganddo arddangosfa yn Llundain ar hyn o bryd. Danghoswyd ei luniau yn eu tro ym Mharis, Fienna, Berlin a Berne; hefyd ym Mhortugal a Sbaen. Y mae yn awr yn 52 oed. Daeth i'r wlad hon yn 1832 [*sic*], pan oedd

Hitler yn dechrau dod i awdurdod. Catholig ffyddlon ydyw. Yn ôl y beirniaid y mae yn un o arlunwyr blaenaf Ewrop heddiw. Mae gan Gwenallt lun o'i waith 'Y Bardd'. Hoffem ninnau gael un – petai'r tocyns yn caniatáu. Dysgais fwy am y gelfyddyd newydd o arlunio mewn dwy awr o ymddiddan brwdfrydig brynhawn ddoe gan ddyn syml, unplyg, wedi ei lyncu gan ei waith nag yn ystod fy holl fywyd. Cawsom brynhawn bendigedig ganddo – a the hyfryd; tri chwpan un soser, ac un plat rhyngom. Ond roedd yma gyfoeth mewn athrylith, ac mewn gwaith, na allai arian mo'i brynu.[555]

10 Hydref 1948

Rwyf wrthi es tua thair wythnos yn sgrifennu stori 'Ceinwen'. R'wythnos ddiwethaf fe ddaeth 'clogad' hollol. Sgrifennu'r paragraff yna sy'n disgrifio hiwmor Ceinwen yn sefyll rhyngddi â wynebu ei hunan am ddiwrnodau drosodd a throsodd. O'r diwedd fe ddaeth yn weddol bach. Mewn rhyw ystyr dyma faen prawf y stori. Y rhan ddilynol yn dod yn gymharol rwydd, lle y sonnir amdani hi a'i phartneres yn cael sbort wrth fflirtio, – hyd nes y daw John â'i lygaid llwydion tawel, i'r maes ...

Syniad sydyn yn fy nharo i'r bore yma wrth sgrifennu Ceinwen. Teimlwn fod y cyfrwng sydd genny hyd yn hyn, heb roi digon o gyfle i roi'r neges ysbrydol rwy'n deimlo weithiau yn ddigon cryf ac amlwg yn y storïau. Teimlo mai o'r Beibl ac o Tolstoy (ac eraill o'r Rwsiaid) y cawn i'r gynhysgaeth ysbrydol hon orau. Meddwl am sgrifennu nofel yn disgrifio diwedd Mynachlog Talyllychau, a'r defnyddiau a gefais yn hanes Llywele gan Rhys Dafys Williams y gwanwyn eleni.

A ddaw rhywbeth o hyn wn i heblaw syniad gwag? Duw â'm gwarchod a'm cynorthwyo.

17 Mehefin 1949

1.20 y prynhawn. Newydd orffen teipio beirniadaeth ar y nofel yn steddfod Dolgellau[556] a ddaeth i mi ar Fai 16. Wedi bod wrthi'n gyson bron, o leiaf, heb wneud fawr o ddim arall gwerth i'w grybwyll yn darllen ac yn beirniadu oddi ar hynny. Gormod o amser o un rheswm. Y gwaith yn go dda ar y cyfan. Ceisiais sgrifennu rhagair go faith i'r feirniadaeth yn galw sylw at y ffaith fod traddodiadau barddonol Cymru a gorchest y bryddest a'r goron wedi hud-ddenu ein llenorion oddi wrth ryddiaith – y traddodiad hwn yn esboniad nad oes gennym ond ychydig o sgrifennwyr rhyddiaith o hil gerdd. Ymddengys mai'r gred gyffredin yw nad oes gorchest mewn sgrifennu rhyddiaith – gall pawb ei sgrifennu. Felly, does neb yn cynnig ond y truain hynny nad oes awen ynddynt!!

Wn i a gymer rhywun sylw o'r hyn a ddywedais. Bydd yn syn gennyf os gwna, gan na welais erioed eto, fod neb yn cymryd yr hyn a ddywedaf o bwys mawr, a pham y dylen nhw 'ed!

26 Mehefin 1949

Heddiw cefais fy mhenblwydd yn 64 oed … Credaf, os na ddaw damwain, y gallaf i fyw am ddwy flynedd ar hugain eto, os Duw a'i myn, ac yr ymadawaf â'r fuchedd hon, fore 28ain o Fehefin wedi cael fy 86 ddau ddiwrnod ynghynt. Heb ryfyg yng ngŵydd Duw y'i dywedaf, – fu arna'i erioed ofn marw. Teimlaf y byddai marw dros Gymru yn ganwaith haws na phoeni byw drosti. Maddeued Duw fy mawrion bechodau i'w erbyn yn ystod fy 64 o flynyddoedd ar y ddaear yma. Fy ngweddi yw am iddo o'i ras a'i fawr drugaredd estyn i mi nerth corff, meddwl, ac ysbryd am y tymor sydd ar ôl o'm bywyd i weithio yn galed, egnïol, a chydwybodol hyd eithaf y gallu prin a roed i mi i ledaenu egwyddorion teyrnas Crist mewn gair a gweithred, fel y gallo rhywbeth y caf hwyrach yr ysbrydiaeth i'w sgrifennu barhau i roi nerth a dewrder i'm cenedl gadw'r pethau gorau yn ei bywyd y gwelaist di yn dda eu rhoi iddi.

Diolch i ti am Siân, fy ngwraig, a fu'n bartner mor rhagorol i mi, ac yn feirniad mor dreiddgar a chywir ar fy ngwaith. Rho iddi hithau iechyd a nerth corff ac ysbryd, hefyd, os yw'n dda yn dy olwg fel y gallom gyd-weithio am flynyddoedd lawer eto i geisio gwneud ein bywyd o werth i eraill …

Heno, rwyf gartref o'r cwrdd whech yn darllen 'Efrydiau Catholig' cyfrol IV – Saunders yn traethu'n odidog fel arfer ar Thomas A.Kempis a Rhyddiaith Charles Edwards.[557]

Teimlo fod erthyglau diweddar Saunders ar gyflwr Cymru heddiw yn 'Cwrs y Byd' mor odidog o dreiddgar ac ysbrydoledig fel y'm cymhellir i wneud ymgyrch i gael nifer o dderbynwyr newydd. Cefais bump yn barod. Diolch i Ti o Dduw am anfon y proffwyd mawr hwn i'n plith. Nertha'r genedl fach, gyfeiliornus, wrthnysig hon i sylweddoli mewn pryd, cyn yr elo hi'n rhy ddiweddar, arwyddocâd ei neges ef iddi ymhob agwedd ar ei bywyd …

12 Awst 1949

[Nodi teitl dau lyfr a gafodd D.J. yn anrheg.] … *The Rising* gan Desmond Ryan,[558] – hanes gwrthryfel 1916, a'r llall *Sgealta o'u o Comraig* – Storïau o'r Gymraeg wedi eu cyfieithu i'r Wyddeleg – dwy gennyf i fy hun sef 'Yr Hers' a 'Blewyn o Ddybaco' … Y rhoddwr oedd Michael Siochru, Arolygydd Ysgolion Iwerddon a fu drosodd yn Abergwaun yn annerch Cynhadledd Undeb Cenedlaethol Athrawon Cymru, y Pasg diwethaf, ac un o'r cymdeithion iachaf a difyrraf a gwrddais erioed. Yn ystod y terfysg bu ef a'i dri brawd yn 'gunmen' am ddwy flynedd …

2 Tachwedd 1949

Nos Wener, (Tach 14) [*sic*], ar wahoddiad Gwyn Daniel,[559] Ysgr.

UCAC ymunais â Gwyn ei hun, Victor Jones,[560] prif sefydlydd yr Undeb, i groesi mewn llong i Rosslaire a chyrraedd Dulyn tua 11.00 drannoeth i fynd i'r Oireachtas, y peth sy'n ateb yn Iwerddon [i'r Eisteddfod], ond ei bod yn llai, yn fwy dethol, ac academaidd.[561] Arhosem yn y Wynn's Hotel, Abbey Street, hotel ddymunol iawn. Croesawyd ni gan Kelleher, Ysgr. I.N.T.O. (Irish National Teachers' Organisation – rhyw fath o barhad o'r hen NUT Seisnig gynt meddai rhai o'r Gwyddyl mwyaf selog dros y Wyddeleg), a chan Miss Marged Skinnider a Miss Birgin o'r Pwyllgor Gwaith. Cawsom y ginio odidoca a gefais erioed yn y Gresham Hotel, ac yno gwrdd ar ddamwain â Cynan a'r fintai orseddol.

Daeth Micheal Siochru, 18 Welfied Park, Ballsbridge, Dublin i'n cwrdd i'r orsaf. Bu ef drosodd yng Nghynhadledd Flynyddol UCAC yn Abergwaun y Pasg cynt, – un o'r doniolaf fel cwmnïwr a fu erioed. Yn ddiweddarach danfonodd ddau lyfr i mi, sef *The Rising* a chasgliad Gwyddelig o storïau Cymraeg wedi eu cyfieithu gan gynnwys dwy o'm storïau i. Clywswn am y bwriad rai blynyddoedd yn ôl, ond ni wyddwn i ddim am gyhoeddi'r llyfr nes cael y copi hwn ohono yn rhodd gan Michéal Siochrú.

Nos Sadwrn Hyd 15 euthum yng nghwmni Oscar MacWillis, Iris Chaoin (Ynys Chweg – Ynys Deg) Deiliginis, Bléa Cléath, Ysgr. y Gymdeithas Geltaidd ym Mangor eleni, a'r tri aelod o UCAC. Cyfarfod academaidd iawn gallwn feddwl, i gyd yn y Wyddeleg – darllen darnau o farddoniaeth, traddodi beirniadaethau ar draethodau a llyfrau diweddara gyhoeddasid yn y Wyddeleg, ynghyd â darnau o gerddoriaeth, – un ohonynt yn ddarn coffa am y Dr Douglas Hyde.[562] Ei weledigaeth a'i ysbrydiaeth ef yn gymaint â neb arall oedd yn gyfrifol fod y cyfarfod hwnnw fel canlyniad i weithgarwch y 'Gaelic League' yn cael ei gynnal yn Wyddelig trwyddo. Y mae ymdrech y Gwyddyl dros edfryd eu hiaith yn orchestol mewn gwirionedd. Tybed a lwyddir yn y genhedlaeth nesaf, a'r genhedlaeth wedyn, i ail orseddu'r iaith fel iaith y werin drwy'r ynys. Iaith y selogion – uchel swyddogion y Wladwriaeth a'r llenorion pennaf yw hi yn awr, a'r plant, wedi gadael yr ysgol, heb neb hŷn na hwy i siarad Gwyddeleg yn ei gadael i fod, a chydag amser yn ei hanghofio. Y mae llawer iawn o'r athrawon sydd i fod i'w dysgu, heb ei medru, hefyd. Treiais amryw o bobl ifainc a fu'n dysgu'r iaith yn yr ysgol i gyfieithu itemau syml o raglen yr Oireachtas i mi. Nid oedd ganddynt yn wir gymaint o syniad ag a oedd gennyf i, heb ddeall y wyddor, am y cynnwys, er y medrent ddarllen yr iaith yn rhugl.

Dydd Sul buom yn swyddfa'r *Irish Times* yr *Irish Independent* a'r *Irish Press* papur de Valera. Roedd Vic yn ddiguro fel 'press agent' – yn dreiddgar ac effeithiol. Er i ni gael croeso mawr gan yr *Irish Press* a chael tynnu ein llun a phopeth, ni chyhoeddwyd gair yn y papur amdanom. Fore Mawrth yr oedd llith lawn am Gynan a rhestr weddol gyflawn, gallwn feddwl, o'i orchestion o'i grud i'w Orsedd, – a'i lun hefyd, fel Archdderwydd Cymru.

Bûm i allan gyda MacWillis, y tu hwnt i Dunlerry [*sic*], ar gyrrau deheuol y ddinas, i ginio, – Gyda haelioni arferol y Gwyddyl yr oedd ef wedi paratoi cinio digon i'r pedwar ohonom – rowndin o gig eidion hyfryd na welais mo'i debyg ers blynyddoedd lawer.

Am dri o'r gloch roedd 'hurling match' rhwng dwy Sir – Mayo a Tipperary rwy'n credu – mewn parc yn y ddinas, – tua 40,000 yn bresennol. Roedd y rhan gyntaf drosodd, a'r bandiau, 15 ohonynt a deg ymhob un, newydd orffen canu pan ddaethom i fewn. Roedd y chwarae 'hyrlio' yn chwim eithriadol, a dienaid o beryglus, gallwn feddwl. Ymhen ugain munud union, digwyddais edrych ar y watch roedd y pumed wedi ei fwrw allan. Gorweddent lle yr oeddent, ar y glas, wedi cael ergyd. Yna âi un o wŷr yr ambiwlans atynt, i weld maint y niwed, ac os na fyddai'n ddrwg, âi'r chwarae ymlaen yn union drachefn. Os yn rhy ddrwg i chwarae ymhellach, doi rhywun arall i gymryd lle'r chwaraewr.

Aethom i de at Doun Piatt a Mrs Piatt, 42 Whitebeam Road,

Miltown, Dublin a gyfarfuaswn aml dro yn Ysgolion Haf y Blaid – pâr anghyffredin o garedig, Doun Piatt ei hun yn ieithydd tan gamp. Clywswn ef yn Ysgol Haf Abergafenni yn cyfieithu araith Dr Moger o'r Ffrangeg i'r Saesneg. Darllen *Y Faner* yn gyson, a'r pryd hwnnw roedd wedi bod yn darllen *Slawer Dydd* Llewelyn Williams,[563] gan gyfieithu'r straeon gyda blas i Mrs Doun Piatt. Roedd y ddau ohonynt wedi cael hwyl anghyffredin ar stori 'Twmi Price' y tafarnwr a'r church warden o bentre Llansadwrn, ac yn adrodd ar de y stori amdano'n rhoi enwau'r tri a fyddai farw gyntaf yn y plwyf i lawr ar bapur mewn envelop, – a'r ciwrat a sialensiodd ei ddawn yn agor yr amlen a gweld ei enw ei hun arni, yn marw, o ddychryn efallai, ymhen pythefnos.

Yn nhŷ Doun Piatt hefyd yr oedd dau Lydawr ar ffo, rhag Llywodraeth Ffrainc, – un ohonynt, er iddo fod yn Iwerddon ers 2½ flynedd a hanner [*sic*], ni chlywsai neb ohono'n yngan gair o Saesneg hyd y pryd hwnnw wrth y bwrdd te pryd y mwmiodd air neu ddau wrthyf i ŵr anghyfiaith llwyr mewn Ffrangeg. Y Llydawr arall, a siaradai Saesneg yn dda neilltuol, ydoedd un o'r prif rai a fu'n trefnu'n ymarferol wrthwynebiad y Llydawyr i'r Germaniaid a'r Ffrancwyr – y gweriniaethwyr mwyaf dygymod. Ef a'r Dr Moger ydoedd dau elyn pennaf Llywodraeth Ffrainc. Drwg gennyf na osodais i lawr enwau'r ddau Lydawr uchod.[564]

Galw heibio nos Sul i'r Ysgol y mae MacWillis yn dysgu – ysgol baratôl i fechgyn a merched ar gyfer Colegau Athrawon. Hen blasty ar y ffordd rhwng Dublin a Bray, lle hyfryd iawn gallwn feddwl; rhyw 29, merched bron i gyd sydd yno'n awr. Ymddengys fod anhawster i gael disgybl athrawon yn Iwerddon yn awr, am nad yw'r bobl ifainc yn hoffi bywyd unig yn ysgolion y wlad. Nid yw hyn yn arwydd da, gallwn feddwl.

Mynd lawr wedyn i dŷ'r Llydawiaid yn Bray, 1 Claermont Terrace, Meath Road – y drws nesaf i'r tŷ yr ailgyfeiriais i gannoedd o lythyron iddo a ddaethai i'n tŷ ni i'r Dr Moger. Wele enwau rhai ohonynt, – pob un ohonynt â'i stori gyffrous am ddioddefaint ac erledigaeth oherwydd ei gariad at ei wlad ei hun a'i fenter drosti. Yma ymddangosent yn griw fach, wasgaredig, ddiraen. Gallai pob un ohonynt, y gwŷr disyml hyn, o feddu'r ddawn, sgrifennu stori, ag ynddi fwy o arwriaeth wlatgar na holl aelodau seneddol Cymru a'u harweinwyr proffesedig drwy'r cenedlaethau.

Yr enwau: Gwion Hernot, (bu ef yn aros noson yn ein tŷ ni) 38 Merrion Square, Dublin, a'i ddau gyfaill – Yann L'Harridon a Charles Gaouach a fu gyda Dafydd Miles, Aberystwyth rwy'n credu, y tri yna yn aros gyda'i gilydd; Yoz Yann Gourlet, Fermeu Breton, a Gelenn a'i wraig sy'n gallu lliwio ffotograffau a lluniau yn rhyfeddol o effeithiol. Ni welais bertach y lluniau hyn a grogid ar y muriau erioed. Cwrdd â Madam Moger a drigai heb fod ymhell – ei gŵr yn dysgu yng Ngholeg y Jesuitiaid yn Limerick. Dychwelyd yn hwyr nos Lun gyda MacWillis.

Yn nhŷ MacWillis amser cinio bûm yn syllu ar y cannoedd o luniau sydd ganddo ef ymhob man yn ei dŷ mawr o bymtheg ystafell – darluniau o waith ei dad a oedd yn bennaeth ar y Manchester School of Art. Ni werthodd y mab yr un darlun. Rhoesai fenthyg dau un tro ar gyfer rhyw sioe yn Cork. Aeth y ddau ar goll ar y daith (in transit). Gwrthododd yntau roi benthyg dim ar ôl hynny. Nid wyf i yn alluog i feirniadu darluniau, er y gallaf edrych arnynt am oriau heb flino. Fe allwn i feddwl fod y darluniau hyn yn bethau gwych anghyffredin; a gall fod pris mawr arnynt.

Y mae Oscar MacWillis yn ddyn eithriadol o hoffus a mwyn. Gŵyr yr ieithoedd Celtaidd gan gynnwys y Gernyweg newydd atgyfodedig yn rhyfeddol o dda. Yn ddiau ef yw'r linc bersonol bwysicaf o ddigon rhwng y cenhedloedd Celtig. Fis Awst diwethaf roedd naw o Lydawiaid ar ffo yn byw yn ei dŷ ac yntau yn y wlad hon. Roedd gŵr a gwraig a dau o blant wedi bod yno'n gyson. Hen lanc ydyw tua 45 oed, yn byw yn llythrennol i fynd oddi amgylch gan wneuthur daioni. Protestant, ond heb fynd i gapel ond pur anaml. Y mae tŷ'r Piattiaid yn nodedig hefyd am ei haelioni. Dyma dair nodwedd amlycaf y Gwyddyl hyd y gallwn i farnu, – hoffusrwydd, haelioni a dewrder.

Dydd Llun, Hyd 17, euthum i a D. O. Roberts Aberdâr, ar ôl bod yn y Bwrdd Addysg gyda'r 'three musketeers' ys dywedai MacWillis, yn cyfarfod Mr Breathuach a'r Arolygwyr i weld ysgol gymysg yn ymyl. Dysgid y plant, Seisnig hollol o ran iaith mewn Gwyddeleg yn llwyr o'r gwaelod. Wrth chwarae yn yr iard, ni chlywid ond Gwyddeleg ganddynt, er na chlywent air o'r iaith honno gartref. Bu D.O. a finnau'n prynu 'nylons' i'n gwragedd y prynhawn. Cefais i ddau bâr maint 9½ i Siân, a D.O. dri phâr 9 i'w wraig ef, 12/7[565] y pâr oeddent.

Drannoeth wedyn yn yr un lle buom mewn ysgol debyg – gwers mental arithmetic gyflym, yn un ohonynt. Sylwn nad oedd yr athrawon mor drwsiadus ag yng Nghymru ar y cyfan. Aeth D.O. a finnau, gyda Siochrú, yn arweinydd diddan i ni eto, i Ysgol Gatholig i Ferched – merched o rieni'r dosbarth canol heb fod ganddynt ormod o arian – oed 14–17. Clywais un o'r lleianod merch Proff Bailey (rwy'n credu) un o wyddonwyr blaenaf Iwerddon – yn rhoi gwers i ryw 36 o ferched tua 14–15 oed ar 'Ode to the West Wind' Shelley,[566] un o'r pethau treiddgaraf ar gân anodd i blant a glywais erioed. Ni châi'r lleianod hyn a'r Mother Superior ddimai goch am eu gwaith – dim ond eu bwyd llwm a'u cotwm tenau. Eu gwaith oedd eu bywyd. 'I have yet to catch a nun out,' meddai Siochrú wrthyf. Siaradai'n ddoniol ddireidus wrth y staff a'r plant. Teimlwn ei fod yn meddwl y byd ohonynt. Mynnai'r fam roddi rhywbeth i mi. Cynigiodd fwyd, – coffi yn unig, yna whisgi, a Siochrú yn mynnu gwrthod drosom. Ond y mae pwynt, meddai ef, nad yw wiw gwrthod ymhellach. Mynnodd roi pecyn, hanner maint y cyffredin, o sigarets i mi – er nad wyf i byth yn smocio. Rwyf yn golygu cadw'r pecyn hwn o barch i'r Ysgol hon, yr Ysgol fwyaf ddwys Gristnogol ei hawyrgylch y bûm ynddi erioed. Nid yn unig yr oedd rhywbeth nefolaidd yn yr awyrgylch; ond yr oedd y gwaith yn rhyfeddol o uchel ei safon hefyd. Siaradai'r plant y ddwy iaith, Saesneg a'u hiaith eu hunain mor rhugl â'i gilydd, (gydag acen Saesneg dda) fel y gwna plant Cymru – ond yn y wers Ffrengig siaradai'r athrawes a fuasai yn y Sorbonne, am y wers drwyddi mewn Ffrangeg a'r plant yn ei hateb yn rhwydd yn yr iaith honno.

Dywedais wrth y Mother Superior, ac yr own yn ei feddwl, petai gennyf i ferch, er mai Protestant oeddwn, mai i'w hysgol hi yr anfonwn i hi i gael ei haddysg. Rwy'n siwr y boddlonai Siân i hynny hefyd, wedi bod yn yr ysgol hon unwaith. Yr oedd y fath beth â gwir Gristnogaeth i'w deimlo yma, – gostyngeiddrwydd sanctaidd ac ymwadiad llwyr â hunan.

Gerllaw carchar enwog Mountjoy[567] yr oedd yr ysgol hon. Bore dydd Mawrth ydoedd hyn, Hyd. 18. a minnau'n gorfod mynd yn ôl y noson honno oherwydd fod gennyf ddarlith i'w rhoi i Gymrodorion Rhydaman y noson wedyn, y 19. Ac meddai Siochrú: 'Can't we persuade you to stay another week in Dublin. I know the governor, he is an old gaol bird like yourself, – been fifteen years a governor here now, and a damn good governor he is too. I could easily fix you up here for a week. It wouldn't cost you a penny, and you and the governor would get a very good time together, comparing notes. What about it now, ay!'

Ar ein ffordd yn ôl wrth barcio'r car gerllaw drws yr Abbey theatre dyma Siochrú yn mynnu mynd â fi i mewn i'r adeilad, er 'y mod i wedi bod ynddi y ddeudro y bûm i yn Iwerddon o'r blaen, ac mewn brys i fod yn ôl yn y Wynne's Hotel, gerllaw, erbyn 1. Pwy oedd yn y cyntedd ond Sidney Blythe, cyn weinidog ariannol Gweinyddiaeth Cosgrave yn Llywodraeth gyntaf Eire, – ond yn awr yn Managing Director yr Abbey. Mynnodd fynd â ni'n dau (D.O. wedi mynd i'w hotel e, erbyn hyn) drwy'r stafelloedd cefn i gyd. Cwrddais hefyd â Miss [?] y Cynhyrchydd. Gŵyr Sidney Blythe Gymraeg yn dda – dechreuodd ei dysgu drwy lyfr Caradar tuag 20 mlynedd yn ôl. Mae'n darllen 'Cwrs y Byd' yn gyson. Cyfeiriai at yr erthygl hon a'r erthygl arall gyda chof mwy pendant yn fynych am y cynnwys nag a oedd gennyf i, er mor fanwl y darllenaf hwynt.

Cyn ymadael am y trên yn Harcourt Station am 6.15 am y llong i Rosslaire trefnasai Vic, 'uchel de' i nifer ohonom – ni'n pedwar o Gymru Mac Willis, tri o'r I.N.T.O., Mr. Breathnach, Ysgrifennydd y Bwrdd Addysg, a thri neu bedwar o'r Arolygwyr, yn y 'Central Cafe'. Darllenodd MacWillis gyfieithiad Gwyddelig o lythyr Cymraeg Ambrose Bebb i athrawon Iwerddon – llythyr rhagorol hefyd. Erbyn hyn yr oedd 5.30 p.m. ac aeth Mac Willis â fi yn ei gar i'r orsaf.

Nos Lun, y noson cynt bu cyfarfod urddasol iawn i wahoddedigion yn y Gresham Hotel. Yr oedd nifer o brif ddynion yn bresennol, yn wleidyddion, llenorion, cerddorion etc. megis Mr Kelly, yr Arlywydd, olynydd y Dr Douglas Hyde, De Valera, Siourc Siochrú, sgrifennwr llyfrau Gwyddelig da, yn enwedig llyfrau ysgol, a map o Ewrop a Gorllewin Asia a welais yn Ysgol MacWillis. Cynhwysai'r map enwau'r prif ddinasoedd fel y'u sillefid yn y gwledydd hynny rhwng cromfachau ar ôl yr enw Gwyddelig e.e. (Caerdydd), Lisbon (KWien) etc. Hefyd Diarmid MacKinley (dyna'i enw fel y mae lawr gennyf) Llywydd presennol y Gaelic League, Roisin ni (merch Tuana), a drigai y drws nesaf i Doun Piatt, 40 Whitebeam Road, Cloasha, – telynores ragorol, a fedrai hefyd gryn dipyn o Gymraeg, a'i brawd Seán ôg O Tuana, 1 Church Avenue, Rathmines, Dublin. Fe'm cyflwynwyd i nifer eraill, o wŷr a gwragedd pwysig na allaf gofio eu henwau. Galwodd De Valera[568] ni y Cymry, rhyw bymtheg ohonom i gornel o'r neuadd fawr ato, a chyflwynwyd ni iddo. Cyfarfuaswn i ag ef yng Nghaerdydd yn y ginio iddo, fis Tachwedd diwethaf. Bu Vic & Co yn siarad ag ef am dipyn – Vic â'i gynlluniau arferol. Euthum i yn ôl at MacWillis a D.O. Roberts heb wybod ei fod e'n golygu siarad â'r cwmni. Y gŵr a'm trawodd yn arbennig gan fwynder ei wynepryd ydoedd Mr

Joyut a fu'n siarad yng nghyfarfod nos Sadwrn yn y Mansion Hall. Rhoesai MacWillis deyrnged uchel anghyffredin iddo am ei allu fel ysgolhaig Gwyddelig – peiriannydd a fuasai wrth ei alwedigaeth, gyda llaw: ond ni wn i ym mha adran. Ei orchest a'i gymwynas fawr fu cyfieithu'r Beibl o'r newydd i'r Wyddeleg ynghyd â *Thaith y Pererin* yn ogystal. Cyflwynwyd fi iddo ef a'i wraig, a chefais sgwrs fwyn a difyr ganddynt. Hoffais y dyn hwn, yn rhyfeddol, ef a'i wraig garedig, a chefais ganddo sgrifennu ei enw a'i gyfeiriad yn y sgript Wyddelig nas deallaf ysywaeth.

Cefais gan Siourc Sióchrú hefyd gyfeiriad Torna, y bardd a'r ysgolhaig Gwyddelig[569] – ef, efallai, yw'r tebycaf i'n Gwynn Jones ni yng Nghymru. Pan arhoswn i yn Cork, wyliau'r Pasg 1919, a minnau wedi mynd draw i weld drosof fy hun sut yr oedd pethau'n mynd yno yn y frwydr ffyrnig rhwng y Black and Tans a'r Sinn Fein[570] – bu Torna a'i wraig yn garedig tu hwnt wrthyf. Arhoswn yn y Turner's Hotel, mewn stryd yn cydredeg â Victoria Street, a losgwyd i lawr yn ddiweddarach gan y Black and Tans – Patrick Street ar ôl hynny – rwy'n credu, awn i fyny bob dydd ar ôl cinio i gael sgwrs â Torna, ar ei gais arbennig ef. Bûm yno sawl prynhawn – mynnai wybod am Gymru a llenyddiaeth Gymraeg. Yr oedd ganddo fwy o lyfrau Cymraeg am wn i nag a oedd gennyf i ar y pryd. Daniel Owen oedd ei hoff awdur. Bûm gydag ef brynhawn Gwener y Groglith yn dodi tato yn yr ardd. Ni welais i neb mor barticilar erioed. Dangosai fanylrwydd ysgolheigaidd wrth leoli pob taten. Byddai i un daten fod o'i lle gwarter modfedd wrth roi'r pridd arni yn ddigon i gondemnio gwaith y prynhawn. Dywed y Gwyddyl fod y gofal arswydus hwn yr un mor nodweddiadol o'i waith fel ysgolhaig a bardd. Y Sadwrn wedi'r Pasg hwnnw a finnau'n dod yn ôl dros y drum o dŷ Torna – Croatu, Glasheen Road, Cork – gwelwn yr awyr dros y dref yn goch, y fflamau fel pe'n chwarae ar y cymylau fel y gwelwn waith tân Dowlais ar yr awyr, gartre'n grwt. Clywswn fod Ford yn golygu cychwyn gwaith moduron yn Cork, neu wedi cychwyn – nid oeddwn yn siwr, a meddyliais mai golau'r gwaith hwn a welwn ar yr awyr o bosib. Clywais fore trannoeth mai 'Police Station' Cork oedd yn llosgi lawr. Am ddeuddeg o'r gloch y nos Sadwrn hwnnw llosgwyd 250 o police stations yn Iwerddon i'r llawr, – parhad o'r tân a gynheuwyd yn Nulyn y Pasg hwnnw bum mlynedd ynghynt – a'r tân yn Llŷn yn mygu ohono yntau, efallai, yn ddiweddarach.

Clywais y tro hwn fod Torna druan, un o brif ysgolheigion a beirdd Gwyddelig Iwerddon, wedi methu dod i'r seremoni o dderbyn y Fedal Aur o anrhydedd a gyflwynasid iddo ef a Siourc Sióchrú fel teyrnged o anrhydedd iddynt gan y Wladwriaeth Rydd. Bu raid dod ato i'w ystafell wely i'w throsglwyddo iddo.

Ond hyn yr own i'n mynd i'w weud, – rown i wedi cael cyfeiriad Torna yn Cork, a chyfeiriad Mr Joyut a hoffais gymaint, yn Nulyn gyda'r bwriad o anfon gair o gyfarch ac o wrogaeth dyn dieithr i'r ddau ohonynt. Ond dyma gyd–ddigwyddiad trist, – mewn llythyr a gefais ddechrau'r wythnos hon oddi wrth Oscar MacWillis dyma'r newydd fod Mr Joyut wedi marw'n sydyn y bore wedi'r cyfarfod yn y Gresham, sef y nos Lun, Hydref 17, a Torna wedi marw y dydd Gwener ar ôl hynny, sef Hyd. 21. Heddwch i lwch y ddau enaid mawr hyn!

23 Mehefin 1951 (bore Sadwrn)

Y Blaenor Gadd ei Wrthod. Flwyddyn ac wyth mis yn ôl, bu dewis blaenoriaid ym Mhentowr. Fy ngwrthod a ges i. Rown i'n teimlo'n fflat a diflas a wherw ar adegau, mae'n rhaid cyfadde oblegid hynny; rhaid imi gyfadde, a Siân gymaint â hynny. Peidiais â sgrifennu dim yn y llyfr hwn am hynny rhag i'm teimlad ar y pryd roi cam-argraff ar bethau. Ond wedi sbel go dda o amser, er na chefais achos i newid fy marn ynglŷn â dim, gallaf sgrifennu'n fwy pwyllog a diduedd. Wrth sgrifennu amdano'i hun, gan y gŵyr e 'i ochor ei hun yn well na neb arall, mae'n dueddol i weld popeth o'r ochor honno. Ceisiaf fod mor onest a theg ag sydd modd wrth wneud yr ychydig sylwadau hyn.

Credaf fod [*sic*] y gallaf ddweud yn onest fod fy niddordeb pennaf i mewn crefydd, ac nad yw fy niddordeb yng Nghymru, a phopeth a berthyn iddi, ond agwedd ar y grefydd honno. O ganlyniad bûm yn weddol ffyddlon i bethau'r capel ar hyd fy oes, – yn athro yn yr Ysgol Sul bron er pan ddeuthum yma yn Ion 1919. Awn i'r cwrdd bore bob amser, ond arhoswn gartref o'r cwrdd whech, yn ddigon mynych, gan mai o amser te ymlaen, ar brynhawn Sul ydoedd oriau gorau'r wythnos i mi, bob amser – oriau tawel o ddarllen a myfyrio, a chymryd stoc o bethau o'r newydd. Bûm yn weddol ffyddlon gyda chyrddau'r wythnos ynghanol prysurdeb cyson gyda gwaith yr ysgol pan oeddwn yno, a'r tân yn llawn heyrns o bob mathau gennyf bob amser. Wedi gadael yr ysgol yr wyf wedi mynd yno'n weddol; a phob tro y bu ganddynt raglen y Gymdeithas Ddiwylliannol â thipyn o werth arni gallaf ddweud yn gwbl onest i mi wneud fy ngorau i'w chynorthwyo a chymryd rhan ynddi. Ond yn dra mynych te a ffwlbri a geid yno, dan arweiniad blaenor ifanc hael ei boced, poblogaidd ei apêl, a'i brif nod ydoedd cael y cyfan i'w ddwylo ei hun ac awdurdodi mewn ffordd gyfrwys, a digon gwyrgam yn aml. Math o showman gwan, ond dylanwadol yn Seion ydoedd. Ei ddylanwad ef a rhai o'r un blufen ag ef yn cyd–weithio a gadwodd yr eglwys yn 1949, rhag i'r Parch T. M. Perkins Port Talbot dderbyn galwad i'r eglwys. Rown i'n aelod o'r cyd-bwyllgor dewis bugail, cyd-bwyllgor o'r sêt fawr a chorff yr eglwys, a chadwai John James Morgan, yr Ysgr. – y fusnes yn gwbl yn ei ddwylo ei hun, gan ohebu neu beidio â gohebu ar ran y pwyllgor hwn, yn ôl ei fympwy ei hun, a dod allan ohoni bob tro trwy wanglo a dweud celwyddau. Oherwydd gohirio gyhyd, ac yntau'n gwybod fod ei enw dan ystyriaeth am alwad gan yr eglwys, pan ddaeth yr alwad honno o'r diwedd yr oedd y Parch T. M. Perkins wedi diflasu, wedi ei gymhelliad cyntaf, ac fe'i gwrthododd.

Yna daeth y Parch John Wyn Williams B.A. yma'n weinidog, gŵr o Abersoch yn Llŷn, wedi dwy flynedd o weinidogaeth yn Aberllefenni. Cwympodd yr eglwys yn fflat amdano wedi ei glywed yn pregethu'r bore Sul cyntaf, ac yn fflatach byth y nos Sul honno. Bu ei glywed yn rhoi'r emyn ma's y bore Sul cyntaf yn ddigon i mi, yn reddfol, rywsut, gymryd yn ei erbyn. Ni allwn help; rhoddodd yr argraff i mi ei fod yn ŵr bras, hunan–ddigonol rhyfeddol. Dyna'r argraff union a adawodd ar Siân hefyd, yn union yr un fath â finnau. Hyd yma, er ceisio'n ddigon gonest i symud yr argraff honno, a chyd-weithio ag ef ymhob dim, nid wyf wedi cael lle, ysywaeth, i newid fy marn. Dyna hefyd hyd y gellais i gasglu, farn ei gyd-fyfyrwyr yn y Coleg Diwinyddol: Y seraff John Wyn Williams y galwodd un ohonynt ef.

Mynnodd yr eglwys heb yn wybod am ei fodolaeth o gwbl wythnos ynghynt, ar sail yr un Sul hwnnw, roi galwad unfrydol iddo. Ceisiais innau ddadlau orau y gallwn yn erbyn y brys anystyriol hwn, a gofyn ganddynt ohirio hyd nes cael ei glywed un tro wedyn. Ond dim yn tycio, ni wnâi dim y tro. O weld hynny, dywedais os doi e'n weinidog yno y byddwn i mor barod â neb ohonynt i gyd-weithio ag ef. Fe ddaeth; a chedwais innau fy ngair; ond, ysywaeth, eto, ni chefais le i newid fy marn gyntaf amdano. Ni ddangosodd ef o gwbl ei fod yn awyddus am fy nghyd-weithrediad i. Ond lawer tro i'r gwrthwyneb; er iddo'n ddiweddar arwyddo ei fod fel petai am newid hyn o beth.

Mae ganddo ddigon o allu, a gall bregethu bob amser yn sylweddol. Ond i mi pregeth ddu, ddi-neges, rywfodd, sydd ganddo. Yn yr eglwys, fel bugail, ymddengys i mi yn hynod ddidaro a difater, heb feddwl na dychymyg byw i geisio deffro pobl ganddo. Mae yma ddau brif swyddog, fy hen gyfaill hoff a diddan, Morgan Jones, y bûm yn gyd-letywr ag ef am 4½ blynedd a hanner [*sic*], difyr a gwybodus ryfeddol, yn enwedig yn hanes pregethwyr ac eglwysi, ond diffrwyth hollol, ar wahân nad yw'n colli cyfarfod byth, ond cyfarfodydd y Gymdeithasol [*sic*]

Ddiwylliannol fondigrybwyll, ymhob dim arall. Bu'n ysgolfeistr ar hyd ei oes, ac yn ddiwerth hollol, y fan honno hefyd. Rwy'n hoff iawn ohono drwy'r cyfan. Y llall yno J. J. Morgan druan, mab John Morgan, pen blaenor yr eglwys, ac un o'i thyrau cadarn hi ar hyd ei oes – un o gedyrn yr eglwys, er nad oedd yn fawr ei allu. Bu fasiwn da yn ddyfal a chynnil, a chasglodd arian drwy godi tai – agorodd ei fab J.J.M. ei unig blentyn, fusnes adeiladu – melin lifio etc. a fu'n llwyddiannus iawn am flynyddoedd. Aeth J.J.M. i ddwylo pobl wrong. Aeth ei lwyddiant i'w ben. Roedd yn hael wrth natur, ac yn hoff o boblogrwydd. Dechreuodd yfed yn slei yn y tŷ. Bu farw ei dad o dor calon, o weld y busnes, cyn ei farw ef yn mynd i'r cŵn a'r brain. Bûm yn ceisio ar hyd yr amser gweld a oedd rhyw fodd y gallwn i ei helpu a'i rwystro i fynd yn waeth. Ond y mae'n slic yn ddi-afael, gwan a chelwyddog. Nid wyf yn gweld y gallaf wneud dim drosto, gan nad beth a ddaw ohono.

Roedd ef a J. J. Owen, bank manager, druan, wedi hynny, ymhlith y saith blaenor a arwyddodd ddirwest yng Nghwrdd Misol Woodstock rywbryd yn y tri degau,[571] pan wrthodais i yr wythfed a gwneud hynny, – nid am fy mod dros ddiod, gan nad wyf yn yfed diferyn mewn blwyddyn bron, ond yn unig yn erbyn hidlo'r gwybedyn hwn, a llyncu'r camelod eraill – rhyfel, cybydd-dod, balchder, materoliaeth etc. heb wybod dim eu bod yno. Bu'r tafarnau'n ddigon posib yn help i Owen's Bach, fel y galwn ef, fynd o'r byd yma'n gynt na phryd, hefyd –

Petai genny dragwyddoldeb at fy ngwasanaeth y mae digon o ddefnyddiau yn eglwys Pentowr ei hun i wneud saga tan gamp.

Ond mynd i sôn yr own i amdanaf yn cael fy nghau ma's o set fawr Pentowr – eglwys y bûm yn ceisio ar y cyfan, yn ddigon teg ei gwasanaethu, fi a Siân gyda fi, hithau'n athrawes, ac yn athrawes anghyffredin o dda, hefyd, yn ôl fy marn i, ar hyd ei hoes yma, yn yr Ysgol Sul. Bai pennaf Siân yw ei diffyg uchelgais, a'i diffyg ffydd ynddi ei hun. (Fel beirniad llenyddol mae ganddi farn cystal â neb 'rwy wedi ei nabod. Mae fy ngwaith i wedi cael ei farnu'n hallt ganddi, lawer tro – ac y mae hi'n iawn y rhan amlaf).

Fel unigolion rwy wedi bod yn eitha cyfeillgar â phobl Pentowr, erioed, a phobl Abergwaun, o ran hynny, ac yn hoff ohonynt. Ond fel corff, en masse, teimlaf yn fynych eu bod yn fy erbyn. Brwydr ysbrydol, barhaus, ddigymod fu'r deng mlynedd ar hugain. Nid wyf wedi dod yn ôl yma, erioed, dros Garn Gelli gyda'r bws, neu i olwg y môr, gyda'r trên, heb gael y teimlad mai dod yn ôl i frwydro yr wyf. Ac nid yw'n deimlad hapus. Mae'n bosib mwynhau'r frwydr pan fo dyn yn ei chanol; ond yn y frwydr honno nad yw byth yn darfod mewn gwirionedd, mae'n wahanol. Eto, rwyf wedi gweld pobl Abergwaun yn garedig rhyfeddol tuag ataf, ac yn hael bob amser pan af ar eu cyfyl i ofyn am gyfraniad at Gronfa Gŵyl Dewi, Plaid Cymru, cael derbynwyr i'r cylchgronau, neu rywbeth arall y bûm mor fynych ar eu gofyn.

Roedden nhw'n gwneud blaenoriaid ym Mhentowr, nos Sul, Hyd 30, 1949. Nid oeddwn i wedi bod yno, ers rhai Suliau, fel y digwyddai – yn Iwerddon, Hyd 16, wedi cyrraedd yn ôl yn hwyr y nos Sadwrn dilynol, o Birmingham, lle bûm yn areithio, a heb allu mynd i'r cwrdd am fy mod wedi blino, wedi wythnos o deithio a siarad tipyn, (Cymrodorion Rhydaman, nos Fercher. Hyd 19 etc), ac yn y Cilgwyn o nos Wener hyd nos Sul y 30, – nos y dewis blaenoriaid. Y nos Fawrth, cyn hynny, sef y 25, roedd cwrdd croeso i'r gweinidog newydd yn festri Pentowr. Gofynasai J. J. Morgan i mi ymlaen llaw i ddweud gair ar yr achlysur.

Fel y gwelir yn nes yn ôl rown i wedi bod yn Iwerddon yr wythnos cynt, ac fel y mae pob Cymro cywir, gredaf i, a fu yno, wedi derbyn croeso cynnes y Gwyddyl, a theimlo llawenydd y gwyrthiau a wnaed yno, ynglŷn ag edfryd iaith, a phethau o'r fath yn llawn ysbryd Cymreig a gwlatgar. Pan euthum i fewn i festri Pentowr, a chlywed y gwragedd, y merched a'r plant, yn Gymry iawn, bron bawb ohonynt, wrthi gymaint byth yn browlan Sysneg a lladd eu hiaith eu hunain fe gynhyrfais hyd waelod fy enaid yn erbyn y brad anystyriol hwn. Gwyddwn fy mod i ddweud gair yn nes ymlaen, a pharatoeswn ryw gymaint ar gyfer hynny. Bu'n gyfyng gyngor yn ystod y gwledda wrth y byrddau. Mae enwad parchus y Methodistiaid mor geidwadol ac annemocrataidd ei method, o leiaf, yn yr eglwys hon, mae'r sêt fawr yn gabal hollol, lle setlir y cyfan, heb ymgynghori dim â chorff yr eglwys. Rown innau'n bendant, yn erbyn hyn, erioed, gan gredu y dylai pawb gael ei lais yn yr eglwys, o bob lle. Gwyddwn, yn bendant, neu, o leiaf, fe gredwn hynny, y gallwn fod o fwy o wasanaeth yn y sêt fawr nag o'r tu allan iddi, gan eu bod hwy, fel yr own i'n teimlo yn ofni trin materion o wir bwys, ac yn eu gosod o'r neilltu yn hyfryd, yn enwedig, gyda diplomat fel Mr J. J. Morgan yr Ysgr. ni ddoi dim gerbron y sêt fawr ond yr hyn y gwelai ef yn dda. Ac yr oedd Morgan Jones a'r gweddill ohonynt yn gwbl gysurus ynghylch pethau y carwn i yn fynych beri i bobl eu hwynebu. A finnau'n berwi gan wrthryfel yn erbyn y bradychu diangen yma ar yr iaith wedi bod yn ŵr gwadd yn Oireachtas Iwerddon, rhywbeth tebyg i'n Heisteddfod Genedlaethol ni, a chlywed mawrion y genedl honno yn siarad eu hiaith briod eu hunain, y mwyafrif mawr ohoni [*sic*] wedi ei dysgu o'r newydd – gwyddwn, o'r gorau, os dywedwn fy marn yn onest amdanynt y collwn bleidlais y mwyafrif mawr yno ar gyfer y swydd o flaenor. Teimlwn o'r ochr arall mai twyll a rhagrith a llwfrdra moesol fyddai i mi fod yn ddistaw. Y dewis gennyf, felly, oedd cau fy mhen, llyncu fy nicter orau y gallwn, a chraco jôc neu ddwy, ac o bosib gael fy newis yn flaenor fel y dewiswyd fi'n led unfrydol y tro cynt, mae'n debyg, a'm torri allan wedyn gan y Cwrdd Misol ar gwestiwn llwyr ymwrthodiad, – neu ddweud fy nheimladau'n onest, a cholli, fel y gwyddwn, bob siawns am y cyfle hwn i wasanaethu'r eglwys mewn cylch mwy effeithiol yn ddoeth, neu annoeth, dewisais yr olaf, – gyda'r canlyniadau di-ymod.

Ni'm dewiswyd. Teimlais yn bendant sicr ar y ffordd adref o'r cwrdd y noswaith honno mai felly y byddai hi – yn y cwrdd ceisiais feddiannu fy hun orau y gallwn, a siarad mor bwyllog a rhesymol ag y gallwn. Fe'u coffeais mai eglwys Gymraeg ydoedd eglwys Pentowr, ac y dylem ni, bawb ohonom, roi hynny ar ddeall i'r gweinidog o'r cychwyn; soniais am y Cymry gwych a fu'n weinidogion yno, o'r cychwyn – Phillip Jones, W. P. Jones, Herbert Davies, J. T. Job ac Odwyn Jones,[572] – ac am eu ffyddlondeb i'r Cymrodorion; am eu cyd-weithrediad hwy â'r gwŷr cedyrn yn y capeli eraill, yn eu dydd – y Parch Dan Dafis yn Hermon a'r Tabernacl. Yna cyfeiriais at berthynas annatod crefydd ac iaith etc. Am fy ymweliad yr wythnos cynt ag Iwerddon, a'r hyn a welais ac a brofais yno. Ond gwelais wrthynt fy mod wedi codi eu gwrychyn, gan fod cymaint ohonynt yn euog heb hidio blewyn am yr iaith. Yna cododd y gŵr hwnnw a fu'n fy erlid yn gyson er pan wyf yn y lle yma, y cyfreithiwr William Evans, (neu Bili Bola yn ôl yr enw cyffredin arno) gŵr a ddygodd fy achos o flaen Llywodraeth [*sic*] yr Ysgol Sir gynifer o weithiau am ryw fan [*sic*] droseddau neu'i gilydd; a'r unig un ohonynt, gyda llaw, a bleidleisiodd i'm herbyn i gael fy lle yn ôl yn yr Ysgol, wedi llosgi'r Ysgol Fomio. Dyna pryd y gwelais i bobl Abergwaun yn dda neilltuol yn mynnu cael fy lle i yn ôl yma. Ni chymerais i arnaf gymaint â digio wrth hwn erioed, diolch i'r Arglwydd. Nid oedd yn werth y gost ysbrydol honno. Siaredais ag ef, bob amser, gan nad beth â wnâi fel pe na bai dim wedi digwydd. Wn i ddim a wnaeth ef unrhyw niwed i mi wrth ymosod arnaf am fy mod bob amser, meddai ef, yn gosod iaith a chenedl a gwleidyddiaeth o flaen crefydd. Ond gwn, cyn hynny, i'r ffaith ei fod ef gymaint yn fy erbyn brofi'n werthfawr i mi gael fy lle yn ôl yn yr Ysgol. Bu hefyd, wrthi yn ddyfal yr wythnos wedyn, yn siarad yn fy erbyn, fel y clywn. Taenwyd hefyd, y si, yn ôl a ddeallais yn ôl llaw, mai gwastraff ar bleidlais fyddai pleidleisio i mi gan na chymerwn i mo'r swydd, pe'm dewisid, oherwydd fy syniadau ar ddirwest. Ni ddywedaswn i na 'ngwraig air ar y pen, un ffordd na'r llall. Ac ni wn chwaith beth oedd amcan taenu'r si hon – fy nghadw o'r set fawr, ynteu ei ddweud yn syml fel ffaith.

Beth bynnag am hyn oll, yr oedd yn ysigdod mawr i'm hysbryd

i gan, mi gredaf, fel y cred pob blaenor arall gadd ei wrthod, fod fy amcan yn ddigon cywir; gan fod achos crefydd, ble bynnag y bo, wedi bod yn fater agos at fy nghalon. Myfi, gyda llaw, yw'r cyntaf yn llinell uniongyrchol fy nhad o ddyddiau Wiliam Siôn, Llywele fu'n helpu i godi capel cyntaf y Methodistiaid yng Nghymru, efallai, capel Llansewyl, ynghanol y ddeunawfed ganrif, i beidio â bod yn flaenor.

Bûm yn ymladd â mi fy hun yn wherw yn erbyn y siom hon, er pan ddigwyddodd: Roedd yn ergyd galed i mi, rhaid dweud, fel un o'r rhai hynaf yn yr eglwys a fu'n gweithio'n ddigon gonest a chywir ynddi, drwy'r blynyddoedd. Tair gwraig fach ar y ffordd adref o'r cwrdd gweddi yn union ar ôl hynny, a rhyw ddau neu dri arall, yn unig a siaradodd â fi ar y pen, gan ddweud eu bod yn flin ganddynt iddi ddigwydd felly. Bu'r lleill yn fud gan nad beth oedd eu teimlad, ac er ei bod hi'n ddigon anodd, i Siân, a deimlodd lawn cymaint â finnau, ni ddangosodd un ohonom ddim i neb. Fe ddywedais i wrth , un o'm cyfeillion gorau yma, dyna'i gyd. Llew Jones, o Langadog, prif glerc y G.W.R. yn yr Harbwr, o bawb, a Mrs Jones, 'Peg' fel y gelwir hi gan ei chyfeillion, a fu'n fwyaf cynnes eu cydymdeimlad o ddigon. Gwraig wirioneddol dduwiol ei hysbryd yw Mrs Llew Jones, ac yntau'n hen foi cywir a chydwybodol iawn.

Aeth Siân a fi i'r cyrddau'n gyson fel cynt ac i'r Ysgol Sul. Yr haf, blwyddyn i hwn, fe fûm i'n sâl am fisoedd lawer. Er y Pasg diwethaf yr wyf wedi dechrau gwella'n iawn, gallaf ddweud. Bûm am dair wythnos Hydref 1950, yn ysbyty Aberteifi yn cael triniaeth feddygol – mân gerrig yn yr aren whith – ond heb 'cutting up operation' fel y dywedir. Dyna'r unig adeg y buom ni'n dau, a hynny'n anorfod, o'r capel.

Ryw dair wythnos neu fis yn ôl y dechreuais i gael y trechaf ar y frwydr fewnol gas o wrthryfel yn erbyn Pentowr a godai'n aml yn fy nghalon. Bûm yn ymbil llawer am nerth a mawredd ysbryd i orchfygu'r drwg hwn yn fy natur; a llwyddo am y tro, lawer gwaith. Ond fe godai'r Gŵr Drwg yn uchel ei ben ynof drachefn; a dyna ddechrau brwydr arall.

Gan fawr obeithio y caem ni ŵr o adnoddau ysbrydol y Parch T. M. Perkins i'n harwain ni roeddwn i wedi bod yn edrych ymlaen am bethau mawr ym Mhentowr, a chael yr hyfrydwch o gyd-weithio ag ef. Ond croes i hynny maent yn dod. Oherwydd defodaeth y drefn Fethodistaidd, yn hytrach nag unrhyw deimlad personol, mi gredaf, gan fy mod i ar delerau hollol gyfeillgar yn bersonol â phob un o'r blaenoriaid, pan na fydd neb ond hwy a finnau'n bresennol o ddynion mewn cwrdd gweddi neu ddosbarth Beiblaidd, a rhyw fater eglwysig a fyddai o lawer cymaint o bwys i mi a'r gweddill o'r aelodau ag iddynt hwythau yn gofyn am bwyllgor i'w drin, nid awgrymodd un ohonynt, na'r gweinidog unwaith y gallwn i aros ar ôl yn gwmni, fel petai, iddynt hwy. Gadewir i fi fynd gartref, bob amser, wrthyf fy hun fel dyn islaw derbyn cyfrifoldeb. Peth digon anodd i'w ddioddef yw hyn, mae'n wir. Ac yr wyf wedi ceisio ei ddioddef fel math o gerydd ar fy malchder ysbryd. Yn rhyfedd iawn teimlaf fy mod i'n cael mwy na'm haeddiant o anrhydeddau ymhob man nag ym Mhentowr, lle y maent yn fy nabod orau.

Fodd bynnag, cawsom nifer o gyrddau gweddi a seiadau da iawn ym Mhentowr yn ddiweddar. Teimlaf innau fod fy iechyd corff yn rhagorol unwaith eto; a'm hiechyd ysbryd hefyd, cyn belled ag y mae Pentowr yn y cwestiwn, yn rhagorol o dda, – diolch i'r nefoedd. Duw a roddo ei nerth i mi i fynd ymlaen â'm gwaith yn y lle hwn yn y Sir ac yng Nghymru pan alwer arnaf, ac ar yr hunangofiant yma, gartref, y peth gorau a allaf i ei wneud, efallai, yn fwy na dim. Diolch i'r nefoedd hefyd, am help a chyd-weithrediad a barn werthfawr Siân am hyn oll.

(Gorffennwyd hyn am 4 o'r gloch, brynhawn Sadwrn, Mehefin 23, 1951, wedi bod wrtho hyd amser cinio heddiw, a rhyw awr arall cyn te). Bu'r cyfan hyn yn cronni yn fy meddwl ers ugain mis.

(iii) Dyddiaduron D.J. Williams 1950–66 (Detholiad).

LlGC Papurau D.J. Williams, Abergwaun, P3/16 i P3/31.

3 Gorffennaf 1956

Waldo yma neithiwr wedi cwrdd â'r Parch Ifor Jenkins, Hwlffordd (Jack Bach Cart i ni gartref). Dywedodd ef wrth Waldo, gyda'i ddychymyg byw, telynegol bert, iddo fod ar ddau achlysur yn gyfrwng trobwynt yn fy mywyd i, – (a) fy achub rhag torri calon fy mam fel anffyddiwr (b) iddo fy nghyfarfod ar y stryd pan own i'n gweithio rywle ym Morgannwg yn rhyw fath o Sioni-hoi mwfflerog a'm tywys fel y mab afradlon yn ôl o'r stad adfydus honno. Y syndod yw nad oes gennyf i yr un rhithyn o gof nac ymwybod o un o'r ddau ddigwyddiad hyn!! Ond hen foi rhagorol yw Jac, yn awr yn 79 oed, gŵr duwiol mewn gwirionedd, yn weddïwr bendigedig, wedi byw yn glyd drwy ei oes ar y *Beibl* a'r *Western Mail* a'i wits – yn glyd a diogel yng nghôl ei enwad, a'i daran o chwarddiad yn tarfu pob gofid i'r pedwar gwynt, iddo'i hun ac i eraill; llawer o'i dad ysgyfala ynddo ynghyd â duwioldeb siriol ei fam, Neli'r Cart. Nodwedd fy hen gyfaill fel hanesydd yw fod y digwyddiad symlaf yn gallu troi'n delyneg berffaith dan ei ddwylo, Dyna, er cystal ei gof, pam nad yw'n saff fel achyddwr. Ond dyn da yw Jac a dewr ei ysbryd yn unigedd henaint.[573]

17–18 Medi 1956

Waldo yn dod i mewn amser te neithiwr fel dyn wedi ei feddiannu yn ei awydd i ddarllen y caniad olaf yn ei awdl ddiwygiedig i Dyddewi y bu gennyf i law yn ei pharatoi yn ei ffurf gyntaf i Eisteddfod Gen. Abergwaun 1936 pan oedd Waldo ei hun yn sâl heb fodd gwybod ble'r oedd o gwbl. Mae'r awdl hon fel y mae bellach yn debyg o gael ei chydnabod yn un o orchestion yr iaith Gymraeg yn ôl fy marn i. Fe'i cyhoeddir yn ei lyfr newydd *Dail Pren* erbyn y Nadolig yn ôl y bwriad. Waldo yn ei ddull nodedig ei hun yn tueddu i feio Gwyn Griffiths am frysio pethau'n ormodol drosto. Ond oni bai am Gwyn, y mae'n amheus a welid llyfr o waith Waldo byth yn argraffedig yn ei ddydd ef. Er blynyddoedd o ymbil a pheri iddo golli ei dymer yn go ddrwg unwaith neu ddwy bu fy ymdrechion i i gyd yn ofer i geisio'i berswadio i gyhoeddi ei lyfr. Gwyn Griffiths a Caerwyn Williams a'i gwnaeth hi yn y diwedd.

19 Medi 1956

Waldo yma nos Lun rhwng 8 a 9 ac yn darllen awdl Tŷ Ddewi, y tri chaniad, yr un mesur â'r Haf, o'r dechrau drwyddi mewn afiaith ysbrydoledig – dagrau angerdd yn llenwi ei lygaid am funud wedi gorffen a chymerodd beth amser iddo i'w adfeddiannu ei hun – i dân athrylith ei fron ddyhuddo. Gwelais hyn rai troeon o'r blaen ganddo. Roedd yn orfoleddus fodlon ar ei waith – a hawdd y gallai fod gan ei fod wedi cyflawni gorchest dros ei genedl; rhoi iddi drysor yn ôl fy marn i a bery tra pery'r iaith.

26–27 Medi 1956

Mr J. D. Edwards yn mynd â ni yn ei gar i Dowyn ac i Fryncrug, – gweld bedd Mari Jones a welswn i o'r blaen wrth aros noswaith ym Mryncrug y Pasg 1909 gyda Morgan Penybanc fy hen gyfaill pan oedd e'n athro am dymor yno. I fyny drwy gwm Dysynni heibio i Graig y Deryn a Chastell y Bere i Llanfihangel y Pennant, gweld eilwaith adfail bwthyn Mari Jones a'r garreg goffa a welswn o'r blaen yn haf 1925 wrth wersyllu yn Nhonfannau gyda George M.LL. Davies, Herbert Morgan, Ben Bowen Thomas, Tom Elis etc. a'r bechgyn ysgol cyn ffurfio Gwersyll yr Urdd – Cwrdd â Siân pan oedden ni'n gwersyllu yn Nhowyn am brynhawn, priodi y Nadolig dilynol wedi cwrdd y Sulgwyn cynt. Go dda Dai a Siân yn nabod ein gilydd rywfodd yn reddfol o'r cychwyn. Cytuno ar bopeth ond dirwest, dim dafn ond dŵr ...

13–14 Hydref 1956

Waldo'n galw tua 1.30 gan fwriadu mynd i gyfarfod Blynyddol yr Urdd am 2.30 yn yr ysgol Ramadeg. Achwynai ar y ffordd i lawr i'r sgwâr yn arwain ei feic a finnau'n cerdded yno i ddal y bws fod Gwyn Griffiths yn gwthio gormod arno ynglŷn â chyhoeddi ei waith, gan fynd yn ormodol â'r gweithrediadau o'i ddwylo. Dywedais innau na allwn i lai na chytuno â'r cyfan a wnaeth Gwyn a'i edmygu am hynny – a gofyn eto fel y gwneuthum ar de y Sul cynt, – a fyddai ef yn debyg o fod wedi cyhoeddi ei waith yn awr o gwbl oni bai am yr hyn a wnaeth Gwyn. Edrychodd arnaf yn wyllt fel petai am fy nharo; yna trodd ar ei sawdl a chydio yn ei feic. 'Alla i ddim diodde peth fel hyn. Rwy i'n mynd adre,' mynte fe, ac adref yr aeth ar ei feic i fyny heibio i'n tŷ ni yn High Street. Nid dyna'r tro cyntaf i fi weld Waldo'n fflachio'n ffrochwyllt fel hyn heb lawer o eisiau pan fynnwn i anghytuno ag ef ar rywbeth ynglŷn â'i waith weithiau. Arfer ei deulu, erioed, rwy'n deall, yw peidio â dweud gair yn groes iddo ynghylch dim. Mae ei deimladau'n angerddol danbaid ar rai pethau fel hyn. Proffwyd ydyw nid meidrolyn.

16 Hydref 1956

A mynd yn ôl at Waldo – dadleuai ef yn wastad yn erbyn cyhoeddi ei waith, am fod gormod o lyfrau yn cael eu cyhoeddi'n barod, rhywbeth iddo ef ei hun ydoedd ei farddoniaeth. Yn ddiweddarach mynnai gyflawni gweithred o brotest cyn cyhoeddi ei waith. Fe'i gwnaeth drwy herio'r Llywodraeth a pheidio â thalu ei dreth incwm fel protest yn erbyn rhyfel, a'r beiliaid yn gafael yn ei eiddo. Trosedd Gwyn yw brysio ei gamau, gan y golygai ef yn awr gyhoeddi ei farddoniaeth yn ei amser da ei hun, meddai ef.[574]

17 Hydref 1956

Llythyr llawn oddi wrth Waldo y bore yma yn egluro holl hanes ei fwriad i gyhoeddi llyfr o'i farddoniaeth er pan oedd ei wraig Linda druan yn fyw. Dadleuai fel arall wrth Siân a fi o hyd – nad oedd ei farddoniaeth ef na'r un llyfr arall yn werth i'w gyhoeddi. Yn awr, â'r weithred o brotest wedi ei chyflawni teimla fod ei farddoniaeth bellach yn rhywbeth heblaw teimladrwydd mewn geiriau. Mae'n arswydus o onest, ond heb fod bob amser yn ddealladwy i'w gyfeillion.

19 Hydref 1956

Waldo lan yma bore ddoe ac yn ei iawn bwyll fel arfer, heb sôn gair am yr ymadawiad sydyn ar ei sawdl ar y sgwâr y Sad. diwethaf. A dyna ddiwedd ar y fflach fach yna eto fel ar ambell un o'r blaen. Ni all Waldo a fi byth gwmpo ma's yn is na'r croen; ni fachludodd yr haul erioed ar ein digofaint …

27–29 Hydref 1956

… Ei dweud hi braidd yn hallt mewn dwy neu dair brawddeg wrth Wil Ifan[575] am nad oedd wedi cymaint â gweld yr un rhifyn o'r *Welsh Nation* wedi i fi fod yn siarad wrtho am gael gair o gefnogaeth ganddo i'w gyfeillion i dynnu sylw ati. Y rhyfeddod i fi yw fod gŵr diwylliedig fel ef yn gallu bod mor gwbl ddifraw am gyflwr Cymru, ac eraill yn poeni ddydd a nos yn ei chylch hi. Siân yn fy ngheryddu am fy mod i wedi 'i dweud hi'n rhy hallt wrtho. 'Rhaid fod gyda chi gydwybod â chas o india rubber amdani Wil,' wedais i, a hynny mewn rhyw hanner cellwair. Ond fydd dim yn tycio gan Wil. Fe fydd ganddo lith fach mor bert a melys am rywbeth neu'i gilydd yng Nghymru yma, a chael £5 neu £6 amdani rai o'r dyddiau nesaf yma eto, a'i gydwybod yn gwbl esmwyth …

5 Tachwedd 1956

Cael fy newis yn flaenor neithiwr gyda phedwar arall – Tom Rees,

Trefor Phillips, Teifryn Michael, ac Eddie Howells, bois bach net i gyd. Dewiswyd fi o'r blaen yn un o wyth yn agos i 25 mlynedd yn ôl. Fy nhroi o'r sêt fowr wedyn am i fi wrthod â'r amod llwyr ymwrthod gan y M.C. Dau o'r rhai a gyd-ddewiswyd â fi yn cael parhau er yn mynychu tafarnau'n gyson, un yn marw'n gynnar a'r llall ers blynyddoedd wedi gadael yr eglwys am y Clwb Cwrw.

12 Tachwedd 1956

… Rywfodd does gen i ddim rhyw flas mawr i edrych ymlaen am y cyfarfod derbyn blaenoriaid brynhawn dydd Mercher, gan ryw led ofni eto y troir fi o'r neilltu fel y 25ml. yn ôl yn Woodstock oherwydd y cwestiwn dirwest.

14 Tachwedd 1956

Wedi bod yn agos i 25 mlynedd ma's o'r sêt fowr ar ôl cael fy newis gan eglwys Pentowr oherwydd amod y llwyr ymwrthod â phob diod gadarn derbyniwyd fi y prynhawn yma heb newid dim ar fy safbwynt yn flaenor o henaduriaeth Gogledd Penfro …

14 Ionawr 1957

Gwilym Lloyd George wedi cael y sac o'r Cabinet dan MacMillan,[576] – dim llawer o golled am wn i, gan ei fod wedi datblygu yn ei swyddi yn rhyw grocodeil oer o Sais. Dim rhyw lawer o'i dad na Megan ynddo – petai waeth ryw lawer am hynny. Cododd yn uchel fel mab ei dad, ac nid yn rhinwedd llawer o ddim arall am wn i. Mae Megan yn ddisglair ond yn ddigydwybod fel ei thad …[577]

19–20 Chwefror 1957

Siân yn darllen rhannau o *Yn ôl i Leifior* Islwyn Ffowc Ellis, – yn dda neilltuol ar y cyfan, ond ynddi y duedd arferol o ganiatáu i bethau ddigwydd yn rhy rwydd e.e. y ddamwain sy'n lladd y Dr

Paul Rushmere. Fe allwn i, nad wyf yn nofelydd o gwbl na rhyw lawer o storïwr, feddwl mae'r ffordd orau, a mwyaf argyhoeddiadol fyddai caniatáu i'r ddau fyw rhyw fywyd anghydnaws ci a'r hwch, y Sais a'r Gymraes ddigymod – hyd at eu hysgariad. Karl yr Almaenwr yn dod yn ôl i'r stori fel gwir gariad Greta. Fe allai weithio y ffordd honno rwy'n credu.

30 Mawrth–1 Ebrill 1957

Red Letter Day yn ein tŷ ni – cael llythyr wedi ei farcio personol oddi wrth y Prifathro Dr A. Steel Caerdydd, yn dweud fod Bwrdd Academaidd Prifysgol Cymru wedi penderfynu mewn cyfarfod yn Amwythig gynnig i fi Doctor in Letters, honoris causa, in recognition of your distinguished service to Welsh Literature. Fy adwaith cyntaf wedi darllen y llythyr yn frysiog ydoedd chwerthin yn uchel, gan na chroesodd hi fy meddwl i erioed y gallai'r fath beth ddod i'm rhan. Yna meddyliais am Saunders Lewis a gyfrannodd ganwaith o leiaf, fwy na fi i lenyddiaeth Cymru, heb sôn am ei gyfraniad mewn ysgolheictod a beirniadaeth lenyddol na chafodd ac na châi, o bosib, byth gynnig anrhydedd o'r fath, heb sôn am ei driniaeth greulon yn ei gadw o'i swydd fel darlithiwr am 13 mlynedd [*sic*]. A dyna Griffith John Williams wedyn a'i holl orchestion. Hyn yn peri i fi betruso a ddylwn i dderbyn y fath anrhydedd y gwelsai'r Brifysgol mor hael ei hysbryd yn dda ei gynnig i fi. Dweud hyn wrth Siân, hithau fel finnau'n falch o'r anrhydedd, ond yn dadlau na wnâi fy agwedd i yn teimlo fel ny yr un gwahaniaeth i Saunders o gwbl. Hefyd nid y bobl a oedd yn gyfrifol am gynnig hyn i fi yn awr a gadwasai Saunders gyhyd o amser o'i swydd. Dyna fel y teimlwn ac fel y teimlaf eto. Ond tro bach ac anghwrtais ar fy rhan fyddai gwrthod derbyn yr anrhydedd mawr hwn gan y Brifysgol.

23–25 Mai 1957

Mynd am sgowt gasglu at Gronfa Gŵyl Dewi – galw mewn pedwar lle, cael gini yr un mewn dau le, tair gini yn y trydydd, ac addewid sicr yn y pedwerydd. Nid yw casglu'n waith dymunol, gofyn am nerth ac arweiniad a doethineb bob amser cyn mynd at y gwaith. Cleddyf yr Arglwydd a Gideon yw hi bob tro. Pobl yn rhoi yn rhyfeddol o dda chwarae teg iddynt. Dewis fy mhobl ymlaen llaw yn wastad gan obeithio y daw Rhagluniaeth â rhyw un diniwed strae yn groes i'm llwybr. Hynny'n digwydd mewn ffordd ryfedd yn fynych … Yn rhyfedd iawn, methu cael dim odid byth gan neb o Rydcymerau, yn gyfeillion na pherthnasau. Beth yw'r rheswm pennaf am hyn nid wyf yn deall yn iawn. Efallai am nad wyf yn rhoi'n flynyddol at yr achos fel Pegi fy chwaer yn rhoi punt yn fynych, a finnau ond yn rhoi rhyw 2/6 yn y casgliad pan fyddaf yno weithiau – ond y maent i gyd bron yn llawer cyfoethocach na fi, yn rhoi'n ddifrifol o fach at yr Achos, ac yn rhoi fawr o ddim at ddim arall am wn i, oni fo hynny o ryw fantais iddynt hwy. Drwg gennyf ddweud hyn hefyd am yr Hen Ardal a fu mor annwyl gennyf erioed.

28–29 Mehefin 1957

… Ateb y cyfarchion ceryddol braidd a gefais gan fy hen gyfaill Gwenallt ar dderbyn ohonof Radd Anrhydedd y Brifysgol. Oherwydd diffeithdra'r Brifysgol yn y gorffennol at ŵr sy'n haeddu anrhydedd ganwaith … yn fwy na fi awgryma Gwenallt na ddylai'r un Cenedlaetholwr Cymreig dderbyn anrhydedd ganddi. Collodd yntau hefyd gadair Gymraeg Coleg Aberystwyth drwy ystryw gelynion Plaid Cymru. Wedi hir betruso derbyniais innau'r anrhydedd annisgwyl hon ar y tir mai eisiau ennill y Brifysgol o'r tu mewn sydd, os yw hi'n dechrau newid ei safbwynt, ac nid ei gyrru'n fwy i wersyll y Philistiaid.

10–11 Gorffennaf 1957

... Siân yn darllen rhyw ddwy neu dair tud. gweddol ddoniol [*YChHO*], ar Charlie'r Barbwr yn Ferndale gynt, – pasio'r prawf, peth go anamal yn fy hanes. Os bydd Siân wedi canmol rhywbeth o ngwaith i nid oes ofn y cyhoedd arnaf wedyn. Ond yr wyf yn ei herio weithiau hefyd, wedi rhoi ystyriaeth fanwl i'w beirniadaeth. Chwilio am y brychau'n gyntaf y bydd hi, bob amser – rhesymegol a beirniadol yw ei meddwl yn gyntaf fel ei thad a Wil ei brawd – peth gwerthfawr iawn i fi. Ar ôl cyhoeddi'r llyfr, bob amser y mae Siân, diolch i'w gonestrwydd cydwybodol, yn dechrau canmol. Ond y mae ganddi reddf lenyddol ddi-feth hefyd.

16–20 Rhagfyr 1957

Cael cynnig gan Syr John Cecil Williams i'm henwi ar gyfer bod yn Is-Lywydd y Cymrodorion [*sic*] Llundain, y llythyr a achosodd fwyaf o benbleth i mi erioed – methu gwybod beth i'w wneud. Fy adwaith cyntaf pendant ydoedd peidio â derbyn y cynnig gan mor wasaidd yr ymddengys rhestr faith yr Is-Lywyddion Ieirll, Is-Ieirll, Archesgobion, Arglwyddi, Cadfridogion etc.etc. Pawb â theitl ganddo y gellid cael rhyw gysylltiad rhyngddo â Chymru. Mae enwau aelodau'r Cyngor yn wir o bwys a gwerth i Gymru bob un – pobl nad wyf yn haeddu bod yn yr un rhestr â hwy. Rwyf mewn penbleth parod beth i'w wneud ... Felly y bûm o'r blaen pan gefais gynnig Doethuriaeth gan Brifysgol Cymru. Does dim delight gennyf o gwbl rywsut yn yr anrhydeddau hyn gan mor wir annheilwng yr ystyriaf fy hun ohonynt – a phobl lawer teilyngach na fi heb gael eu cynnig, ond teimlo fod dyn yn insylto pobl garedig wedyn wrth eu gwrthod. Byddai'n dda calon gennyf pe na chawswn y llythyr hwn oddi wrth Syr J.Cecil Williams Ysg, y Cymrodorion [*sic*] gan i'm ceisiadau i'w ateb ymyrryd llawer â'm gwaith drwy'r wythnos. O'r diwedd penderfynu derbyn y cynnig ond yn awgrymu ymhellach y byddwn i'n llawer mwy cysurus yn ysbrydol pe gwelwn fy enw, o'i weld o gwbl, ymhlith y Cyngor nag ymhlith yr Is-Lywyddion bondigrybwyll …

23–24 Ionawr 1958

… Waldo yma … Sôn am ei dad mewn cyfnod amhwylledd ar un adeg yn sôn am adael ei deulu pan oedd Waldo tuag 8 oed. Effeithiodd hyn gymaint arno fel y methodd â darllen *Taith y Pererin* sy'n disgrifio Cristion yn gadael ei wraig a'i blant, – a hyn pan oedd Waldo yn 25 oed. Ni chlywsom ef yn cyfeirio at hyn o'r blaen. Mae'r cyfan hyn yn rhan o brofiad a phersonoliaeth Waldo, a rhaid cofio pethau fel hyn yn wastad wrth geisio ei ddeall ef a'i waith.

31 Ionawr–1 Chwefror 1958

Waldo … wedi cael sylw mawr ac amlwg yn y papurau … yn gwireddu yr hyn a gredais i am Waldo drwy'r blynyddoedd – mai ef yw bardd mwyaf ei dreiddgarwch a'i weledigaeth yn y cyfnod hwn yng Nghymru, Saunders yw'r proffwyd mwyaf, a'r unig ddramäydd o bwys, Gwynfor y gwleidydd mwyaf, a J.E.[578] y gweithiwr mwyaf aruthrol a chydwybodol a hynny mewn poen parhaus oherwydd gorweithio ers blynyddoedd, hynny'n ychwanegu at arwriaeth ei hunan-aberth …

7–10 Chwefror 1958

Waldo yn galw neithiwr mewn tymer enbyd ar y dechrau, – llythyr gan y Dr Gwyn Griffiths yn *Y Faner* heb fod yn gywir, meddai ef, ac yn gwneud cam ag ef gan y golygai Waldo gyhoeddi ei waith ei hun yn ei amser ei hun o hyd, meddai ef.[579]

Digiodd wrth y Dr Gwyn Griffiths a'r Dr Caerwyn Williams am yr holl drafferth yr aethant iddo er mwyn hyrwyddo cyhoeddi ei lyfr. Ni chydnabu hwy drwy roi unrhyw ddiolch iddynt yn y rhagair i *Dail Pren* – dim ond dweud ei fod wedi cael eu casgliadau o'i waith ganddynt. Daeth yma heno yn dangos llythyr a oedd yn ei ddanfon i'r *Faner* yn egluro ei resymau ef dros beidio â chyhoeddi ei waith yn gynt. Drwy'r blynyddoedd fe fûm i yn ceisio yn fy ffordd fy hun ei ddarbwyllo i gyhoeddi ei waith – ond yn gwbl ofer. 'Lawer gormod o lyfrau yn cael eu cyhoeddi o hyd', oedd ei eiriau wrth Siân a fi'n wastad pan soniem am hyn. Ein barn ni'n dau yw na fyddai Waldo wedi cyhoeddi ei lyfr hyd y gwyddom ni pryd, oni bai i Gwyn a Chaerwyn o wir edmygedd ohono gasglu ei waith yn barod ar gyfer ei gyhoeddi gan Wasg Gomer. Wedi ei gael i'r cyflwr hwn mynnodd ef ei hun afael ynddo'n awr, rhoddi nifer o gerddi i mewn nad oedd ganddynt hwy megis awdl Tyddewi a oedd gennyf i yma er adeg Eisteddfod Abergwaun pan ddaeth yn nesaf at Simon B. Jones[580] – a thynnu rhai caneuon allan.

Rwyf i wedi ceisio dadlau ochr Gwyn a Chaerwyn ag ef ar hyd yr amser – nes peri iddo ddigio'n chwyrn wrthyf ar droeon â'r mellt yn fflamio yn ei lygaid. Ond y mae'n un hoffus rhyfeddol, ac yn maddau'n rhwydd a llwyr ar ôl hynny. Athrylith yw Waldo ac fel llawer o'r cyfryw yn rheol iddo'i hun ar bob peth …

8 Medi 1958

Y Parch John Thomas, Blaen Waun, Llandudoch yn pregethu ym Mhentowr ddoe – rhaeadrau baldorddus dramatig, shwps o bregethau heb beri fawr o naws at ymgyrraedd at nod Efengyl Crist. Mae enwad y Bedyddwyr, gyda phob dyledus barch iddynt, wedi creu y traddodiad Jiwbiliaidd hwn o bregethu a'i ystyried yn gampwaith. Ond gwell lawer gennyf i draddodiad yr hen Sentars Sychion.[581] Roedd y rheini'n magu dynion, nid clowns gwan yn eu penliniau pan ddoi hi'n bwynt o sefyll dros rhywbeth. Mae ymneilltuaeth Cymru o bob enwad wedi boddi ei hun mewn rhaeadrau o huodledd dawnus. Nid oes yma sadrwydd dynion yn credu mewn rhywbeth. Duw a'n dygo ni yn ôl at gryfder a chadernid pobl yn credu o ddifrif y peth y maent yn sôn amdano …

3–4 Hydref 1958

Darlith eithriadol o ddisglair gan Waldo ar Saunders Lewis a'i ddramâu – yn dreiddgar ac yn gywir rhyfeddol.[582] Nid oes gan Saunders dafodiaith yn ei waith am mai cymeriadau arwrol sydd ganddo i gyd. Ni chymysgodd ef erioed yn agos â'r werin gyffredin. O ganlyniad ni cheisiodd eu trafod. Achub cenedl gyfan yw delfryd a chymhelliad Saunders, nid achub unigolion o'i phlith. Uchelwr a snob Cymreig ydyw yn ei hanfod meddai Philip Williams. Er hynny carodd Gymru mor ddidwyll â neb, dioddefodd fwy o'i herwydd, a gwnaeth fwy erddi er ei chadw'n genedl, oherwydd ei ddoniau a'i athrylith anghyffredin, na neb yn fyw, meddwn innau. Mae Philip a finnau mewn dwy agwedd wahanol arno yn gywir gredaf i …

6–7 Ionawr 1959

Dechrau ail ddarllen y llyfr drosodd [*YChHO*] – mynd yn eitha da hyd dud. 33. Gweld yno y byddai'n rhaid rhannu'r bennod gyntaf yn ddwy, – yr ail ran i roi trem ar hanes y Cantref Mawr, ac awgrymu i'r darllenydd mwyn osgoi darllen yr ail ran o'r bennod gyntaf a mynd ymlaen i'r ail. Ond tipyn yn ddiniwed yw'r ddyfais hon i guddio gwall mewn techneg. Ond y mae'n rhaid cael yr adran ar y Cantref Mawr i mewn rywle, gan ei fod yn rhan annatod o'r llyfr, ac ohonof innau.

Arswydo rhag y crwydro yn y bennod gyntaf wrth nesáu at ei diwedd, a hynny o achos diffyg cynllunio digon ar y bennod gyntaf. Bûm yn weddol ofalus am y tair pennod nesaf. Nid oes yn awr ond gobeithio y cydia'r cynllun newydd.

19 Ionawr 1959

Adolygu'r llyfr gan bwyll bach, – ambell ddarn yn burion ynddo – ond ar y cyfan ddim agos cystal â'i ragflaenydd. Gormod o duedd i fanylu ynddo ac ymchwyddo'r cynnwys yn lle bod yn gryno a chadarn. Gadael ambell dudalen o ymhelaethiad allan, er y gall fod wedi ei sgrifennu'n ddigon da.

5 Chwefror 1959

Wrthi'n paratoi'r llyfr bob dydd ar gyfer y Wasg. Siân yn naturiol yn erbyn cynnwys y stori Rabeleisaidd am Bili Bach Crwmpyn a'r Northman Mowr. Ond yr oedd hyn oll yn rhan o fywyd difyr a chymysg y Rhondda.

27 Mawrth 1959

Dim neilltuol ar wahân i fi orffen mynd dros lawysgrif y llyfr newydd am yr ail dro – gadael allan lawer o'r pregethu a'r ystrydebau tröedig sydd ynddo, ail sgrifennu ambell ddalen, a chwtogi a newid ambell air, – y cyfan wedi gwella tipyn arno rwy'n credu, a symud tipyn o'r braw a gefais wrth ddechrau mynd drosto y tro cyntaf, ond yn sicr nid yw'n agos cystal â'r *Hen Dŷ Ffarm*.

1–4 Mai 1959

Dosbarth olaf y tymor gan Waldo. Triniaeth fanwl a goleuedig a hynod dreiddgar ganddo ar nofel Kate Roberts *Y Byw sy'n Cysgu*.[583] Pan fo Waldo wedi paratoi ymlaen llaw y mae'n ddiguro. Ond fe ddaw ysywaeth heb baratoi fawr; a hynny'n diflasu'r dosbarth. Darlithiwr i ddosbarth anrhydedd disglair mewn Prifysgol ydyw Waldo mewn gwirionedd, nid ydyw'n llwyddiant, a bod yn onest, mewn dosbarth allanol o bobl gymharol anghyfarwydd â Llenyddiaeth fel y mae'r mwyafrif. Mae gan Waldo ei syniadau a'i safonau ei hunan ar bopeth, anodd ei ddeall a'u derbyn gan eraill, ar adegau, mae'n wir, – ond nid oes newid arno. Cyll ei dymer yn wyllt weithiau, fel y gwnaeth yma heno, a madael yn bwt, os dadleuir ag ef. Oherwydd hyn rwy'n credu ei fod weithiau wedi gwneud cam â rhai o'i gyfeillion gorau fel â D. T. Jones,

Cyfarwyddwr Addysg diweddar y Sir, a hefyd â Gwyn Griffiths a Caerwyn Williams parthed cyhoeddi ei lyfr … Fel Crynwr o ran ei ddaliadau ni chred ychwaith mewn propaganda dros wahanol achosion. Yn ôl ei ddadl yma neithiwr, y mae'r goleuni mewnol gan rai yn reddfol, a heb fod gan eraill, ac ni ellir ei drosglwyddo'n effeithiol i neb. Yn ôl hyn gellid meddwl ei fod yn dipyn o Galfin, er na chredaf y cytunai ef â hynny chwaith. Bardd a chyfrinydd â thragwyddol heol athrylith yw Waldo ymhob dim. Eto, y mae'n un o ragorolion y ddaear yn ddi-os.

18–19 Gorffennaf 1959

Bore ddoe am 11.15 gorffennais ddarllen unwaith eto *The National Being* gan A.E., y llyfr efallai heblaw'r *Beibl* a ddylanwadodd fwyaf arnaf erioed. Sgrifennais y llyfryn *A.E. a Chymru*[584] arno flynyddoedd lawer yn ôl, peth gwir annheilwng. Fe'm cymhellir yn gryf i gyfieithu'r llyfr yn llawn fel y peth gorau a allaf ei roi i Gymru fel hyn ar ddiwedd fy oes gan obeithio y gall fod o help i Gymru i ddatblygu a rhoi mewn ymarfer y syniad o gymdeithas gydweithredol. Cymhellir fi i geisio datblygu'r anian ysbrydol ynof hyd eithaf fy ngallu – cariad, doethineb ysbrydol a chymhwysiad ymarferol o hynny yn fy mywyd hyd eithaf fy ngallu …

7–9 Tachwedd 1959

Darllen proflenni'r atodiad 'Ar Hyd a Lled y Cantref Mawr' neithiwr, sef yr hyn a ddirwynais ymlaen â'r bit yn fy nannedd yn yr Hunangofiant wedi adrodd hanes ceffyl Huws y Neuadd yn y bennod gyntaf. Teimlo fod yr atodiad yma'n darllen yn feichus ar ôl gorffen yr Hunangofiant a'r bennod 'Gwyrdroi Bywyd' yn weddol naturiol ac esmwyth. Penderfynu gadael yr atodiad allan o'r llyfr. Gair oddi wrth Dafydd Bowen gyda'r proflenni fore Sadwrn yn awgrymu'r un peth. Siân a fi wedi penderfynu ei dynged cyn hynny a dyma ei selio yn awr. Hwyrach y daw yn ddefnyddiol eto, gan fod ynddo ddarnau digon diddorol rwy'n credu ac y mae'r thema yn gwbl iawn, sef y dirywiad sy'n digwydd hyd yn oed yn y darnau Cymreiciaf o Gymru heb amddiffyniad cenedlaethol drosti ...[585]

23–24 Tachwedd 1959

... Cael llythyr yn ôl oddi wrth Saunders Lewis fel y gwna yn fynych gyda'r troad, wedi bod yn ciniawa'n ddiweddar gyda Henry Brooke, Gweinidog Materion Cymreig esgus, a'i hoffi'n fawr, gallwn feddwl.[586] Y Sais galluog a diwylliedig hwn yn ei gweld hi'n werth i feithrin cyfeillgarwch Saunders, o wybod fod Saunders yn beirniadu polisi llwfr y Blaid yn Nhryweryn ac yn Nhrawsfynydd. Divide et imperia yw polisi'r cryf arfog wedi bod erioed. Saunders yn gwrthod cais Brooke iddo ymuno â'r Cyngor i Gymru o barch i Huw T. Edwards.[587] Chwarae teg i Saunders a H. T. am eu dewrder yn gwrthod bod yn aelodau o beth o'r fath.

27–28 Tachwedd 1959

Dyma fore godidog arall i fi – y llyfr *Yn Chwech ar Hugain Oed* wedi cyrraedd o'r Wasg. Waldo a ddaeth ag ef o'r drws o law y postman. 'Ga i agor y parsel?' meddai wedi gesio beth oedd wrth enw Gwasg Gomer o'r tu allan, fel ag i fod y cyntaf i weld y llyfr. 'A chewch rwygo'r chwech ar hugain,' meddai wedyn gan gil edrych arnaf i o weld y clawr llwyd gweddaidd glasurol megis ryw air o siom na fuasai'n fwy lliwgar a thrawiadol i'r llygad. 'A sioc o dan y siaced,' meddai Waldo wedyn yn llawn afiaith y bore llawen hwn ...

19 Rhagfyr 1959

'Rabeleisiaid y rwbel isaf,' ydoedd disgrifiad Waldo o'r olygfa am Bili Bach Crwmpyn a'r Northman Mowr yn fy llyfr i ... [Gweler *YChHO* tt. 138–41.]

8–11 Hydref 1960

Mynd i weld Waldo ... Methu â'i weld wedi'r cyfan wedi mynd yr holl ffordd i Abertawe – gweld y Governor, dyn hyfryd iawn – o linach Islwyn,[588] a disgynnydd o nith i John Ffrost, arweinydd y Siartiaid,[589] yn falch o'i Gymreictod. Gwnaeth bopeth i fod yn garedig ond gadael i fi weld Waldo. Dwy lot wedi bod yn ei weld y bore hwnnw'n barod – yn lle un. Ni allai ddangos mwy a mwy o ffafriaeth i un carcharor rhagor y lleill. Mwy wedi cael gweld Waldo'n barod na'r un carcharor arall a fu dan ofal y goruchwyliwr yn ei fywyd, meddai. Fe'i credaf.

5–9 Ionawr 1961

... Heddiw talu £1 o drwydded radio yn llwyr yn erbyn fy ewyllys. Rown i wedi bod yn myfyrio ers wythnosau, er pan ges i rybudd fod fy nhrwydded wedi darfod fis Tach. diwethaf, uwchben y penderfyniad o beidio â thalu am y drwydded fel protest yn erbyn y ddwy blaid fawr sy'n gwrthod hawl Plaid Cymru i gael gosod ei pholisi gerbron ar yr awyr. Gwneuthum hynny o'r blaen gyda rhai cannoedd eraill fel protest yn erbyn y derbyniad gwael i'r radio yng Nghymru oherwydd ymyriad Dwyrain yr Almaen â'r tonfeddi, medden nhw, – a thalu'r ddirwy, – £3 rhwng y costau. Y tro hwn fy mwriad pendant ydoedd peidio â thalu'r ddirwy, a chael o bosib rhyw gymaint o garchar. Ond ni fynnai Siân sôn am y peth, ac effeithiai hynny bob tro er gwaeth ar ei hiechyd. Yn hytrach na pheri rhagor o boen iddi telais y bunt echdoe – y tro cyntaf yn fy mywyd i mi wneud rhywbeth â'm llygaid yn agored yn erbyn fy nghydwybod, ac yr wyf yn wir flin am hynny. Y drwg o wneud hyn unwaith yw ei fod yn haws i'w wneud yr ail dro. A dyna ddyn yn dechrau colli ffydd yn ei werth a'i anrhydedd ei hun. Gwneuthum gamgymeriadau a chamsyniadau anfwriadol ac edifarhau am hynny. Ond bradychu cydwybod a llacio penderfyniad oherwydd ystyriaethau personol, ni ellais ei wneud yn ymwybodol erioed. Cydsyniodd Siân â fi y troeon o'r blaen ar achlysuron anodd, ond yn awr y mae stad ei hiechyd yn llawer gwannach. Ac yr ydym ni yn ddau, a'i barn hithau yn haeddu ystyriaeth lawn cymaint â'm barn innau. Duw a faddeuo i mi os gwneuthum yr hyn na ddylwn ac a roddo help i fi am gyfnod hir gobeithio, a Siân gyda fi, i wneud iawn am hyn …

Cymryd rhan yng nghwrdd gweddi undebol yr eglwysi Cymraeg nos Iau diwethaf yn festri Pentowr a chryndod edifeirwch am yr hyn a wneuthum yn ystod y dydd hwnnw yn fy ngweddi. Duw a faddeuo i fi am fy ngwendid a'm brad o Gymru, os mai dyna ydoedd.

17–25 Mawrth 1961

Mynd i Gaerdydd gyda'r trên 7.50 i gymryd rhan yn Llais y Llenor yn rhaglenni'r TWW yn Mhontcanna … Saunders Lewis wedi dod i'r studio i'm cwrdd ar y diwedd tua 5 p.m. Mynd gydag e i de i'r Angel a chael sgwrs anghyffredin o ddiddorol ganddo. Trafod gydag e stori etholiad 1943 a W. J. Gruffydd yn cymryd ei berswadio gan y brenin wneuthurwr hwnnw, Tom Jones,[590] Rhymni yn arwain y gad, i ddod allan yn erbyn Saunders yn Etholiad y Brifysgol, er fod Gruffydd yn Is-Lywydd y Blaid ar y pryd ac wedi bod yn gyfeillgar â Saunders drwy'r blynyddoedd.

Adrodd wrthyf hefyd o ben Syr Idris Bell, i Syr Ifor Williams ddadlau am bedair awr gyfan â Saeson Rhydychen yn erbyn rhoi cadair geltaidd y Coleg, cadair Syr John Rhys ar un adeg, i Saunders. Roedd Syr Idris Bell ar y pwyllgor hwn. Apwyntiwyd Idris Forster, llanc ifanc, ac un o ddisgyblion Syr Ifor, heb odid ddim am wn i ond ei record academaidd dosbarth cyntaf Cymraeg, y tu ôl iddo. Pe cawsai Saunders y gadair hon fe dynnai fyfyrwyr o Gymru ac o lawer man arall yn dorf ato yno. Dyna ail gyfle tynghedus Saunders wedi mynd. Parhaodd ef ymlaen yn ddirwgnach i sgrifennu ei gyfres ddisglair 'Cwrs y Byd' i'r *Faner* am ryw bedair neu bum punt yr wythnos – cymaint ysywaeth ag allai'r *Faner* fforddio ei dalu iddo. A beth ped aethai S.L. i'r Senedd dros Gymru yn 1943 – peth a fyddai wedi digwydd yn ddiau oni bai am frad Gruffydd. Ond o'r flwyddyn honno ymlaen ymddeolodd Saunders o fywyd cyhoeddus yng Nghymru, gan ymroi i ysgolheictod tra fu ar staff Coleg Caerdydd, ac yna i'r ddrama yn llwyr wedi hynny gan sgrifennu, *Siwan, Gymerwch Chi Sigarét, Esther* etc. Mae am gadw ymlaen i wneud hyn, meddai ef.

Mae'n feirniadol iawn o'r Blaid am na fuasai wedi gwrthsefyll brad Tryweryn mewn rhyw fodd effeithiol ar y pryd. Rown i yn sâl ar y pryd, mae'n wir, ond yn yr unig bwyllgor y gellais i fynd iddo, rhaid cyfaddef mai tila a diweledigaeth y gwelwn i'r trefniadau ar gyfer gwrthwynebu. Ond gan na allwn i wneud dim fy hun, oherwydd y drwg ar fy nghalon, teimlwn nad oedd genny hawl i awgrymu na beirniadu.

Nid oes ond mawr obeithio eto y gellir cynnull digon o nerth moesol ac ysbrydol i gadw'r gwrthwynebiad yn ei flaen hyd at ryddid a buddugoliaeth ryw ddydd. Duw a'n noddom i gyd.

Er y gall fod yna ryw falchder bach diniwed yn Saunders weithiau i'w weld a'i fod yn rhy onest i ddioddef ffyliaid yn llawen, eto y mae ynddo allu a disgleirdeb a chywirdeb a mawredd personoliaeth na welodd Cymru mo'u tebyg ers canrifoedd yn ôl fy marn i. Roedd ei gyndadau yn gewri y pulpud Ymneilltuol yng Nghymru. Tybed a fydd i'r Ymneilltuaeth yma wedi ymgaledu fel Phariseaeth Iddewig gynt, yn gyfrwng i golli arweiniad gŵr mor fawr ag ef i ysgwyddo'i genedl ei hun yn ôl i gyflawn feddiant o'i hetifeddiaeth – neu a yw pedair canrif o israddoldeb cenedlaethol wedi gwneud corff ac enaid y genedl yn rhy eiddil i ymysgwyd dim allan o rigol ddiffrwyth ei materoliaeth. Mae gennym eto'n aros ddyrnaid bach o ragorolion y ddaear …

10–11 Hydref 1961

Cael proflenni Harrap o gyfieithiad Saesneg Waldo o *Hen Dŷ Ffarm* nawn Gwener diwethaf i fynd drostynt.[591] Cyfieithu'n rhyfeddol o dda ar y cyfan, – ond ambell frawddeg heb fod yn gwbl foddhaus i fi. Waldo wedi bod yn ffyddiog ar hyd yr amser y caiff dderbyniad gan y Saeson. Nid wyf i wedi bod yn ffyddiog o gwbl o hynny, – oherwydd dibristod y Saeson ohonom fel cenedl, a hynny'n gyfangwbl oherwydd ein dibristod llwfr ni ohonom ein hunain, – parod ydym i werthu ein gwlad a'n hiaith a'n cenedl bob amser, y mwyafrif ohonom er ein lles tybiedig ni ein hunain. Ni all dim da ddod o wlad lle y gwneir pethau fel hyn yn gwbl ddigywilydd yn barhaus. Ac eto y mae'r ychydig weddill yn parhau o hyd. Rhodded Duw ei nerth i rhain barhau hyd nes y cymero eraill at eu hesiampl hwy …

13–15 Chwefror 1962

Darllen pamffled – Darlith Flynyddol y BBC – yn dreiddgar ond amheus o'i feddyginiaeth at 'Dynged yr Iaith' testun y ddarlith gan Saunders Lewis – darlith flynyddol y BBC. Ond o wrando Saunders yn traddodi'r ddarlith hon sy'n ofnadwy fel llu banerog gan ddyfnder y gwirionedd sydd ynddi a'i lais tenoraidd hydraidd drwynol ef yn ei thraddodi yr oedd yr effaith yn anorchfygol. Roedd pob brawddeg yn mynd at graidd enaid dyn fel taran at galon pren.

Yn sicr y mae yn Saunders ddefnydd proffwyd i greu cenedl newydd yng Nghymru. Dyma ddyfyniad: 'Does dim yn y byd yn fwy cysurus nag anobeithio. Wedyn gall dyn fynd ymlaen i fwynhau bywyd' …[592]

5–6 Mai 1962

… Waldo, wedi petruso'n hir yn tynnu'n ôl o fod yn ymgeisydd seneddol. Nid yw Waldo yn teimlo fod hyn yn genhadaeth bywyd iddo. Heb hynny nid yw'n werth bod yn ymgeisydd oherwydd rhaid i hwnnw arwain fel un â thân yn ei fol. Nid yw Waldo yn ymladdwr torchi llewys. Mae'n ormod o gyfrinydd neu rywbeth, – protest oddefol yw'r eiddo ef – nid y gwrthryfelwr sydd byth yn bwrw arfau am na edy ei gydwybod iddo wneud hynny. I fi a wnaed o ddefnydd tra gwahanol y mae Waldo'n treulio llawer gormod o amser ar ei drafels. I fi y mae colli pum munud yn boen a gwastraff anadferadwy am fy mod i yn weithiwr mor araf. Ond y mae fflach gan Waldo yn rhoi mwy o olau na dyddiau o ymlafnio am berffeithrwydd gennyf i. Ac y mae'i gof yn anhygoel; ac eithrio Saunders ef yw'r darllenwr cyflymaf a welais i erioed ...

1–5 Ionawr 1963

Cael llythyr maith a llawn oddi wrth Gwynfor Evans yn dweud am gynllun y Catholigion yn y Blaid i danseilio ei safle ef fel llywydd y Blaid a rhwydo Saunders i ddod i mewn i'w cynllun hwy a hynny o achos rhyw sbarblyn bach o'r enw Neil Jenkins a ddiarddelwyd gan y Blaid beth amser yn ôl. Rhyw greadur bach ffôl, anffodus, wedi ei ddiarddel gan Gangen Merthyr a Chaerdydd yn barod, – whannen fach bigog yn neidio o fan i fan gan fod yn niwsans ymhobman yw e yn fy marn i. Gobeithio y gwêl Saunders y rhwyd cyn y bydd hi'n rhy ddiweddar.

Bwriadu sgrifennu ato. Anfon llythyr i S.L. heddiw yn rhoi fy marn i yn blaen a gonest ar y cyfan. Dyma glo'r llythyr: 'Os yw'r bobl hyn (y grŵp Catholig) yn lle gweithio dros Gymru, yn mynd i beryglu rhwygo Plaid Cymru, ein hunig obaith wedi'r cyfan, ar gorn cadw Neil Jenkins yn aelod o'r Pwyllgor Gwaith dyna'r ffars fwyaf rhagrithiol y gwn i amdani yn holl hanes Cymru.

Llythyr yn ôl gyda'r troad oddi wrth Gwynfor yn diolch yn garedig am fy llythyr i, ac yn dweud iddo gael llythyr yn ddiweddarach oddi wrth Saunders mewn tôn gyfeillgar ac yn tynnu yn ôl yr hyn a ddywedsai cyn hynny. Gwnaeth Siân gopi o'm llythyr i i S.L. er mwyn i Gwynfor wybod yn iawn yr hyn a ddywetswn i, wrth S.L. ac i'w gadarnhau yn y ffydd, os oedd angen hynny; ynghanol cymaint o ddiffeithdra y mae wedi'i weld ers blynyddoedd gan gachgwn sâl o bobl Sir Feirionnydd, Sir Gaerfyrddin, ac yn awr gan y grŵp Catholig o'r Blaid, penderfynais anfon y copi uchod i Gwynfor. Teimlwn fod yr amgylchiadau yn gofyn am hynny ... Gobeithio yn fawr yr wyf y bydd i S.L. a Gwynfor, y ddau ddylanwad mwyaf sydd gennym yng Nghymru heddiw, gwrdd â'i gilydd a thrafod y sefyllfa yng Nghymru heddiw er mwyn achub y cyfle olaf a gawn ni yn ddigon posib i sicrhau parhad ein bodolaeth ni fel cenedl ...[593]

14 Ionawr 1963

Barn cylchgrawn newydd Gwasg y Dryw yn cyrraedd.[594] Ei gynnwys gan oreuon Cymru yn rhagorol. Ond amlwg ydyw mai ei wir amcan fel y'i awgrymir yn y Golygyddol yw bwrw Plaid Cymru allan o gomisiwn fel plaid wleidyddol, er mwyn i Alun Talfan Davies ei berchennog, cyn-Bleidiwr a drodd yn Rhyddfrydwr, gael mantais ar ei gyd-ymgeisydd Gwynfor yn Sir Gaerfyrddin. Trodd Alun ei gefn ar y Blaid pan ddaeth allan fel Independent yn erbyn W. J. Gruffydd yn etholiad 1943.

16 Ionawr 1963

Ysgrifennu llythyr bôn braich at Wasg y Dryw ddydd Llun diwethaf yn dweud fy marn am *Barn*. Cael llythyr hyfryd yn ôl y bore yma oddi wrth Emlyn Evans, prif drefnydd Gwasg y Dryw, wedi cymryd fy llythyr i atynt yn yr ysbryd gorau. Bachgen gwych yw Elwyn [*sic*], wedi rhoi swydd rhagorol fel trydanydd o'r neilltu yn Llundain, er mwyn derbyn y swydd hon. Alun Talfan a'i uchelgais afiach yw gwraidd y drwg.

18–19 Ionawr 1963

Newyddion heno yn dweud fod Hugh Gaitskell wedi marw … Colled fawr i'r Blaid Lafur yn ddiau, gan ei fod yn ôl pob tystiolaeth yn ŵr unplyg, dewr a galluog. Yn ddiweddar y dechreuais i gymryd ato drwy ei areithiau clir a gonest. Hyd y gellir gweld nid oes gan y Blaid Lafur neb amlwg i gymryd ei le. Gwynfor yn credu pe digwyddai Gaitskell farw y gallai'r Blaid Lafur ymchwalu o fewn ychydig flynyddoedd ac y gallai Plaid Cymru gael ei chyfle yng Nghymru. Dyma eiriau Gwynfor mewn llythyr a sgrifennodd ddoe, cyn marw Gaitskell, – 'Rhyfedd meddwl mor bwysig yw Gaitskell i Gymru. Nid oes neb sydd fyw y byddai ei farwolaeth yn gwneud cymaint o wahaniaeth i'n rhagolygon. Pe ddarfyddai am G. gallai'r Blaid Lafur ymchwalu ymhen ychydig flynyddoedd a deuai'r cyfle mwyaf posibl i ni.'[595]

8–9 Chwefror 1963

Wado mla'n gan bwyll bach â darllen *Arthur Griffith* gan Padraic Colum, un o'i gyfeillion, a'i gael yn rhyfeddol o ddiddorol fel pob llyfr ar Iwerddon.[596] Yn falch rhyfeddol i fi gael y fraint o gael sgwrs fer ag Arthur Griffith ei hun pan es i draw o Abergwaun y Pasg cyntaf wedi i fi ddod yma, sef Pasg 1919, i weld â'm llygaid fy hun sut yr oedd pethau yno, a'r Blac and Tans a'r Sinn Fein am yddfau'i gilydd.[597] Cwrdd hefyd ag Ernest Blythe, manager yr Abbey Theatre, gyda Siochru, arolygydd Ysgolion Iwerddon pan fues i draw yno yn Iwerddon, Pasg 1949 gyda Vic Jones, Gwyn Daniel a Mati Rees yn cynrychioli UCAC yn yr Oireachtas. Croesi llwyfan yr Abbey Theatre yng nghwmni Siochru ac Ernest Blythe a'r cyntaf yn dweud wrthyf 'Now D.J. you can tell your friends that you've been on the stage of the Abbey Theatre.' Roedd Ernest Blythe yn gyd–garcharor ag Arthur Griffith yn y 'Reading Jail' wedi gwrthryfel y Pasg 1916.

13–14 Ebrill 1963

Cael llythyr hyfryd iawn heddi oddi wrth Islwyn Ffowc Elis, ysgrifennydd yr Academi ac oddi wrth Bobi Jones, ddoe, y cyn ysgr., yn dweud i fi gael fy newis yn Llywydd yr Academi – anrhydedd na chroesodd fy meddwl erioed y dôi i'm rhan, mwy na chael D.Litt. Prifysgol Cymru. Bûm yn petruso'n hir, hir, a ddylwn dderbyn y cyntaf oherwydd fy llwyr annheilyngdod ohoni. Ac yr wyf yn llawn mor annheilwng o dderbyn hon eto. Ond does dim byd i'w wneud. Byddwn yn rhoi anfri ar y rhai a'i cynigiodd i fi o'i gwrthod …

11 Mehefin 1963

Saunders a Marged ei wraig yn galw am ryw ychydig yma'r bore 'ma, ar eu taith yn ôl o Iwerddon, aros fawr o amser yma efallai er osgoi dadl rhyngddo ef a fi ar y cwestiwn o'i gael i gydweithio â Gwynfor yn yr argyfwng olaf hwn yn nhynged Cymru. Mentrais ddweud wrtho yn fy llythyr diwethaf mai chwarae i ddwylo gelynion Cymru yr oedd wrth feirniadu Gwynfor a Phlaid Cymru. Ni all cadfridog sydd wedi ymneilltuo i'w dŵr ifori arwain cad. Ofnwn braidd fy mod wedi ei ddigio yn go ddrwg ond yr oedd ef a'i wraig yn llon fel dau frithyll, whare teg iddynt, a Siân a finnau'n falch rhyfedd o'u gweld. Ond yr oedd yn amlwg na fynnai Saunders agor y mater, gan na fyddai ef na finnau'n debyg o newid ein safbwynt …[598]

27 Mehefin – 1 Gorffennaf 1963

Waldo yma'r bore yma yn sôn am gwrs o ddarlithiau yn Rhydychen ar 'Nationalism' – gan enwi nifer o wledydd y byd. Finnau'n dweud yn hollol ddi-dramgwydd 'Nationalism in Pembrokeshire' sy'n fy mlino i. Waldo'n colli ei dymer yn gaclwm gwyllt mewn amrantiad gan ddannod i fi fy mod i wedi ei boeni ef yn enbyd yn ystod y flwyddyn ddiwethaf yma drwy fy mod fel pe'n amau ei air a oedd o ddifri gyda gwaith y Blaid. Nid yw Waldo wedi cael ei feirniadu gan neb erioed, mae'n amlwg, gan mai ef oedd 'y machgen gwyn i' gan bawb – ei chwiorydd mae'n amlwg yn ofni dweud gair wrtho. Benni Lewis, y mae Dilys ei chwaer yn aros gydag e, ac un o'r hen fois gorau ei galon yn y Sir, ac Elsie ei wraig cystal ag yntau, a Siân, yn cytuno fod gan Waldo athrylith i lunio rhwydwaith o esgusodion drosto'i hun dros beidio â gwneud y pethau hynny nad yw'n hoffi eu gwneud – a'r esgusodion hyn, mi gredaf yn sicr, yn rhesymau cryfion, didwyll iddo ef ei hun. Mae'n rhyfeddol o boblogaidd ymhobman am resymau digon amlwg. Ond er i fi wneud bron popeth o fewn fy ngallu drwy'r blynyddoedd dros y Blaid yn y cylch a'r Sir, ac yn enwedig wedi etholiad 1959 – casglu drwy bob dull, yn bersonol, drwy help cyfeillion, drwy nosweithiau llawen, ffeiriau etc. tua £2000, gwerthu neu roi cannoedd o bamffledi, anfon ugeiniau, efallai gannoedd o enwau derbynwyr y papurau i'r Swyddfa, trefnu nifer o gyrddau, casglu taliadau aelodau, erthyglau i'r Wasg etc, etc, nid yw Waldo wedi gwneud rhithyn o ddim er Etholiad 1959, ac eithrio annerch un cwrdd bach gyda fi ym Mhencaer, cwrdd a drefnais i'n hunan drwy help y Parch John Young. Dywedais wrtho rywdro fod ganddo amser i fynd i bob man, ond i'w roi i Sir Benfro, ei Sir ei hun. Aeth yn gaclwm fel arfer. Ond dod yn ôl drannoeth yn gwbl gyfeillgar fel pe na bai dim wedi digwydd, whare teg iddo.

Nid oes nemor neb o'r rhai a fu'n gweithio'n lew adeg yr Etholiad wedi gwneud na rhoi fawr o ddim wedi hynny … Rhaid fod rhywbeth go ddifrifol o'i le arnaf i rywle, yn fy ymdrechion gyda'r Blaid neu fe fyddai ymateb pobl fel hyn dipyn yn wahanol. Ymdrechion pobl fel J.E, Gwynfor, Pennar Davies, Wynne Samuel a phobl ardderchog y swyddfa sy'n fy sbarduno i'n ddibaid i geisio gwneud a allaf …

16 Tachwedd 1963

Darllen *Gwlad y Bryniau*,[599] Gwyn Jones. Teimlo fod ei rhodres ramantaidd ar adegau yn difa nerth ei hawen a'i chelfyddyd odidog.

14 Ionawr 1964

… Llythyr oddi wrth Saunders, yn grac iawn bod gol. y *Welsh Nation* wedi defnyddio darn o bamffled 40ml yn ôl fel ysgrif ganddo yn rhifyn Ionor heb ganiatâd. Ysgrif odidog yw hwn dan y teitl 'The Futility of Cultural Nationalism'.[600]

18–20 Chwefror 1964

… Herbert A. Thomas, gol. a pherchennog y *Western Telegraph* (Hwlffordd) yn galw yma, y tro cyntaf i fi ei gwrdd, er bod mewn cyswllt, dipyn yn stiff a ffurfiol ag ef drwy'r wasg ers tro maith. Ei hoffi'n fawr fel gŵr rhadlon agored o dan ei farf lydan. Holi helynt bwriad y Blaid o ddewis ymgeisydd at yr Etholiad yr oedd, wedi cael y trywydd rywle. Deall ganddo fod fy llythyr diwethaf i yn y wasg 'Mr Donnelly and the Parochial Separatists' wedi bwrw'r M.P. ym mhwll ei stumog. Nid oes ganddo ateb iddo o gwbl heb weld y perygl o glymu ei hun yn fwy sownd byth. 'I tried my best to ply him for an answer,' meddai H.A.T., 'but he was too afraid of being further involved. So people then can draw their own conclusions,' ychwanegai'r golygydd, er fod ei bapur yn cefnogi Donnelly.

Dyna dwll i'r Blaid ymwthio trwyddo.

6–8 Ebrill 1964

… Cael rhodd odidog gyda'r post y bore yma, *The Lonely Voice,* llyfr Frank O'Connor[601] ar y stori fer wedi ei arwyddo gan feiri Corc, Caerdydd, Casnewydd, Merthyr Tydfil, a Siryf Hwlffordd (Dilwyn Miles) – Trefor Fychan a'i briod Madge oedd y tu ôl i hyn … Wythnos Groeso Iwerddon i Gymru yw hi yr wythnos hon a'r meiri hyn draw yno. Trefor Vaughan … yw Maer Casnewydd [19]63–4 …

15–16 Ebrill 1964

Llythyr i ddiolch i Saunders am ei nofel fer seiliedig ar hanes caru ei hen dadcu, Wiliam Roberts Amlwch y priododd ei dadcu, Owen Thomas, Liverpool, ei ferch, – merch honno wedyn yn fam i Saunders. Dweud wrth Saunders: Smel pisio cath oedd ar Monica, eich nofel gyntaf chi i lawer. Ond ar *Merch Gwern Helyg* [*sic*][602] yr olaf o'ch llyfrau, y mae peraroglau'r gwin sanctaidd. Gobeithio y bydd cymaint o drafod ar yr olaf ag ar y cyntaf, ond am resymau gwahanol …

28–30 Mehefin 1964

Dr J. R. Jones yn pregethu ym Mhentowr ddoe … Yr hwyr, Emyn 210 A. Griffiths:

'Diolch byth a chanmil diolch
Rhyfeddod mawr yng ngolwg ffydd
Gweld Rhoddwr bod, Cynhaliwr helaeth,
A Rheolwr popeth sydd', – yn destun.

Rhoddwr, Cynhaliwr, Rheolwr – yn bennau 'i bregeth. Y byd yn ei glyfrwch wedi dod i gredu y gall ef bellach wneud y cyfan hyn ei hunan yn ddi-ddiolch i bob dim arall, – elino Duw allan o'i Greadigaeth ei hun, – yn torri ei ddeddfau heb wybod fod y deddfau hynny'n bod ac mai'r rheini yw cynheiliaid y bywyd yn wir – un o'r pethau mwyaf aruthrol a glywais erioed. Bendith ar ei enaid mawr, ac ar ei ymdrechion mawr i gael dyn yn ôl ar y raels unwaith eto. Mae e'n sôn am gyhoeddi casgliad o'i ddarlithiau a'i draethiadau achlysurol. Brysied y dydd.[603]

26–30 Gorffennaf 1964

… Cael arwyddion digon digalon o ragolygon yr etholiad yn Nyfed. Aelodau da a chyfeillion i fi fel fy nghyd-flaenor Teifryn, Syr Ben Bowen Thomas a'r Dr W. Thomas yn rhoi dim, nac ateb fy apêl … Siân a fi eisoes wedi rhoi £50 heblaw'r £20 blynyddol arall a thri o'm llyfrau'n rhodd i'r Blaid; newydd glywed hefyd o Wasg Gomer fod y royalty ar y 26 oed am yr ½bl. olaf a anfonwyd i'r Blaid yn £15/1/1. Dyna felly £85 am leni yn unig wedi ei roi gennym … Mae'r cyfan hyn yn tywyllu'r ffurfafen i fi, ac nid oes gennyf ond Siân, a'i meddwl hithau heb fod mor graff ag yr arferai fod cyn ei salwch diwethaf, i ymgynghori â hi. Heb weld Waldo ers wythnosau – yntau yn un o'i byliau digalon rwy'n ofni. Ond pan fo pethau fwyaf yn fy erbyn dyma'r adegau rywsut y teimlaf yn fwyaf di-ildio yn fy ysbryd, gan gredu'n siwr yn arweiniad Duw o hyd – y Duw y ceisiais orau gallaf bob amser ofyn am ei oleuni a'i arweiniad a'i nerth i ddilyn hynny. Gofynnaf yn ostyngedig am ei nerth Ef i gadw ymlaen hyd yr eithaf eto. Siân yr un farn â fi am fater yr Etholiad hwn …

14–15 Awst 1964

… Waldo'n rhoi £36 at yr Etholiad, sef y cyfan a dderbyniodd am chwe darlith a draddododd rywle'n ddiweddar. Rhoi hefyd y cyfan a dderbyniodd am ddarlithio yn rhywle arall at fudiad Rhydychen i leihau newyn yn y byd. Waldo wedi ei danio'n ddiweddar gan sêl i weithio gyda'r Etholiad.

12–13 Medi 1964

Cael llythyr nodedig iawn oddi wrth y cyfaill annwyl a'r llenor amryddawn Islwyn Ffowc Elis, – yn datgan ei ofn o'i ymgeisiaeth fel pleidiwr ym Maldwyn. Mae gan Islwyn ddeall ac amgyffred gwleidyddol er mai llenor cyfoethog ydyw a gweledydd mawr, ond yn casáu gwleidyddiaeth fel y mae hi heddiw. Enaid mawr ac annwyl na ddylai ymhel â gwleidyddiaeth o gwbl, ond yn ymroi i lenydda a datgan ei weledigaethau …

9–11 Tachwedd 1964

… Yng nghwrdd y bore … ddoe yn Aberporth … y gweinidog

yn gofyn i'r gynulleidfa sefyll ar ei thraed i goffáu'r cad-oediad. Dyma'r unig dro hyd y gwn i'r gynulleidfa Ymneilltuol wneud hynny erioed, gan nad yw'r cyfan i fi ond rhan o bropaganda militaraidd cyfrwys y llywodraeth. Petrusais yn galed iawn cyn codi ar fy nhraed. Ond rhag peri tramgwydd codi wnes i, yn iawn neu beidio. Ond fe sarnodd y gwasanaeth a'r meddwl amdano i fi'n llwyr. I fi nid oedd y canu iach a gorfoleddus ar y diwedd ond twyll a ffug arwynebol o Gristnogaeth – wedi lladd y fath filiynau o bobl yn enw'r gwareiddiad Cristnogol …

11–18 Tachwedd 1964

Llythyr a'm syfrdanodd yn fwy na dim erioed oddi wrth J. E. Jones yn datgelu cynllwyn i ddi-orseddu Gwynfor fel Llywydd Plaid Cymru oherwydd i'r Etholiad diweddar fod yn siomedig i lawer o bobl yng Nghymru – ceisio trosglwyddo'r bai ar Gwynfor a weithiodd ddydd a nos bron ymhob ryw ran o Gymru drwy'r blynyddoedd er hyrwyddo amcanion Plaid Cymru ymhob rhyw faes posib iddo. Emrys Roberts, y Trefnydd sydd newydd adael ei wraig a dau o blant bach ganddi a mynd gyda Margaret, gwraig Meic Tucker, a hithau'n brif drefnydd yr Ienctid, yn flaenaf yn y cynllwyn – Duw faddeuo iddynt. J.E. drwy un o'r cynllwynwyr wedi gweld cofnodion a[r] drafodaeth gudd y cynllwynwyr ac anfon copi ohono i fi, ac i rai eraill, mae'n debyg, fel y bôm yn deall y sefyllfa – Dangos y llythyron hyn i Stanley Lewis sy'n dod lan i'r Pwyllgor Gwaith heddiw (Sad 14) yn Aberystwyth, – Cymry Caerdydd a Llundain, wedi dysgu Cymraeg yn dda, er mawr glod iddynt gan mwyaf. Gwell peidio â rhoi'u henwau i lawr yma hyd nes cael gweld peth a ddigwydd …

Amddiffynnodd Emrys ei hun [yn y Pwyllgor Gwaith] yn wyneb y cyhuddiad o fod yn fradwr drwy ddweud iddo geisio mewn llawer modd o fewn y Blaid gael gan y Pwyllgor Gwaith a Gwynfor symud. O fethu gwneud dim y ffordd honno bu trafodaeth rhyngddo ef a rhai eraill â gydymdeimlai ag ef. Ei ddewis, meddai, ydoedd rhwng gadael i bethau ddrifftio at fethiant y Blaid, neu fynd at rai fyddai'n debyg o gydweithio ag ef er mwyn gosod pethau'n iawn. Ond dywedai Gwynfor y mynnai Emrys gael gwared ar J.E. ac ar Nans Jones o'r swyddfa. Methu cydweithio, gormod am ei ffordd ei hun y mae Emrys, ac o fethu hynny yn cael ei yrru i arfer moddion amheus. Ond y mae ei gariad at Gymru'n angerddol, mae'n alluog iawn, ac yn ddewr ei ysbryd. Pasiwyd drwy 22 o blaid iddo orffen ei waith yn y Swyddfa yn erbyn 15 o'i gefnogwyr cudd na fynnai i'r Pwyllgor adael iddo ymddiswyddo, a 7 heb bleidleisio ...[604]

1–5 Rhagfyr 1964

... Methu cael Waldo i'r rhyd nac i'r bont i gyd–weithio â fi ynglŷn â hyrwyddo gwaith y Blaid – yn hollol anymarferol yn ôl fy syniad i, – yn barod i weithio'n dda am ryw fis neu fwy cyn yr Etholiad fel y tro hwn a'r tro o'r blaen. Rwy'n methu'n lân â'i amgyffred ef fel y mathemategydd cydwybodol yn gallu boddloni'i hun â rhyw ffiloreg o resymau fel hyn ac fel arall dros wneud dim dros y Blaid na sgrifennu na siarad na dim. Pan geisiaf ddangos iddo yr hyn sydd i fi o leiaf yn dwyll resymeg hollol yn ei ddadleuon y mae'n colli ei dymer yn llwyr ataf, ac yn ymadael yn gaclwm gwyllt. Ond yn dod yn ôl wedyn y tro nesaf a'r awyr yn gwbl glir. Credaf na fentrodd neb ddadlau dim ag ef yn ei deulu, dim ond ei dderbyn yn ddi-wrthwynebiad fel y mae. Yr unig un sydd wedi dadlau ag ef fel y ceisiais i wneud rai troeon yw Benni Lewis lle mae ei chwaer Dilys yn lletya, ac sydd wedi bod yn gefn i'r teulu erioed, ef ac Elsie ei wraig, pâr rhagorol yn wir – a chael ymateb Waldo yn hollol fel y caf i ef. Gwneud sbort am ei ben yn ei natur a wna Benni. Ni ellais i fentro gwneud hynny erioed. Ond y mae arnaf awydd weithiau i sgrifennu llythyr ato yn egluro yr holl fater mewn gwaed oer. Teimlaf fod Waldo a finnau yn y gwaelod yn ddigon o gyfeillion i fi allu mentro gwneud hyn, er yr ymswynaf rhag sangu ar sancteiddrwydd personoliaeth neb ...

15–16 Ionawr 1965

... Cael llythyr oddi wrth Gwyn Griffiths yn dweud fod y casglu defnyddiau ar gyfer y llyfr arnaf i a olygir ganddo ef i Wasg y Brifysgol yn dod ymlaen yn foddhaol. Rwyf i'n flin am y bwriad hwn gan mai arwydd ydyw o brinder llenorion Cymraeg. Ni wnâi'r un Brifysgol arall wastraffu talentau dynion galluog ar ddyn mor ddibwys ei gyfraniad â fi.[605]

26–27 Ionawr 1965

... Waldo yma heno mewn helynt gyda phobl y Dreth Incwm. Ef yn addef nad yw'n llanw ei ffurflen dreth yn brydlon a'i dychwelyd. Yna'n beio'r swyddogion am ei drethu'n uwch nag y dylent.

Ceisio dadlau'n deg ag ef y dylai lanw'r manylion gofynnol fel y gwna pawb arall, ac os codid gormod arno fod ganddo gyfle i brofi hynny. Ond ni fynnai ddadlau'i achos, ond colli'i dymer yn gaclwm, a rhuthro am ei got a'r drws a mynd adref fel bollt. Gwnaeth hynny sawl tro bellach, ac yna dod yn ôl fel pe na bai dim wedi digwydd, yn siriol a chyfeillgar. Gall Waldo ar droeon fod yn gwbl afresymol ac anymarferol. Ac y mae ganddo y ddawn ryfedda i lunio dadleuon i'w gyfiawnhau ei hun ar bob pwynt. Mae'n hollol anfydol, ac yn hollol afresymol hefyd, weithiau. Ond Waldo yw Waldo, ac nid oes mo'i debyg.

23–25 Chwefror 1965

... cael y newydd trist enbyd fod Pegi fy chwaer wedi marw – un na wybu ofn oedd hi ac yn siriol bob amser, a pharod i gymryd pen tryma baich. Nid oeddwn yn syn am y newydd hwn gan i'w chalon fod yn ddrwg ers blynyddoedd, a hithau'n mentro llawer gormod, fel 'nhad druan, cyn gynted ag y byddai ryw ychydig yn well. Yn flin iawn gen i am Emlyn ei gŵr gan fod y ddau wrth ei bodd wedi ail godi tŷ Abernant a meddwl mwynhau egwyl hapus diwedd oes yno ... Yr oedd Pegi fach annwyl mor ddiddichell a gloyw â nant y mynydd. Nid oedd yn ddiogel ei barn ar bethau, efallai, yn ôl fy marn i. Ond yr oedd ganddi ddisgyblaeth galed arni ei hun ac yn gymwynasgar iawn. Gwendid Pegi druan oedd fod ei chynildeb gwerinaidd wedi troi'n gybydd-dod yn anymwybodol iddi, er y carai fod yn hael. Hyn yn codi, debygwn i, o ddiffyg hunan feirniadaeth. Bu yn yr India gyda'r Welsh Unit adeg y Rhyfel Cyntaf. Yno meithrinwyd ynddi ryw barch rhyfedd at y teulu brenhinol Seisnig ac at y fyddin. Yn yr India y cyfarfu hi ag Emlyn; pen clir, rhesymegol ganddo ef. Y ddau yn ffrindiau mawr ac yn hapus iawn gyda'i gilydd. Duw fo'n nerth i Emlyn druan.

2 Mawrth 1965

... Cael yr englyn hwn i Pegi'n wha'r oddi wrth Wil Ifan y bore yma. Gwir bob llythyren.

Gwedi egni a dygnwch – dros yr iawn
Dros yr iaith a'i thegwch;
Gwylio'r llesg drwy'r glaw a'r llwch,
Da haeddwyd hoe a heddwch.

6–8 Mawrth 1965

... Gwilym [Prifathro Gwilym James o Brifysgol Southampton] a Waldo a Brinley Thomas oedd y triawd disglair o gyfeillion yn cyd-efrydu yn Aberystwyth yn y [19]20au cynnar. Ymddiofrydodd y tri hyn i gyfarfod â'i gilydd ar ddydd neilltuol ymhen pum mlynedd ar hugain i gyd-adrodd – 'The Fool' Pádraic Pearse (tud. 334) *Collected Works of Pádraic Pearse – Plays, stories and Poems.*[606]

Gwadodd Gwilym a Brinley eu gweledigaeth gynnar gan fynd yn ufudd weision i wneud gwaith twt i'r Ymerodraeth Fawr Brydeinig. Ni fynnai Waldo gyflawni'r llw uchod ac ni chyfarfuont.

Pan ofynnais i'r Proff. Brinley Thomas am gyfraniad at

Etholiad Seneddol 1959 a Waldo'n ymgeisydd yn Sir Benfro cefais £1 ganddo gyda siars bendant i beidio â chyhoeddi'i enw. Nid atebodd Gwilym James fy llythyr apêl.

'I have squandered years that the lord gave my youth

In attempting impossible things,

Deeming them alone worth the toil.' (The Fool – tud. 334) …

24–25 Mawrth 1965

Anfon llythyr go faith at Saunders Lewis wedi darllen ei lithiau diweddar yn *Barn* a'r *Western Mail* yn dweud mai cadw Plaid Cymru yn fudiad politicaidd ydoedd gobaith pennaf Cymru am barhau'n genedl.[607] Gofyn ganddo ar gefn hyn ystyried dod i'r Ysgol Haf ym Machynlleth i gwrdd dathlu deugeinfed penblwydd sefydlu Plaid Cymru yn 1925 yno. Gan y credwn i y byddai ei bresenoldeb ef yno fel pennaf sefydlydd y Blaid yn debyg o ddylanwadu ar Gymru yn fwy nag unrhyw nifer o erthyglau a sgrifennai. Ei goffáu am hanes hyd yn oed Arglwydd Dduw Israel yn newid ei feddwl rai troeon er mwyn y ffyddloniaid. A phe gwnâi'r gŵr bach styfnig Saunders Lewis yr un peth am dro o siawns y byddai mewn cwmni da, o leiaf.

12–13 Mai 1965

Bore caled iawn heddi, codi cyn 7a.m. i orffen y golchi a rhoi'r dillad ma's gan i bod hi'n fore bendigedig o Fai. Garddyrnau Siân wedi chwyddo gan y gwynegon yn ddiweddar fel na all roi na thamaid na llymaid ei hun yn ei phen; ei chorff yn drwm i'w drafod a'r cluniau'n ddiymadferth, – a heb lywodraeth drosto gorfod ei newid yn fynych fel newid plentyn bach. Darnau o lieiniau odani ar y sheet rubber er arbed niwed i'r gwely pluf ar y matras odani. Rhwng y cyfan roedd yn 11 o'r gloch arnaf yn cael tamaid o fwyd gynta a'r angina yn fy mron na ddaeth byth yn gwbl ddi-boen wedi'r tro y trawyd fi ganddo yn sydyn ar Feh. 9

1955, yn dechru poeni'n ddrwg. Am wn i nad dyma fore caletaf fy mywyd …

21 Mai 1965

Parhau i gael blas ar lyfr Fielding Clarke sy'n rhidyllu dadleuon astrus y Dr Robinson, Esgob Woolich, yn ei lyfr *Honest to God* [608] a gais ffurfio rhyw grefydd newydd ddi-dduw, yn ôl ansawdd meddwl y byd modern. *For Christ's Sake* yw teitl llyfr O. F. Clarke,[609]– da iawn, iawn.

28–30 Mai 1965

… Y Pwyllgor Rhanbarth o'r blaen, Mai 15, y dydd yr aeth Siân i'r ysbyty, a finnau'n methu bod ynddo, wedi trefnu cinio anrhydedd i fi yn y Fishguard Bay Hotel. Trois hwn i lawr yn bendant, gan deimlo mod i wedi cael llawer mwy na'm haeddiant yn barod o anrhydeddau. Ni chafodd neb erioed ei anrhydeddu'n fwy teilwng, neu'n annheilwng, nag a gefais i y llynedd yn Abergwaun yn Ysgol Haf y Baid. A dyna'r llyfr teyrnged yna sydd yn yr arfaeth gan yr Academi eto'n fy aros!!

Teimlo mai ffordd rwydd o ddod ma's ohoni trwy beidio â gwneud dim dros yr achos ydoedd y ginio yma …

Cynnig ein bod ni'n ffurfio panel y wasg ond Waldo'n bendant yn erbyn. Eisiau cychwyn papur ein hunain yn y Sir sydd, meddai ef. Waldo'n gallu bod yn gyndyn o anymarferol yn ei syniadau. Os na fyn Waldo wneud rhywbeth y mae ganddo ddawn ryfeddol i lunio rhes o'r rhesymau mwyaf direswm i'w gyfiawnhau ei hun. Yn lle cytuno i fynd ma's gydag Eirwyn Charles a finnau mewn ymgyrchoedd gwerthu pamffledi etc. drwy y Sir ar ôl Etholiad 1959 ac yntau'n ymgeisydd, gwrthodai'n bendant wneud dim, gan roi ym mhennau pobl eraill fel y bardd Jâms Nicholas mai ofer oedd y peth.[610]

3 Mehefin 1965

... Cael ffôn o'r ysbyty am 11.30 yn dweud fod Siân wedi'i chymryd yn wael iawn ... cyrraedd am 1p.m. a chael ei bod hi wedi marw am 11.30 ... Coronary thrombosis, ateriosclerosis etc. sydd ar y tystysgrif marwolaeth ...

7–9 Mehefin 1965

... Cael y prynhawn yn weddol wrthyf fy hun mewn meddwl ac ysbryd ar gyfer y dyfodol. Gofyn gan Dduw o waelod fy nghalon am iddo fy mhuro a'm perffeithio mewn gras a doethineb, ac unplygrwydd bwriad fel y gallaf drwy gariad ac ymroddiad di-ymollwng wneud rhywbeth i agor llygaid pobl fy nghenedl i barchu eu hunain yn ofn yr Arglwydd fel ag i fwrw gwarth gwaseidd-dra a llwfrdra moesol am byth oddi ar eu heneidiau, a bod yn genedl mewn gwirionedd. Dyna fy nghenhadaeth drwy nerth Duw, am chwe blynedd, os Ef a'i myn, sydd gennyf ar ôl o'm hoes, sef bore Mehefin 28, 1971, yn 86 oed ...

Dydd angladd fy Siân annwyl – dydd glawog tywyll. Edrych i lawr ar yr arch hardd yn y bedd cymen a lle i arch arall ar ei phen. Yn honno byddaf innau ryw ddiwrnod – ynddi'n ddihangol o'u cyrraedd? Ond cyn hynny rwy'n gobeithio ymladd brwydr galed ddi-ildio dros Gymru, drwy nerth gras a doethineb a chariad Duw ...

16 Mehefin 1965

Alegori gwin meddwol y Bristol Trader gan T.J. gŵr Gwenith – gwreiddiol a byw, llith i'w chyhoeddi rywle ar Siân ganddo. Llawer o egni a bywiogrwydd meddwl gan Tom – ond dim digon o glust am air i fod yn llenor da.[611]

7–9 Awst 1965

... Llyfr Teyrnged yr Academi yn cyrraedd Swyddfa'r Blaid nos

Sadwrn diwethaf. Arwyddo f'enw ar lawer o gopïau. Cael fy syfrdanu gan yr ysgrifau gwych, a phob un ohonynt wedi golygu gwaith mawr, sydd ynddo arnaf i. Ond Dafydd Bowen fy hen ddisgybl disglair yn ei afiaith gor-awenus wedi dweud rhai pethau carlamus o anghywir amdanaf.

Synnu at odidowgrwydd y golygfeydd yr holl ffordd o Fachynlleth – a gweld Saeson yn eu meddiannu o dan ein trwynau ymhob man. A ellir trechu'r rhain ryw dro eto a'u hennill i garu Cymru fel y trechodd yr ysbryd Cymreig a'r iaith Gymraeg y Normaniaid yn eu tro. Mae yna lawer ysgol fach yn y wlad yn gwneud hyn yn barod, ac un ohonynt yn Rhydcymerau, a Lilian Ifan, ac ŵyres Dafydd Ifans y Siop yn brifathrawes arni.

Mae plant ysgol Rhydcymerau heddiw, a rhyw 3 o bob pedwar ohonynt yn blant i Saeson neu Sais Gymry yn llawn cystal eu Cymraeg â ni blant y Tri Llwyth, dri ugain a deg o flynyddoedd yn ôl.

3–4 Hydref 1965

Wrth ddod drwy'r Lôn Lain o wrando'r Parch D.J. Roberts, Aberteifi'n pregethu'n rhagorol yn y Tabernacl y prynhawn yma dod yn union ma's i gwrdd â rhyw hen bŵr ffelo, cyffredin ei wisg wedi dod i lawr neithiwr o Aberystwyth, hitch-hike gallwn feddwl, heb ddimai yn ei boced yn awr, ac wedi cysgu yng ngwres y bric-worcs Gwdig neithiwr, meddai ef, ac wedi cael addewid am waith yn Dale, ger Pembroke Dock. Roedd gen i sosbanaid dda o gawl a chig a thato ar ôl cinio'n sbâr. Roedd yn awr yn 3.30, yntau heb gael dim bwyd heddi, meddai ef eto. (Cefais fy ngneud yn go glyfer gan un o'r bois hyn, ryw dro, wrth roi coil ry rwydd arno). Fodd bynnag, rown i'n falch o galon i allu rhoi tamaid bach go lew iddo a'i adael â rhywbeth bach yn ei boced i fynd yn mlaen i siawnsio i ffordd i Hwlffordd a Dale lle y mae i ddechrau gweithio bore fory, meddai ef. Brodor o Faen Clochog oedd, o'r enw Dafydd Morgan, ma's o waith ers tair wythnos, meddai ef.

19–26 Hydref 1965

... Gwerthu'r 'Hen Dŷ Ffarm' heddi i Terwyn George, y Crachdir yn awr, ond a aned ym Mhenrhiw yn 1918, – yr olaf gyda llaw i gael ei eni yno – ei dad Jim George, Bryndafydd Uchaf cyn hynny, yn ddeiliad Penrhiw y pryd hwnnw. Gwerthais Benrhiw am £2000 yn rhad ddigon, mi gredaf, gan i'w deulu ef a nheulu innau fod yn gyfeillion agos drwy'r cenedlaethau. Bu brawd arall i'w dad, George, ac yn briod â pherthynas i fi'n dal y lle am rai blynyddoedd hefyd, adeg yr Ail Ryfel Byd. Ac yr oedd Dafi a Mari Bryndafydd Uchaf, yn gyd-was a morwyn am y blynyddoedd olaf yr oeddem ni yn byw ym Mhenrhiw, – teulu gweithgar ac egnïol o'r bron.

Mae'n chwith gennyf feddwl fy mod i wedi madael â'r tamaid olaf o dir a fu'n perthyn i'm hynafiaid yn nhop Sir Gaerfyrddin drwy'r cenedlaethau. Ond er pan aeth Llew Evans a Geta ei wraig, y rhai olaf i fyw yno, oddi yno ers dros 30 mlynedd yn ôl, ei redeg a gafodd y lle byth oddi ar hynny. Ni ellid beio neb am hynny am nad oedd ffyrdd teilwng i fynd ato, ac yr oedd yn llethrog a di-arffordd. 'Drain ac ysgall mall a'i medd'.

Ond er pob diffyg ynddo, lle da, yn ôl tystiolaeth pawb a fu'n ddeiliaid iddo ydoedd Penrhiw. Hyd at ryw 4 neu 5ml. yn ôl, bu rhent Penrhiw am tua 110 erw o dir, yn cynnwys y coed, yr un ddimai ag a bennwyd rhwng nhad, pan adawodd e'r lle yn 1891, a Jane ei chwaer (gwraig Dafydd Jones, nwncwl Gwenallt), sef £30 y fl. Codais ef i £45 rai blynyddoedd yn ôl.

Rai blynyddoedd wedyn cynigiais ei roi i Idwal Richards, Waun Fforest, y deiliad olaf, bachgen ifanc di-briod yn byw gyda'i rieni yn Waun Fforest, Rhydcymerau, yn etifeddiaith rydd iddo ef wedi dydd Siân a finnau os byddai ef yn dal y lle pan fyddai'r olaf ohonom ni'n dau farw, ac ar yr amod ei fod ef yn cadw'r bildings yn weddol repâr.

Ond er fod Idwal yn grwt da a gweithgar gyda rhywun arall, ac yn fachgen dymunol iawn, nid oedd ynddo fawr o lygad i weld a gwneud pethau drosto'i hun. Dim initiative ynddo. Rhoddodd y lle yn ôl – 'penny wise pound foolish' ydoedd ei foto gellid barnu.

Dechrau'r flwyddyn hon, a phobl yn gwybod fod Idwal yn ei adael cefais sawl cais amdano ar rent, – y naill yn cynnig yn uwch na'r llall o hyd. O'r diwedd fe'i rhentais ar ei bris ei hun i Terwyn George, sef £110 llawn digon debygwn i. Soniodd am ei brynu yr adeg honno. Ond heddiw daeth ef a'i wraig, merch gall a synhwyrol iawn gallwn farnu, lawr yn unig swydd i'w brynu. Er mor whith gennyf golli gafael ddaearol ar yr hen Dŷ Ffarm, credaf i fi wneud yr hyn oedd iawn, gan y credais erioed y dylai pob un fod yn berchen ar ei dŷ a'i le ei hun.[612] Mae gan Terwyn G. a'i wraig, ddwy ferch hefyd, yn ffermwyr o'u bodd. A bydded bendith Duw arnynt hwy ac ar yr 'Hen Land of My Fathers' ys y dywedai Ifan Sa'r mab hynaf Wncwl Josi, cefnder arall i fi yr own i'n hoff iawn ohono ...

2–4 Ebrill 1966

... Teimlo drannoeth yr Etholiad fel y teimlodd Crist pan wylodd uwchben Jerusalem. O Gymru! O Gymru!

Donnelly, y Gwyddel imperialaidd, cegrwth, hymbyg nad yw Cymru yn ddim ond maes chwarae'i gêm boliticaidd iddo, yn cael 23,852 o bleidleisiau, Fisher y Tori o Sais 25 oed a fflap o roset coch ar ei frest yn mynd yn ei gar gwpwl o weithiau drwy'r stryd yma yn sôn rhywbeth am fawredd Lloegr, a'r Rhyddfrydwr traddodiadol ymhell y tu ôl i Lloyd George a Tom Ellis 70 mlynedd yn ôl yn ei gynigion i Gymru, wedi bod yma am ryw bythefnos, er yn colli tua 5000 o bleidleisiau yn cael

5308, a Jack Sheppard,[613] y dylai ei anerchiad Etholiadol dynnu sylw pob dyn deallus, heb law ei safiad yn erbyn y bom etc. fod yn fater ystyriaeth bob Cymro deallus – a thorf o fechgyn a merched ifainc yn gweithio'n galed yn gwasgar syniadau Plaid Cymru am bethau am bron pythefnos o amser. A rhai gweinidogion huawdl eu sôn am egwyddorion etc, yn cwato o flaen eu setiau teledu a difenwi'r sawl sy'n gweithio dros Blaid Cymru – gan fy ystyried i fel dyn â haint arno y modd y maent yn cadw bant oddi wrthyf i. Finnau yn eiddil a diymadferth yn wyneb hyn oll.

11–15 Mai 1966

Lili a Mary Capel Stŵr yn dod i'm hôl i i Aberystwyth – mynd yn ôl dros y Tri-chrug, ma's i dop rhiw Bryngolau, dyffryn Aeron.

Neithiwr mynd yng nghar Mr Rhys Ifans … gyda Lil a Mary, drwy Ffald y Brenin a ma's i Lanfair Clydogau, yna'n ôl dros y mynydd uwchben Dyffryn Teifi am filltiroedd a gweld y cymoedd unig o'r dwyrain o Landdewi, a heibio i Graig Dwrch lawr heibio i gapel Saron, a chofio am y Sul bythgofiadwy pan own i ar daith drwy saith Eglwys y dosbarth ar brawf i'm derbyn fel myfyriwr am y weinidogaeth. – ddechrau Gorff. 1913, yn union wedi dod adref o wyliau'r Coleg. Cychwyn o Abernant tua 7.30 – bore hindda 13 milltir – seiclo i Saron. Dod i law ar y ffordd. Cael puncture anhrwsiadwy ger y Royal Oak, 5m. o Saron, wedi gwlychu i'r croen cyn hynny. Cyrraedd Saron yn brydlon, serch hynny, a phregethu am tua 10a.m. Cinio yn ffarm Tŷ Cerrig gyda'r Parch Wm. Davies, mab y Felin, Llansewyl gynt (Bronllys wedi hynny) tad Madge ffrind fawr Siân. Gorfod whîlo'r beic yn ôl i Bumsaint, 7 milltir i bregethu am 2p.m. Yna, yn y Post Offis gyda Dic Jones a'i wraig, y ces i de'r tro hwn; yn 1917, y cwrddais i â Janet (Sioned) y Felin Dolau (pan oedd hi adref o'r fyddin fel nyrs ar y pryd). Pregethu'r prynhawn ym Mhumsaint a Cwrt y Cadno am 6p.m., gwthio'r beic yn ôl 13m. i Abernant.

Hyd y cofiaf nid oeddwn buryn[614] yn waeth drannoeth er i fi seiclo 8m i ddechrau i'r Royal Oak a cherdded rhyw 26m i gyd y diwrnod hwnnw a glychi'n siwps yn y glaw mawr y bore hwnnw – daeth yn hyfryd deg y prynhawn – a phregethu dair gwaith. Y Sul cyn hynny y pregethais i fy mhregeth gyntaf – yn Llansewyl am 2 p.m. a Rhydcymerau am 6. Y Sul ar ôl hynny, y trydydd Sul, gorffen yn Nhalyllychau a Chaeo – y saith Eglwys yr own i fynd trwyddynt ar brawf a derbyn barn yr eglwysi amdanaf. Fe'm derbyniwyd o leiaf.

Dyna beth bendigedig yw bod yn ifanc medd yr 80 oed. I'r Arglwydd y bo'r diolch am ienctid hoyw, ac am henaint heb dorri calon, er tristed llawer peth yng Nghymru. Credaf yn sicr y bydd i'r sawl a roddodd nerth a hoen i fi drwy fy oes, er gwaethaf ambell bwl, oherwydd fy ffolineb fy hun, efallai, gorweithio, barhau i ofalu amdanaf hyd y diwedd …

28–29 Mai 1966

Gorffen darllen *Prydeindod* J. R. Jones heno, un o'r pethau mwyaf treiddgar a sgrifennwyd o gwbl yn wynebu cyflwr Cymru Heddiw, yn mynd at wraidd y perygl o ddifodiant sydd o bosib yn wynebu Cymru heddiw – sef graddol ymddatod yr ymwybod Cymreig a difaterwch trwch (mass – gair J.R.) y bobl yn eu materoliaeth esmwyth. Teimlo yn anesmwyth fy hun drwy'r amser. Arwynebol a chroeniach rhyfeddol ydyw Teifryn Michael hyd yn oed, un o'm cyfeillion gorau yma, a gwell gan Stanley'r gweinidog, er hoffused bachgen ydyw, benowna[615] o dŷ i dŷ ar lun bugeilio yn hytrach nag aros gartref i ddarllen a myfyrio a gofyn am arweiniad beth ddylid ei wneud yn wyneb yr amgylchiadau, a gwneud rhywbeth wedyn, ac nid siarad.

30–31 Mai 1966

Er fod yma bobl dda a charedig lle llwm iawn yw Abergwaun, hyd y gwelaf i e, o ddynion o weledigaeth ddofn a chryfder cymeriad i lynu wrth hynny. Yn anniddig iawn oherwydd fy methiant fy hun yma. Ond ni thalai achwyn arnynt neu fe gawn lai o gefnogaeth yn y pethau pwysicaf oll nag a gaf yn awr. Nid oes yma neb yn barod i fentro dros ddim sy'n fwy na hwy eu hunain. Ond rhaid cadw ymlaen hyd y diwedd gan obeithio y daw rhywbeth ohoni rywbryd, wedi fy nydd i. Duw a'm nertha i i wneud rhywbeth. Y merched a'r menywod yw'r gorau o ddigon yn ôl fy mhrofiad i. Bendith arnynt …

25–29 Gorffennaf 1966

… Er fy hen syniad fy mod i i fyw hyd yn 86, teimlo'r dyddiau diwethaf yma, a Gwynfor wedi mynd i'r Senedd, ac arwyddion amlwg fod gobaith eto i Gymru fyw'n genedl drwy ymdrechion ei phlant ei hun, yr hoffwn i farw, a marw'n fuan, a mynd at fy annwyl, annwyl Siân a Iesu Grist a'r hen ffrindiau hoff i gyd – yr unigrwydd parhaol yma, er holl garedigrwydd fy nghyfeillion o lawer man yn fy llethu, yr angina'n fwy poenus wrth gerdded o hyd hefyd.

Ond teimlo wedyn fod Duw wedi gweld yn dda i roi rhyw gymaint o ddawn i fi sgrifennu, ac y gallwn eto barhau i sgrifennu drwy Ei nerth a'i Drugaredd ef, rai pethau a all ysbrydoli a chyfoethogi peth ar fywyd Cymru Fydd a'i chynorthwyo i rodio a chyflawni ei neges er clod a gogoniant tragwyddol i Dduw. Teimlo y dylem i gyd weddïo dros Gwynfor, llestr etholedig i Ti ac i'w genedl gael nerth ac arweiniad fel a gafodd hyd yn hyn i fynd ymlaen nes ennill llwyr ryddid i Gymru – a nerth hefyd i bawb y rhoddaist iddynt y gras a'r dewrder rhyfeddol i geisio'i gynorthwyo ef – J.E. ac Elwyn, Nans, Cyril, Rhiannon a'r plant, Saunders a Mair a'i phlant, a'm hen gyfaill agosaf oll, Valentine a'i deulu yntau, Stanley a Barbara a'i phump o blant, a Waldo a'r llu ddiderfyn eraill y gallwn eu henwi hyd ddiwedd y llyfr bach hwn.

Os wyf i i ymadael â'r fuchedd hon yn fuan, a mynd yn llawen i fynwes Duw'r cariad, rhaid i fi yn fuan geisio gwneud trefn ar yr ychydig eiddo sydd gennyf.

Ni fynnwn fyw am funud i fod yn faich i mi fy hun nac i neb arall wedi i fi beidio â bod o ryw ddiben yn y byd yma. Hoffwn ddweud heb ryfygu yng ngeiriau Paul: 'Mi a ymdrechais ymdrech deg, mi a orffennais fy ngyrfa, mi a gedwais fy ffydd'. I Dduw y bo'r diolch am bob peth am dragwyddoldeb. 'Gwneler dy ewyllys megis yn y nef felly ar y ddaear hefyd.' ...

12–20 Hydref 1966

Lawr yn Afallennai cartref preifat i Oedolion yn Hwlffordd ddoe yn gweld Janet Felin Dolau, Pumsaint gynt, – cyfnither i Siân a hen gariad i finnau cyn gwybod am fodolaeth Siân. Nyrs/Sister ydoedd hi mewn ysbyty milwrol yng Nghaerdydd. Golygwn ei phriodi ryw ddydd, ond fy mod i'n mynd gyda merch arall ragorol hefyd ar y pryd (Bela, chwaer fy hen gyfaill y Dr Wm. Thomas H.M.I. – ond i fi ddod i'r penderfyniad na allai hi a fi wneud pâr hapus. Bu'r ymdrech i dorri'n rhydd yn ymdrech greulon o galed i fi, a finnau yn Rhydychen ar y pryd, newydd gladdu fy nhad a'm mam a hynny o fewn 6 wythnos i'w gilydd – Gaeaf 1916–17, dechrau fy mlwyddyn gyntaf yng Ngholeg yr Iesu. Roedd Bela'n hardd, yn swynol, ac yn dalentog, – ond yn y cyfwng caled hwn teimlwn nad oedd ynddi ddyfnder. Gwnaeth hi a fi yn iawn rwy'n berffaith siwr i dorri'n rhydd er caleted fu i'r ddau ohonom. Priododd Bela wedyn â bachgen rhagorol o ffermwr gerllaw Tenby, John Jenkins, brawd W. J. Jenkins, un o oreuon Sir Benfro a fu wedyn o 1922–35 yn ymgeisydd aflwyddiannus y Blaid Lafur yn y Sir hon, ymhob Etholiad.[616]

Y Pasg ar ôl dechrau'r ymdrech i dorri'n rhydd â Bela rown i'n pregethu ym Mhumpsaint ac yn cael cinio yn Felin Dolau, cartref Janet (Sioned i fi ar ôl hynny) hithau gartref am ryw bythefnos o wyliau – yn ferch hardd fel Bela ond ddim mor ffraeth a disglair â Bela, ond yn ddidwyll a synhwyrol fel y teimlwn i. Roedd ei rhieni hi a'm rhieni innau pan oedden nhw'n cadw'r Felin Gwm, Esgerdawe yn ffrindiau mawr. Hoffais hi'n fawr ar unwaith, a hithau finnau, gallwn feddwl. Buom yn gariadon am rai blynyddoedd wedyn hyd nes i fi adael y Coleg a dod i Bengam yn athro ac yna i Abergwaun. Golygwn ei phriodi pan ddôi pethau'n llwyr yn glir rhyngof i a Bela. Ond cyn i hynny ddigwydd yn hollol fe gwrddodd Sioned â rhyw fachgen o Ddinbych y Pysgod lle y daethai hi yn nyrs a phriodi hwnnw slap, gan fy mod i mor llibyn oboutu pethe. Ni allwn ei beio o gwbwl, gan mai arna i, neu ar amgylchiadau, y bu'r bai yn gyfangwbl. Dydw i ddim yn meddwl, gwaetha'r modd, iddi fod yn lwcus iawn. Bu ei gŵr farw rhyw 15 ml. yn ôl. Ond gadawodd chwaer iddo ef a oedd yn dipyn bach o artist ei heiddo i gyd i Sioned. Ac y mae hi heddi druan, er yn gripul enbyd gan y rhiwmatic, mewn cartref Oedolion ger Hwllffordd, yn byw ar ei chost ei hun, mewn lle rhyfeddol o dda, bendith arni.

Rown i'n rhyfeddol o falch o'i gweld hi eto am y tro cyntaf ers rhyw 45 o flynyddoedd, a'r hen deimladau annwyl ac iachus rhyngom yn y gwaelod wedi parhau heb i'r blynyddoedd a'u profiadau maith newid dim arnynt. Er yn hen a ffaeledig iawn druan, yr oedd ei hwyneb yn cadw'i hen harddwch o hyd, a'i chof, fel Siân druan yn colli peth weithiau, roedd ei llygaid yn llawn chwerthin ac anwyldeb gan fy ngalw i yn 'ti Dai' yr eiliad y gwelodd hi fi, fel pe byddem newydd fod yn 'cadw oed' yr wythnos ddiwethaf. Ie, merch ragorol ydoedd Sioned, Felin Dolau, pan gwrddais â hi gyntaf Sul y Pasg 1917, ac ydyw hi heddi, bendith ar ei henaid gwyn.

Y Llungwyn ymhen tair blynedd ar ôl i Sioned briodi a finnau wedi bod yn Rhydcymerau y Sadwrn cyn hynny ym mhriodas Pegi'n wh'ar a'i gŵr Emlyn, bachgen rhagorol yntau, yr oedd Siân, athrawes yn Beulah, C.N. Emlyn ar y pryd, hi a Dai ei brawd a'i wraig, wedi bod yn aros dros y Sul yn fy llety yn Abergwaun, a Siân na wyddwn am ei bodolaeth cyn hynny, wedi bod yn cadw fy ngwely i'n gynnes dros y Sul hwnnw. Ymhen tair wythnos wedi hynny yr oedd Siân a fi wedi'n dyweddïo i'n gilydd i briodi, a phriodi ddydd cyn y Nadolig y flwyddyn honno, 1925, ymhen hanner bl. wedi gweld ein gilydd gynta – 'and lived happy ever after' – a phe cawswn i ddewis eto pwy a briodwn i, fe fyddwn yn dewis Siân ganwaith drosodd, gyda phob parch i rai o oreuon merched Efa y ces i'r fraint o'u cyfarfod o bryd i'w gilydd.

Er byw deugain mlynedd gyda'n gilydd, a'r ddau ohonom o natur dra gwahanol, gallaf dystio'n gywir heddiw mai Siân oedd y person mwyaf diddorol fel cwmni o neb a gwrddais erioed. A choron ei chymeriad ydoedd ei chariad a'i chywirdeb.

Gall'swn, mi gredaf, fod wedi sgrifennu llyfr eitha diddorol ar y testun – 'Rhai o'm hen gariadon – cyn priodi'r gyntaf [*sic*] a'r orau ohonynt yn ddeugain oed!' Oherwydd y mae gennyf barch mawr iddynt i gyd …[617]

26–27 Hydref 1966

Cael cyfle i weld Sioned Felin Dolau brynhawn heddi wedyn gyda S.L. [Stanley Lewis]. Cael peth o hanes ei bywyd, – eitha caled gallwn feddwl, er nad yw'n dweud gormod, whare teg iddi. Collodd ei gŵr a'i deulu dipyn o arian wrth speculato'n rhy awchus arian mewn cwmni llongau ar ôl y Rhyfel Cynta' 'to get rich quick' ys dywedai hi. Bu raid iddi hithau weithio'n galed iawn i gadw pethau i fynd ar ôl hynny. Cadw ymwelwyr yn Tenby. Merch syml, onest, ddiddichell, arwres heb fod ganddi syniad fod dim o hynny'n perthyn iddi. Defnyddiau stori ragorol ynddi. Gwnâi Kate Roberts hewl arni. Gymaint o arwriaeth ddistaw sydd yn y byd yma. Mae dyfnder y gwirionedd yng nghymeriad Sioned fel yr oedd yn Siân ei chyfnither – ei mam hi a thad Siân yn frawd a chwaer o Ffaldybrenin.

30 Tachwedd–3 Rhagfyr 1966

Methu peidio â phryderu o weld y dyddiau'n rhuthro'n eu blaen y naill ar ôl y llall, a finnau heb allu gwneud fawr o ddim i'w ddangos – er yn teimlo fod genny dipyn eto i'w ddweud. Ond y mae fy mhryder am waith Plaid Cymru a phobl mor ddifater am ddyfodol ein cenedl yn ymyrryd yn gyson â phob gwaith parhaol, lle y mae hamdden a thawelwch yn hanfodol er mwyn cael rhywbeth yn werth i'w ddweud. Ysgrifennaf lythyron yn awr ac eilwaith i'r wasg, yn rhygnu ar yr un hen bethau. Gwynfor a Thudur[618] yw'r unig rai sy'n dweud rhywbeth ffres a newydd. Ysgrifennaf lythyron at ffrindiau.

Y peth y dymunwn ei wneud yn fwy na dim yw cyflwyno fy hun mor llwyr ag y gallwn i ddwyn egwyddorion y wir Gristnogaeth yn ôl y dehongliad ohoni gan Grist a'r apostol Paul i weithrediad mor rymus ag sydd modd, weddill fy nyddiau, a hynny heb dynnu sylw ataf fy hun, ond cyn lleied ag y bo modd. Y peth a deimlwn ar y daith i'r gogledd yr wythnos ddiwethaf yw y gallwn siarad yn gyhoeddus yn rhwyddach ac yn well nag y gellais ei gredu erioed amdanaf fy hun. Ond fe all hynny fod yn fagl i ddyn. A dyna wendid pennaf ymneilltuaeth Cymru – meddwi ar huodledd heb ddisgyblaeth ar fywyd – stîm a whisl heb rym ar ôl yn y peiriant. Y grym ysbrydol a'r ffydd ddofn yn y galon sy'n cyfrif, yn gyson …

4 Rhagfyr 1966

… Waldo yn ôl ei dystiolaeth gyson yn lladd ei hun yn y ffordd y mae wedi gymryd o ddysgu'r cyfan ar lafar i'r plant. Ni thynn neb o'i ben nad ef sy'n iawn. Nid oes modd i gael ganddo wneud dim dros y Blaid, ond dod i bwyllgorau'n go dda: Ond gall fod yn dra anymarferol yno ar droeon. Mae Waldo'n ddi-os, yn un o'r goreuon o ddynion, ond ni fynn rannu ei brofiadau ysbrydol, cyfriniol o gwbl, gallwn feddwl, ond â'i gyd-gyfrinwyr yn eu cyfarfodydd bob Sul yn Milffordd, bob bore Sul, wedi cerdded dros 7 milltir yno, – o bosib. Caiff ei gario'n ôl.

Nodiadau Pennod 1

[1] *HDFf,* tt. 184–7.

[2] D.J. Williams, 'Y Gagendor' yn J. Gwyn Griffiths (gol.), *Y Gaseg Ddu a Gweithiau Eraill*, (Gwasg Gomer, 1970), t. 130.

[3] *YChHO*, t. 28.

[4] Ibid., tt. 35–6.

[5] Ibid., tt. 64–5.

[6] Ibid., t. 78.

[7] *HDFf,* t. 48.

[8] Ibid., t. 186.

[9] *YChHO*, t. 125.

[10] Ibid., t. 161.

[11] Ibid., t. 201.

[12] Nodyn dyddiadurol dyddiedig 18 Awst 1913. Gweler Rhan 2, tt. 191–2

[13] Ibid.

[14] Nodyn dyddiadurol dyddiedig 16 Medi 1914. Gweler Rhan 2, tt. 192–3

[15] *YChHO*, tt. 237–8.

[16] Ibid., t. 238.

[17] Cyhoeddwyd yr erthygl yn *Llais y Lli*, papur Prifysgol Aberystwyth, Hefin ap Llwyd (gol.), Ionawr 1971, gweler hefyd sylwadau J. Gwyn Griffiths yn 'Ysgrif a Gladdodd Gylchgrawn', yn *Y Traethodydd* 128 (1973), tt. 114–17.

[18] Waldo Williams, 'Braslun', yn J. Gwyn Griffiths (gol.), *D. J. Williams Abergwaun: Cyfrol Deyrnged,* t. 24. 'Enwa dri chyfnod ymhlith ei rai mwyaf hapus: ei wythnosau cyntaf yn Rhydychen yn Hydref 1916; a thair wythnos o wyliau yn Vienna yn 1923; a'r dyddiau cyntaf yn Abernant yn Hydref 1891 yn chwarae ffarm gyda Pegi ar y sgwâr ugain llath hwnnw wrth yr afon. Yr un llawenydd oedd i'r tri chyfnod, cael pethau fel yr oedd dwfn ei galon yn dymuno iddynt fod, trwy ddychymyg yn Abernant ond mewn gwirionedd yn Rhydychen a Vienna, dwy genedl yn niogelwch eu hanes a'u hyder yn eu mynegi eu hunain yn ddilestair.'

[19] LlGC, Dyddiaduron D.J. Williams 1950–1966, 12–20 Hydref 1966.

[20] Ibid., 4 Hydref 1966.

[21] Gweler Waldo Williams, 'Braslun', yn J. Gwyn Griffiths (gol.), *D.J. Williams Abergwaun: Cyfrol Deyrnged,* t. 19. Gweler hefyd Dyddiadur D.J. Williams 1941–1951, 2 Tachwedd 1949, gweler Rhan 2, tt. 225–34.

[22] Ibid., t. 20.

[23] LlGC, Dyddiaduron D.J. Williams 1950–1966, 3 Ionawr 1962.

[24] Llythyr oddi wrth Saunders Lewis, 7 Chwefror 1924, gweler Emyr Hywel (gol.), *Annwyl D.J.* (Y Lolfa, 2007), llythyr 1, t. 42.

[25] Gwan fu'r gefnogaeth i Blaid Cymru. Dim ond 609 o bleidleisiau a gafodd Lewis Valentine, gweler John Davies, *Hanes Cymru* (Allen Lane, The Penguin Press, 1990), t. 550.

[26] D.J. Williams, 'John Trodrhiw: gwladwr o Gymro', *Y Ddraig Goch,* 8 Mai 1927. Ailgyhoeddwyd y portread hwn dan y teitl 'John Trodrhiw' yn *Hen Wynebau* (Gwasg Aberystwyth, 1934). 'John Trodrhiw' yw'r trydydd portread yn y casgliad.

[27] Llythyr oddi wrth Saunders Lewis, 24 Gorffennaf 1938, gweler Emyr Hywel (gol.), *Annwyl D.J.*, llythyr 56, tt. 104–5. Gweler hanes Achos yr Ysgol Fomio yn llawn yn llyfr Dafydd Jenkins, *Tân yn Llŷn*, (Gwasg Gomer, 1937). Gweler hefyd O. M. Roberts, *O ddeutu'r Tân*, Cyfres y Cewri 12, pennod 8 'Penyberth' (Gwasg Gwynedd, 1994).

[28] Gweler 'Gweithiau D.J. Williams', David Jenkins yn J. Gwyn Griffiths (gol.), *D. J. Williams Abergwaun, Cyfrol Deyrnged*, tt. 161–8 a Gweithiau D.J. Williams, Gareth O. Watts yn J. Gwyn Griffiths (gol.), *Y Gaseg Ddu a Gweithiau Eraill*, tt. 161–5.

[29] LlGC, Dyddiadur D.J. Williams 1941–1951, 10 Mai 1941.

[30] Ibid., 19 Gorffennaf 1941, gweler Rhan 2, tt. 197–9.

[31] Ibid., 24 Medi 1943, gweler Rhan 2, tt. 206–7.

[32] LlGC, Dyddiaduron D.J. Williams 1950–1966, 19 Mawrth 1952.

[33] Ibid., 21 Ebrill 1952. Nid oes eglurhad yn unman ar y disgrifiad, 'esgus hunangofiant'. Gweler yr erthygl 'Y Doctor William Thomas' yn *Baner ac Amserau Cymru*, 7 Mai 1952, t. 8.

[34] LlGC, Dyddiaduron D.J.Williams 1950–1966, 8 Gorffennaf 1954.

[35] Ibid., 31 Rhagfyr 1954. Yn 1951 bu D.J. yn ysbyty Aberteifi yn dioddef o gerrig yn yr aren. Go brin bod ei honiad yn gywir oherwydd collodd bwyllgorau cenedlaethol y Blaid pan fu yn y carchar yn 1937.

[36] Ibid., 15 Gorffennaf 1955. Mae'r honiad hwn yn anghywir. Aeth D.J. i fyw i Abergwaun ym 1919, h.y. 36 o flynyddoedd cyn 1955, ond ni sefydlwyd y Blaid tan 1925.

[37] Ibid., 9 Rhagfyr 1955.

[38] Ibid., 9 Chwefror 1956.

[39] Ibid., 21 Medi 1956.

[40] Ibid., 13 Ebrill 1957.

[41] Ibid., 5 Ionawr 1958.

[42] Ibid., 15 Rhagfyr 1958.

[43] Ibid., 21 Gorffennaf 1959.

[44] D.J. Williams, *Y Bod Cenhedlig* (Cyfieithiad gyda Rhagymadrodd o *The National Being* gan A.E.), (Plaid Cymru, 1963), t. 14.

[45] Dyddiaduron D.J. Williams 1950–1966, 7–9 Tachwedd, 1959.

[46] LlGC, Dyddiaduron D.J. Williams 1950–1966, 5–6 Medi 1961.

[47] Ibid., 9 Medi 1961.

[48] Ibid., 27 Chwefror 1962.

[49] Ibid., 21 Gorffennaf 1962.

[50] Ibid., 9–11 Awst 1962.

[51] Ibid., 29 Hydref 1963.

[52] Ibid., 21 Chwefror 1964.

[53] Gostwng wnaeth pleidlais Plaid Cymru. Cafodd Waldo Williams 2,253 o bleidleisiau yn 1959.

[54] LlGC, Dyddiaduron D.J. Williams 1950–1966, 7–9 Mehefin 1965, gweler Rhan 2, t. 275.

[55] Ibid., 25–29 Gorffennaf 1966, gweler Rhan 2, tt. 281–2.

[56] D.J. Williams, *Codi'r Faner* (Plaid Cymru, 1968).

[57] Llythyr oddi wrth D.J. Williams, 18 Rhagfyr 1969, gweler Emyr Hywel (gol.), *Annwyl D.J.*, (Y Lolfa, 2007), llythyr 208, tt. 318–19.

[58] Llythyr oddi wrth D.J. Williams, 2 Mehefin 1968, gweler Emyr Hywel (gol.), *Annwyl D.J.*, trn. 368, tt. 356–8. Llythyr yn trefnu'r cyfarfod hanesyddol rhwng y tri yw hwn.

[59] D.J.Williams, 'Gweithgareddau Llys Aberteifi' *Barn*, Ionawr 1970, tt. 71–2.

Nodiadau Pennod 2

[60] LLGC, Dyddiaduron D.J. Williams 1950–1966, 23–25 Chwefror 1965, gweler Rhan 2, t. 271–2.

[61] Gadawodd tad-cu D.J. Williams, Jaci Pen-rhiw, tad ei dad, Llywele yn 1838. Honna D.J. fod cysylltiad ei deulu ef â'r lle yn rhychwantu 500 mlynedd, gweler *HDFf*, t. 51.

[62] *HDFf,* t. 80.

[63] Ibid., tt. 100–3.

[64] Ibid., t. 115.

[65] Ibid., tt. 114–17.

[66] Ibid., t. 73.

[67] LlGC, Dyddiadur D.J.Williams 1941–1951, 4 Ionawr 1942.

[68] *HDFf,* t. 19.

[69] *YChHO*, t. 56.

[70] Ibid., t. 71.

[71] *HDFf* , t. 177.

[72] D.J. Williams, 'Gweithgareddau Llys Aberteifi', yn J. Gwyn Griffiths (gol.), *Y Gaseg Ddu a Gweithiau Eraill*, t. 112.

[73] LlGC, Dyddiaduron D.J. Williams 1950–1966, 29 Tachwedd 1957.

[74] Ibid., Dyddiadur D.J. Williams 1941–1951, 23 Mehefin 1951.

[75] LlGC, Dyddiaduron D.J. Williams 1950–1966, 9 Chwefror 1966. Cyfeirir yma at gywydd gan Waldo Williams. 'Cywydd Mawl D.J.' *Y Ddraig Goch*, 3 Tachwedd 1964. Cynhwyswyd hefyd yn J. Gwyn Griffiths (gol.), *D .J. Williams, Abergwaun, Cyfrol Deyrnged*, tt. 59–61.

[76] LLGC, Dyddiadur D.J. Williams 1941–1951, 5 Mehefin 1946, gweler Rhan 2, t. 217–8.

[77] LLGC, Dyddiaduron D.J. Williams 1950–1966, 27–29 Hydref 1956, gweler Rhan 2, t. 246.

[78] LlGC, Casgliad Lewis Valentine. Llythyr oddi wrth D.J. Williams, 26 Medi 1965.

[79] LlGC, Dyddiaduron D.J. Williams 1950–1966, 9 Mehefin 1962.

[80] LlGC, Dyddiadur D.J. Williams 1941–1951, 26 Mehefin 1949.

[81] LlGC, Dyddiaduron D.J. Williams 1950–1966, 26 Medi 1952.

[82] Ibid., 30 Gorffennaf 1959. Cyfeiria D.J. yma at lythyr a dderbyniodd oddi wrth Saunders Lewis, gweler Emyr Hywel (gol.), *Annwyl D.J.*, llythyr rhif 148, tt. 241–2.

[83] LlGC, Dyddiadur D.J.Williams 1941–1951, 23 Mehefin 1951.

[84] LlGC, Dyddiaduron D.J.Williams 1950–1966, 15 Ionawr 1964.

[85] Ibid., 23 Ionawr 1966.

[86] Ibid., 21 Mawrth 1965.

[87] Ibid., 16–20 Rhagfyr 1957.

[88] Ibid., 21 Awst 1961.

[89] Ibid., 17 Ionawr 1961.

[90] Ibid., 30–1 Mai 1966.

[91] Llythyr oddi wrth D.J. Williams, 10 Gorffennaf 1956, gweler Emyr Hywel (gol.), *Annwyl D.J.*, llythyr 132, tt. 214–5. Bu cryn feirniadu ar Kate Roberts gan genedlaetholwyr am iddi wrthod gwerthu'r *Faner* a'r wasg i *syndicate* o genedlaetholwyr. Dadl Kate Roberts yn erbyn gwerthu iddynt

oedd nad oedd arian digonol ganddynt i fuddsoddi yn y busnes ac nad papur Plaid Cymru oedd *Y Faner*. Gweler dadl Kate Roberts mewn llythyr o'i heiddo at D.J. Williams, 31 Gorffennaf 1956, gweler Emyr Hywel (gol.), *Annwyl D.J.*, llythyr 133, tt. 216–9.

92 LlGC, Dyddiaduron D.J. Williams 1950–1966, 3 Gorffennaf 1963.

93 Ibid., 5–9 Ionawr 1961. Yr oedd D.J. wedi bod o flaen y fainc am drosedd gyffelyb yn 1955.

94 Llythyr oddi wrth Kate Roberts, 18 Medi 1929, gweler Emyr Hywel (gol.), *Annwyl D.J.*, llythyr 17, tt. 60–1, a llythyr oddi wrth Saunders Lewis, 18 Medi 1929, gweler Emyr Hywel (gol.), *Annwyl D.J.*, llythyr 16, t. 59, yn cyfeirio at gais am brifathrawiaeth Ysgol Uwchradd Pwllheli. Gweler hefyd lythyr oddi wrth Saunders Lewis, Calan Mehefin 1932, gweler Emyr Hywel (gol.), *Annwyl D.J.*, llythyr 27, t. 72, yn cyfeirio at ei gais am brifathrawiaeth Llandeilo.

95 LlGC, Dyddiaduron D.J. Williams 1950–1966, 29 Awst 1953.

96 Ibid., 1 Mehefin 1959.

97 Llythyr oddi wrth D.J. Williams, 24 Ionawr 1966, gweler Emyr Hywel (gol.), *Annwyl D.J.*, llythyr 189, tt. 299–300. Hefyd, gweler yr hanes hwn o gyfrannu arian gwerthiant Pen-rhiw ganddo mewn llythyr at Kate Roberts, 23 Ionawr 1966, gweler Emyr Hywel (gol.), *Annwyl D.J.*, llythyr 188, tt. 297–8.

98 *HDFf*, t. 118.

99 LlGC, Dyddiaduron D.J. Williams 1950–1966, 23–26 Chwefror 1965.

100 Llythyr oddi wrth D.J. Williams, 9 Hydref 1965, gweler Emyr Hywel (gol.), *Annwyl D.J.*, llythyr 184, tt. 292–3.

101 LlGC, Dyddiaduron D.J. Williams 1950–1966, 6–7 Medi 1963.

102 D.J. Williams, 'Myfyrion Dydd y Coroni' [1953], yn J. Gwyn Griffiths (gol.), *Y Gaseg Ddu a Gweithiau Eraill*, t. 117.

Nodiadau Pennod 3

103 *YChHO*, gweler hanes profiad ysgytwol D.J. yn y bennod 'Gwyrdroi Breuddwyd' tt. 231–5. Gweler y dyfyniadau ar tt. 234–5.

104 D.J. Williams, 'Cysgod Tröedigaeth' yn *Storïau'r Tir Coch* (Gwasg Aberystwyth, 1941), tt. 57–8.

105 LlGC, Dyddiaduron D.J. Williams 1950–1966, 20 Awst 1959. Bertrand Russell: enw llawn, Bertrand Arthur William Russell (1872–1970). Daeth i amlygrwydd am ei waith ar athroniaeth a rhesymeg. Ymgyrchwr gwleidyddol, heddychwr ac anffyddiwr. Derbyniodd wobr Nobel am ei gyfraniad i lenyddiaeth yn 1950. Cyhoeddwyd *Why I Am Not a Christian* yn 1927.

106 D.J. Williams, 'Geiriau Cred Adyn' yn *Storïau'r Tir Glas* (Gwasg

Aberystwyth, 1936), t. 79.

107 LlGC, Dyddiaduron D.J. Williams 1950–1966, 21 Medi 1961.

108 D.J. Williams, 'Geiriau Cred Adyn' yn *Storïau'r Tir Glas*, t. 81.

109 LLGC, Dyddiaduron D.J. Williams 1950–1966, 1–4 Mai 1959. Gweler Rhan 2, t. 254–5.

110 Gweler Dafydd Jenkins, *D.J. Williams* (University of Wales Press, 1973), tt. 11–12.

111 I'r gwladwr o Gymro mae'r gymdeithas wledig yn waraidd. Mae'r gymdeithas drefol ddiwydiannol yn anwaraidd. Yn y Saesneg ystyrir unigolyn yn 'civilised' wedi iddo gael ei wareiddio gan fywyd modern trefol – 'urbanised' yn y Saesneg. Gweler nodyn diddorol ar y gwahaniaeth hwn rhwng y Saesneg a'r Gymraeg yn Dafydd Jenkins, *D.J. Williams* (University of Wales Press, 1973), tt. 9–10. Gweler hefyd John Davies, *Hanes Cymru* (Allen Lane, The Penguin Press, 1990), t. 347. Yn yr ardaloedd diwydiannol nid oedd rôl i'r Cymro gwledig yn y byd cyhoeddus. Câi Cymry galluog y dosbarth gwledig gyfle i chwarae rhan amlwg yn y capeli Anghydffurfiol. Yno hefyd cadwyd awyrgylch o gydraddoldeb bywyd y wlad.

112 Yn ei nodyn dyddiadurol 16 Medi 1914 dywed ei fod yn barod i aberthu er mwyn mynd i'r ffrynt. Ni chofnodir pryd na pham y newidiodd ei feddwl.

113 D.J. Williams, 'Y Gorlan Glyd' yn *Storïau'r Tir Du* (Gwasg Aberystwyth, 1949).

114 LlGC, Dyddiaduron D.J. Williams 1950–1966, 10–11 Ionawr 1965. Mae D.J. yn cyfeirio yn y nodyn hwn at erthygl gan Hywel D. Lewis, 'Yn Beirniadu'r "Grefydd Anghrediniol"' yn *Barn*, 27 (Ionawr 1965). Erthygl yw hon yn cynnig sylwadau ar lyfr J.R. Jones, *Yr Argyfwng Gwacter Ystyr* (Llyfrau'r Dryw, 1964). 1. Hywel D. Lewis: athronydd a diwinydd. Bu'n athro Hanes ac Athroniaeth Crefydd yng Ngholeg Prifysgol Llundain hyd ei ymddeoliad yn 1975. Gweler Meic Stephens (gol.), *Cydymaith i Lenyddiaeth Cymru*, t. 346. 2. J. R. Jones: athronydd. Penodwyd ef i Gadair Athroniaeth Coleg y Brifysgol Abertawe yn 1952. Gweler Meic Stephens (gol.), *Cydymaith i Lenyddiaeth Cymru*, t. 322.

115 *YChHO*, t. 86.

116 LlGC, Dyddiaduron D.J. Williams 1950–1966, 14 Rhagfyr 1952.

117 *YChHO*, t. 236.

118 Rhan o gofnod dyddiadurol cynharaf yn llaw D.J., 18 Awst 1913. Gweler Rhan 2, tt. 191–2

119 Ibid.

120 Ail nodyn dyddiadurol D.J. Williams, 16 Medi 1914. Gweler Rhan 2, tt. 192–3.

[121] *YChHO*, tt. 237–8.

[122] LlGC, Dyddiaduron D.J. Williams 1950–1966, 21 Rhagfyr 1959. Yma mae D.J. yn ateb cyhuddiad Aneirin ab Talfan ei fod yn gosod cenedlaetholdeb o flaen crefydd ar y rhaglen deledu *Gwreiddiau*. Gweler hefyd ei ysgrif 'Yr Artist a'i Oes' yn J. Gwyn Griffiths (gol.), *Y Gaseg Ddu a Gweithiau Eraill*, t. 114.

[123] D.J. Williams, *Y Bod Cenhedlig* (Cyfieithiad gyda Rhagymadrodd o *The National Being* gan A.E.), (Plaid Cymru, 1963). Gweler y Rhagymadrodd, gwaelod t. 19, 'Ein hiaith a'n cadwodd ni ynghyd ac a'n clymodd ni yn genedl am bymtheg cant o flynyddoedd.'

[124] LlGC, Dyddiaduron D.J. Williams 1950–1966, 13 Ionawr 1956. Cyfeiriad byr at drafodaeth a fu rhwng D.J. a Gwynfor Evans.

[125] *YChHO*, t. 191. Nid yw D.J. yn defnyddio'r term 'llawforwyn' yn y fan hon. Serch hynny, gwneir yn ddigon amlwg mai dyna yw rôl Cymru ymhlith y cenhedloedd. Cenhades cyfeillgarwch ymhlith cenhedloedd yw Cymru.

[126] D.J. Williams, 'Cenedligrwydd a Chrefydd' yn J. Gwyn Griffiths (gol.), *Y Gaseg Ddu a Gweithiau Eraill*, t. 143.

[127] D.J. Williams, 'Y Gagendor' yn J. Gwyn Griffiths (gol.), *Y Gaseg Ddu a Gweithiau Eraill*, t. 152.

[128] D.J. Williams, 'Gyda'r Cadfridog Charles de Gaulle' yn J. Gwyn Griffiths (gol.), *Y Gaseg Ddu a Gweithiau Eraill*, t. 66.

[129] D.J. Williams, 'Y Gagendor' yn J. Gwyn Griffiths (gol.), *Y Gaseg Ddu a Gweithiau Eraill*, t. 152.

[130] D.J. Williams, 'Cenedligrwydd a Chrefydd' yn J. Gwyn Griffiths (gol.), *Y Gaseg Ddu a Gweithiau Eraill*, t. 145.

[131] LlGC, Dyddiaduron D.J. Williams 1950–1966, 10 Hydref 1966.

[132] Ibid., 7–9 Mehefin 1965.

[133] *YChHO*, t. 237. Hefyd gweler sylwadau diddorol Bobi Jones yn 'Y Llenor Ymrwymedig' yn J. Gwyn Griffiths (gol.), *D.J. Williams Abergwaun: Cyfrol Deyrnged,* t. 145. Mae Bobi Jones yn trafod effaith dau lif yn cyfarfod, y llif Cristnogol a'r llif gwladgarol. Oherwydd hyn 'gwelir unrhyw fethiant yn y Gymru gyfoes fel pechod'.

[134] D.J. Williams, 'Yr Artist a'i Oes' yn J. Gwyn Griffiths (gol.), *Y Gaseg Ddu a Gweithiau Eraill*, t. 114.

[135] Rhan o'r ddau gofnod dyddiadurol cynharaf yn llaw D.J., dyddiedig 18 Awst 1913 ac 16 Medi 1914. .Gweler Rhan 2, tt. 191–3

[136] LlGC, Dyddiaduron D.J. Williams 1950–1966, 5–6 Medi 1961.

[137] Ibid., 9 Awst 1961, 12–13 Mawrth 1963, a 8–10 Mehefin 1964.

[138] Ibid., 29 Chwefror 1964. Gweler emyn George Rees yn *Caneuon Ffydd* (Gwasg Gomer, 2001), emyn 541, t. 677.

[139] Dau weinidog sy'n cael eu beirniadu'n hallt a mynych gan D.J. yw'r Parch. John Wyn Williams, gweinidog Pentowr rhwng 1949 ac 1954, a'r Parch. Glyn Meirion Williams, gweinidog Pentowr rhwng 1955 ac 1960.

[140] LlGC, Dyddiaduron D.J. Williams 1950–1966, 16 Ebrill 1962.

[141] Ibid., 6 Hydref 1963.

[142] Ibid., 3–6 Tachwedd 1963.

[143] Ibid., 22 Mehefin 1957. Yn 1957 yr oedd D.J. yn dioddef poenau enbyd angina. Yr oedd ei wraig hefyd yn llesg. Serch hynny nid yw'n dwrdio Duw. 'Ei ewyllys Ef a wneler' yw byrdwn ei fyfyrdodau.

[144] Ibid., 8 Tachwedd 1965.

[145] Ibid., 5–6 Mehefin 1965.

[146] M. Islwyn Lake: 'D.J. Williams', *Y Traethodydd,* 1970, tt. 143–8.

[147] Lewis Valentine: 'Y Dr D.J. Williams', *Seren Gomer*, lxi, t. 116.

[148] LlGC, Dyddiaduron D.J. Williams 1950–1966, 4 Tachwedd 1957.

[149] Llythyr oddi wrth D.J. Williams, 2 Rhagfyr 1960. Gweler Emyr Hywel (gol.), *Annwyl D.J.*, llythyr 159, tt. 257–9.

[150] LlGC, Dyddiadur D.J. Williams 1941–1951, 5[6] Ebrill 1941.

[151] Ibid., 15 Rhagfyr 1941.

[152] Ibid., 5 Gorffennaf 1943.

[153] LlGC, Dyddiaduron D.J. Williams 1950–1966, 10 Rhagfyr 1958. William Morris (1889–1979), bardd a gweinidog gyda'r Methodistiaid Calfinaidd. Archdderwydd o 1957 hyd 1959. Gweler Meic Stephens (gol.), *Cydymaith i Lenyddiaeth Cymru*, t. 417.

[154] Ibid., 14 Chwefror 1961.

[155] LlGC, Dyddiaduron D.J. Williams 1950–1966, 9–11 Tachwedd 1964.

[156] LlGC, Dyddiadur D.J. Williams 1941–1951, 23 Mehefin 1951.

[157] LlGC, Dyddiaduron D.J. Williams 1950–1966, 14 Tachwedd 1956.

[158] Ibid., 22 Mehefin 1952.

[159] Ibid., 23 Mehefin 1951.

[160] Ibid., 6–22 Gorffennaf 1960.

[161] Ibid., 4 Ionawr 1965.

[162] Ibid., 3 Chwefror 1952. Y Parch. John Wyn Williams yw'r gweinidog hwn.

[163] Ibid., 5 Mai 1957.

[164] Ibid., 6 Hydref 1958.

[165] LlGC, Casgliad Lewis Valentine. Llythyr oddi wrth D.J. Williams, 20 Ebrill 1960.

[166] LlGC, Dyddiaduron D.J. Williams 1950–1966, 3–6 Tachwedd 1963.

[167] Daniel Owen, *Rhys Lewis* (1885).

[168] LlGC, Dyddiaduron D.J. Williams 1950–1966, 27 Tachwedd 1966.

[169] *YChHO*, t. 236.

[170] Jubilee Young, gweler *Cydymaith i Lenyddiaeth Cymru*, t. 649.

[171] LlGC, Dyddiadur D.J. Williams 1941–1951, 9 Ebrill 1941.

[172] LlGC, Dyddiaduron D.J. Williams 1950–1966, 8 Medi 1958.

[173] Ibid., 24 Medi 1958.

[174] Ibid., 19 Mai 1966.

[175] Ibid., 1 Medi 1958.

[176] Ibid., 3 Medi 1961. Harry Emerson Fosdick, *The Meaning of Prayer* (London & Glasgow: Collins, Fontana Books, 1960).

[177] LlGC, Dyddiaduron D.J. Williams 1950–1966, 20 Medi 1965.

[178] Ibid., 31 Mawrth 1954. Daw'r dyfyniad o gyhoeddiadau y Bible Reading Fellowship.

[179] Ibid., 7 Mai 1957.

[180] Ibid., 7 Mehefin 1959. Y Parch. Glyn Meirion Williams yw'r gweinidog y cyfeirir ato yn y nodyn dyddiadurol hwn.

[181] Ibid., 2 Rhagfyr 1956.

[182] Ibid., 16 Chwefror 1959.

[183] Dafydd Jenkins, *D.J. Williams* (University of Wales Press, 1973), t. 12.

Nodiadau Pennod 4

[184] Waldo Williams, 'Braslun' yn J. Gwyn Griffiths (gol.), *D.J. Williams Abergwaun: Cyfrol Deyrnged* (Gwasg Gomer, 1965), tt. 13–14.

[185] T. J. Morgan, 'Yr hunan-gofiannydd' yn J. Gwyn Griffiths (gol.), *D.J. Williams Abergwaun: Cyfrol Deyrnged*, tt. 102–3. Thomas John Morgan (1907–1986). Ysgolhaig ac ysgrifwr a aned ym Mhentref y Glais, ger Abertawe. Bu'n Athro'r Gymraeg ym Mhrifysgol Abertawe. Ei waith ysgolheigaidd pwysicaf yw *Y Treigladau a'u Cystrawen* (1952). Am fwy o wybodaeth amdano gweler *Cydymaith i Lenyddiaeth Cymru*, t. 413.

[186] D.J. Williams, 'Prifysgol Bara a Chaws', *Y Wawr* III, rhif 1 (1915), tt. 1–5.

[187] D.J. Williams, 'Wales – its politics and no politics', *The Welsh Outlook*, IX Mawrth 1922), tt. 68–70.

[188] D.J. Williams, 'Carmarthen Borough Education Committee and the Welsh Language', *The Welshman*, 22 Chwefror 1924, t. 8.

[189] D.J. Williams, 'A Welsh State. The New Nationalism. A moral lead to the World', *South Wales News*, 1 Mawrth 1924, t. 4.

[190] D.J. Williams, 'Wales and her destiny. A plea for a school of "Rebels". Subservience or real partnership', *South Wales News*, 18 Mehefin 1924, t. 5.

[191] Thomas Edward Ellis (1859–99). Ar ddechrau ei yrfa wleidyddol yr oedd yn bleidiol i Ymreolaeth i Gymru ond gyda thwf ei ddylanwad seneddol yn Llundain gwanychodd ei radicaliaeth. Gweler *Cydymaith i Lenyddiaeth Cymru*, tt. 188–9 am wybodaeth bellach.

[192] Gwynfor Evans, 'Ffydd Wleidyddol' yn J. Gwyn Griffiths (gol.), *D.J. Williams Abergwaun: Cyfrol Deyrnged*, tt. 106–15.

[193] Kate Roberts, 'D.J. Williams, y Cymro Mawr', *BAC* , 15 Ionawr 1970, t. 1.

[194] D.J. Williams, 'Forty years on the brink of politics in Pembrokeshire', *County Echo*, 24 Medi 1959.

[195] Gwynfor Evans, 'Ffydd Wleidyddol' yn J. Gwyn Griffiths (gol.), *D.J. Williams Abergwaun: Cyfrol Deyrnged*, tt. 106–15.

[196] T. J. Morgan, 'Yr hunan-gofiannydd' yn J. Gwyn Griffiths (gol.), *D.J. Williams Abergwaun: Cyfrol Deyrnged*, t. 103.

[197] M. Islwyn Lake, 'D.J. Williams', *Y Traethodydd*, Cyfrol CXXV, Rhif 536, Gorffennaf 1970, tt. 143–8.

[198] *YChHO*, t. 66.

[199] D.J. Williams, 'Carmarthen Borough Education Committee and the Welsh Language', *The Welshman*, 22 Chwefror 1924, t. 8.

[200] D.J. Williams, 'A Welsh State. The new nationalism. A moral lead to the world', *South Wales News,* 1 Mawrth 1924, t. 4.

[201] D.J. Williams, 'Compulsory Welsh for Matriculation', *The Welsh Outlook* X11 (Mail 925), tt. 128–30. Eiddo Thomas Osborne Davis (1814–45) yw'r dyfyniad uchod. Ganwyd Thomas Davis ym Mallow, Swydd Corc, Iwerddon, awdur a gwleidydd a threfnydd Mudiad Ieuenctid Iwerddon. Roedd ei waith ef yn ffynhonnell ysbrydoliaeth i Sinn Fein. Ef yw awdur y gerdd 'A Nation Once Again'. Cyhoeddwyd ei *Essays and Poems, with a Centenary Memoir, 1845–1945* yn 1945.

[202] Dyfyniad o waith Thomas Davis, yn D.J. Williams, ' "D.J." on the teaching of Welsh', *County Echo,* 8 Chwefror 1968, t. 6.

[203] D.J. Williams, 'The New Welsh Nationalism', *Manchester Guardian*, 6 Ionawr 1926, t. 10.

[204] D.J. Williams, ' "How Welsh is Welsh" Once Again?', *Western Telegraph*, 18 Ionawr 1968, t. 14.

[205] D.J. Williams, 'Peiriant Addysg Cymru: Ystrydebau'r Olwyn Sbâr', *Yr Efrydydd* II, Mawrth 1937, tt. 8–16.

[206] D.J. Williams, 'Anfarwoldeb Cenedl', *Y Ddraig Goch*, Gorffennaf 1926, tt. 3–4.

[207] D.J. Williams, 'Prifysgol Bara a Chaws', *Y Wawr* III, rhif 1 (1915), tt. 1–5.

[208] D.J. Williams, 'A Welsh State. The New Nationalism. A moral lead to the World', *South Wales News*, 1 Mawrth 1924, t. 4.

[209] D.J. Williams, 'Anfarwoldeb Cenedl', *Y Ddraig Goch,* Gorffennaf 1926, tt. 3–4.

[210] D.J. Williams, 'Yr iaith Gymraeg yn Abergwaun', *County Echo,* 6 Tachwedd 1952, t. 4.

[211] D.J. Williams, 'Gwleidyddiaeth a Bywyd Cenedl: Gogoniannau Rhyddfrydiaeth yn y Gorffennol', *Y Ddraig Goch* (Medi 1927), t. 4.

[212] D.J. Williams, 'Cenedlaetholdeb a ddaw â heddwch, imperialaeth yw achos pob rhyfel', *Y Ddraig Goch,* Rhagfyr 1934, t. 2.

[213] D.J. Williams, 'Y Ddau Genedlaetholdeb yng Nghymru', yn J. Gwyn Griffiths (gol.), *Y Gaseg Ddu a Gweithiau Eraill*, tt. 121–9. Yn yr erthygl hon y mae D.J. yn cymharu imperialaeth y Sais â chenedlaetholdeb Cymru – cenedl fach heb awydd goresgyn cenedl arall. Meddai D.J.: 'Gall y Sais newid ei blaid wleidyddol…Ond ni wad ef byth mo'i genedlaetholdeb. Sais yw ef bob cynnig…'.

[214] Ibid.

[215] D.J. Williams, 'Mr Donnelly and Welsh Nationalism', *County Echo,* 13 Gorffennaf 1967, t. 6.

[216] Gwynfor Evans, 'Ffydd Wleidyddol', yn Gwyn Griffiths (gol.), *D.J. Williams Abergwaun: Cyfrol Deyrnged*, tt. 94–105.

[217] D.J. Williams, 'Nationalism and Imperialism', *Welsh Nation*, Awst 1964, t. 2.

[218] D.J. Williams, 'Forty years on the brink of politics in Pembrokeshire', *County Echo,* 24 Medi 1959, t. 3.

[219] D.J. Williams, 'A hint by the eighty-one to the eighteens', *Western Telegraph,* 26 Ionawr 1967, t. 7.

[220] D.J. Williams, 'Gwleidyddiaeth a Bywyd Cenedl: Gogoniannau Rhyddfrydiaeth y Gorffennol', *Y Ddraig Goch,* Medi 1927, t. 4.

[221] *YChHO*, t. 191.

[222] D.J. Williams, 'Cenedlaetholdeb a ddaw â heddwch, imperialaeth yw achos pob rhyfel', *Y Ddraig Goch,* Rhagfyr 1934, t. 2.

[223] D.J. Williams, 'Nationalism and Imperialism are not the same thing', *The Welsh Nationalist,* Ionawr 1947, t. 4.

[224] D.J. Williams, 'Nationalism and Imperialism', *Welsh Nation*, Awst 1964, t. 2.

[225] Ibid.

[226] D.J. Williams, 'How Wales is governed', *Cardigan and Tivy-side Advertiser,* 5 Ionawr 1950, t. 7. Yma mae D.J. yn dyfynnu Sir Richard Stafford Cripps (g. 24 Ebrill 1889 – m. 21 Ebrill 1952), gwleidydd ar y chwith eithaf yn y Blaid Lafur. Bu'n weithgar yn sicrhau annibyniaeth India. Ef oedd Canghellor y Trysorlys ym Mhrydain rhwng 1947 a 1950.

[227] D.J. Williams, 'Some election reflections: "Fair is foul and foul is fair" ', *County Echo*, 29 Hydref 1964, t. 2.

[228] D.J. Williams, 'Gwleidyddiaeth a Bywyd Cenedl. Gogoniannau Rhyddfrydiaeth y Gorffennol', *Y Ddraig Goch*, Medi 1927, t. 4.

[229] D.J. Williams, 'English Oratory and Welsh Nationalism at Fishguard', *Welsh Nation*, 10 Tachwedd 1956, t. 4.

[230] D.J. Williams, 'Wales and the Imperialist Parties', *County Echo*, 2 Medi 1965, t. 2.

[231] D.J. Williams, 'The Danger of "Extreme Nationalism" ', *County Echo*, 28 Gorffennaf 1949, t. 3.

[232] D.J. Williams, 'An Englishman as a Welsh Nationalist', *Western Telegraph*, 17 Mawth 1966, t. 12.

[233] D.J. Williams, 'English Oratory and Welsh Nationalism at Fishguard', *Welsh Nation*, 10 Tachwedd 1956, t. 4.

[234] D.J. Williams, 'Gyda'r Cadfridog Charles de Gaulle' yn J. Gwyn Griffiths (gol.), yn *Y Gaseg Ddu a Gweithiau Eraill*, t. 66. Hefyd gweler *Y Ddraig Goch*, Gorffennaf 1961, t.5.

[235] D. J.Williams, *Mazzini: Cenedlaetholwr, Gweledydd, Gwleidydd,* (Plaid Cymru, 1954), t. 35.

[236] D. J.Williams, 'The price of national servility. Reveries of an absentee Nationalist', *Welsh Nation*, Rhagfyr 1963, t. 3. Gweler hefyd *The Western Telegraph*, 17 Hydref 1963, t. 7.

[237] D.J. Williams, 'The Danger of "Extreme Nationalism"', *County Echo*, 28 Gorffennaf 1949, t. 3.

[238] D.J. Williams, 'Wales – its politics and no politics', *The Welsh Outlook* IX, Mawrth 1922, tt. 68–70.

[239] D.J. Williams, 'Negeseuau arbennig y tri', *Y Ddraig Goch*, Medi 1937, t. 8.

[240] Hywel Teifi Edwards, *Codi'r Hen Wlad yn ei Hôl*, Gwasg Gomer, 1989, t.145.

[241] Ibid.

[242] Ibid., t. 149.

[243] Ibid., t. 167.

[244] D.J. Williams, 'Anfarwoldeb Cenedl', *Y Ddraig Goch*, (Gorffennaf 1926), tt. 3–4.

[245] D.J. Williams, 'Compulsory Welsh for Matriculation', *The Welsh Outlook* XII, (Mai 1925), tt. 128–30.

[246] M. Islwyn Lake, 'D.J. Williams', *Y Traethodydd*, 1970, tt. 143–8.

[247] D.J. Williams, 'A.E. – Y Proffwyd Ymarferol', *BAC*, 18 Tachwedd 1926, t. 5.

[248] D.J. Williams, 'Moesymgrymu Cymru allan o fodolaeth', *Y Ddraig Goch*, Rhagfyr 1927, t. 4.

[249] D.J. Williams, 'Neges Shirgâr at Shirgarwyr', *BAC*, 25 Mai 1955, t. 3.

[250] D.J. Williams, 'Llyw ac Angor Cenedl', *BAC*, 19 Mehefin 1946, t. 5.

[251] D.J. Williams, 'Y Ddau Genedlaetholdeb yng Nghymru', yn J. Gwyn Griffiths (gol.), *Y Gaseg Ddu a Gweithiau Eraill*, tt. 121–9. Hefyd gweler *Y Llenor* XXIII, 1944, tt. 72–80.

[252] D.J. Williams, 'Peiriant addysg Cymru: Ystrydebau'r Olwyn Sbâr', *Yr Efrydydd* II, Mawrth 1937, tt. 8–16.

[253] M. Islwyn Lake, 'D.J. Williams', *Y Traethodydd*, 1970, tt. 143–8.

[254] Gwynfor Evans, 'Ffydd Wleidyddol' yn J. Gwyn Griffiths (gol.), *D.J. Williams Abergwaun: Cyfrol Deyrnged*, tt. 106–15.

[255] Gweler Waldo Williams, 'Braslun', yn J. Gwyn Griffiths (gol.), *D.J. Williams Abergwaun: Cyfrol Deyrnged*, tt. 11–25.

[256] D.J. Williams, *Mazzini: Cenedlaetholwr, Gweledydd, Gwleidydd*, t. 19.

[257] Ibid., t. 49.

[258] Ibid., t. 53.

[259] Ibid., t. 70.

[260] Ibid., t. 57.

[261] Ibid., t. 93.

[262] Waldo Williams, 'Braslun' yn J. Gwyn Griffiths (gol.), *D.J. Williams Abergwaun: Cyfrol Deyrnged*, tt. 11–25.

[263] LLGC, Dyddiaduron D.J. Williams 1950–1966, 18–19 Gorffennaf 1959. Gweler Rhan 2, t. 255.

[264] D.J. Williams, *Y Bod Cenhedlig*. Cyfieithiad gyda Rhagymadrodd o *The National Being* gan A.E., tt. 33 a 35.

[265] Ibid., t. 27.

[266] Ibid., tt. 49–50.

[267] Ibid., t. 54.

[268] Ibid.

[269] Ibid., t. 63.

[270] Ibid., tt. 65 a 67.

[271] Ibid., t. 69.

[272] Ibid., t. 162.

[273] Ibid., t. 93.

[274] Ibid., t. 156.

[275] Ibid., t. 195.

[276] Ibid., t. 177.

[277] D.J. Williams, 'Gwleidyddiaeth a Bywyd Cenedl: Gogoniannau Rhyddfrydiaeth yn y Gorffennol', *Y Ddraig Goch*, Medi 1927, t. 4.

[278] D.J. Williams, 'The price of national servility. Reveries of an absentee Nationalist', *Welsh Nation*, Rhagfyr 1963, t. 3. Gweler hefyd *The Western Telegraph*, 17 Hydref 1963, t. 7.

[279] D.J. Williams, 'Welsh day in Parliament', *Western Mail*, 25 Chwefror 1954, t. 8.

[280] D.J. Williams, 'Gwleidyddiaeth a Bywyd Cenedl: Cwestiwn rhyddid dinesig', *Y Ddraig Goch*, Hydref 1927, tt. 3 a 7.

[281] D.J. Williams, 'Peiriant addysg Cymru: Ystrydebau'r Olwyn Sbâr', *Yr Efrydydd* II, Mawrth 1937, tt. 8–16.

[282] D.J. Williams, 'Wales and her destiny. A plea for a school of "Rebels". Subservience or real partnership', *South Wales News,* 18 Mehefin 1924, t. 5.

[283] D.J. Williams, 'The price of national servility. Reveries of an absentee Nationalist', *Welsh Nation*, Rhagfyr 1963, t. 3. Gweler hefyd *The Western Telegraph*, 17 Hydref 1963, t. 7.

[284] D.J. Williams, 'The wrong way of doing the right things. Action of Fishguard Chamber of Trade condemned', *Western Telegraph*, 21 Mai 1959, t. 8.

[285] D.J. Williams, 'Legalised murder of a nation', *Welsh Nation*, Ebrill 1958, t. 6.

[286] D.J. Williams, 'English oratory and Welsh Nationalism at Fishguard', *Welsh Nation*, 10 Tachwedd 1956, t. 4.

[287] D.J. Williams, 'Legalised murder of a nation', *Welsh Nation*, Ebrill 1958, t. 6.

[288] Ibid.

[289] D.J. Williams, 'Forestry in Wales', *Western Mail*, 18 Medi 1948, t. 3.

Brwydrodd D.J. yn galed yn erbyn y Comisiwn Coedwigaeth, a gwrthododd werthu Pen-rhiw, yr Hen Dŷ Ffarm, i'r Llywodraeth. Un arall o blant y fro a fu'n mynegi ei wrthwynebiad i goedwigaeth yn ardal Rhydcymerau oedd Gwenallt. Gweler ei gerdd 'Rhydcymerau' yn ei gyfrol *Eples* (Gwasg Gomer, 1951), tt. 20–1. Am grynodeb byr o fanylion am Gwenallt (David James Jones 1899–1968) gweler *Cydymaith i Lenyddiaeth Cymru*, t. 307.

290 D.J. Williams, 'Wales and the Imperialist parties', *County Echo*, 2 Medi 1965, t. 2.

291 D.J. Williams, 'Dr Moger and Welsh hospitality', *The Welsh Nationalist*, Awst 1948, t. 3. Ffoadur Llydewig oedd Dr Moger (Mojer). Llys enw yw Mojer. Ei enw cywir yw Yann Fouéré. Bu'n ddarlithydd yn Abertawe am gyfnod ym mhedwardegau'r ugeinfed ganrif. Gorfodwyd ef i ffoi i Iwerddon rywbryd yn ystod 1947–8. Cofnodir peth o'i hanes mewn sgwrs a fu rhwng Dr Gwenno Sven-Myer a'i hewythr ac a recordiwyd ganddi. Cofnodir y sgwrs mewn adysgrif: *Die Deutsche Keltologie und ihre Berliner Gelehrten bis 1945*, Sonderdruck (1999).

292 D.J. Williams, 'Legalised murder of a nation', *Welsh Nation*, Ebrill 1958, t. 6.

293 D.J. Williams, 'The two patriotisms: A reply to Mr J. O. Richards', *County Echo*, 21 Tachwedd 1946, t. 5.

294 D.J. Williams, 'English evacuees in Welsh areas: A parallel in politics', *The Welsh Nationalist*, Ionawr 1940, t. 4.

295 D.J. Williams, 'Llewelyn yn ail alw', *Y Ddraig Goch*, Ionawr-Chwefror 1957, t. 5.

296 D.J. Williams, 'Major Gwilym Lloyd George M.P. and conscription', *County Echo*, 25 Mai 1938, t. 3. Ail fab y Prif Weinidog David Lloyd George oedd Gwilym Lloyd George (1894–1967). Ganwyd yng Nghricieth ac addysgwyd yng Ngholeg Iesu, Caergrawnt. Esgynnodd i safle *Major* yn y fyddin. Bu'n Aelod Seneddol Rhyddfrydol dros Sir Benfro o 1922 i 1924 ac eto o 1929 i 1950. O 1951 i 1957 bu'n Aelod Seneddol Rhyddfrydol a Cheidwadol dros Ogledd Newcastle-on-Tyne. Daliodd amryw o swyddi yn y Llywodraeth rhwng 1931 a 1957. O 1954 hyd 1957 bu'n Ysgrifennydd Cartref ac yn Weinidog dros Faterion Cymreig. Fe'i dyrchafwyd i Dŷ'r Arglwyddi yn 1957. Ym marn D.J. a llawer o'i gyfoedion cafodd ei swyddi yn sgil pwysigrwydd ei dad gan nad oedd wedi etifeddu dawn wleidyddol ei dad.

297 D.J. Williams, 'Questions and answers at political meetings: Mr James Griffiths at Fishguard', *County Echo*, 26 Medi 1946, t. 9. James Griffiths (1890–1975) oedd Aelod Seneddol Llafur, Llanelli rhwng 1936 a 1966. Ef oedd Ysgrifennydd Gwladol cyntaf Cymru a deiliad y swydd rhwng 1964 a 1966.

298 D.J. Williams, 'Welsh Socialists and the "Wicked Tories"', *Western Telegraph*, 18 Mai 1959, t. 3.

299 D.J. Williams, 'Mr Donnelly and Wales', *Welsh Nation*, Mai 1964, t. 2. (1920–74). Bu Desmond Louis Donnelly yn Aelod Seneddol Sir Benfro o 1950 i 1970. Roedd yn casáu Undeb Sofietaidd Rwsia ac yn wrthwynebydd brwd i'r Ymgyrch dros Ddiarfogi Niwclear. Bu'n feirniadol iawn o Lywodraeth Lafur 1964 ac fe'i diarddelwyd am wrthod y chwip. Yn 1967 sefydlodd yr United Democratic Party. Collwyd y pum sedd a ymladdwyd ganddynt yn cynnwys sedd Donnelly ei hunan yn Sir Benfro. Ymunodd â'r Ceidwadwyr yn 1971. Yn ystod misoedd olaf ei fywyd dioddefodd o iselder ac fe'i cafwyd yn farw ar 4 Ebrill 1974. Ymhlith ei weithiau mae *The March Wind* (1959) a *Struggle for the World* (London: Collins, 1965).

300 D.J. Williams, 'Chicken Run Economy', *Western Telegraph*, 25 Mai 1967, t. 9.

301 D.J. Williams, 'Mr Donnelly – The Prophet of Wales', *Western Telegraph*, 12 Mai 1960, t. 8.

302 D.J. Williams, 'Mr Donnelly and Wales', *Welsh Nation*, Mai 1964, t. 2.

303 D.J. Williams, 'Mr Donnelly and his three Welsh bogies', *County Echo*, 27 Gorffennaf 1967, t. 3. Y *Welsh Bogies* sy'n poeni Mr Donnelly yw economi bitw Cymru, cenedlaetholdeb Cymru ac annibyniaeth neu *separatism*.

304 D.J. Williams, 'Boycott of Welsh Home Rule Conference', *County Echo*, 13 Ebrill 1950, t. 3.

305 Ibid. Yr Arglwydd Goronwy Roberts (1913–81). Ef oedd Aelod Seneddol Caernarfon o 1945 i 1974. Bu'n aelod brwd o'r Ymgyrch Senedd i Gymru ym 50au'r ugeinfed ganrif a chyflwynodd ei ddeiseb i Dŷ'r Cyffredin yn 1956. Yn 1964 yn sgil sefydlu'r Swyddfa Gymreig fe'i hapwyntiwyd yn un o'i gweinidogion. Ar ôl iddo golli ei sedd yng Nghaernarfon yn 1974 fe'i dyrchafwyd i Dŷ'r Arglwyddi. Er iddo gefnogi'r Ymgyrch Senedd i Gymru bu'n ddigon llywaeth ei sêl dros Gymru i fod yn aelod derbyniol o'r Blaid Lafur Brydeinig a Thŷ'r Arglwyddi.

306 Ibid. Clement Richard Attlee (1883–1967). Arweinydd Plaid Lafur Prydain rhwng 1935 a 1955 a Phrif Weinidog Prydain rhwng 1945 a 1951. Ef oedd yr arweinydd pan newidiwyd yr Ymerodraeth Brydeinig i'r Gymanwlad o Genhedloedd. Rhoddwyd annibyniaeth y tu mewn i'r Gymanwlad i India a sefydlwyd Pacistan yn genedl. Rhoddwyd annibyniaeth i Burma, Ceylon, Yr Aifft a Phalesteina pan sefydlwyd cenedl Israel. Er hyn oll ni ddychmygwyd cynnig annibyniaeth i Gymru gan na fynnai'r Cymry ryddid i'w gwlad.

307 Ibid.

308 *YChHO*, t. 162.

309 LlGC, Dyddiaduron D.J.Williams 1950–1966, 1 Ionawr 1956.

[310] D.J. Williams, 'Y Blaid i ymladd yn sir Benfro: arwyddocâd ymgeisyddiaeth Waldo Williams', *Y Ddraig* Goch, Medi 1959, t. 1. Roderic Bowen oedd Aelod Seneddol Ceredigion dros y Rhyddfrydwyr o 1945 i 1966.

[311] D.J. Williams, 'The wrong way of doing the right things. Action of the Fishguard Chamber of Trade condemned', *Western Telegraph*, 21 Mai 1959, t.8.

[312] D.J. Williams, 'Wales and its M.P.s', *Western Mail*, 14 Gorffennaf 1953, t. 6.

[313] D.J. Williams, 'Y Ddau Genedlaetholdeb yng Nghymru', *Y Llenor* XXIII, 1944, tt. 72–80.

[314] D.J. Williams, 'Gwleidyddiaeth a Bywyd Cenedl: Cwestiwn rhyddid dinesig', *Y Ddraig Goch*, Hydref 1927, tt. 3 a 7.

[315] D.J. Williams, 'Gair at bwyllgorwyr addysg Sir Gâr', *Y Cymro*, 23 Gorffennaf 1969, t. 7.

[316] D.J. Williams, 'Pwyllgor Addysg Shir Gâr. Llythyr gan un o blant y Sir', *BAC*, 1 Rhagfyr 1945, t. 3.

[317] LlGC, Dyddiaduron D.J. Williams 1950–1966, 26 Chwefror 1952.

[318] D.J. Williams, 'Bywyd y wlad – tynnu hufen', *Yr Efrydydd* VIII, 1932, tt. 150–5.

[319] D.J. Williams, 'Beth sy'n bod ar yr Hen Gorff?', *BAC*, 15 Ionawr 1941, t. 8.

[320] LlGC, Dyddiaduron D.J. Williams 1950–1966, 4 Awst 1959. Gweler hefyd D.J. Williams, 'H.R. a thraddodiad Plaid Cymru: cip ar y dechreuadau', *Y Ddraig Goch*, Mehefin 1951, t. 3.

[321] D.J. Williams, 'Mr Bosworth Monck criticised; parable of the goose and the gander', *County Echo*, 8 Mai 1947, t. 5.

[322] D.J. Williams, 'How Wales is governed', *Cardigan and Tivy-side Advertiser*, 5 Ionawr 1950, t. 7.

[323] D.J. Williams, 'An open letter to the Fishguard and Goodwick Urban Council', *County Echo*, 14 Tachwedd 1946, t. 5.

[324] D.J. Williams, 'Llyw ac Angor Cenedl', *BAC*, 19 Mehefin 1946, t. 5.

[325] D.J. Williams, 'Wales – its politics and no politics', *The Welsh Outlook* IX, Mawrth 1922, tt. 68–70.

[326] D.J. Williams, 'A friendly word to our friend Agricola', *County Echo*, 15 Mai 1958, t. 6. Colofnydd yn y *County Echo* yw Agricola.

[327] LLGC, Dyddiadur D.J. Williams 1941–1951, 24 Medi 1943. Gweler Rhan 2, tt. 206–7.

[328] Kate Roberts, 'D.J. Williams, y Cymro Mawr', *BAC*, 15 Ionawr 1970, t. 1.

[329] LlGC, Dyddiaduron D.J. Williams 1950–1966, 8 Hydref 1959.

[330] Lewis Valentine, 'Apostol Paul y Blaid', *BAC*, 15 Ionawr 1970, t. 1.

[331] J. E. Jones, 'Y gweithiwr gwleidyddol' yn J. Gwyn Griffiths (gol.), *D.J. Williams Abergwaun: Cyfrol Deyrnged*, tt. 36–46.

[332] LlGC, Dyddiaduron D.J. Williams 1950–1966, 15 Awst 1959.

[333] LlGC, Dyddiadur D.J. Williams 1941–1951, 17 Mehefin 1947.

[334] Kate Roberts, 'D.J. Williams, y Cymro Mawr', *BAC*, 15 Ionawr 1970, t. 1.

[335] Llythyr oddi wrth D.J. Williams, 22 Medi 1936. Gweler Emyr Hywel (gol.), *Annwyl D.J.*, llythyr 41, t. 90.

[336] LlGC, Dyddiaduron D.J. Williams 1950–1966, 1–2 Ionawr 1966. Gwynfor Evans, Llywydd Plaid Cymru ar y pryd, oedd y cyntaf i gael gwybod am fwriad D.J. i gyflwyno arian gwerthiant Pen-rhiw i goffrau'r Blaid.

[337] D.J. Williams, 'Gwleidyddiaeth Barn', *BAC*, 14 Mawrth 1963, t. 7. Sefydlodd Alun Talfan Davies gwmni cyhoeddi Llyfrau'r Dryw (adwaenir bellach fel Gwasg Christopher Davies) gyda'i frawd, y llenor Aneirin Talfan Davies. Llyfrau'r Dryw a gychwynnodd y cylchgrawn *Barn*.

[338] D.J. Williams, 'Dyfroedd Mara a Ffynhonnau Elim', *BAC*, 19 Tachwedd 1963, t. 3. Yr hanesydd Frank Price Jones (1920–75) a chefnder Iorwerth C. Peate oedd y colofnydd a ysgrifenasai golofn Daniel yn *Y Faner* rhwng 1956 a 1970. Bu'n ddarlithydd Hanes Cymru yn Adran Efrydiau Allanol Prifysgol Bangor am gyfnod. Gweler *Cydymaith i Lenyddiaeth Cymru*, t. 311.

[339] D.J. Williams, 'Chicken Run Economy', *Western Telegraph*, 25 Mai 1967, t. 9.

[340] D.J. Williams, 'Safle Dominiwn i Gymru. Dadl rhwng Dau Lenor', *BAC*, 16 Mai 1945, t. 3. Iorwerth Cyfeiliog Peate (1901–82). Bardd ac ysgolhaig a churadur cyntaf Amgueddfa Werin Sain Ffagan a sefydlwyd ar ôl yr Ail Ryfel Byd. Daliodd y swydd tan ei ymddeoliad yn 1971.

[341] LlGC, Dyddiaduron D.J. Williams 1950–1966, 9–10 Chwefror 1966.

[342] Ibid., 1 Awst 1956. Bu Teifryn Michael yn drefnydd Ymarfer Corff yn Sir Benfro yn 60au a 70au'r ugeinfed ganrif.

[343] Ibid., 29–30 Awst 1959.

[344] Ibid., 28–29 Mawrth 1961 ac 1–2 Ebrill 1961.

[345] Waldo Williams, 'Braslun' yn John Gwyn Griffiths (gol.), *D.J. Williams Abergwaun: Cyfrol Deyrnged*, tt. 11–25.

[346] LlGC, Dyddiaduron D.J. Williams 1950–1966, 15–19 Medi 1961.

[347] Ibid., 19–23 Mehefin 1962.

[348] Ibid.

[349] Ibid., 27 Mehefin–1 Gorffennaf 1963. Gweler Rhan 2. t. 264–5.

[350] D.J. Williams, 'Welsh Economics and English Politics', *The Welsh*

Nationalist, Medi 1946, t. 1.

351 LlGC, Casgliad D.J. Williams. Llythyr oddi wrth Lewis Valentine, 14 Mawrth 1946.

352 LlGC, Casgliad Lewis Valentine. Llythyr oddi wrth D.J. Williams, 24 Hydref 1949.

353 Ibid., 18 Rhagfyr 1963. Huw Thomas Edwards (1892–1970). Bu'n gadeirydd y Cyngor dros Gymru ond ymddiswyddodd oherwydd mai pwyllgor diddannedd ydoedd yn ei farn ef. Un o ddwy gyfrol hunangofiannol Huw T. Edwards yw *Troi'r Drol* (1963), cyfieithiad o *It was my Privilege* (1962) ac ynddi y mae'n amau polisi Plaid Cymru o ymladd pob sedd yng Nghymru adeg etholiad cyffredinol. Cyhoeddwyd *Hewn from the Rock*, sef rhan gyntaf ei hunangofiant yn 1956. Cyhoeddwyd cyfieithiad ohoni, *Tros y Tresi*, yn 1967.

354 Llythyr oddi wrth D.J. Williams, 28 Tachwedd 1964. Gweler Emyr Hywel (gol.), *Annwyl D.J.*, llythyr 176, tt. 282–4.

355 LlGC, Dyddiaduron D.J. Williams 1950–1966, 20–22 Rhagfyr 1965. Islwyn Ffowc Elis (1924 –2004). Nofelydd, gweinidog gyda'r Methodistiaid a darlithydd. Bu'n ymgeisydd Plaid Cymru mewn isetholiad ym Meirion yn 1962 ac etholiad cyffredinol yn 1964. Gweler hefyd T. Robin Chapman, *Rhywfaint o Anfarwoldeb: Bywgraffiad Islwyn Ffowc Elis* (Gwasg Gomer, 2003). Yn y bennod 'Plygu heb Dorri' dyfynnir yn helaeth o lythyr yr anfonodd Islwyn Ffowc Elis at Gwynfor Evans ym mis Ebrill 1963. Ei awgrym yn y llythyr hwnnw oedd ymatal yn llwyr rhag ymladd etholiadau seneddol a chanolbwyntio ar y cynghorau lleol. Gellid ymhen deng mlynedd ailafael yn y brwydro ar wastad Prydeinig pe bai angen hynny.

356 LlGC, Dyddiadur D.J. Williams 1941–1951, 19 Ebrill 1944.

357 Llythyr oddi wrth D.J. Williams, 6 Ebrill 1959. Gweler Emyr Hywel (gol.), *Annwyl D.J.*, llythyr 147, tt. 239–41.

358 *Y Faner*, 6 Mawrth 1959. Mae'n anodd derbyn amddiffyniad D.J. Williams o lwfrdra Plaid Cymru ar fater Tryweryn. Byddai gwrthdystio di-drais wedi bod yn opsiwn radical i'r Blaid.

359 LlGC, Dyddiaduron D.J. Williams 1950–1966, 3 Ebrill 1959.

360 Llythyr oddi wrth Saunders Lewis, 30 Mawrth 1924. Gweler Emyr Hywel (gol.), *Annwyl D.J.*, llythyr 3, tt. 43–5. Mae'r llythyr hwn ynghyd â llythyr cynharach dyddiedig 7 Chwefror 1924, gweler llythyr 1, t. 42, yn dangos bod D.J. ymhlith y cynharaf o aelodau'r Blaid ac yn profi bod yr honiad gan rai o'i gydnabod, iddo fod yn hwyrfrydig i ymuno â'r Blaid Genedlaethol newydd, yn gyfeiliornus.

361 Ibid. (dim dyddiad). Gweler Emyr Hywel (gol.), *Annwyl D.J.*, llythyr 47, t. 96. Anfonwyd y llythyr hwn at D.J. rywbryd ym mis Rhagfyr 1936. Nid yw llythyr canmoliaethus D.J. y mae Saunders Lewis yn ymateb iddo wedi ei gadw.

[362] Ibid., 17 Hydref 1954. Gweler Emyr Hywel (gol.), *Annwyl D.J.*, llythyr 118, tt. 194–5.

[363] LlGC, Casgliad Lewis Valentine. Llythyr oddi wrth D.J. Williams, 6 Ionawr 1958. W. J. Gruffydd (1881–1954). Er ei fod yn aelod blaenllaw o Blaid Cymru penderfynodd sefyll yn enw'r Rhyddfrydwyr yn erbyn Saunders Lewis mewn is-etholiad am sedd seneddol Prifysgol Cymru yn 1943. Daliodd y sedd honno tan 1950 pan ddiddymwyd cynrychiolaeth seneddol y Prifysgolion. Am fwy o wybodaeth am William John Gruffydd gweler *Cydymaith i Lenyddiaeth Cymru*, tt. 237–8.

[364] Llythyr oddi wrth Saunders Lewis, 29 Gorffennaf 1959. Gweler Emyr Hywel (gol.), *Annwyl D.J.*, llythyr 148, tt. 241–2. Mae O. M. Roberts yn dweud iddo drafod â Saunders Lewis, yn ddiweddarach, obaith rhai cenedlaetholwyr yn gynnar yn yr ugeinfed ganrif o efelychu brwydr arfog y Gwyddelod. Dywed i Saunders Lewis ddweud 'Nid Gwyddel ydi'r Cymro'. Mae'n siŵr iddo gredu y byddai Cymru, oherwydd diffyg sêl a llwfrdra ei phobl, yn diflannu. Gweler O. M. Roberts, *Oddeutu'r Tân,* Cyfres y Cewri 12 (Gwasg Gwynedd, 1994), t. 36.

[365] Llythyr oddi wrth D.J. Williams, 18 Ionawr 1962. Gweler Emyr Hywel (gol.), *Annwyl D.J.*, llythyr 165, tt. 264–6. Pan ddarllenodd D.J. y ddarlith 'Radio Tynged yr Iaith' dywed yn ei ddyddiadur, 13–15 Chwefror 1962, ei fod yn amheus o'i meddyginiaeth i Gymru. Dengys hyn ei ansicrwydd ynglŷn â gweithredu grymus. Ar ôl clywed Saunders Lewis yn ei thraddodi diflanna'r amheuon. Gweler Rhan 2, t. 260.

[366] LLGC, Dyddiaduron D.J. Williams 1950–1966, 1–5 Ionawr 1963, gweler Rhan 2, tt. 261–2.

[367] Saunders Lewis, 'Hunan-lywodraeth i Gymru', *Barn*, Hydref 1968, t. 314. Yn yr erthygl hon y mae Saunders Lewis yn cofnodi mai ei gyfieithiad ef o ddogfen a ddarparwyd gan Blaid Cymru yn Saesneg yw'r dyfyniadau o bwyntiau polisi Plaid Cymru a gynhwyswyd yn ei erthygl.

[368] Llythyr oddi wrth Saunders Lewis, 8 Hydref 1966. Gweler Emyr Hywel (gol.), *Annwyl D.J.*, llythyr 193, tt. 303–4.

[369] Saunders Lewis, 'Hunan-lywodraeth i Gymru', *Barn*, Hydref 1968, t. 314.

[370] LLGC, Casgliad Lewis Valentine. Llythyr oddi wrth D.J. Williams, 16 Medi 1968. Nid yw'r dyddiad ar y llythyr hwn yn gywir. Cyhoeddwyd erthygl Saunders Lewis yn rhifyn mis Hydref o *Barn.*

[371] D.J. Williams, 'Welsh Economics and English Politics', *The Welsh Nationalist*, Medi 1946.

[372] D.J. Williams, 'A challenge to the London Parties in Wales', *County Echo*, 10 Medi 1964.

[373] LlGC, Dyddiaduron D.J. Williams 1950–1966, 6 Medi 1966. Nid yw'r llythyr yr honna D.J. iddo'i anfon at Saunders Lewis wedi ei gadw. Daw'r dyfyniad o'r gerdd 'Cymru Rydd' gan Syr John Morris–Jones. Gweler

John Morris-Jones, *Caniadau John Morris-Jones* (Rhydychen: Fox, Jones & Co., 1907), t. 2. Y dyfyniad cywir yw: 'A dyfod y mae'r dydd/ Pan na bydd trais i'w nychu,/ Nac anwar i'w bradychu.'

[374] D.J. Williams, 'A significant week', *Western Telegraph*, 18 Ebrill 1968.

[375] Llythyr oddi wrth Saunders Lewis, 9 Rhagfyr 1968. Gweler Emyr Hywel (gol.), *Annwyl D.J.*, llythyr 201, t. 311. Yn y llythyr hwn dywed Saunders Lewis mai dim ond gofyn i'r Blaid ddychwelyd at ei pholisïau gwreiddiol a wnaeth mewn erthygl yn *Barn* 'Hunan-lywodraeth i Gymru'. Er nad oes llythyr wedi ei gadw mae'n ymddangos bod D.J. wedi ysgrifennu at Saunders Lewis a chyfeirio at yr erthygl hon er ei fod wedi dweud wrth Lewis Valentine mewn llythyr dyddiedig 16 Medi nad oedd wedi cysylltu â Saunders ynglŷn â'r erthygl.

Nodiadau Pennod 5

[376] Ail nodyn dyddiadurol D. J.Williams dyddiedig 16 Medi 1914. Gweler Rhan 2, tt. 192–3.

[377] Yr oedd D.J. wedi cyhoeddi erthyglau gwleidyddol eu naws yn *Y Wawr* – 'Y Brifysgol a Chymru Fydd' a 'Ysbryd yr oes a'r ddrama' yn 1914 a 'Prifysgol bara a chaws' yn 1915.

[378] Cyhoeddwyd 'Hen Gleddyf y Teulu', yr ail stori fer iddo'i llunio, yn ôl ei gyfaddefiad ei hun, gweler t. 72 *YChHO*, yn *Cymru* ym mis Rhagfyr 1914. Nid ymddengys iddo gyhoeddi'r stori fer gyntaf iddo ei llunio.

[379] D.J. Williams, 'Ymgom â Saunders Lewis', yn Saunders Lewis (gol.), *Crefft y Stori Fer* (Y Clwb Llyfrau Cymraeg 1949), tt. 22–35.

[380] Defnyddiwyd y teitl 'Y Llenor Ymrwymedig' gan R. M. Jones yn ei gyfraniad i *gyfrol deyrnged* D.J. Williams.

[381] Hywel Teifi Edwards, *O'r Pentre Gwyn i Gwmderi* (Gwasg Gomer, 2004), t. 146.

[382] Gweler rhagymadrodd J. Gwyn Griffiths, xiv, yn J. Gwyn Griffiths (gol.), *Y Gaseg Ddu a Gweithiau Eraill* (Gwasg Gomer, 1970).

[383] D.J. Williams, 'Mari Morgan' yn J. Gwyn Griffiths (gol.), *Y Gaseg Ddu a Gweithiau Eraill*, t. 29.

[384] D.J. Williams, 'Ymgom â Saunders Lewis' yn Saunders Lewis (gol.), *Crefft y Stori Fer*, tt. 22–35.

[385] R. M. Jones, *Beirniadaeth Gyfansawdd* (Cyhoeddiadau Barddas, 2003), t. 65.

[386] *Hen Wynebau*, t. 21.

[387] Hywel Teifi Edwards, *O'r Pentre Gwyn i Gwmderi*, tt. 145–7.

[388] Llythyr oddi wrth Saunders Lewis, 20 Tachwedd 1934. Gweler Emyr Hywel (gol.), *Annwyl D.J.* (Y Lolfa, 2007), llythyr 32, tt. 77–8.

389 Saunders Lewis, 'Arddull', yn J. Gwyn Griffiths (gol.), *D.J. Williams Abergwaun: Cyfrol Deyrnged* (Gwasg Gomer, 1965), tt. 127–30.

390 Ibid.

391 Pennar Davies, 'Hen Wynebau a Storïau'r Tir Glas' yn J. Gwyn Griffiths (gol.), *D.J . Williams Abergwaun: Cyfrol Deyrnged*, t. 69.

392 *Hen Wynebau*, t. 30–1.

393 D.J. Williams, 'Yr Hers', *Storïau'r Tir Glas*, (Gwasg Aberystwyth , 1936), t. 23.

394 D.J. Williams, 'Yr Eunuch', *Storïau'r Tir Coch*, (Gwasg Aberystwyth, 1941), t. 19.

395 Ibid., 'Pwll yr Onnen', t. 1.

396 Ibid., t. 5.

397 Kate Roberts, 'Cymdeithas bro a'r storïwr' yn J. Gwyn Griffiths (gol.), *D.J. Williams Abergwaun: Cyfrol Deyrnged*, tt. 131–7.

398 D.J. Williams, 'Blewyn o Ddybaco', *Storïau'r Tir Glas*, t. 9.

399 Gweler Hywel Teifi Edwards, *O'r Pentre Gwyn i Gwmderi*, am ymdriniaeth o ddelwedd y 'pentre gwyn' yng ngweithiau O. M. Edwards ac Anthropos ac eraill a'r ymosodiad arno gan Caradoc Evans.

400 Gweler LlGC, Dyddiaduron D.J. Williams 1950–1966, 21 Awst 1957.

401 D.J. Williams, 'Ymgom â Saunders Lewis' yn Saunders Lewis (gol.), *Crefft y Stori Fer* tt. 22–35.

402 LLGC, Dyddiadur D.J. Williams 1941–1951, 23 Mehefin 1951. Gweler Rhan 2, tt. 234-42.

403 D.J. Williams, 'Y Gorlan Glyd', *Storïau'r Tir Du*, (Gwasg Gomer, 1949), t. 29. Gellir dadlau mai profiadau D.J. yn ymladd â'i weinidogion a'i gyd-aelodau yng nghapel Pentowr yw'r hyn a'i sbardunodd i ysgrifennu 'Y Gorlan Glyd'.

404 D.J. Williams, 'Colbo Jones yn Ymuno â'r Fyddin', *Storïau'r Tir Du*, tt. 70–1.

405 Ibid., 'Ceinwen', t. 92.

406 Ibid., t. 94.

407 J. Gwyn Griffiths, 'D.J. Williams Abergwaun: teyrnged i'r llenor', *Y Genhinen* XX, tt. 57–61.

408 J. Gwyn Griffiths, 'Storïau'r Tir Coch a Storïau'r Tir Du' yn J. Gwyn Griffiths (gol.), *D.J. Williams Abergwaun: Cyfrol Deyrnged*, tt. 74–93.

409 J. Gwyn Griffiths, 'Earth green and red', yn Keidrych Rhys (gol.), *Wales*, iv/5, tt. 20–3.

410 W. J. Gruffydd, 'Adolygiad ar Storïau'r Tir Coch D.J. Williams', *Y Llenor*, Cyfrol XXI, 4 (Gaeaf 1942) tt. 155–6.

411 Llythyr oddi wrth Saunders Lewis, 15 Ionawr 1950. Gweler Emyr Hywel (gol.), *Annwyl D. J.*, llythyr 100, t. 174.

412 Mynegodd Saunders Lewis ei atgasedd tuag at gymeriadau gwlanennaidd D.J. ar sawl achlysur. Gweler Saunders Lewis, 'Dail Dyddiadur' [yn cynnwys adolygiad ar *Storïau'r Tir Du*], *Y Faner*, Rhagfyr 1950, t. 8. Gweler hefyd Saunders Lewis, 'D.J. Williams', yn Gwynn ap Gwilym (gol.), *Meistri a'u Crefft: ysgrifau llenyddol Saunders Lewis* (GPC, 1981), tt. 28–36. Gweler yn ogystal lythyr oddi wrth Saunders Lewis, Noswyl Nadolig 1966, yn Emyr Hywel (gol.), *Annwyl D. J.*, llythyr 194, t. 304. Cyfeiriad at y stori 'Dros y Bryniau Tywyll Niwlog' a geir yma. Yn amlwg nid yw portread D.J. o Williams Pantycelyn wrth fodd Saunders Lewis.

Mynegodd Kate Roberts hefyd amheuaeth ynglŷn â gwerth rhai o storïau y gyfrol *Storïau'r Tir Du*. Meddai mewn ymateb i gais D.J. iddi adolygu'r llyfr, 'Bûm yn meddwl am eich gwaith yn ei gyfanrwydd a deuthum i'r casgliad mai'r storïau hapus yw eich storïau gorau chwi.' Gweler Emyr Hywel (gol.), *Annwyl D. J.*, llythyr 102, tt. 176–7. Ategwyd ei hamheuaeth ganddi mewn adolygiad yn ddiweddarach gweler Kate Roberts, 'Cymdeithas bro a'r storïwr' yn J. Gwyn Griffiths (gol.), *D .J .Williams Abergwaun: Cyfrol Deyrnged*, tt. 131–7.

413 Saunders Lewis, 'D.J. Williams', yn Gwynn ap Gwilym (gol.), *Meistri a'u Crefft*, tt. 28–36.

414 *HDFf,* tt. 40–1.

415 Bobi Jones, 'Rhyddiaith wedi'r rhyfel: D.J. Williams', *Barn*, Ionawr 1968, tt. 65–7.

416 LlGC, Dyddiaduron D.J. Williams 1950–1966, 22 Ionawr 1954. Gweler hefyd adolygiad Kate Roberts yn 'Cwrs y Byd', *BAC*, 20 Ionawr 1954, t. 8 (ysgrif ar *Hen Dŷ Ffarm*). Gweler hefyd Hywel Teifi Edwards, *O'r Pentre Gwyn i Gwmderi* tt. 149–50, am sylwadau ar ymdriniaeth D.J. o Nwncwl Jams. Meddai Hywel Teifi Edwards, 'Diolched Nwncwl Jams mai "D.J." a fu'n ei drin … Buasai'n gymeriad tipyn llai apelgar pe cawsai Caradoc Evans afael arno.'

417 Waldo Williams, 'Yn Chwech ar Hugain Oed', *Y Genhinen,* X, tt. 245–8.

418 *YChHO*, t. 97.

419 Ibid., t. 228.

420 Llythyr oddi wrth Saunders Lewis, 13 Rhagfyr 1959. Gweler hefyd Emyr Hywel (gol.), *Annwyl D. J.*, llythyr 151, tt. 246–7.

421 *YChHO*, t. 141.

422 Bedwyr Lewis Jones, 'Darlunio Cymdeithas yr Hen Ardal', *Barn*, Chwefror 1966, t. 102.

[423] D.J. Williams, 'Yr Artist a'i Oes' yn J. Gwyn Griffiths (gol.), *Y Caseg Ddu a Gweithiau Eraill,* tt. 113–15.

[424] Ibid.

[425] D.J. Williams, 'Beirniadaeth: Nofel yn darlunio'r cyfnewidiadau diweddar ym mywyd Cymru', *Barddoniaeth a Beirniadaethau Eisteddfod Genedlaethol Caerdydd* (1938), tt. 130–4.

[426] D.J. Williams, 'Beirniadaeth: Medal Rhyddiaith', *Cyfansoddiadau a Beirniadaethau Eisteddfod Genedlaethol Llanrwst* (1951), tt. 159–62.

[427] D.J. Williams, 'Adolygiad *O Law i Law*, T. Rowland Hughes', *Yr Efrydydd*, 3edd gyfres, X (Haf 1946), tt. 51–3.

[428] Lewis Valentine, 'Adolygiad *Hen Dŷ Ffarm*', *Seren Gomer*, Gwanwyn 1954, tt. 37–40.

[429] Bedwyr Lewis Jones, 'Darlunio Cymdeithas yr Hen Ardal', *Barn*, Chwefror 1966, t. 102.

[430] Dafydd Jenkins, *D.J. Williams* (University of Wales Press, 1973). tt. 36–7.

[431] Ibid., t. 37.

[432] Ibid.

[433] LlGC, Dyddiaduron D.J. Williams1950–1966, 24 Awst 1965.

[434] Saunders Lewis, 'Arddull' yn J. Gwyn Griffiths (gol.), *D.J. Williams Abergwaun: Cyfrol Deyrnged*, tt. 127–30.

[435] LlGC, Dyddiadur D.J. Williams, 1941–1951 (25 Awst 1948).

[436] Ibid., 10 Hydref 1948.

[437] Ibid., 23 Tachwedd 1948.

[438] Ibid., 16 Mai 1949.

[439] D.J. Williams, 'Adolygiad: Tabyrddau'r Babongo', *Lleufer,* Cyfrol XVIII, 2 (Haf 1962), tt. 96–8. Islwyn Ffowc Elis, *Tabyrddau'r Babongo* (Gwasg Aberystwyth, 1962). Ni theimlai D.J. fod Islwyn Ffowc Elis 'wedi dod at faes cyfoethocaf oll ei briod athrylith'.

[440] D.J. Williams, *HDFf,* t. 9.

[441] T. J. Morgan, 'Yr hunan-gofiannydd' yn J. Gwyn Griffiths (gol.), *D.J. Williams Abergwaun: Cyfrol Deyrnged*, t. 102.

[442] LlGC, Dyddiaduron D.J. Williams 1950–1966, 2 Medi 1965.

[443] Ibid., 15 Ionawr 1959.

[444] Ibid., 6 Chwefror 1959.

[445] Ibid., 11 Chwefror 1959.

[446] J. Gwyn Griffiths, 'D.J. Williams Abergwaun: teyrnged i'r llenor', *Y Genhinen* XX, tt. 57–61.

[447] Saunders Lewis, 'D.J. Williams', *Barn*, Chwefror 1970. Meddai Saunders Lewis, 'Unwaith yn unig, mi dybiaf, y rhoes ef [D.J. Williams] yn ymwybodol gryn dipyn ohono'i hunan mewn cymeriad mewn stori fer, a hynny yn Harri Bach yn "Y Cwpwrdd Tridarn".'

[448] D.J. Williams, 'Y Cwpwrdd Tridarn', Storïau'r Tir Coch, tt. 101–15.

[449] *YChHO*, t. 88.

[450] Ibid., t. 97.

[451] D.J. Williams, 'Beirniadaeth Tair Stori Fer', *Beirniadaethau Eisteddfod Machynlleth* (1937), tt. 293–300.

[452] Ibid.

[453] D.J. Williams, 'Adolygiad *Gŵr y Dolau*, W. Llewelyn Williams', *Y Fflam*, Cyfrol 1, 2 (Calanmai 1947), tt. 63–5.

[454] D.J. Williams, 'Adolygiadau: *Ffair Gaeaf a storïau eraill*, Kate Roberts: *Storïau hen ferch*, Jane Ann Jones', *Heddiw* 3, 8 (Mawrth 1938), tt. 326, 328, 330.

[455] Ellis D. Jones a D.J. Williams, 'Beirniadaeth traethawd: Hanes hen gymeriadau cefn gwlad', *Cyfansoddiadau a Beirniadaethau Eisteddfod Genedlaethol Bae Colwyn* (1947), tt. 129–32.

[456] D.J. Williams, 'Beirniadaeth Stori Fer', *Barddoniaeth a Beirniadaethau Eisteddfod Genedlaethol Dinbych* (1939), tt. 171–6.

[457] D.J. Williams, 'Beirniadaeth: Medal Rhyddiaith', *Cyfansoddiadau a Beirniadaethau Eisteddfod Genedlaethol Llanrwst* (1951), tt. 159–62.

[458] D.J. Williams, 'Beirniadaeth Stori Fer', *Barddoniaeth a Beirniadaethau Eisteddfod Genedlaethol Dinbych* (1939), tt. 171–6. Yn y feirniadaeth hon y mae D.J. Williams yn awgrymu'r canlynol fel erthyglau a llyfrau buddiol i'w darllen gan ysgrifenwyr storïau byrion – i. Tom Parry, 'Beirniadaeth ar y Stori Fer', *Barddoniaeth a Beirniadaethau Eisteddfod Genedlaethol Caerdydd* (1938). ii. E. M. Albright, *The Short Story: Its Principles and Structure* (Macmillan & Co.), iii. A. Ward, *Aspects of the Modern Short Story* (London University Press.)

[459] Ibid.

[460] *YChHO,* t. 21.

[461] Dafydd Jenkins, *D.J. Williams* (University of Wales Press, 1973), t. 46.

[462] LLGC, Dyddiaduron D.J. Williams 1950–1966, 19–20 Chwefror 1957. Gweler Rhan 2, t. 247–8

[463] D.J. Williams, 'Adolygiad: *Yr Etifeddion*', *Y Ddraig Goch*, Mawrth 1957, t. 3. W. Leslie Richards, *Yr Etifeddion*, Gwasg Aberystwyth (1957).

[464] D.J. Williams, 'Adolygiad: Chwaryddion Crwydrol ac Ysgrifau Eraill', *Yr Efrydydd*, 3edd gyfres, X, Haf 1946. tt. 49–51. Ffransis G. Payne, *Chwaryddion Crwydrol ac Ysgrifau Eraill* (Gwasg Aberystwyth: Y Clwb

Llyfrau Cymreig, 1943).

[465] D.J. Williams, 'Adolygiad: O Law i Law', *Yr Efrydydd*, 3edd gyfres, X, Haf 1946. tt. 51–3.

T. Rowland Hughes, *O Law i Law* (Gwasg Gomer, 1943).

[466] D.J. Williams, 'Adolygiadau: *Ffair Gaeaf a storïau eraill*, Kate Roberts: *Storïau hen ferch*, Jane Ann Jones', *Heddiw* 3, Rhif 8, Mawrth 1938, tt.326, 328, 330.

[467] D.J. Williams, 'Adolygiad *Gŵr y Dolau*, W. Llewelyn Williams', *Y Fflam*, Cyfrol 1, 2. Calanmai 1947, tt. 63–5.

[468] D.J. Williams, 'Direidi Ieuenctid', *BAC*, 7 Tachwedd 1963, t. 2. Adolygiad ar: Gwilym R. Jones, *Seirff yn Eden* (Gwasg y March Gwyn, 1963).

[469] LlGC, Dyddiaduron D.J. Williams 1950–1966, 21 Hydref 1963.

[470] LlGC, Dyddiadur D.J. Williams 1941–1951, 31 Mawrth 1941. Yr awdur Eingl-Gymreig T. F. Powys yw Theodore Francis Powys 1875–1953. Gweler ei nofel *Mark Only* (London: Chatto and Windus, 1924).

[471] LLGC, Dyddiadur D.J. Williams 1941–1951, 26 Awst 1945. Mae D.J. yn nodi taw argraffiad Saesneg 'The Traveller's Library' oedd y cyfieithiad o *Madame Bovary* a oedd yn ei feddiant ef. Yn ddiddorol iawn yr oedd D.J. wrthi yn ysgrifennu 'Meca'r Genedl' tra oedd yn darllen *Madame Bovary*. Gellir dadlau bod seicoleg stori D.J. yn feistrolgar ac oherwydd hynny, o bosib, wedi'i grymuso gan ddylanwad nofel Flaubert. Gweler Rhan 2, tt. 215–6, y cofnodion rhwng 22 Awst 1945 a 31 Awst 1945.

[472] Ibid., 31 Awst 1945.

[473] LlGC, Dyddiaduron D.J. Williams 1950–1966, 3 Mehefin 1952. Er mai nifer fach o lythyrau D.J. a gadwyd gan Saunders Lewis gellir bod yn weddol hyderus, oherwydd tystiolaeth eu cynnwys, na chollfarnwyd gwaith Saunders Lewis i'w wyneb gan D. J.

[474] Ibid., 21 Tachwedd 1956. Yn D. Tecwyn Lloyd a Gwilym Rees Hughes (goln.), *Saunders Lewis* (Gwasg Christopher Davies, 1975), cofnodir yr erthygl hon, 'O.M. Edwards', o dan y flwyddyn 1957 yn yr adran Llyfryddiaeth Gwaith Saunders Lewis. Cyhoeddwyd yr erthygl yn Gwynedd Pierce (gol.), *Triwyr Penllyn* (Caerdydd, dim dyddiad).

[475] Ibid., 20 Mai 1959. Methais â dod o hyd i'r stori hon gan na chofnodir enw'r awdur yn y nodyn dyddiadurol.

[476] Ibid., 31 Mawrth 1960. W. Leslie Richards (1916–1989), *Cynffon o Wellt* (Gwasg Gee, 1960).

[477] Ibid., 17 Mehefin 1960. R. Gerallt Jones, *Y Foel Fawr* (Gwasg Gee, 1960).

[478] Ibid., 18 Tachwedd 1960. Kate Roberts, *Y Lôn Wen* (Gwasg Gee, 1960).

[479] Ibid., 19 Chwefror 1963. 1. Friedrich Dürrenmatt (1921–90). Dramäydd a nofelydd ac ysgrifwr Swis–Almaenaidd a ddaeth dan ddylanwad Bertolt

Brecht. Y ddrama a ddarlledwyd ar 19 Chwefror 1963, gweler y *Radio Times*, oedd *Hwyrol Awr yn Niwedd Hydref*, cyfieithiad o'r Almaeneg *Abendstunde im Spätherbst* gan Rhiannon Myrddin Lloyd. Gweler hefyd y *Radio Times* (14 Chwefror 1963), am nodyn hynod ganmoliaethus ar y ddrama hon, a enillodd i Dürrenmatt y Prix d'Italia yn 1957, gan D. Myrddin Lloyd, t. 25. 2. Bertolt Brecht (1898–1956). Bardd a dramäydd o'r Almaen.

480 Llythyr oddi wrth D.J. Williams, 16 Tachwedd 1967. Gweler Emyr Hywel (gol.), *Annwyl D.J.*, llythyr 196, tt. 305–7.

481 Ibid., 18 Ionawr 1931, llythyr 23, t. 68.

482 Ibid., 27 Ebrill 1936, llythyr 38, tt. 84–6.

483 Ibid., 24 Chwefror 1946, llythyr 72, tt. 126–8. W. Ambrose Bebb (1894–1955), *Dial y Tir* (Llyfrau'r Dryw, 1945).

484 Ibid., 15 Tachwedd 1947, llythyr 85, tt. 148–50. Ymddangosodd y stori 'Gofid' gyntaf dan y teitl 'Begw' yn *Y Llinyn Arian* (Aberystwyth, 1947). Dyma'r stori gyntaf yn y gyfrol *Te yn y Grug* – Kate Roberts, *Te yn y Grug* (Gwasg Gee, 1959). Gweler hefyd Dafydd Ifans (gol.), *Annwyl Kate, Annwyl Saunders* (LlGC, 1992), t. 94.

485 Ibid., 31 Mai 1949, llythyr 99, tt. 171–2.

486 Ibid., 27 Rhagfyr 1955, llythyr 129, tt. 210–12.

487 Ibid., 6 Ebrill 1959, llythyr 147, tt. 239–41.

488 LlGC, Dyddiaduron D.J. Williams 1950–1966, 9 Mehefin 1958.

489 G. J. Williams, 'Adolygiad: Hen Dŷ Ffarm', *Western Mail*, 16 Rhagfyr 1953, t. 3.

490 Dienw, 'An Old Farmhouse', *Western Telegraph*, 10 Rhagfyr 1953, t. 5. Gellir bod yn weddol ffyddiog mai Waldo Williams yw awdur yr adolygiad hwn oherwydd cofnododd D.J. Williams yn ei ddyddiadur ar 9 Rhagfyr 1953 fod gan Waldo Williams adolygiad rhagorol ar *Hen Dŷ Ffarm* yn y *Telegraph*. Ni chredaf bod yr amryfusedd un diwrnod yn y dyddiad yn annilysu dod i'r casgliad hwn.

491 Aneirin Talfan Davies, 'Brogarwr, gwladgarwr', *Barn* 89, 'Y Gwrandawr', t. 5.

492 Bobi Jones, 'Rhyddiaith wedi'r rhyfel: D.J. Williams', *Barn*, Ionawr 1968, tt. 65–7.

493 J. Gwyn Griffiths, 'Storïau'r Tir Coch a Storïau'r Tir Du' yn J. Gwyn Griffiths (gol.), *D.J. Williams Abergwaun: Cyfrol Deyrnged,* tt. 74–93.

494 Gwynfor Evans a Saunders Lewis, 'Two tributes to D.J. Williams', *AWR,* XIX/43, tt. 25–31.

495 D.J. Williams, 'Ymgom â Saunders Lewis' yn Saunders Lewis (gol.), *Crefft y Stori Fer,* tt. 22–35.

[496] Dafydd Jenkins, *D.J. Williams* (University of Wales Press, 1973), t. 30.

[497] J. Gwyn Griffiths, 'Storïau'r Tir Coch a Storïau'r Tir Du' yn J. Gwyn Griffiths (gol.), *D.J. Williams Abergwaun: Cyfrol Deyrnged*, tt. 74–93.

[498] Waldo Williams: 'Braslun' yn J. Gwyn Griffiths (gol.), *D.J. Williams Abergwaun: Cyfrol Deyrnged*, t. 25.

[499] LlGC, Dyddiadur D.J. Williams 1941–1951, 6 Ebrill 1941. Dywed D.J. yn y cofnod hwn mai dwy stori yn unig, yn ei gyfrol *Y Tir Glas*, sydd heb wallau technegol – 'Y Cwpwrdd Tridarn' a 'Pwll yr Onnen'. Nid yw 'Pwll yr Onnen' yn ymdrin â'r Gymru fodern ddifraw y mynnai D.J. ei darlunio er mwyn ei hiacháu o'i musgrellni. 'Y Cwpwrdd Tridarn' a 'Goneril a Regan' (teitl sy'n dwyn i gof dwy ferch anghynnes ac anystyriol o'i tad yn y ddrama *King Lear* gan Shakespeare) sy'n mentro i'r tir hwnnw yn y casgliad hwn. Diddorol yw nodi i Gwyn Jones, y golygydd, wrthod cynnwys cyfieithiad o 'Y Cwpwrdd Tridarn' yn y *Welsh Review* oherwydd bod nodyn rhy wlatgar ynddi. Gweler Dyddiadur D.J. Williams 1941–1951, 22 Awst 1945. Gweler Rhan 2, tt. 215

[500] Llythyr oddi wrth D. J.Williams, 22 Mai 1949. Gweler Emyr Hywel (gol.), *Annwyl D.J.*, llythyr 97, tt. 166–9.

[501] Ibid., 6 Ebrill 1959, llythyr 147, tt. 239–41.

[502] Ibid., 30 Rhagfyr 1969, llythyr 129, tt. 210–12.

[503] Llythyr oddi wrth Saunders Lewis, 13 Rhagfyr 1953. Gweler Emyr Hywel (gol.), *Annwyl D.J.*, llythyr 114, tt. 191–2.

[504] Ibid., [14 neu 15 Ionawr 1954]. Gweler Emyr Hywel (gol.), *Annwyl D.J.*, llythyr 115, tt. 192–3.

[505] Gwynfor Evans a Saunders Lewis, 'Two tributes to D.J. Williams', *AWR* XIX/43, tt. 25–31.

[506] Saunders Lewis, 'Arddull' yn J. Gwyn Griffiths (gol.), *D.J. Williams Abergwaun: Cyfrol Deyrnged*, tt. 127–30.

[507] J. Gwyn Griffiths, 'Earth green and red', yn Keidrych Rhys (gol), *Wales* iv/5, tt. 20–3.

[508] Ibid.

[509] J. Gwyn Griffiths, 'Storïau'r Tir Coch a Storïau'r Tir Du' yn J. Gwyn Griffiths (gol.), *D.J. Williams Abergwaun: Cyfrol Deyrnged*, tt. 74–93.

[510] D.J. Williams, 'Ymgom â Saunders Lewis' yn Saunders Lewis (gol.), *Crefft y Stori Fer*, tt. 22–35.

[511] Dyddiadur D.J. Williams 1941–1951, 17 Ebrill 1948. Gweler Rhan 2, t. 220.

[512] D.J. Williams, 'Beirniadaeth: Ysgrif', *Cyfansoddiadau a Beirniadaethau Eisteddfod Genedlaethol Aberteifi* 1942, tt. 133–7.

513 LlGC, Dyddiadur D.J. Williams 1941–1951, 23 Tachwedd 1948.

514 LlGC, Dyddiaduron D.J. Williams 1951–1966, 12 Chwefror 1953.

515 Ibid., 11 Mai 1957.

516 'Dylanwadau: Ymgom rhwng D.J. Williams ac Aneirin Talfan Davies a deledwyd ar y BBC ar 30 Mai 1960'. Cyhoeddwyd yn J. Gwyn Griffiths (gol.), *D.J. Williams Abergwaun: Cyfrol Deyrnged*, tt. 147–59.

517 R. M. Jones, *Beirniadaeth Gyfansawdd* (Cyhoeddiadau Barddas, 2003), t. 201.

Nodiadau Rhan 2

518 Cyfeirio at William Ambrose Bebb (1894–1955) a wneir yn y cofnod hwn. Cyhoeddodd Bebb bedwar llyfr dyddiadurol, *Llydaw* (1929), *Crwydro'r Cyfandir* (1936), *Dyddlyfr Pythefnos* (1939) a *Pererindodau* (1941). Dichon taw cyfeirio at *Pererindodau* a wneir yn y fan hon. Gweler Meic Stephens (gol.), *Cydymaith i Lenyddiaeth Cymru*, t. 35. am fwy o fanylion ar William Ambrose Bebb.

519 Teitl cywir erthygl Saunders Lewis yw 'Y Cofiant Cymraeg'. Fe'i cyhoeddwyd yn y *Transactions of the Honourable Society of Cymmrodorion* (1933–34–35), tt. 157–75.

520 E.M. Forster, *A Passage to India* (1924). Yn y cyflwyniad i lyfrau'r awdur toreithiog hwn dywed brasluniwr cyhoeddiadau Penguin taw yn Llundain y ganwyd Edward Morgan Forster yn 1879. Ni dadogir iddo unrhyw wreiddiau Cymreig.

521 Jubilee Young (1887–1962), pregethwr hynod huawdl gyda'r Bedyddwyr. Gweler *Cydymaith i Lenyddiaeth Cymru*, t. 649.

522 John Penry (1563–93), awdur Piwritanaidd o blwyf Llangamarch, Sir Frycheiniog. Fe'i dedfrydwyd i farwolaeth ar sail Deddf Unffurfiaeth (Lloegr). Defnyddiwyd ei bapurau preifat a'i lyfrau cyhoeddedig fel prawf yn ei erbyn. Fe'i dienyddiwyd yn S. Thomas a Watering ar 29 Mai 1593. Yn ei lyfr cyntaf, *A Treatise containing the Aeqvity of an Hvmble Svpplication,* dengys ei bryder ynghylch prinder pregethwyr yng Nghymru.

523 Ffug enw yw Cato wedi'i ddwyn oddi ar Cato yr Ieuengaf, prif wrthwynebydd Julius Caesar. Ysgrifennwyd *Guilty Men* gan Michael Foot (arweinydd y Blaid Lafur yn ddiweddarach), Frank Owen (cyn-Aelod Seneddol Rhyddfrydol) a Peter Howard (cysylltiedig â'r Oxford Group). Cyhoeddwyd y llyfr ym mis Gorffennaf 1940, ychydig wythnosau ar ôl ymddiswyddiad Chamberlain fel Prif Weinidog Prydain. Oherwydd natur ddadleuol cynnwys y llyfr a grybwyllir gan D.J. yn y cofnod hwn gwrthododd y gwerthwyr llyfrau W.H. Smith a Wyman's, ynghyd â'r dosbarthwr llyfrau Simkin Marshall, ei dderbyn. Serch hynny gwerthwyd 200,000 copi o fewn ychydig wythnosau a chafwyd 12 argraffiad ym mis

Gorffennaf 1940. Heriwyd dadleuon a chasgliadau'r llyfr gan sawl hanesydd ond mae'r llyfr mewn cylchrediad o hyd. Fe'i hadargraffwyd yn 1998 gan Penguin. Gellir tadogi'r dyfyniad 'Whom the gods wish to destroy, they first make mad' i Euripides er bod defnydd helaeth ar amrywiadau ohono gan amryw o awduron.

1. James Ramsay MacDonald (1866–1937), fe'i hetholwyd yn aelod seneddol yn Ionawr 1906. Bu'n brif weinidog (Llafur) yn 1924 ac yn 1929–35. Dyfyniad enwog o'i eiddo – 'We hear war called murder. It is not: it is suicide.' 2. Stanley Baldwin (1867–1947), fe'i etholwyd yn aelod seneddol ym mis Mawrth 1908. Bu'n brif weinidog (Ceidwadwr) yn 1923, 1924–9 ac yn 1935–7. Ceisiodd rwystro ymarfogi yn ystod y blynyddoedd cyn yr Ail Ryfel Byd ond newidiodd ei feddwl dan bwysau ei wrthwynebwyr. Cafodd ei feirniadu'n llym am ei hwyrfrydedd yn y maes hwn. 3. Neville Chamberlain (1869–1940), fe'i hetholwyd yn aelod seneddol yn 1918. Bu'n brif weinidog (Ceidwadwr) yn 1937–40. Ceisiodd ei orau i gymodi â Hitler. Fe'i gorfodwyd i ymddiswyddo ar 10 Mai 1940 yn dilyn goresgyniad yr Iseldiroedd, Gwlad Belg a Ffrainc gan yr Almaen. 4. Anthony Eden (1897–1977), fe'i hetholwyd yn aelod seneddol yn 1923. Bu'n brif weinidog (Ceidwadwr) yn 1955–7. Bu'n Ysgrifennydd Tramor yn llywodraeth Chamberlain ond ymddiswyddodd oherwydd ei wrthwynebiad i bolisi Chamberlain o gymodi â'r Almaen. 5. Duff Cooper (1890–1954), fe'i hetholwyd yn aelod seneddol yn 1924 (Ceidwadwr). Gwrthwynebydd arall i bolisi cymodi Chamberlain. 6. Winston Churchill (1874–1965), prif weinidog yn 1940–45 a 1951–5. Rhyfelwr digyfaddawd ac awdur toreithiog. Enillydd Gwobr Nobel am Lenyddiaeth yn 1953.

524 Ffurfiwyd yr Oxford Group trwy ddylanwad Frank N. D. Buchman (1878–1961), efengylydd o'r Unol Daleithiau a bu'n ddylanwadol iawn mewn sawl gwlad. Gobeithiai Buchman y gellid osgoi rhyfel pe byddai unigolion yn profi deffroad ysbrydol a moesol. Serch hynny, ymddengys bod aelodau ac arweinwyr y mudiad wedi anghofio'u delfrydau dros gyfnod yr Ail Ryfel Byd. Pylodd dylanwad y grŵp ar ôl marwolaeth Buchman yn 1961 a marwolaeth ei olynydd, Peter Howard yn 1965. Mae llyfr Peter Howard yn ceisio olrhain bwriadau yr Oxford Group a hynny'n gelwyddog ym marn D.J. Gweler Peter Howard, *Innocent Men*, William Heinemann Ltd. (1941).

525 A. P. Herbert neu Sir Alan Patrick Herbert (1890–1971), nofelydd, dramäydd, bardd a gwleidydd. Aelod Seneddol yn cynrychioli Prifysgol Rhydychen (1935–50). Awdur dros hanner cant o lyfrau a chyfrannwr i'r cylchgrawn *Punch*. Ymhlith ei nofelau mae *The Secret Battle* (1919), *The Water Gypsies* (1930) a *Holy Deadlock* (1934). Yr oedd hefyd yn awdur operâu ysgafn llwyddiannus iawn.

526 Edward Ernest Hughes (1877–1953). Athro hanes cyntaf Coleg y Brifysgol, Abertawe.

527 Yr Athro-Emeritus Henry Lewis (1899–1968). Fe'i hapwyntiwyd yn ddarlithydd yng Ngholeg y Brifysgol, Abertawe yn dilyn diswyddo Saunders

Lewis am ei weithred yn tanio'r Ysgol Fomio yn Llŷn.

[528] François Rabelais (1483–1553). Awdur y campweithiau dychanol *Pantgruel* (1532) a *Gargantua* (1534). Roedd Rabelais yn ymhyfrydu mewn geiriau. Roedd ganddo ddealltwriaeth o ddoniolwch iaith ac roedd yn feistr ar gomedi sefyllfa, ar fonolog a deialog a digwydd. Gan ei fod yn storïwr athrylithgar gallai greu byd ffantasi â'i acrobatiaeth eiriol.

[529] Vera Brittain, *Testament of Friendship*. (London: Macmillan, 1941).

[530] Richard Ithamar Aaron (1901–87). Athro Athroniaeth yng Ngholeg Prifysgol Cymru, Aberystwyth o 1932 hyd ei ymddeoliad yn 1969.

[531] Dyma'r hanes a esgorodd ar y stori fer hir 'Ceinwen'. Mae'r cyfeiriad at 'troi ffoto yn ddarlun' yn cyfeirio at lun a beintiwyd o ardal Rhydcymerau gan gyfeilles i D.J. a Siân.

[532] Matriculation – dyma'r arholiad yr oedd yn rhaid llwyddo ynddo ar gyfer ennill hawl mynediad i brifysgol a chynhwysai nifer o bynciau gorfodol. Fe'i disodlwyd gan y GCE (General Certificate of Education) yn 1951.

[533] 1. Morris T. Williams, gŵr Kate Roberts. Prynodd y ddau Wasg Gee yn 1935. 2. Gwilym R. Jones (1903–93), bardd a golygydd *Y Faner* am dros 25 mlynedd. 3. David James Jones (Gwenallt 1899–1968), bardd ac ysgolhaig. Gweler *Cydymaith i Lenyddiaeth Cymru,* t. 307.

[534] Griffith John Williams (1892–1963), hanesydd llenyddiaeth ac ysgolhaig. Ymchwilydd i hanes rhyfeddol Iolo Morganwg. Gweler *Cydymaith i Lenyddiaeth Cymru,* t. 634.

[535] Robert Thomas Jenkins (1881–1969). Hanesydd a llenor. Awdur y nofel *Orinda* (1943) a ystyrir yn un o glasuron bychain y nofel Gymraeg. Gweler *Cydymaith i Lenyddiaeth Cymru,* t. 302.

[536] Thomas Iorwerth Ellis (1899–1970). Awdur chwe chyfrol yn y gyfres *Crwydro Cymru* (1953–59). Pwyllgorddyn brwd a fu'n gwasanaethu amryw sefydliadau yn cynnwys Prifysgol Cymru, y Llyfrgell Genedlaethol a'r Eglwys yng Nghymru. Ysgrifennydd Undeb Cymru Fydd o 1941 hyd 1967. Gweler *Cydymaith i Lenyddiaeth Cymru,* t. 189.

[537] Morris T. Williams oedd perchennog *Y Faner* ar y pryd a Gwilym R. Jones ei golygydd.

[538] Gwilym Davies, 'Cymru Gyfan a'r Blaid Genedlaethol Gymreig', *Y Traethodydd*, y drydedd gyfres, Cyfrol XI (Gorffennaf 1942), tt. 97–111. Gweler yr atebion i'r erthygl hon gan – 1. Saunders Lewis, 'Ateb i Mr Gwilym Davies', *BAC*, 15 Gorffennaf 1942, t. 1, a *BAC,* 22 Gorffennaf 1942, t. 1.

2. W. Ambrose Bebb, 'Cymru Gyfan a'r Blaid Genedlaethol Gymreig. Ateb i'r Parch Gwilym Davies', *Y Traethodydd*, y drydedd gyfres, Cyfrol XII (Ionawr 1943), tt. 1–14. 3. J. E. Daniel, 'Cadeirydd y "Blaid" yn Ateb ac yn Gwadu Casgliadau'r Parch Gwilym Davies', *Y Cymro*, 18 Gorffennaf 1942, t. 1.

539 William John Gruffydd (1881–1954), ysgolhaig a bardd. Bu'n olygydd *Y Llenor* o'i gychwyniad yn 1922. Aelod blaenllaw o Blaid Cymru ond bu'n achos cythrwfl yn 1943 oherwydd iddo sefyll fel ymgeisydd seneddol am sedd Prifysgol Cymru fel Rhyddfrydwr, yn erbyn Saunders Lewis, ymgeisydd Plaid Cymru. Am hanes manwl o'i helyntion a'i yrfa gweler T. Robin Chapman, *W. J. Gruffydd* (GPC, 1993).

540 Nikolay Aleksandrovick Berdyayev (1874–1948) yw awdur y gyfrol hon; meddyliwr crefyddol ac athronydd; Marcsydd a feirniadodd yn llym y defnydd a wnaeth Rwsia o syniadau Karl Marx. Credai nad cynnyrch ymchwil rhesymegol yw gwirionedd ond canlyniad 'golau sy'n deillio o fyd trosgynnol yr ysbryd'. Cyhoeddwyd ei *The Origin of Russian Communism* ar ôl ei farw yn 1955.

541 Edward Prosser Rhys (1901–45), golygydd *Y Faner* rhwng 1928 a 1945. Yn 1924 enillodd goron yr Eisteddfod Genedlaethol. Gan fod ei bryddest 'Atgof' yn ymwneud â theimladau gwrywgydiol creodd gryn gynnwrf.

542 Ni weithredodd Prosser Rhys yn y mater hwn ac ni chyhoeddwyd casgliad o erthyglau D.J. tan i J. Gwyn Griffiths olygu casgliad o'i erthyglau a'u cynnwys mewn casgliad o'i weithiau a gyhoeddwyd dan y teitl *Y Gaseg Ddu a Gweithiau Eraill* yn Awst 1970 ar ôl ei farwolaeth y Ionawr cynt.

543 Ni cheisiodd D.J. lunio storïau yn seiliedig ar y brasluniau hyn.

544 Iorwerth Cyfeiliog Peate (1901–82). Bardd ac ysgolhaig a churadur cyntaf Amgueddfa Werin Sain Ffagan a sefydlwyd ar ôl yr Ail Ryfel Byd. Daliodd y swydd tan ei ymddeoliad yn 1971.

545 Adolygwyd llyfr E. H. Carr gan Iorwerth C. Peate yn *Y Cymro*. Cynigiodd D.J. sylwadau ar yr adolygiad hwnnw. Clowyd y ddadl yn ôl D.J. gan Ithel Davies. Cynhwysai'r ddadl y cyfraniadau canlynol: 1. Iorwerth C. Peate, 'Cymru Heddiw gan Y Gwerinwr' [Adolygiad – *Nationalism and After* by Edward Hallett Carr (Llundain: Macmillan, 1945)], *Y Cymro*, 27 Ebrill 1945, t. 4. 2. D.J. Williams, 'Safle Dominiwn i Gymru. Dadl rhwng Dau Lenor', *BAC*, 16 Mai 1945, t. 3. 3. Iorwerth C. Peate,

'Sofraniaeth Genedlaethol', *BAC*, 23 Mai 1945, t. 3. 4. Ithel Davies, 'Iorwerth Peate a D.J. Williams', *BAC*, 6 Mehefin 1945, t. 4. 5. D.J. Williams, 'Statws Dominiwn a Sofraniaeth (parhad o ddadl rhwng dau lenor)'. *BAC*, 13 Mehefin 1945, t. 5. 6. Iorwerth C. Peate, 'Statws Dominiwn. Gair Olaf y Dr.Peate', *BAC*, 20 Mehefin 1945, t. 5. 7. Ithel Davies, 'Cymru a'i Safle yn y Byd, Trafod Safle Dominiwn', *BAC*, 27 Mehefin 1945, t. 7.

546 Dyma gychwyn ar olrhain llunio 'Meca'r Genedl'. Ymddangosodd y stori yn *Y Fflam* yn 1946 cyn ei chynnwys yn *Storïau'r Tir Du*. Mae'r croniclo hwn yn dangos pa mor galed yr ymlafniai D.J. er mwyn perffeithio ei greadigaethau.

547 D.J. Williams, 'The Court Cupboard' ['Y Cwpwrdd Tridarn'], cyfieithwyd gan Dafydd Jenkins, gweler Keidrych Rhys (gol.), *Wales*, Cyfrol V, tt. 74–

81. Gweler hefyd George Ewart Evans (gol.), *Welsh Short Stories* (Llundain: Faber, 1959), tt. 232–41.

548 Yn y cofnod hwn y mae D.J. yn cadarnhau sylwadau Saunders Lewis ar bendefigaeth gwerin Cymru. Mae achau'r ceffylau cyn bwysiced ag achau'r bobl yn y gymuned wledig hon. Gweler Saunders Lewis, 'D.J. Williams', *Llafar* V:ii (1955). Cynhwyswyd hefyd yn Gwynn ap Gwilym (gol.), *Meistri a'u Crefft: Saunders Lewis* (GPC, 1981), tt. 28–36.

549 D.J. Williams, 'Llyw ac Angor Cenedl', *BAC*, 19 Mehefin 1946, t. 5.

550 Gweler Saunders Lewis (gol.), *Crefft y Stori Fer* (1949).

551 Dyma arwydd o anfodlonrwydd Saunders Lewis â thactegau didramgwydd y Blaid dan arweinyddiaeth Gwynfor Evans. Ar 27 Mawrth 1947 agorodd Billy Butlin ei wersyll gwyliau ym Mhenychain, Pwllheli. Gwersyll ar gyfer y llynges oedd hwn yn wreiddiol. Bu cryn wrthwynebiad i'w droi'n wersyll gwyliau ar y sail y byddai'n arharddu'r fro ac yn niweidiol i sefyllfa'r iaith Gymraeg. Gweler Pyrs Gruffudd, 'Brwydr Butlin's: Tirlun, Iaith a Moesoldeb ym Mhen Llŷn, 1938–47' yn Geraint H. Jenkins (gol.), *Cof Cenedl* XVI (Gwasg Gomer, 2001), tt. 125–53. Gweler hefyd Emyr Hywel (gol.), *Annwyl D.J.*, llythyr 74, tt. 131–2.

552 Sir Richard Stafford Cripps (1889–1952). Ar ôl yr Ail Ryfel Byd fe'i hapwyntiwyd yn llywydd y Bwrdd Masnach a cheisiodd hybu allforio.

553 Keir Hardie oedd Aelod Seneddol etholaeth Aberdâr ar gychwyn y Rhyfel Byd Cyntaf yn 1914. Bu'n wrthwynebydd diwyro i'r Rhyfel ac fe'i herlidiwyd yn ddidrugaredd oherwydd ei safiad heddychol. Erbyn diwedd 1914 yr oedd wedi digalonni'n llwyr. Ym Medi 1915 bu farw a chipiwyd ei sedd yn yr is-etholiad dilynol gan Charles Stanton a gefnogai'r Rhyfel i'r carn. Mudiad heddychol oedd Mudiad Keir Hardie ond mudiad yn barod i arddel gweithredu anghyfansoddiadol. Nodir y cofnod hwn yn nyddiadur D.J. gan Rhys Evans, gweler Rhys Evans, *Gwynfor: Rhag Pob Brad* (Y Lolfa, 2005), t. 119. Mae dyddiad y cofnod (16.10.47), yn anghywir gan Rhys Evans.

554 Teitl erthygl D.J. yw 'Y Ddau Ddewis'. Mae'n rhaid bod Pennar Davies, golygydd y gyfrol *Saunders Lewis: Ei Feddwl a'i Waith* wedi'i blesio gan yr erthygl gan mai hi yw'r erthygl flaen yn y gyfrol. Teitl cywir cyfrol Thomas Jones yw *The Native Never Returns*.

Thomas Jones (1870–1955). Golygydd cyntaf *The Welsh Outlook*. Bu'n Is-Gadeirydd Cyngor Celfyddydau Prydain Fawr o 1939 hyd 1942. Gweler *Cydymaith i Lenyddiaeth Cymru*, tt. 332–3.

555 Frederick Konekamp 1897–1977. Ganwyd yn Offenburg, Baden, Yr Almaen. Ar ôl alltudiaeth hir yng Nghymru dychwelodd i'r Almaen a bu farw yno yn 1977.

556 Gweler beirniadaeth y nofel yn *Cyfansoddiadau a Beirniadaethau Eisteddfod Genedlaethol Dolgellau* (1949), tt. 148–54.

[557] Saunders Lewis, (a)'Thomas a Kempis yn Gymraeg' (b) 'Arddull Charles Edwards', Efrydiau Catholig IV (1949), tt. 28 a 45.

[558] Desmond Ryan, *The Rising, The Complete Story of Easter Week,* Golden Eagle Books (1949). Desmond Ryan (1893–1964). Ganwyd yn Llundain, addysgwyd yn ysgol Pádraic Pearse, St. Edna's. Bu'n ysgrifennydd i Pádraic Pearse ac ymladdodd yng Ngwrthryfel y Pasg 1916 wrth ysgwydd Padraig Pearse a James Connolly. Fe'i carcharwyd yng ngwersylloedd Stafford a'r Frongoch a Wormwood Scrubbs yn dilyn y gwrthryfel. Ymhlith ei lyfrau y mae *The Story of a Success* (1918*), The Man called Pearse* (1919), astudiaeth o de Valera, *Unique Dictator* (1936) a chyfrol hunangofiannol, *Remembering Sion* (1934).

[559] Gwyn M. Daniel, Ysgrifennydd Cyffredinol cyntaf UCAC (Undeb Cenedlaethol Athrawon Cymru). Sefydlwyd UCAC yng Nghaerdydd yn 1940 gan grŵp o athrawon a welai'r angen am Undeb i wasanaethu athrawon Cymru.

[560] Victor Hampson–Jones (1909–77), darlithydd a swyddog undeb ym Maesteg, Morgannwg. Aelod gweithgar o UCAC a golygydd y cylchgrawn Undeb – Unity o 1948.

[561] Ystyr y gair Gwyddeleg 'Oireachtas' yw cynulliad neu gyfarfod a'r Oireachtas Éireann yw enw Senedd Gweriniaeth Iwerddon. Defnyddir y gair hefyd yng nghyswllt cyfarfod blynyddol diwylliannol o siaradwyr yr Wyddeleg. Sefydlwyd yr Ŵyl ddiwylliannol hon yn 1897 gan y Connradh na Gaeilge. Fe'i disgrifir fel gwledd o ganu a cherddoriaeth, o ddawns ac o adrodd storïau ynghyd ag arddangosfeydd coginio, ffasiwn a chystadlaethau chwaraeon. Fe'i cynhelir mewn lleoliad gwahanol bob blwyddyn. Yn 1994 fe'i cynhaliwyd yn Ring ger Dungarvan ac ymwelodd dros 20,000 o bobl â'r digwyddiad dros ddeng niwrnod yr Ŵyl.

[562] Douglas Hyde neu Dubhighlas De Hide yn yr Wyddeleg (1860–1949). Ysgolhaig a Llywydd cyntaf Gweriniaeth Iwerddon rhwng 1937 a 1944. Ef oedd sylfaenydd y Gynghrair Geltaidd yn 1893, mudiad a fu'n flaengar yn yr ymgyrch i ddiogelu'r Wyddeleg. Ymhlith ei weithiau y mae *The Love Songs of Connacht* (1893), *A Literary History of Ireland* (1899*), The Bursting of the Bubble and Other Irish Plays* (1905) a *Legends of Saints and Sinners* (1915).

[563] W. Llewelyn Williams, *Slawer Dydd* (1918). Ail Argraffwyd a chyhoeddwyd gan James Davies a'i Gwmni, Cyf. Gwasg Deheudir Cymru (1929). Gweler *Cydymaith i Lenyddiaeth Cymru*, t. 640 am fwy o wybodaeth ar W. Llewelyn Williams.

[564] Gweler gwybodaeth am Dr Moger – Pennod 4, trn. 291.

[565] Deuddeg swllt a saith ceiniog.

[566] Percy Bysshe Shelley (1792–1822). Ystyrir Shelley ymhlith y goreuon o feirdd telynegol Lloegr. Ysgrifennodd 'Ode to the West Wind' yn 1819 a chyhoeddwyd y gerdd yn 1820.

[567] Carchar Mountjoy, Dulyn. Carcharwyd Kevin Gerard Barry yn y carchar hwn yn 1920 wedi iddo, ynghyd ag aelodau eraill o'r IRA, ymosod ar gerbyd byddin Lloegr yn Nulyn. Ar 1 Tachwedd 1920 ac yntau ond yn 18 oed fe'i crogwyd gan y Saeson.

[568] Eamon de Valera (1882–1975). Prif Weinidog Iwerddon 1932–48, 1951–54, 1957–59. Bu hefyd yn llywydd Iwerddon rhwng 1959 a 1973. Fe'i hetholwyd yn Llywydd Sinn Fein yn 1918 a sefydlodd Fianna Fail yn 1924. Yn 1937 torrodd gysylltiad Iwerddon â'r Gymanwlad Brydeinig a sefydlodd Iwerddon yn wlad sofran annibynnol.

[569] Torna – cyfaill y bardd T. Gwynn Jones, Tadhg O'Donnchadha, bardd ac ysgolhaig ac Athro Celteg yng Ngholeg Prifysgol Cork.

[570] Ar ôl ymosod ar Swyddfeydd yr Heddlu yn 1919 y sefydlwyd y 'Black and Tans'. Yn dilyn y cythrwfl yn 1919 ymddiswyddodd llawer o'r heddlu yn Iwerddon. Cyflogwyd cyn-filwyr diwaith Lloegr, y 'Black and Tans' i lenwi'r bylchau a bu sawl ysgarmes ffyrnig rhyngddynt hwy a'r IRA. Sefydlwyd y 'Black and Tans' yng Ngorffennaf 1920. Yn dilyn y cadoediad rhwng Lloegr ac Iwerddon fe'u diddymwyd yng Ngorffennaf 1921. Fe'u hadwaenid wrth yr enw 'Black and Tans' oherwydd eu gwisg; cotiau brown (khaki) a throwsus a chapiau gwyrdd tywyll. Nid brwydr rhwng y Black and Tans a Sinn Fein oedd brwydr 1919 felly.

[571] Yn 1929 gwrthodwyd y swydd blaenor i D.J. am iddo wrthod arwyddo llw dirwest.

[572] Gweinidogion Pentowr – Philip Jones 1886–1901, W. P. Jones 1903–06, Herbert Davies 1908–15, J.T. Job 1917–38, Odwyn Jones 1940– 48. Gweinidogion eraill a enwir gan D.J. – John Wyn Williams 1949–54, Glyn Meirion Williams 1955–60 a Stanley Lewis 1961–69.

[573] Mae D.J. yn sôn am John Jenkins y 'Cart and Horses' a'i wraig Neli, rhieni y Parch. John Ifor Jenkins, yn *HDFf* tt. 37–47. Porthmon a thafarnwr oedd John Jenkins.

[574] Ni pheidiodd Waldo Williams â phrotestio yn erbyn rhyfel ar ôl cyhoeddi *Dail Pren*. Oherwydd iddo wrthod talu ei dreth incwm fe'i carcharwyd yn 1960 a 1961. Gweler Damian Walford Davies (gol.), *Waldo Williams: Rhyddiaith*, (GPC, 2001), t. 389 am fwy o wybodaeth.

[575] William Evans –Wil Ifan (1882–1968), brawd i wraig D.J. Enillydd Coron yr Eisteddfod Genedlaethol deirgwaith yn 1913, 1917 a 1925. Bu'n Archdderwydd o 1947 hyd 1950. Cyhoeddodd ddau gasgliad o ysgrifau a sawl cyfrol o farddoniaeth. Gweler *Cydymaith i Lenyddiaeth Cymru*, t. 205.

[576] Gweler Pennod 4, trn. 296 am wybodaeth ar Gwilym Lloyd George. Harold Macmillan (1894–1986), prif weinidog (Ceidwadwr) yn 1957–63.

[577] Megan Lloyd George (1902–66), merch David Lloyd George a ystyrid yn olynydd teilwng iddo yn y byd gwleidyddol. Aelod Seneddol Ynys Môn (Rhyddfrydol a Rhyddfrydol Annibynnol) rhwng 1929–51. Yn

1957 cipiodd sedd Caerfyrddin yn enw'r Blaid Lafur a chynrychiolodd yr etholaeth honno tan ei marwolaeth yn 1966.

[578] J. E. Jones (1905–70). Hanesydd, gwleidydd a llenor; Ysgrifennydd Plaid Cymru (1930–62).

[579] Cyhoeddwyd y llythyr hwn yn *Y Faner* ar 6 Chwefror 1958 yn dwyn y teitl 'Casglu *Dail Pren* Ynghyd', t. 8. Ar 20 Chwefror 1958 ymddangosodd llythyr gan Waldo Williams yn *BAC*, t. 4, yn dwyn yr un teitl. Gweler Damian Walford Davies (gol.), *Waldo Williams: Rhyddiaith*, (GPC, 2001), tt. 89–90 – llythyr Waldo Williams a llythyr J. Gwyn Griffiths tt. 348–9.

[580] Simon Bartholomew Jones (1894–1966). Un o deulu'r Cilie. Enillydd Coron yr Eisteddfod Genedlaethol yn 1933 a'r Gadair yn 1936. Gweler *Cydymaith i Lenyddiaeth Cymru*, t. 331.

[581] Sentars – *Dissenters* yn Saesneg. Enw'n cyfeirio at enwadau Protestannaidd megis y Presbyteriaid, Bedyddwyr, Crynwyr a'r Annibynwyr a wrthodai'r cymun Anglicanaidd.

[582] Ni fedrais ddarganfod erthygl gyhoeddedig gan Waldo Williams yn trafod Saunders Lewis a'i ddramâu.

[583] Kate Roberts, *Y Byw Sy'n Cysgu* (Gwasg Gee, 1956).

[584] D.J. Williams, *A.E. a Chymru* (Gwasg Aberystwyth, 1929).

[585] Cyhoeddwyd y bennod hon neu ran ohoni yn 1961. Gweler 'Ni thawodd y bytheiaid', *Taliesin,* Cyfrol 1 (1961), tt. 22–9.

[586] Henry Brooke, Gweinidog Materion Cymreig yn Llywodraeth Geidwadol Harold MacMillan rhwng 1957 a 1963.

[587] Gweler Pennod 4, trn. 353. Gweler hefyd Gwyn Jenkins, *Prif Weinidog Answyddogol Cymru: Cofiant Huw T. Edwards* (Y Lolfa, 2007).

[588] William Thomas (Islwyn, 1832–78), gweinidog gyda'r Methodistiaid a bardd. Ysgogwyd ef i ysgrifennu dwy gerdd hir dan yr un teitl 'Y Storm' gan farwolaeth annhymig ei gariad, Anne Bowen, yn 1853.

[589] John Frost (1784–1877), arweinydd y Siartwyr yng Nghasnewydd a Chymru.

[590] Dr Tom Jones, sylfaenydd Coleg Harlech a chefnogwr W. J. Gruffydd yn etholiad y Brifysgol pan drechwyd Saunders Lewis yn 1943, (gweler T. Robin Chapman, W. J. Gruffydd, (GPC, 1993), pennod 14, 'Y Seneddwr', 1943–50, tt. 176–92. Gweler hefyd Rhys Evans, *Gwynfor: Rhag Pob Brad* (Y Lolfa, 2005), tt. 86–8.

[591] D.J. Williams, *The Old Farmhouse*, translated by Waldo Williams, (London: Harrap, 1961).

[592] Saunders Lewis, *Tynged yr Iaith*, BBC (1962).

[593] Gweler y copi o lythyr D.J. at Saunders Lewis ar y mater hwn yn Emyr

Hywel (gol.), *Annwyl D.J.*, yn gynwysiedig gyda llythyr 166, tt. 266–71. Gweler hefyd Rhys Evans, *Gwynfor, Rhag Pob Brad* (Y Lolfa, 2005), tt. 231–4.

594 Er taw hybu Rhyddfrydiaeth oedd diben sefydlu *Barn* gan Alun Talfan Davies, yn 1962 datblygodd y cychgrawn i fod yn brif lais y Mudiad Cenedlaethol Cymraeg dan olygyddiaeth Alwyn D. Rees, trydydd golygydd y cychgrawn, yn olynu Emlyn Evans, ac Aneirin Talfan Davies, brawd Alun Talfan Davies. Y ddau frawd Aneirin ac Alun sefydlodd gwmni cyhoeddi Llyfrau'r Dryw. Gweler *Cydymaith i Lenyddiaeth Cymru* am fwy o wybodaeth am y cylchgrawn *Barn*, t. 34.

595 Hugh Todd Naylor Gaitskell (1906–63). Arweinydd Plaid Lafur Prydain, olynydd Clement Attlee, o 1955 hyd ei farwolaeth sydyn yn 1963. Etholwyd ef i Dŷ'r Cyffredin yn 1945. Fe'i hapwyntiwyd yn Ganghellor y Trysorlys yn 1950, olynydd Sir Stafford Cripps yn y swydd honno.

596 Arthur Griffith (1872–1922). Newyddiadurwr a Chenedlaetholwr Gwyddelig. Prif sefydlydd Mudiad Sinn Fein (Ni ein Hunain) ac Is Lywydd Gweriniaeth Iwerddon o Ionawr 1919 a'i Llywydd o Ionawr 1922 tan ei farwolaeth ar 12 Awst 1922. Nid Arthur Griffith oedd arweinydd Llywodraeth Dros Dro Iwerddon Rydd a sefydlwyd ar ddechrau 1922. Etholwyd Michael Collins yn gadeirydd y corff hwnnw. Bardd oedd Padraic Colum (1881–1972) a ymfudodd i America yn 1914. Cyhoeddodd ei gofiant *Arthur Griffith* yn 1959. Teitl y llyfr yn America oedd *Ourselves Alone*.

597 Ar ôl ymosod ar Swyddfeydd yr Heddlu yn 1919 y sefydlwyd y 'Black and Tans'. Yn dilyn y cythrwfl yn 1919 ymddiswyddodd llawer o'r heddlu yn Iwerddon. Cyflogwyd cyn-filwyr diwaith Lloegr, y 'Black and Tans' i lenwi'r bylchau a bu sawl ysgarmes ffyrnig rhynddynt hwy a'r IRA. Sefydlwyd y 'Black and Tans' yng Ngorffennaf 1920. Yn dilyn y cadoediad rhwng Lloegr ac Iwerddon fe'u diddymwyd yng Ngorffennaf 1921. Fe'u hadnabyddwyd wrth yr enw 'Black and Tans' oherwydd eu gwisg; cotiau brown (khaki) a throwsus a chapiau gwyrdd tywyll. Nid brwydr rhwng y Black and Tans a Sinn Fein oedd brwydr 1919 felly.

598 Yn y cyfnod hwn yr oedd Saunders Lewis yn dadlau bod 'yr iaith yn bwysicach na hunan-lywodraeth.' Y Gymraeg hefyd yw'r 'unig arf a eill ddisodli llywodraeth y Sais yng Nghymru'. Ni fynnai Plaid Cymru a Gwynfor Evans wthio mater yr iaith yn ormodol rhag peryglu'r gobaith o ennill pleidleisiau. Ni fynnai Saunders Lewis gyfaddawdu yn y modd hwn. Gweler J. Gwyn Griffiths 'Saunders Lewis fel Gwleidydd', yn D. Tecwyn Lloyd a Gwilym Rees Hughes (goln.), *Saunders Lewis* (Christopher Davies, 1975), tt. 72–95, am drafodaeth ar y mater hwn. Credaf i fod J. Gwyn Griffiths yn camfarnu a chamddeall safbwynt Saunders Lewis yn ei drafodaeth ar ei ddatganiadau yn 1962 ac 1963.

599 Awdl a gyfansoddwyd yn 1909. Fe'i cynhwyswyd yn T. Gwynn Jones, *Caniadau* (Hughes a'i Fab, 1934).

[600] Teitl cywir yr erthygl a argraffwyd yn y *Welsh Nation* (Ionawr 1964), t. 4, dan enw Saunders Lewis yw 'Futility of mere cultural nationalism: Wales needs a call to heroism'.

[601] Frank O'Connor (1903–66). Dramäydd, nofelydd ac ysgrifennwr storïau byrion. Bu'n llyfrgellydd yng Nghorc a Dulyn. Ymhlith ei gyfrolau y mae *Guests of the Nation* (1931), *Crab Apple Jelly* (1944) a *Collected Stories* (1981).

[602] Saunders Lewis, *Merch Gwern Hywel*, (Llyfrau'r Dryw, 1964).

[603] John Robert Jones (1911–70). Athronydd. Penodwyd ef i Gadair Athroniaeth Coleg y Brifysgol Abertawe yn 1952. Cyhoeddodd *Yr Argyfwng Gwacter Ystyr* (1964), *Prydeindod* (1966), *A Raid i'r Iaith ein Gwahanu* (1967), *Gwaedd yng Nghymru* (1970) ac *Ac Onide* (1970).

[604] Am wybodaeth bellach ynglŷn â'r anghydfod hwn gweler Rhys Evans, *Gwynfor: Rhag Pob Brad* (Y Lolfa, 2005), tt. 255–60.

[605] Cyhoeddwyd *Cyfrol Deyrnged* D.J. Williams gan Wasg Gomer ar ran yr Academi Gymreig.

[606] Pádraic Henry Pearse (1879–1916). Sefydlydd Coleg St. Edna, ger Dulyn, yn 1908 – coleg dwyieithog â'r dysgu wedi ei sylfaenu ar draddodiadau a diwylliant Iwerddon. Ef oedd arweinydd yr adran eithafol o'r Irish Republican Brotherhood. Credai y byddai angen gwaed merthyron ar Iwerddon cyn y gallai ennill ei rhyddid gwleidyddol. Bu'n gyfrifol, gydag eraill, am drefnu Gwrthryfel y Pasg 1916, a chyhoeddodd, yn rhinwedd ei swydd fel ei Llywydd cyntaf, ar Lun y Pasg, sefydlu Llywodraeth Dros Dro Gweriniaeth Iwerddon. Ar 29 Ebrill 1916, yn dilyn gorchfygu'r gwrthryfel, ildiodd i'r Prydeinwyr. Fe'i dedfrydwyd i farwolaeth gan Lys Milwrol Prydeinig a'i saethu ar 3 Mai 1916. Cyhoeddwyd *Collected Works* Pearse mewn tair rhan rhwng 1917 a 1922, ac eto mewn pum cyfrol yn 1924. Cyhoeddwyd ei *Political Writings and Speeches* yn 1952.

[607] Ymddangosodd yr erthyglau gwleidyddol canlynol yn *Barn* a'r *Western Mail* yn niwedd 1964 a dechrau 1965: 1. Saunders Lewis, 'Coleg Cymraeg', *Barn* (Rhagfyr 1964). 2. Saunders Lewis, 'Welsh Literature and Nationalism', *Western Mail*, 13 Mawrth1965.

[608] John A.T. Robinson, *Honest to God* (London: SCM Press, 1963). .

[609] O. Fielding Clarke, *For Christ's Sake*, (The Religious Education Press Ltd., 1963).

[610] Gweler D.J. Williams, 'Gyda'r Cadfridog Charles de Gaulle' yn J. Gwyn Griffiths (gol.), *Y Caseg Ddu a Gweithiau Eraill*, tt. 62–9.

[611] T. J. Davies, 'Y Bristol Trader', *Barn* 33, t. 248.

[612] Gweler *HDFf*, tt. 124–25.

[613] Jack Sheppard – ymgeisydd Plaid Cymru yn yr etholiad hwn. Er iddo gofnodi pleidlais yr ymgeiswyr eraill nid yw D.J. yn cofio cofnodi pleidlais Jack Sheppard. Mae'r cofnod hwn braidd yn ddryslyd ganddo.

[614] Puryn – mymryn, tamaid, ar lafar yn ne–ddwyrain Morgannwg, canolbarth a godre Ceredigion a sir Benfro. Gweler *Geiriadur Prifysgol Cymru,* Cyfrol III, t. 2935.

[615] Credaf taw gwastraffu amser yw ystyr 'penowna'. Ni restrir y gair hwn yng *Ngeiriadur Prifysgol Cymru.* Sylwer bod D.J. wedi beirniadu gweinidogion ei gapel cyn dyfodiad Stanley Lewis am eu diffyg bugeilio ac am esgeuluso galw yn nhai'r aelodau. Mae'n ymddangos taw dyn anodd ei blesio oedd D.J. Williams.

[616] Gweler cofnod 16 Medi 1947, t. 217, am gyfeiriad pellach at W. J. Jenkins.

[617] Nid yw D.J. yn sôn o gwbl yn y darn hwn am y profiad a gafodd yn 1909 pan syrthiodd i grafangau anobaith ac ystyried hunanladdiad oherwydd siom mewn cariad. Croniclwyd y profiad hwnnw yn *YChHO,* tt. 232–5. Trafodwyd profiad siomedigaeth mewn cariad merch ymhellach yn y stori fer 'Cysgod Tröedigaeth'.

[618] Robert Tudur Jones (1921–98) yw'r Tudur hwn mwy na thebyg. Hanesydd eglwysig a Phrifathro Coleg Bala–Bangor am gyfnod. Awdur toreithiog ar bynciau crefyddol a gwleidyddol. Gweler *Cydymaith i Lenyddiaeth Cymru*, t. 329.

Atodiad 1

(a) Ychwanegiadau at y Llyfryddiaethau a gyhoeddwyd gan Dafydd Jenkins yn J. Gwyn Griffiths: (gol.), *D.J. Williams, Abergwaun, Cyfrol Deyrnged* (Llandysul: Gwasg Gomer, 1965), tt.161–8 a Gareth O. Watts yn D.J. Williams: *Y Gaseg Ddu a Gweithiau Eraill,* J. Gwyn Griffiths: (gol.), (Llandysul: Gwasg Gomer, 1970), tt.161–5.

1933

'Welshmens' Stand: Candidates' Nationality not in Question', *Western Mail*, 4 Mawrth 1933, t.11.

1937

'Beirniadaeth: Tair Stori Fer', *Beirniadaethau Eisteddfod Machynlleth 1937,* tt. 293– 300.

1938

'Beirniadaeth: Nofel yn darlunio'r cyfnewidiadau diweddar ym mywyd Cymru', *Barddoniaeth a Beirniadaethau Eisteddfod Genedlaethol Caerdydd* (1938), tt. 130–4.

1939

'Beirniadaeth: Stori Fer', *Barddoniaeth a Beirniadaethau Eisteddfod Genedlaethol Dinbych* (1939), tt. 171–6.

1950

'How Wales is governed', *Cardigan & Tivy-side Advertiser*, 5 Ionawr 1950, t. 7.

'Gair o goffa am John Morgan, Abergwaun', *County Echo*, 2 Chwefror 1950, t. 7.

'Y Ddau Ddewis' yn Pennar Davies (gol.), *Saunders Lewis ei feddwl a'i waith* (Dinbych, Gwasg Gee, 1950), tt. 7–17.

1951

'Blac', *Y Genhinen*, Cyfrol I, rhif II (Gwanwyn 1951), tt. 97–9.

1952

'Ysgol Haf Plaid Cymru yn Aberteifi', *County Echo*, 17 Gorffennaf 1952, t. 7.

'Yr iaith Gymraeg yn Abergwaun', *County Echo*, 6 Tachwedd 1952, t. 4.

1953

'Gwarnoge', *Ymofynnydd,* Cyfrol LIII, Rhif 1, Ionawr 1953, tt. 1–4.

1954

'Welsh Day in Parliament', *Western Mail,* 25 Chwefror 1954, t. 8.

'Imperialism and Nationalism', *Western Mail,* 5 Mehefin 1954, t. 6.

1957

'Cyngor yr Eglwysi Rhydd a'r Gymraeg yn Abergwaun. "Pechod dirmygus yw llwfrdra"', *BAC,* 2 Mai 1957, t. 6.

1958

'O Ben y Bigni: Gair at y Cymry Gwlatgar', *County Echo,* 3 Gorffennaf 1958, t. 7.

'Yr Artist a'i Oes', *Yr Arloeswr,* 3 (1958). Hefyd yn J. Gwyn Griffiths (gol.), *Y Gaseg Ddu a Gweithiau Eraill* (Gwasg Gomer, 1970), tt. 113–115.

1959

'Welsh Socialists and the "Wicked Tories"', *Western Telegraph,* 18 Mai 1959, t. 3.

'The Wrong Way Of Doing The Right Things: Action of Fishguard Chamber of Trade Condemned', *Western Telegraph,* 21 Mai 1959, t. 8.

'The "Telegraph" and Plaid Cymru', *Western Telegraph,* 16 Mehefin 1959, t. 12.

'Forty years on the brink of politics in Pembrokeshire', *County Echo,* 24 Medi 1959, t. 3.

'Mr Donnelly's Manifesto criticised', *County Echo,* 1 Hydref 1959, t. 3.

'O Ben y Bigni, "Eisteddfod y Preselau" yn Abergwaun', *County Echo,* 10 Rhagfyr 1959, t. 7.

1961

'New towns and old policies', *Western Mail,* 18 Ionawr 1961, t. 6.

'Ni thawodd y bytheiaid', *Taliesin,* Cyfrol 1 (1961), tt. 22–9.

'Plaid Cymru a Phlaid Loegr', BAC, 9 Tachwedd 1961, t. 3.

1962

'Adolygiad: *Tabyrddau'r Babongo*: Islwyn Ffowc Elis', *Lleufer,* Haf 1962, tt. 96–8.

1965

'Plaid Cymru broadcast', *County Echo*, 7 Hydref 1965, t. 5.

'The Marina Project: Alter Character', *County Echo*, 7 Hydref 1965, t. 6.

1969

'Gair o goffa am Gwenallt a'i gefndir', *Barn,* Ionawr 1969, Rhif 75, tt. 59–60.

1971

'Ich dien', yn Hefin ap Llwyd (gol.), *Llais y Lli,* Cyfrol IX Rhif 3, 12 Ionawr 1971, t. 8.

Nodyn ychwanegol

Gwelais 'A Challenge to a Nation's Life – Self Government or Perish', *County Echo*, 20 Tachwedd 1952, t.6. Nid yw enw D.J. Williams wrth y darn hwn ond dywed yn ei ddyddiadur (25 Tachwedd 1956): 'Llith ynglŷn â'r Ddeiseb i'r papurau …'. Nid yw'r amryfusedd dyddiad yn annilysu'r gred taw D.J. bron yn sicr yw'r awdur.

'Plaid Cymru Organiser is Welsh and ashamed of it', *Western Telegraph,* 15 Mawrth 1956, t. 6. Nid yw enw D.J. Williams wrth y darn hwn ond dywed yn ei ddyddiadur (12 Mawrth 1956): '… sgrifennu adroddiad i'r wasg o araith J.E.'

'Dr Nöelle Davies to speak at Fishguard', *County Echo,* 5 Medi 1963, t. 5. Nid yw enw D.J. Williams wrth y darn hwn ond dywed yn ei ddyddiadur, 3 Medi 1963: 'Gorffen gair, rhyw 400, yn hybu cwrdd Dr Nöelle …'.

ATODIAD 2

(b)Erthyglau ac adolygiadau ar weithiau D.J. Williams

Ychwanegiadau at y Llyfryddiaeth a gyhoeddwyd yn Thomas Parry a Merfyn Morgan (goln.), *Llyfryddiaeth Llenyddiaeth Gymraeg,* (Caerdydd GPC, 1976), tt. 283–5 a'r cyfeiriadau pellach a gynhwyswyd yn Gareth O. Watts (gol.), *Llyfryddiaeth Llenyddiaeth Gymraeg,* Cyfrol 2 (1976–1986), (GPC, 1993), tt.207–8.

Davies, Aneirin Talfan: 'Ardal yr Hen Dŷ Ffarm', yn Aneirin Talfan Davies, *Crwydro Sir Gâr,* (Llandybïe, Llyfrau'r Dryw 1955), tt. 141–62.

Davies, D. Jacob: 'Y Cwpwrth Llyfrau, [Adolygiad *HDFf*]', *Ymofynnydd*, Ionawr 1954, tt. 14–15.

Davies, Pennar: 'Astudiaeth Orchestol D.J. Williams', *Y Ddraig Goch*, Ionawr 1955, t. 4.

*Dienw: 'Adolygiad: *Hen Dŷ Ffarm*', *Western Telegraph*, 10 Rhagfyr 1953, t. 5.

Elis, Islwyn Ffowc: 'Llenydda er mwyn Cymru', *Y Ddraig Goch*, Ebrill 1962, t. 5.

Evans, W. R.: 'D.J. Williams a Mazzini', *County Echo*, 21 Hydref 1954, t. 7.

Gruffydd, W. J.: 'Y Tir Coch', *Y Llenor*, Cyfrol XXI, Rhif 4, Gaeaf 1942, tt. 155–6.

Huws, L.C.: 'Adolygiad: *Yn Chwech ar Hugain Oed*', *Y Dysgedydd*, Cyfrol 140, Rhif 2, Mawrth/Ebrill 1960, t. 75.

J, D.O.: '*Mazzini: Cenedlaetholwr: Gweledydd: Gwleidydd* by D.J. Williams', *Dock Leaves*, Volume 6, no.16, Spring 1955, tt. 52–3.

Jones, Bobi: 'Adeiladu Cenedl Rydd', *Barn*, Mai 1963, t. 212.

Jones, Francis: 'Adolygiad: Hen Dŷ Ffarm', *Cymmrodorion Transactions*, Session 1954 (1955), tt. 135–137.

Jones, R. Tudur: 'Adeiladu Cenedl', *Y Ddraig Goch*, Mai 1963, t. 4.

Jones, S. B.: 'Adolygiad *Hen Dŷ Ffarm*', *Y Genhinen*, Cyfrol IV, Rhif 1, Gaeaf 1953– 54, t. 62.

Jones, T. Ellis: 'Adolygiad: Mazzini', *Seren Cymru*, Hydref/Gaeaf 1954, t. 3.

Lewis, Saunders: 'Most Beloved in Wales', *Western Mail*, 8 Mai 1965, t. 9.

Lewis, Saunders: 'Dail Dyddiadur' [yn cynnwys adolygiad ar *Storïau'r Tir Du*, D.J. Williams], *Y Faner*, 20 Rhagfyr 1950, t. 8.

Phillips, Richard: 'Adolygiad: *Hen Dŷ Ffarm*', *Welsh Gazette*, 10 Rhagfyr 1953, t. 6.

Roberts, Kate: 'Cwrs y Byd', [Adolygiad *HDFf*], *BAC*, 20 Ionawr 1954, t. 8.

Valentine, Lewis: 'Adolygiad: *Hen Dŷ Ffarm*', *Seren Gomer*, Cyfrol XLVI, Rhif 1, Gwanwyn 1954, tt. 37–40.

Valentine, Lewis: 'Blas ar Lyfrau, nodyn ar *Yn Chwech ar Hugain Oed*', *Seren Gomer*, Cyfrol LII, Rhif 1, Gwanwyn 1960, tt. 34–5.

Valentine, Lewis: '*Mazzini, Cenedlaetholwr: Gweledydd: Gwleidydd*' yn 'Blas ar Lyfrau', *Seren Gomer*, Cyfrol XLVI, Rhif 4, Gaeaf 1954, t. 163.

Williams, G. J.: 'Adolygiad: *Hen Dŷ Ffarm*', *Western Mail*, 16 Rhagfyr 1953, t. 3.

Williams, John Roberts: 'Adolygiad: Gyda'r Hen Wynebau' *Hen Dŷ Ffarm*... *Y Cymro*, 25 Rhagfyr 1953, t. 13.

Nodyn ychwanegol

*Waldo Williams yw awdur yr adolygiad hwn yn ôl cofnod gan D.J. Williams yn ei Ddyddiadur, 9 Rhagfyr 1953, 'Adolygiad rhagorol gan Waldo yn y *Telegraph* o *HDFf*.' Nid yw'r amryfusedd dyddiad yn annilysu'r cofnod gan fod y papur yn ymddangos ddiwrnod yn gynnar fel arfer. Nid yw D.J. Williams yn cadw'n ddeddfol at gofnodi'n gywir yn ôl dyddiad chwaith.

Mynegai erthyglau a storïau

Mynegai

G

H

I

Hefyd o'r Lolfa:

Valentine

ARWEL VITTLE

cofiant i Lewis Valentine

y Lolfa

cofiant gan Rhys Evans
Gwynfor
RHAG POB BRAD

Detholiad o ddatganiadau pwysicaf Gwynfor Evans

geiriau Gwynfor

Peter Hughes Griffiths (gol.)

y Lolfa

Am restr gyflawn o lyfrau'r Lolfa, mynnwch
gopi o'n catalog newydd, rhad
neu hwyliwch i mewn i'n gwefan

www.ylolfa.com

lle gallwch archebu llyfrau ar lein.

TALYBONT CEREDIGION CYMRU SY24 5HE
ebost ylolfa@ylolfa.com
gwefan www.ylolfa.com
ffôn 01970 832 304
ffacs 832 782